GOLDMANNS GELBE TASCHENBÜCHER

Band 517/518

———

Erich Maria Remarque, Arc de Triomphe

Zu diesem Buch

Erich Maria Remarque, dem schon mit seinem Kriegsroman »Im Westen nichts Neues« (1929) ein großer Wurf gelungen war, hat mit »Arc de Triomphe« (1946) ein weiteres Dokument von zwingender Aktualität geschaffen. Er schrieb das Buch in den ersten Jahren seiner Emigration und legte darin das bleibende literarische Zeugnis unserer Zeit ab, in der immer wieder Menschen zum Opfer einer politischen Ideologie werden.

Wie alle großen Zeitromane Remarques beschäftigt sich auch dieser mit Menschen, die in den Sog von Ereignissen geraten, wie sie die grausame Willkür des Krieges mit sich bringt. Den Hintergrund der von fast kriminalistischer Spannung erfüllten Handlung bildet Paris, das in den Jahren 1938 und 1939 am Abgrund der großen Weltkatastrophe steht. Der Wille zum Überleben bestimmt die Zeit; am Schicksal einer Handvoll Emigranten, die sich im Schatten des Arc de Triomphe in allen möglichen Schlupfwinkeln verborgen halten, wird die ganze Leidenschaft, Grausamkeit, Not und Hoffnung jener Jahre demonstriert. Dr. Ravic, ein heimatloser Arzt, der seine Tätigkeit als Chirurg nur illegal ausüben kann, wird zur symbolischen Figur des Menschen, der alle Bande zerreißen mußte, der seine Heimat nur noch in seinem eigenen Gewissen findet. Der Kampf dieses Mannes gegen die Gestapo, der er auch in Paris begegnet, und seine Liebe zu Joan Madou sind in der mitreißenden Fülle des Geschehens die dramatischen Höhepunkte. Der Roman ist ein Mahnmal unserer Zeit; er stellt jeden von uns vor eine Entscheidung, doch gibt er gleichzeitig die Kraft und die Hoffnung, die unserem Jahrhundert so notwendig sind.

Erich Maria Remarque wurde am 22. Juni 1898 in Osnabrück geboren. Er entstammt einer französischen Familie, die sich nach der Französischen Revolution im Rheinland ansiedelte. Als Siebzehnjähriger nahm er am Ersten Weltkrieg teil und wurde schwer verwundet. Eine Zeitlang war er Lehrer an der holländischen Grenze und führte dann ein ruheloses Leben, bis er sich 1932 in der Schweiz niederließ. 1933 wurden in Deutschland seine Bücher verbrannt, 1938 wurde ihm die deutsche Staatsangehörigkeit entzogen. Er emigrierte 1939 endgültig nach New York und wurde 1947 amerikanischer Staatsbürger. Seit 1948 lebt er wieder im Tessin bei Porto Ronco.

ERICH MARIA REMARQUE

ARC DE TRIOMPHE

Roman

MÜNCHEN

WILHELM GOLDMANN VERLAG

Ungekürzte Ausgabe

1962   Made in Germany   III
Taschenbuchausgabe mit Genehmigung des Kurt Desch Verlages,
München, in dem die Originalausgabe erschienen ist. Umschlag-
entwurf Atelier Lorenz. Gesetzt aus der Linotype-Garamond-
Antiqua. Druck: Presse-Druck- und Verlags-GmbH. Augsburg.

1

Die Frau kam schräg auf Ravic zu. Sie ging schnell, aber sonderbar taumelig. Ravic bemerkte sie erst, als sie fast neben ihm war. Er sah ein blasses Gesicht mit hochliegenden Wangenknochen und weit auseinanderstehenden Augen. Das Gesicht war starr und maskenhaft; es wirkte, als sei es eingestürzt, und die Augen hatten im Laternenlicht einen Ausdruck so gläserner Leere, daß er aufmerksam wurde. —

Die Frau streifte ihn beinahe, so dicht ging sie an ihm vorüber. Er streckte seine Hand aus und griff nach ihrem Arm. Im nächsten Augenblick schwankte sie und wäre gefallen, wenn er sie nicht gehalten hätte.

Er hielt ihren Arm fest. „Wo wollen Sie hin?" fragte er nach einer Weile.

Die Frau starrte ihn an. „Lassen Sie mich los", flüsterte sie.

Ravic erwiderte nichts. Er hielt ihren Arm weiter fest.

„Lassen Sie mich los! Was soll das?" Die Frau bewegte kaum die Lippen.

Ravic hatte den Eindruck, daß sie ihn gar nicht sah. Sie blickte durch ihn hindurch, irgendwohin in die leere Nacht. Es war nur etwas, das sie aufhielt und gegen das sie sprach. „Lassen Sie mich los!"

Er hatte sofort gesehen, daß sie keine Hure war. Sie war auch nicht betrunken. Er hielt ihren Arm nicht mehr sehr fest. Sie hätte sich leicht losmachen können, wenn sie gewollt hätte; aber sie bemerkte es nicht. Ravic wartete eine Weile. „Wo wollen Sie wirklich hin, nachts, allein, um diese Zeit in Paris?" sagte er dann noch einmal ruhig und ließ ihren Arm los.

Die Frau schwieg. Aber sie ging nicht weiter. Es war, als ob sie, einmal angehalten, nicht mehr weitergehen könne.

Ravic lehnte sich an das Geländer der Brücke. Er fühlte den feuchten, porösen Stein unter seinen Händen. „Dahin vielleicht?" Er deutete mit seinem Kopf rückwärts, hinunter, wo sich die Seine in grauem, verfließendem Glanz ruhelos gegen die Brückenschatten des Pont de l'Alma schob.

Die Frau antwortete nicht.

„Zu früh", sagte Ravic. „Zu früh und viel zu kalt im November."

Er zog ein Päckchen Zigaretten hervor und kramte in seinen Taschen nach Streichhölzern. Er fand, daß nur noch zwei in dem schmalen Karton waren und beugte sich vorsichtig nieder, um die Flamme mit den Händen gegen den leichten Wind vom Fluß zu schützen.

„Geben Sie mir auch eine Zigarette", sagte die Frau mit tonloser Stimme.

Ravic richtete sich auf und zeigte ihr das Päckchen. „Algerische. Schwarzer Tabak der Fremdenlegion. Wahrscheinlich zu stark für Sie. Ich habe keine andern bei mir."

Die Frau schüttelte den Kopf und nahm eine Zigarette. Ravic hielt ihr das brennende Streichholz hin. Sie rauchte hastig, mit tiefen Zügen. Ravic warf das Streichholz über das Geländer. Es fiel wie eine kleine Sternschnuppe durch das Dunkel und erlosch erst, als es das Wasser erreichte.

Ein Taxi kam langsam über die Brücke gefahren. Der Chauffeur hielt an. Er blickte herüber und wartete einen Augenblick; dann gab er Gas und fuhr weiter die feuchte, schwarz glänzende Avenue George V. hinauf.

Ravic fühlte plötzlich, daß er müde war. Er hatte den Tag über schwer gearbeitet und nicht schlafen können. Deshalb war er wieder fortgegangen, um zu trinken. Jetzt aber, auf einmal, fiel die Müdigkeit in der nassen Kühle der späten Nacht über seinen Kopf wie ein Sack.

Er sah die Frau an. Weshalb hatte er sie eigentlich angehalten? Es war etwas mit ihr los, das war klar. Aber was ging es ihn an? Er hatte schon viele Frauen gesehen, mit denen etwas los war, besonders nachts, besonders in Paris, und es war ihm jetzt egal, und er wollte nur noch ein paar Stunden schlafen.

„Gehen Sie nach Hause", sagte er. „Was suchen Sie um diese Zeit noch auf der Straße? Sie können höchstens Unannehmlichkeiten haben."

Er schlug seinen Mantelkragen hoch und wandte sich zum Gehen. Die Frau sah ihn an, als verstände sie ihn nicht. „Nach Hause?" wiederholte sie.

Ravic zuckte die Achseln. „Nach Hause, in Ihre Wohnung, ins Hotel, nennen Sie es, wie Sie wollen. Irgendwohin. Sie wollen doch nicht von der Polizei aufgegriffen werden?"

„Ins Hotel! Mein Gott!" sagte die Frau.

Ravic blieb stehen. Wieder einmal jemand, der nicht wußte, wohin er sollte, dachte er. Er hätte es voraussehen können. Es war immer dasselbe. Nachts wußten sie nicht, wohin sie sollten, und am nächsten Morgen waren sie verschwunden, ehe man erwachte. Dann wußten sie wohin. Die alte, billige Verzweiflung der Dunkelheit, die mit ihr kam und ging. Er warf seine Zigarette fort. Als ob er das nicht selbst bis zum Überdruß kannte!

„Kommen Sie, wir gehen irgendwo noch einen Schnaps trinken", sagte er.

Es war das einfachste. Er konnte dann zahlen und aufbrechen, und sie konnte sehen, was sie machte.

Die Frau machte eine unsichere Bewegung und stolperte. Ravic ergriff ihren Arm. „Müde?" fragte er.

„Ich weiß nicht. Ich glaube ja."

„Zu müde, um schlafen zu können?"

Sie nickte.

„Das gibt es. Kommen Sie nur. Ich halte Sie schon."

Sie gingen die Avenue Marceau hinauf. Ravic fühlte, wie die Frau sich auf ihn stützte. Sie stützte sich, als wäre sie im Fallen und müßte sich halten.

Sie überquerten die Avenue Pierre I. de Serbie. Hinter der Kreuzung der Rue Chaillot öffnete sich die Straße und fern, schwebend und dunkel, erschien vor dem regnerischen Himmel die Masse des Arc de Triomphe.

Ravic deutete auf einen schmalen, erhellten Eingang, der in ein Kellerloch führte. „Hier – da wird es schon noch etwas geben."

Es war eine Chauffeurkneipe. Ein paar Taxichauffeure und ein paar Huren saßen darin. Die Chauffeure spielten Karten. Die Huren tranken Absinth. Sie musterten die Frau mit raschem Blick. Dann wandten sie sich gleichgültig ab. Die Ältere gähnte laut; die andere begann sich faul zu schminken. Im Hintergrund streute ein Pikkolo mit einem Gesicht wie eine verdrossene Ratte Sägespäne auf die Fliesen und fing an, den Flur auszufegen. Ravic setzte sich mit der Frau an einen Tisch neben dem Eingang. Es war bequemer; er konnte dann rascher weggehen. Er zog seinen Mantel nicht aus. „Was wollen Sie trinken?" fragte er.

„Ich weiß nicht. Irgend etwas."

„Zwei Calvados", sagte Ravic zu dem Kellner, der eine Weste trug und die Hemdsärmel aufgekrempelt hatte. „Und ein Paket Chester-field-Zigaretten."

„Haben wir nicht", erklärte der Kellner. „Nur französische."

„Gut. Dann ein Paket Laurens grün."

„Grün haben wir auch nicht. Nur blau."

Ravic betrachtete den Unterarm des Kellners, auf den eine nackte Frau tätowiert war, die über Wolken ging. Der Kellner folgte seinem Blick, ballte die Faust und ließ seine Armmuskeln springen. Die Frau wackelte unzüchtig mit dem Bauch.

„Also blau", sagte Ravic.

Der Kellner grinste. „Vielleicht haben wir noch eine grüne." Er schlurfte davon.

Ravic sah ihm nach. „Rote Pantoffeln", sagte er. „Und eine Bauch-tänzerin! Er scheint in der türkischen Marine gedient zu haben."

Die Frau legte ihre Hände auf den Tisch. Sie tat das, als wollte sie

sie nie wieder hochnehmen. Die Hände waren gepflegt, aber das besagte nichts. Sie waren auch nicht sehr gepflegt. Ravic sah, daß der Nagel des rechten Mittelfingers abgebrochen und anscheinend abgerissen und nicht weggefeilt worden war. An einigen Stellen war der Lack absprungen.

Der Kellner brachte die Gläser und eine Schachtel Zigaretten.

„Laurens grün. Fand noch eine."

„Das dachte ich mir. Waren Sie in der Marine?"

„Nein. Zirkus."

„Noch besser." Ravic reichte der Frau ein Glas hinüber. „Hier, trinken Sie das. Es ist das beste um diese Zeit. Oder wollen Sie Kaffee?"

„Nein."

„Trinken Sie es auf einmal."

Die Frau nickte und trank das Glas aus. Ravic betrachtete sie. Sie hatte ein ausgelöschtes Gesicht, fahl, fast ohne Ausdruck. Der Mund war voll, aber blaß, die Konturen schienen verwischt, und nur das Haar war sehr schön, von einem leuchtenden, natürlichen Blond. Sie trug eine Baskenmütze und unter dem Regenmantel ein blaues Schneiderkostüm. Das Kostüm war von einem guten Schneider gemacht, aber der grüne Stein des Ringes an ihrer Hand war viel zu groß, um nicht falsch zu sein.

„Wollen Sie noch einen?" fragte Ravic.

Sie nickte.

Er winkte dem Kellner. „Noch zwei Calvados. Aber größere Gläser."

„Größere Gläser? Auch mehr drin?"

„Ja."

„Also zwei doppelte Calvados."

„Erraten."

Ravic beschloß, sein Glas rasch auszutrinken und dann aufzubrechen. Er langweilte sich und war sehr müde. Im allgemeinen war er geduldig mit Zwischenfällen; er hatte vierzig Jahre eines wechselvollen Lebens hinter sich. Aber er kannte Situationen wie diese hier schon zu sehr. Er lebte seit einigen Jahren in Paris und konnte nachts wenig schlafen; da sah man vieles unterwegs.

Der Kellner brachte die Gläser. Ravic nahm den scharf und aromatisch riechenden Apfelschnaps und stellte ihn behutsam vor die Frau. „Trinken Sie das noch. Es hilft nicht viel, aber es wärmt. Und was Sie auch haben – nehmen Sie es nicht zu wichtig. Es gibt wenig, das lange wichtig bleibt."

Die Frau sah ihn an. Sie trank nicht.

„Es ist so", sagte Ravic. „Besonders nachts. Die Nacht übertreibt."

Die Frau sah ihn noch immer an. „Sie brauchen mich nicht zu trösten", sagte sie dann.

„Um so besser."

Ravic sah nach dem Kellner. Er hatte genug. Er kannte diesen Typ. Wahrscheinlich eine Russin, dachte er. Kaum saßen sie irgendwo, noch naß, da begannen sie schon, einem über den Mund zu fahren.

„Sind Sie Russin?" fragte er.

„Nein."

Ravic zahlte und stand auf, um sich zu verabschieden. Im gleichen Augenblick stand die Frau ebenfalls auf. Sie tat es schweigend und selbstverständlich. Ravic sah sie unschlüssig an. Gut, dachte er dann, ich kann es auch draußen tun.

Es hatte angefangen zu regnen. Ravic blieb vor der Tür stehen.

„In welche Richtung gehen Sie?" Er war entschlossen, in die entgegengesetzte Richtung einzubiegen.

„Ich weiß nicht. Irgendwohin."

„Wo wohnen Sie denn?"

Die Frau machte eine rasche Bewegung. „Dahin kann ich nicht! Nein! Das kann ich nicht! Nicht dahin!"

Ihre Augen waren plötzlich voll von einer wilden Angst. Gezankt, dachte Ravic. Irgendeinen Krach gehabt und auf die Straße gelaufen. Morgen mittag würde sie sich alles überlegt haben und zurückgehen.

„Kennen Sie nicht irgend jemand, zu dem Sie gehen können? Eine Bekannte? Sie können in der Kneipe telephonieren."

„Nein. Niemand."

„Aber Sie müssen doch irgendwohin. Haben Sie kein Geld für ein Zimmer?"

„Doch."

„Dann gehen Sie in ein Hotel. Es gibt hier überall welche in den Seitenstraßen."

Die Frau antwortete nicht.

„Irgendwohin müssen Sie doch", sagte Ravic ungeduldig. „Sie können doch nicht im Regen auf der Straße bleiben."

Die Frau zog ihren Regenmantel um sich. „Sie haben recht", sagte sie, als fasse sie endlich einen Entschluß. „Sie haben ganz recht. Danke. Kümmern Sie sich nicht mehr um mich. Ich komme schon irgendwohin. Danke." Sie nahm den Kragen des Mantels mit einer Hand zusammen. „Danke für alles." Sie sah Ravic von unten herauf mit einem Blick voll Elend an und versuchte ein Lächeln, das ihr mißlang. Dann ging sie fort durch den nebligen Regen, ohne zu zögern, mit lautlosen Schritten.

Ravic stand einen Augenblick still. „Verdammt!" knurrte er überrascht und unschlüssig. Er wußte nicht, wie es kam und was es war, das trostlose Lächeln oder der Blick oder die leere Straße oder die Nacht – er wußte nur, daß er die Frau, die dort im Nebel plötzlich aussah wie ein verirrtes Kind, nicht allein lassen würde.

Er folgte ihr. „Kommen Sie mit", sagte er unfreundlich. „Etwas wird sich schon finden für Sie."

Sie erreichten den Etoile. Der Platz lag im rieselnden Grau mächtig und unendlich vor ihnen. Der Nebel hatte sich verdichtet, und die Straßen, die rundum abzweigten, waren nicht mehr zu sehen. Nur noch der weite Platz war da mit den verstreuten, trüben Monden der Laternen und dem steinernen Bogen des Arc, der sich riesig im Nebel verlor, als stütze er den schwermütigen Himmel und schütze unter sich die einsame, bleiche Flamme auf dem Grab des unbekannten Soldaten, das aussah wie das letzte Grab der Menschheit inmitten von Nacht und Verlassenheit.

Sie gingen quer über den ganzen Platz. Ravic ging rasch. Er war zu müde, um zu denken. Er hörte neben sich die tappenden, weichen Schritte der Frau, die ihm schweigend folgte, den Kopf gesenkt, die Hände in die Taschen ihres Mantels vergraben, eine kleine, fremde Flamme Leben – und plötzlich, in der späten Einsamkeit des Platzes, obschon er nichts von ihr wußte, erschien sie ihm einen Augenblick gerade deshalb seltsam zugehörig zu ihm. Sie war ihm fremd, so wie er sich selbst überall fremd fühlte, und das schien ihm auf eine sonderbare Weise näher als durch viele Worte und die abschleifende Gewohnheit der Zeit.

Ravic wohnte in einem kleinen Hotel in einer Seitenstraße der Avenue Wagram, hinter der Place de Terne. Es war ein ziemlich baufälliger Kasten, an dem nur eines neu war: das Schild über dem Eingang mit der Inschrift: „Hôtel International".

Er klingelte. „Habt ihr noch ein Zimmer frei?" fragte er den Burschen, der ihm öffnete.

Der Junge glotzte ihn verschlafen an. „Der Concierge ist nicht da", stotterte er schließlich.

„Das sehe ich. Ich habe dich gefragt, ob noch ein Zimmer frei wäre."

Der Bursche hob verzweifelt seine Schultern. Er sah, daß Ravic eine Frau bei sich hatte, aber er verstand nicht, wozu er noch ein zweites Zimmer wollte. Dazu brachte man Frauen seiner Erfahrung nach nicht mit. „Madame schläft. Sie wirft mich raus, wenn ich sie wecke", sagte er und kratzte sich mit dem Fuß.

„Schön. Dann müssen wir selbst einmal nachsehen."

Ravic gab dem Jungen ein Trinkgeld, nahm seinen Schlüssel und ging der Frau voran die Treppe hinauf. Bevor er sein Zimmer aufschloß, musterte er die Tür nebenan. Es standen keine Schuhe davor.

Er klopfte zweimal. Niemand antwortete. Er versuchte vorsichtig den Drücker. Die Tür war verschlossen. „Gestern war die Bude leer", murmelte er. „Wir wollen es einmal von der anderen Seite versuchen. Die Wirtin hat sie wahrscheinlich abgeschlossen, weil sie Angst hatte, daß die Wanzen entkommen."

Er schloß sein Zimmer auf. „Setzen Sie sich einen Augenblick." Er zeigte auf ein rotes Roßhaarsofa. „Ich bin gleich zurück."

Er öffnete eine Fenstertür, die auf einen schmalen Eisenbalkon führte, kletterte über ein Verbindungsgitter auf den Balkon daneben und versuchte die Tür. Sie war ebenfalls abgeschlossen. Resigniert kehrte er zurück. „Es hilft nichts. Ich kann Ihnen hier kein Zimmer verschaffen."

Die Frau saß in der Ecke des Sofas. „Kann ich einen Augenblick hier sitzen bleiben?"

Ravic sah sie aufmerksam an. Ihr Gesicht war zerfallen vor Müdigkeit. Sie wirkte, als könne sie kaum noch aufstehen. „Sie können hier bleiben", sagte er.

„Nur einen Augenblick –"

„Sie können hier schlafen. Das ist das einfachste."

Die Frau schien ihn nicht zu hören. Sie bewegte langsam, fast automatisch den Kopf. „Sie hätten mich auf der Straße lassen sollen. Jetzt – ich glaube, ich kann jetzt nicht mehr."

„Das glaube ich auch. Sie können hier bleiben und schlafen. Das ist das beste. Morgen werden wir dann weitersehen."

Die Frau sah ihn an. „Ich will Sie nicht –"

„Mein Gott", sagte Ravic. „Sie stören mich wirklich nicht. Es ist nicht das erstemal, daß jemand hier über Nacht bleibt, weil er nicht weiß, wohin. Das ist hier ein Hotel, wo Refugiés wohnen. Da kommt so etwas fast jeden Tag vor. Sie können das Bett nehmen. Ich werde auf dem Sofa schlafen. Ich bin das gewöhnt."

„Nein, nein – ich kann hier sitzen bleiben. Wenn ich nur hier sitzen bleiben kann, das ist genug."

„Gut, wie Sie wollen."

Ravic zog seinen Mantel aus und hängte ihn auf. Dann nahm er eine Decke und ein Kissen von seinem Bett und schob einen Stuhl neben das Sofa. Er holte einen Frottémantel aus dem Badezimmer und hängte ihn über den Stuhl. „So", sagte er, „das kann ich Ihnen geben. Wenn Sie wollen, können Sie auch einen Pyjama haben. Drüben in der Schublade sind welche. Ich werde mich nun nicht mehr um Sie kümmern. Sie können das Badezimmer jetzt haben. Ich habe hier noch zu tun."

Die Frau schüttelte den Kopf.

Ravic blieb vor ihr stehen. „Den Mantel werden wir aber ausziehen", sagte er. „Er ist naß genug. Und die Mütze geben Sie auch einmal her."

Sie gab ihm beides. Er legte das Kissen in die Ecke des Sofas. „Das ist für den Kopf. Der Stuhl hier, damit Sie nicht fallen, wenn Sie schlafen." Er schob ihn gegen das Sofa. „Und nun noch die Schuhe. Klatschnaß natürlich. Gut für Erkältungen." Er streifte sie ihr von den Füßen, holte aus der Schublade ein paar kurze, wollene Strümpfe und zog sie ihr über. „So, jetzt geht es einigermaßen. In kritischen Zeiten soll man auf etwas Komfort sehen. Altes Soldatengesetz."

„Danke", sagte die Frau. „Danke."

Ravic ging ins Badezimmer und drehte die Hähne auf. Das Wasser schoß in das Waschbecken. Er löste seine Krawatte und betrachtete sich abwesend im Spiegel. Prüfende Augen, die tief in den Schatten der Höhlen saßen; ein schmales Gesicht, todmüde, wenn die Augen nicht gewesen wären; Lippen, die zu weich waren für die Furchen, die von der Nase zum Mund heruntergerissen waren; – und über dem rechten Auge, zackig ins Haar verlaufend, die lange Narbe.

Das Telephon klirrte in seine Gedanken. „Verdammt." Er hatte eine Sekunde alles vergessen gehabt. Es gab solche Augenblicke des Versinkens. Da war ja noch die Frau nebenan.

„Ich komme", rief er.

„Erschreckt?" Er hob den Hörer ab. „Was? Ja. Gut – ja – natürlich, ja – es wird gehen – ja. Wo? Gut, ich komme sofort. Heißen Kaffee, starken Kaffee – ja –"

Er legte den Hörer sehr behutsam zurück und blieb ein paar Sekunden nachdenklich auf der Sofalehne sitzen. „Ich muß fort", sagte er dann. „Eilig."

Die Frau stand sofort auf. Sie schwankte etwas und stützte sich auf den Stuhl.

„Nein, nein –" Ravic war einen Moment gerührt von dieser gehorsamen Bereitwilligkeit. „Sie können hier bleiben. Schlafen Sie. Ich muß weg für ein, zwei Stunden; ich weiß nicht, wie lange. Bleiben Sie nur hier." Er zog seinen Mantel an. Flüchtig kam ihm ein Gedanke. Er vergaß ihn sofort. Die Frau würde nicht stehlen. Sie war nicht der Typ. Den kannte er zu gut. Es war auch nicht viel da zu stehlen.

Er war schon an der Tür, als die Frau fragte: „Kann ich mitgehen?"

„Nein, unmöglich. Bleiben Sie hier. Nehmen Sie, was Sie noch brauchen. Das Bett auch, wenn Sie wollen. Kognak steht drüben. Schlafen Sie –"

Er wandte sich um. „Lassen Sie das Licht brennen", sagte die Frau plötzlich und schnell.

Ravic ließ die Klinke los. „Angst?" fragte er.

Sie nickte.

Er zeigte auf den Schlüssel. „Schließen Sie die Tür hinter mir ab. Ziehen Sie den Schlüssel heraus. Unten ist noch ein zweiter Schlüssel, mit dem ich hereinkommen kann."

Sie schüttelte den Kopf. „Das ist es nicht. Aber bitte, lassen Sie das Licht brennen."

„Ach so!" Ravic sah sie prüfend an. „Ich wollte es sowieso nicht auslöschen. Lassen Sie es nur brennen. Ich kenne das. Habe auch mal solche Zeiten gehabt."

An der Ecke der Rue des Acacias kam ihm ein Taxi entgegen. „Fahren Sie vierzehn Rue Lauriston. – Rasch!"

Der Chauffeur drehte um und bog in die Avenue Carnot ein. Als er die Avenue de la Grande Armée kreuzte, schoß von rechts ein kleiner Zweisitzer heran. Die beiden Wagen wären zusammengestoßen, wenn die Straße nicht naß und glatt gewesen wäre. So schleuderte der Zweisitzer beim Bremsen zur Mitte der Straße hinüber, gerade an dem Kühler der Droschke vorbei. Der leichte Wagen drehte sich wie ein Karussell. Es war ein kleiner Renault, in dem ein Mann saß, der eine Brille und einen schwarzen, steifen Hut trug. Bei jeder Drehung sah man einen Augenblick sein weißes entrüstetes Gesicht. Dann fing sich der Wagen und hielt auf den Arc am Ende der Straße zu, wie auf das riesige Tor des Hades – ein kleines, grünes Insekt, aus dem eine blasse Faust in den Nachthimmel drohte.

Der Taxichauffeur drehte sich um. „Haben Sie so was schon mal gesehen?"

„Ja", sagte Ravic.

„Aber mit so einem Hut. Was hat einer mit so einem Hut nachts so schnell zu fahren?"

„Er hatte recht. Er war auf der Hauptstraße. Wozu schimpfen Sie?"

„Natürlich hatte er recht. Darum schimpfe ich ja gerade."

„Was würden Sie denn tun, wenn er unrecht hätte?"

„Dann würde ich auch schimpfen."

„Sie scheinen sich das Leben bequem zu machen."

„Ich würde anders schimpfen", erklärte der Chauffeur und bog in die Avenue Foch ein. „Nicht so erstaunt, verstehen Sie?"

„Nein. Fahren Sie langsamer an den Kreuzungen."

„Das wollte ich sowieso. Verdammte Schmiere auf der Straße. Aber weshalb fragen Sie mich eigentlich, wenn Sie nachher nichts hören wollen?"

„Weil ich müde bin", erwiderte Ravic ungeduldig. „Weil es Nacht ist. Meinetwegen auch, weil wir Funken in einem unbekannten Wind sind. Fahren Sie zu."

„Das ist etwas anderes." Der Chauffeur tippte mit einer gewissen Hochachtung an seine Mütze. „Das verstehe ich."

„Hören Sie", sagte Ravic, dem ein Verdacht kam. „Sind Sie Russe?"

„Nein. Lese aber allerlei, wenn ich auf Kunden warte."

Mit Russen habe ich heute kein Glück, dachte Ravic. Er lehnte den Kopf zurück. Kaffee, dachte er. Sehr heißen, schwarzen Kaffee. Hoffentlich haben sie genug. Meine Hände müssen verdammt ruhig sein. Wenn es nicht anders geht, muß Veber mir eine Spritze machen. Aber es wird gehen. Er drehte die Fenster herunter und atmete langsam und tief die feuchte Luft ein.

2

Der kleine Operationsraum war taghell erleuchtet. Er sah aus wie eine hygienische Metzgerei. Eimer mit blutgetränkter Watte standen herum, Verbände und Tupfer lagen zerstreut, und das Rot schrie festlich gegen das viele Weiß. Veber saß im Vorraum an einem lackierten Stahltisch und machte Notizen; eine Schwester kochte die Instrumente aus; das Wasser brodelte, das Licht schien zu zischen, und nur der Körper auf dem Tisch lag ganz für sich selbst da – ihn ging das alles nichts mehr an.

Ravic ließ die flüssige Seife über seine Hände rinnen und begann sich zu waschen. Er wusch sich mit ärgerlicher Verbissenheit, als wolle er sich die Haut herunterscheuern. „Scheiße!" murmelte er vor sich hin. „Verdammte, verfluchte Scheiße!"

Die Operationsschwester sah ihn angewidert an. Veber blickte auf. „Ruhig, Eugenie! Alle Chirurgen fluchen. Besonders, wenn etwas schiefgegangen ist. Sie sollten daran gewöhnt sein."

Die Schwester warf eine Handvoll Instrumente in das kochende Wasser. „Professor Perrier fluchte nie", erklärte sie beleidigt. „Und er rettete trotzdem viele Menschen."

„Professor Perrier war ein Spezialist für Gehirnoperationen. Subtilste Feinmechanik, Eugenie. Wir schneiden in Bäuchen herum. Das ist etwas anderes." Veber klappte seine Eintragungen zu und stand auf. „Sie haben gut gearbeitet, Ravic. Aber gegen Pfuscher kann man schließlich nichts machen."

„Doch – manchmal kann man." Ravic trocknete sich die Hände ab und zündete sich eine Zigarette an. Die Schwester öffnete in schweigender Mißbilligung ein Fenster. – „Bravo, Eugenie", lobte Veber. „Immer nach der Vorschrift."

„Ich habe Pflichten im Leben. Ich möchte nicht gerne in die Luft fliegen."

„Das ist schön, Eugenie. Und beruhigend."

„Manche haben eben keine. Und wollen keine haben."

„Das geht auf Sie, Ravic!" Veber lachte. „Besser, wir verschwinden. Eugenie ist morgens sehr aggressiv. Hier ist sowieso nichts mehr zu tun."

Ravic sah sich um. Er sah die Schwester mit den Pflichten an. Sie erwiderte furchtlos seinen Blick. Die Brille mit dem Nickelrand gab ihrem kahlen Gesicht etwas Unantastbares. Sie war ein Mensch, wie er, aber sie war ihm fremder als ein Baum. „Entschuldigen Sie", sagte er. „Sie haben recht."

Auf dem weißen Tisch lag das, was vor ein paar Stunden noch Hoffnung, Atem, Schmerz und zitterndes Leben gewesen war. Jetzt war es nur noch ein sinnloser Kadaver – und der menschliche Automat, Schwester Eugenie genannt, der stolz darauf war, nie einen Fehltritt begangen zu haben, deckte es zu und karrte es fort. Sie sind die ewig Überlebenden, dachte Ravic, das Licht liebt sie nicht, diese Holzseelen, deshalb vergißt es sie und läßt sie lange leben.

„Auf Wiedersehen, Eugenie", sagte Veber. „Schlafen Sie sich aus, heute."

„Auf Wiedersehen, Doktor Veber. Danke Herr Doktor."

„Auf Wiedersehen", sagte Ravic. – „Entschuldigen Sie mein Fluchen."

„Guten Morgen", erwiderte Eugenie eisig.

Veber schmunzelte. „Ein Charakter aus Gußeisen."

Es war grauer Morgen draußen. Die Müllabfuhrwagen ratterten durch die Straßen. Veber schlug seinen Kragen hoch. „Ekelhaftes Wetter! Soll ich Sie mitnehmen, Ravic?"

„Nein, danke. Ich will gehen."

„Bei dem Wetter? Ich kann Sie vorbeifahren. Es ist kaum ein Umweg."

Ravic schüttelte den Kopf. „Danke, Veber."

Veber sah ihn prüfend an. „Sonderbar, daß Sie sich immer noch aufregen, wenn Ihnen jemand unter dem Messer bleibt. Sie sind doch schon fünfzehn Jahre in der Kiste drin und kennen das."

„Ja, ich kenne das. Ich rege mich auch nicht auf."

Veber stand breit und behäbig vor Ravic. Sein großes, rundes Gesicht leuchtete wie ein normannischer Apfel. Der schwarze, gestutzte Schnurrbart war naß vom Regen und glitzerte. Am Bordrand stand ein Buick und glitzerte ebenfalls. Darin würde Veber gleich behaglich nach Hause fahren – in ein rosafarbenes Puppenhaus in der Vorstadt, mit einer sauberen, blitzenden Frau darin und zwei sauberen, blitzenden Kindern, mit einem sauberen, blitzenden Dasein. Wie konnte man ihm etwas erklären von dieser atemlosen Spannung, wenn das Messer zum ersten Schnitt ansetzte, wenn die schmale, rote Spur Blutes dem leisen Druck folgte, wenn der Körper sich unter Nadeln und Klammern wie ein vielfacher Vorhang auseinanderfaltete, wenn Organe frei wurden, die nie Licht gesehen hatten, wenn man wie ein Jäger im Dschungel einer Fährte folgte und plötzlich in zerstörten Geweben, in Knollen, in Wucherungen, in Rissen ihm gegenüberstand, dem großen Raubtier Tod, – und den Kampf, in dem man nichts anderes brauchen konnte als eine dünne Klinge und eine Nadel und eine unendlich sichere Hand – wie sollte man ihm erklären, was es bedeutete, wenn dann durch all das blendende Weiß höchster Konzentration auf einmal ein dunkler Schatten in das Blut schlug, ein majestätischer Hohn, der das Messer stumpf zu machen schien, die Nadel brüchig und die Hand schwer, – und wenn dieses Unsichtbare, Rätselhafte, Pulsierende, Leben plötzlich fortebbte unter den machtlosen Händen, zerfiel, angezogen von einem geisterhaften, schwarzen Strudel, den man nicht erreichen und nicht bannen konnte, wenn aus einem Gesicht, das eben noch atmete und Ich war und einen Namen trug, eine namenlose, starre Maske wurde, – diese sinnlose, rebellische Ohnmacht – wie konnte man sie erklären – und was war daran zu erklären?

Ravic zündete sich eine neue Zigarette an. „Einundzwanzig Jahre war das alt", sagte er.

Veber strich sich mit einem Taschentuch die blanken Tropfen vom Schnurrbart. „Sie haben großartig gearbeitet. Ich könnte das nicht. Daß Sie nicht retten konnten, was ein Pfuscher versaut hat, das ist etwas, was Sie nichts angeht. Wo kämen wir hin, wenn wir anders dächten?"

„Ja", sagte Ravic. „Wo kämen wir hin?"

Veber steckte sein Taschentuch ein. „Nach allem, was Sie mitgemacht haben, müßten Sie doch verdammt abgehärtet sein."

Ravic sah ihn mit einer Spur von Ironie an. „Abgehärtet ist man nie. Man kann sich nur an vieles gewöhnen."

„Das meine ich."

„Ja, und an manches nie. Aber das ist schwer herauszufinden. Nehmen wir an, es war der Kaffee. Vielleicht war es wirklich der Kaffee, der mich so wach gemacht hat. Und wir verwechseln das mit Aufregung."

„Der Kaffee war gut, was?"

„Sehr."

„Kaffeemachen verstehe ich. Ich hatte so eine Ahnung, daß Sie ihn brauchten, deshalb habe ich ihn selbst gemacht. War was anderes als die schwarze Brühe, die Eugenie gewöhnlich produziert, wie?"

„Nicht zu vergleichen. Im Kaffeemachen sind Sie ein Meister."

Veber stieg in seinen Wagen. Er startete und beugte sich aus dem Fenster. „Soll ich Sie nicht doch rasch absetzen? Sie müssen verflucht müde sein."

Wie ein Seehund, dachte Ravic abwesend. Er gleicht einem gesunden Seehund. Aber was soll das schon? Wozu fällt mir das ein? Wozu immer dieses Doppeldenken? „Ich bin nicht müde", sagte er. „Der Kaffee hat mich aufgeweckt. Schlafen Sie gut, Veber."

Veber lachte. Seine Zähne blitzten unter dem schwarzen Schnurrbart. „Ich gehe nicht mehr schlafen. Ich gehe in meinem Garten arbeiten. Tulpen und Narzissen setzen."

Tulpen und Narzissen, dachte Ravic. In abgezirkelten Beeten mit sauberen Kieswegen dazwischen. Tulpen und Narzissen – der pfirsichfarbene und goldene Sturm des Frühlings. „Auf Wiedersehen, Veber", sagte er. „Sie sorgen ja wohl für alles andere."

„Natürlich. Ich rufe Sie abends noch an. Das Honorar wird niedrig sein, leider. Kaum nennenswert. Das Mädchen war arm und hatte anscheinend keine Verwandten. Wir werden das noch sehen."

Ravic machte eine abwehrende Bewegung.

„Hundert Francs hat sie Eugenie übergeben. Scheint alles zu sein, was sie hatte. Das waren fünfundzwanzig für Sie."

„Gut, gut", sagte Ravic ungeduldig. „Auf Wiedersehen, Veber."

„Auf Wiedersehen. Bis morgen früh um acht."

Ravic ging langsam die Rue Lauriston entlang. Wenn es Sommer gewesen wäre, hätte er sich im Bois irgendwo auf eine Bank in die Morgensonne gesetzt und gedankenlos in das Wasser und auf den grünen Wald gestarrt, bis die Spannung nachgelassen hätte. Dann wäre er ins Hotel gefahren und hätte sich schlafen gelegt.

Er trat in ein Bistro an der Ecke der Rue Boissière. Ein paar Arbeiter und Lastwagenchauffeure standen an der Theke. Sie tranken heißen, schwarzen Kaffee und tunkten Brioches hinein. Ravic sah ihnen eine Weile zu. Das war sicheres, einfaches Leben, ein Dasein, mit Fäusten anzupacken, auszuarbeiten, Müdigkeit abends, Essen, eine Frau und schwerer, traumloser Schlaf.

„Einen Kirsch", sagte er.

Eine schmale, billige Kette aus Golddoublé hatte das sterbende Mädchen um den rechten Fuß getragen – eine dieser Albernheiten, zu denen man nur fähig war, wenn man jung, sentimental und ohne Geschmack war. Eine Kette mit einer kleinen Platte und der Inschrift „Toujours Charles" um den Fuß geschmiedet, so daß man sie nicht abnehmen konnte; eine Kette, die eine Geschichte erzählte von Sonntagen in den

Wäldern an der Seine, von Verliebtheit und dummer Jugend, von einem kleinen Juwelier irgendwo in Neuilly, von Nächten im September in einer Dachstube – und dann kam plötzlich das Ausbleiben, das Warten, die Angst – toujours Charles, der nichts mehr von sich hören ließ, die Freundin, die eine Adresse wußte, die Hebamme irgendwo, ein Wachstuchtisch, reißender Schmerz und Blut, Blut, ein verstörtes altes Weibergesicht, Arme, die einen rasch in ein Taxi drängten, um einen loszuwerden, Tage der Qual und des Verkrochenseins und schließlich der Transport, das Hospital, die letzten hundert Francs zerknüllt in der heißen, nassen Hand und das: zu spät.

Das Radio begann zu plärren. Einen Tango, zu dem eine nasale Stimme blödsinnige Verse sang. Ravic ertappte sich, wie er die Operation noch einmal durchging. Er kontrollierte jeden Handgriff. Ein paar Stunden vorher wäre vielleicht noch eine Möglichkeit gewesen. Veber hatte telephonieren lassen. Er war nicht im Hotel gewesen. So hatte das Mädchen sterben müssen, weil er am Pont de l'Alma herumstand. Veber konnte solche Operationen nicht selber machen. Der Irrsinn des Zufalls. Der Fuß mit der Goldkette, schlaff einwärts gedreht. „Komm in mein Boot, der Vollmond scheint", quäkte der Quetschtenor im Falsett.

Ravic zahlte und ging. Draußen hielt er ein Taxi an. „Fahren Sie zum ‚Osiris'."

Das „Osiris" war ein großes, bürgerliches Bordell mit einer riesigen Bar im ägyptischen Stil.

„Wir schließen gerade", sagte der Portier. „Niemand mehr da."

„Niemand?"

„Nur Madame Rolande. Die Damen sind alle fort."

„Gut."

Der Portier stampfte mißmutig mit seinen Galoschen das Pflaster. „Wollen Sie das Taxi nicht behalten? Sie kriegen später nicht so leicht eines mehr. Hier ist Schluß."

„Das haben Sie mir bereits einmal gesagt. Ich werde schon noch ein Taxi bekommen."

Ravic steckte dem Portier ein Paket Zigaretten in die Brusttasche und ging durch die schmale Tür an der Garderobe vorbei in den großen Raum. Die Bar war leer; sie wirkte wie üblich nach einem kleinbürgerlichen Symposion – Lachen von vergossenem Wein, ein paar umgeworfene Stühle, Zigarettenreste auf dem Boden und der Geruch nach Tabak, süßem Parfüm und Haut.

„Rolande", sagte Ravic.

Sie stand vor einem Tisch, auf dem ein Haufen rosa Seidenwäsche lag. „Ravic", sagte sie ohne Erstaunen. „Spät. Was willst du? – Ein Mädchen oder etwas zu trinken? Oder beides?"

„Wodka. Den polnischen."

Rolande brachte die Flasche und ein Glas. „Schenk dir selbst ein. Ich muß noch die Wäsche sortieren und aufschreiben. Das Auto der Wäscherei kommt gleich. Wenn man nicht alles notiert, stiehlt die Bande wie eine Schar Elstern. Die Chauffeure, verstehst du? Als Geschenke für ihre Mädchen."

Ravic nickte. „Laß die Musik spielen, Rolande. Laut."

„Gut."

Rolande schaltete den Apparat ein. Die Musik donnerte mit Pauken und Schlagzeug durch den hohen, leeren Raum wie ein Sturm.

„Zu laut, Ravic?"

„Nein."

Zu laut? Was war zu laut? Nur die Stille. Die Stille, in der man zersprang wie in einem luftleeren Raum.

„Fertig." Rolande kam zu Ravic an den Tisch. Sie hatte eine feste Figur, ein klares Gesicht und ruhige, schwarze Augen. Das schwarze, puritanische Kleid, das sie trug, kennzeichnete sie als Aufseherin; es unterschied sie von den fast nackten Huren.

„Trink etwas mit mir, Rolande."

„Gut."

Ravic holte ein Glas von der Bar und schenkte ein. Rolande hielt die Flasche zurück, als das Glas halb voll war. „Genug! Ich trinke nicht mehr."

„Halbleere Gläser sind scheußlich. Laß stehen, was du nicht trinkst."

„Warum? Das wäre doch Verschwendung."

Ravic blickte auf. Er sah das verläßliche, vernünftige Gesicht und lächelte. „Verschwendung! Die alte französische Angst. Wozu sparen? Mit dir wird auch nicht gespart."

„Dies hier ist Geschäft. Das ist etwas anderes."

Ravic lachte. „Laß uns ein Glas darauf trinken! Was wäre die Welt ohne die Moral des Geschäftes! Ein Haufen Verbrecher, Idealisten und Faulenzer."

„Du brauchst ein Mädchen", sagte Rolande. „Ich kann Kiki telephonieren. Sie ist sehr gut. Einundzwanzig Jahre alt."

„So. Auch einundzwanzig Jahre alt. Das ist heute nichts für mich." Ravic goß sein Glas wieder voll. „Woran denkst du eigentlich, Rolande, bevor du einschläfst?"

„Meistens an gar nichts. Ich bin zu müde."

„Und wenn du nicht zu müde bist?"

„An Tours."

„Warum?"

„Eine Tante von mir hat da ein Haus mit einem Laden drin. Ich habe zwei Hypotheken darauf gegeben. Wenn sie stirbt – sie ist sechsundsiebzig – bekomme ich das Haus. Ich will dann aus dem Laden ein Café machen. Helle Wände mit Blumenmustern, eine Kapelle, drei Mann: Klavier, Geige, Cello; im Hintergrund eine Bar. Klein und gut. Das Haus liegt in einem guten Viertel. Ich glaube, daß ich es mit neuntausendfünfhundert Francs einrichten kann, mit den Vorhängen und Lampen sogar. Dann will ich noch fünftausend Francs in Reserve haben für die erste Zeit. Und natürlich die Mieten aus der ersten und zweiten Etage. Daran denke ich."

„Bist du in Tours geboren?"

„Ja. Aber niemand weiß, wo ich seitdem war. Und wenn das Geschäft gut geht, wird auch niemand sich darum kümmern. Geld deckt alles zu."

„Nicht alles. Aber vieles."

Ravic fühlte die Schwere hinter den Augen, die die Stimme langsamer machte. „Ich glaube, ich habe genug", sagte er und zog ein paar Scheine aus der Tasche. „Wirst du in Tours heiraten, Rolande?"

„Nicht gleich. Aber in ein paar Jahren. Ich habe einen Freund da."

„Fährst du ab und zu hin?"

„Selten. Er schreibt mir manchmal. An eine andere Adresse natürlich. Er ist verheiratet, aber seine Frau ist im Hospital. Tuberkulose. Höchstens noch ein bis zwei Jahre sagen die Ärzte. Dann ist er frei."

Ravic stand auf. „Gott segne dich, Rolande. Du hast einen gesunden Menschenverstand."

Sie lächelte ohne Mißtrauen. Sie fand, daß er recht hatte. Ihr klares Gesicht war nicht eine Spur müde. Es war frisch, als sei sie gerade aufgestanden. Sie wußte, was sie wollte. Das Leben hatte keine Geheimnisse für sie.

Draußen war es heller Tag geworden. Es hatte aufgehört zu regnen. Die Pissoirs standen wie kleine Panzertürme an den Straßenecken. Der Portier war verschwunden, die Nacht fortgewischt, der Tag hatte begonnen, und Scharen eiliger Menschen drängten sich an den Eingängen der Untergrundbahnen – als wären es Erdlöcher, in die sie hineinstürzten, um sich einer finsteren Gottheit zu opfern.

Die Frau fuhr vom Sofa hoch. Sie schrie nicht – sie fuhr nur mit einem leichten, unterdrückten Laut auf, stützte sich auf die Ellbogen und erstarrte.

„Ruhig, ruhig", sagte Ravic. „Ich bin es. Derselbe, der Sie vor ein paar Stunden hergebracht hat."

Die Frau atmete wieder. Ravic sah sie nur undeutlich; die brennenden elektrischen Birnen mischten sich mit dem Morgen, der durch das Fenster kroch, zu einem gelblich bleichen, kranken Licht. „Ich glaube, wir können das jetzt ausmachen", sagte er und drehte den Schalter um.

Er fühlte wieder die weichen Hämmer der Trunkenheit hinter der Stirn. „Wollen Sie Frühstück?" fragte er. Er hatte die Frau vergessen gehabt und dann geglaubt, als er seinen Schlüssel geholt hatte, sie sei schon gegangen. Er wäre sie gern losgeworden. Er hatte genug getrunken, die Kulissen seines Bewußtseins hatten sich verschoben, die klirrende Kette der Zeit war zersprungen, und stark und furchtlos umstanden ihn die Erinnerungen und die Träume. Er wollte allein sein.

„Wollen Sie Kaffee?" fragte er. „Es ist das einzige, was hier gut ist."

Die Frau schüttelte den Kopf. Er sah sie genauer an. „Ist was los? War jemand hier?"

„Nein."

„Aber irgendwas muß doch los sein. Sie starren mich ja an wie ein Gespenst."

Die Frau bewegte die Lippen. „Der Geruch", sagte sie dann.

„Geruch?" wiederholte Ravic verständnislos. „Wodka riecht doch nicht. Kirsch und Brandy auch nicht. Und Zigaretten rauchen Sie ja selbst. Was ist daran zu erschrecken?"

„Das meine ich nicht –"

„Was denn, Herrgott?"

„Es ist derselbe – derselbe Geruch –"

„Du lieber Himmel, es wird Äther sein", sagte Ravic, dem es auf einmal einfiel. „Ist es Äther?"

Sie nickte.

„Sind Sie einmal operiert worden?"

„Nein – es ist –"

Ravic hörte nicht mehr zu. Er öffnete das Fenster. „Wird gleich vorbei sein. Rauchen Sie eine Zigarette inzwischen."

Er ging ins Badezimmer und drehte die Hähne auf. Im Spiegel sah er sein Gesicht. Er hatte ein paar Stunden vorher schon einmal so gestanden. Inzwischen war ein Mensch gestorben. Es war nichts dabei. Jeden Augenblick starben Tausende von Menschen. Es gab Statistiken darüber. Es war nichts dabei. Aber für den einen, der starb, war es alles und wichtiger als die ganze Welt, die weiter kreiste.

Er setzte sich auf den Rand der Wanne und zog die Schuhe aus. Das blieb immer dasselbe. Die Dinge und ihr stummer Zwang. Die Trivialität, die schale Gewohnheit in all dem irrlichternden Vergleiten. Das blühende Ufer des Herzens an den Wassern der Liebe; – aber wer man auch war, Poet, Halbgott oder Idiot – alle paar Stunden wurde man aus seinen Himmeln geholt, um zu urinieren. Dem war nicht zu entgehen! Die Ironie der Natur. Der romantische Regenbogen über Drüsenreflexen und Verdauungsquirl. Die Organe der Verzückung diabolisch gleichzeitig zur Ausscheidung organisiert. Ravic warf die Schuhe in eine Ecke. Verhaßte Gewohnheit des Ausziehens! Sogar dem war nicht zu entkommen. Nur wer allein lebte, begriff das. Irgendeine verdammte Ergebenheit, ein Aufgehen war darin. Er hatte oft schon in seinen Kleidern geschlafen, um ihr zu entgehen; aber es war nur ein Verschieben. Es war ihr nicht zu entkommen.

Er drehte die Dusche an. Das kühle Wasser strömte über seine Haut. Er atmete tief und trocknete sich ab. Der Trost der kleinen Dinge. Wasser, Atem, abendlicher Regen. Nur wer allein war, kannte auch sie. Dankbare Haut. Leichtes in den dunklen Kanälen hinschießendes Blut. Auf einer Wiese zu liegen. Birken. Weiße Sommerwolken. Der Himmel der Jugend. Wo waren die Abenteuer des Herzens geblieben? Erschlagen von den finsteren Abenteuern des Daseins.

Er ging in das Zimmer zurück. Die Frau hockte in der Ecke des Sofas, die Decke hoch um sich gezogen.

„Kalt?" fragte er.

Sie schüttelte den Kopf.

„Angst?"

Sie nickte.

„Vor mir?"

„Nein."

„Vor draußen?"

„Ja."

Ravic schloß das Fenster.

„Danke", sagte sie.

Er sah auf den Nacken vor sich. Schultern. Etwas, das atmete. Ein bißchen fremdes Leben – aber Leben. Wärme. Kein erstarrender Körper. Was konnte man sich schon anders geben als etwas Wärme? Und was war mehr?

Die Frau bewegte sich. Sie zitterte. Sie sah Ravic an. Er spürte, wie die Welle zurückebbte. Die tiefe Kühle ohne Schwere kam. Die Spannung war vorüber. Die Weite kam. Es war, als würde er von einer Nacht auf einem fremden Planeten zurückgenommen. Alles wurde plötzlich einfach, der Morgen, die Frau – es war nichts mehr zu denken.

„Komm", sagte er.

Sie starrte ihn an.

„Komm", sagte er ungeduldig.

3

Er wachte auf. Er hatte das Gefühl beobachtet zu werden. Die Frau war angezogen und saß auf dem Sofa. Aber sie sah ihn nicht an; sie blickte aus dem Fenster. Er hatte erwartet, sie würde längst fort sein. Es war ihm unbequem, daß sie noch da war. Er konnte morgens keine Menschen um sich leiden.

Er überlegte, ob er versuchen sollte, weiterzuschlafen; aber es störte ihn, daß sie ihn beobachten konnte. Er beschloß, sie rasch loszuwerden. Wenn sie auf Geld wartete, war es sehr einfach. Es würde auch sonst einfach sein. Er richtete sich auf.

„Sind Sie schon lange auf?"

Die Frau erschrak und drehte sich um. „Ich konnte nicht mehr schlafen. Es tut mir leid, wenn ich Sie geweckt habe."

„Sie haben mich nicht geweckt."

Sie stand auf. „Ich wollte fortgehen. Ich weiß nicht, weshalb ich hier noch gesessen habe."

„Warten Sie. Ich bin gleich fertig. Sie bekommen noch Ihr Frühstück. Den berühmten Kaffee des Hotels. So lange werden wir beide noch Zeit haben."

Er stand auf und klingelte. Dann ging er ins Badezimmer. Er sah, daß die Frau es benutzt hatte; aber alles war wieder ordentlich gerichtet worden, sogar die gebrauchten Frottétücher. Während er sich die Zähne putzte, hörte er das Mädchen mit dem Frühstück kommen. Er beeilte sich.

„War es unangenehm?" fragte er, als er herauskam.

„Was?"

„Daß das Zimmermädchen Sie sah. Ich habe nicht daran gedacht."

„Nein. Sie war auch nicht überrascht." Die Frau blickte auf das Tablett. Es war für zwei Personen, ohne daß Ravic etwas gesagt hätte.

„Sicher nicht. Dafür sind wir in Paris. Hier ist Ihr Kaffee. Haben Sie Kopfschmerzen?"

„Nein."

„Gut. Ich habe welche. Aber das ist in einer Stunde vorbei. Hier sind Brioches."

„Ich kann nichts essen."

„Doch, Sie können. Sie glauben bloß, Sie könnten nicht. Versuchen Sie es nur."

Sie nahm eine Brioche. Dann legte sie sie wieder hin. „Ich kann wirklich nicht."

„Dann trinken Sie den Kaffee und rauchen Sie eine Zigarette. Das ist das Frühstück der Soldaten."

„Ja."

Ravic aß. „Sind Sie immer noch nicht hungrig?" fragte er nach einer Weile.

„Nein."

Die Frau drückte ihre Zigarette aus. „Ich glaube –" sagte sie und verstummte.

„Was glauben Sie?" fragte Ravic ohne Neugier.

„Ich sollte jetzt gehen."

„Wissen Sie den Weg? Sie sind hier nahe der Avenue Wagram."

„Nein."

„Wo wohnen Sie?"

„Im Hotel Verdun."

„Das ist wenige Minuten von hier. Ich kann es Ihnen zeigen, draußen. Ich werde Sie ohnehin am Portier vorbeibringen."

„Ja – aber das ist es nicht –"

Sie schwieg wieder. Geld, dachte Ravic. Geld, wie immer. „Ich kann Ihnen leicht aushelfen, wenn Sie in Verlegenheit sind." Er zog seine Brieftasche hervor.

„Lassen Sie das! Was soll das?" sagte die Frau schroff.

„Nichts." Ravic steckte die Brieftasche wieder ein.

„Entschuldigen Sie –" Sie stand auf. „Sie waren – ich muß Ihnen danken – es wäre – die Nacht – ich hätte allein nicht gewußt –"

Ravic fiel ein, was geschehen war. Er hätte es lächerlich gefunden, wenn sie eine Angelegenheit daraus gemacht hätte – aber daß sie ihm dankte, hatte er nicht erwartet, und es war ihm viel unangenehmer.

„Ich hätte wirklich nicht gewußt", sagte die Frau. Sie stand noch immer unschlüssig vor ihm. Weshalb geht sie nicht? dachte er.

„Aber jetzt wissen Sie –" sagte er, um etwas zu sagen.

„Nein." Sie sah ihn offen an. „Ich weiß es noch immer nicht. Ich weiß nur, daß ich etwas tun muß. Ich weiß, daß ich nicht weglaufen kann."

„Das ist schon viel." Ravic nahm seinen Mantel. „Ich werde Sie jetzt hinunterbringen."

„Das ist nicht nötig. Sagen Sie mir nur –" Sie zögerte und suchte nach Worten. „Vielleicht wissen Sie – was man tun muß – wenn –"

„Wenn?" fragte Ravic nach einer Weile.

„Wenn jemand gestorben ist", stieß die Frau hervor und brach plötzlich zusammen. Sie weinte. Sie schluchzte nicht, sie weinte nur, fast ohne Laut.

Ravic wartete, bis sie ruhiger wurde. „Ist jemand gestorben?"

Sie nickte.

„Gestern abend?"

Sie nickte wieder.

„Haben Sie ihn getötet?"

Die Frau starrte ihn an. „Was? Was sagen Sie da?"

„Haben Sie es getan? Wenn Sie mich fragen, was Sie tun sollen, müssen Sie es mir sagen."

„Er ist gestorben!" schrie die Frau. „Plötzlich –"

Sie verbarg ihr Gesicht.

„War er krank?" fragte Ravic.

„Ja –"

„Hatten Sie einen Arzt?"

„Ja – aber er wollte nicht ins Krankenhaus –"

„War der Arzt gestern da?"

„Nein. Vor drei Tagen. Er hat ihn – er schimpfte auf den Arzt und wollte ihn nicht mehr haben."

„Hatten Sie keinen anderen danach?"

„Wir wußten keinen. Wir sind erst drei Wochen hier. Diesen hatte der Kellner uns besorgt – und er wollte ihn nicht mehr – er sagte – er glaubte, er könne es allein besser –"

„Was hat er gehabt?"

„Ich weiß es nicht. Der Arzt sagte Lungenentzündung – aber er glaubte es nicht – er sagte, alle Ärzte seien Betrüger – und es war auch besser gestern. Dann plötzlich –"

„Warum haben Sie ihn nicht in ein Hospital gebracht?"

„Er wollte nicht – er sagte – er – ich würde ihn betrügen, wenn er fort wäre – er – Sie kennen ihn nicht – es war nichts zu machen."

„Liegt er noch im Hotel?"

„Ja."

„Haben Sie dem Hotelbesitzer gemeldet, was geschehen ist?"

„Nein. Als er plötzlich still war – und alles so still – und seine Augen – da habe ich es nicht mehr ausgehalten und bin fortgelaufen."

Ravic dachte an die Nacht. Er war einen Moment verlegen. Aber es war geschehen und es war egal, für ihn und für die Frau. Besonders für die Frau. Es war alles egal für sie gewesen in dieser Nacht und nur das eine wichtig: daß sie überstand. Das Leben bestand aus mehr als aus sentimentalen Vergleichen. Die Nacht, als Lavigne gehört hatte, daß seine Frau tot war, hatte er im Hurenhaus verbracht. Die Huren hatten ihn gerettet; mit Priestern wäre er nicht durchgekommen. Wer das verstand, verstand es. Erklärungen dafür gab es nicht. Aber es gab Verpflichtungen dadurch.

Er nahm seinen Mantel. „Kommen Sie! Ich werde mit Ihnen gehen. War es Ihr Mann?"

„Nein", sagte die Frau.

Der Patron des Hotels Verdun war dick. Er hatte kein Haar mehr auf dem Schädel, dafür aber einen gefärbten schwarzen Schnurrbart und schwarze, dichte Augenbrauen. Er stand im Eingangsraum, hinter ihm ein Kellner, ein Zimmermädchen und eine Kassiererin ohne Busen. Es war kein Zweifel, daß er bereits alles wußte. Er tobte auch sofort los, als er die Frau hereinkommen sah. Sein Gesicht verfärbte sich, er fuchtelte mit den fetten, kleinen Händen und strudelte Wut, Entrüstung und, wie Ravic sah, Erleichterung hervor. Als er bei Polizei, Fremden, Verdacht und Gefängnis war, unterbrach Ravic ihn.

„Sind Sie Provençale?" fragte er ruhig.

Der Wirt stoppte. „Nein. Was soll das?" fragte er verblüfft.

„Nichts", erwiderte Ravic. „Ich wollte Sie nur unterbrechen. Das geht am besten durch eine völlig sinnlose Frage. Sie würden sonst noch eine Stunde geredet haben."

„Herr! Wer sind Sie! Was wollen Sie?"

„Das ist der erste vernünftige Satz, den Sie bisher gesagt haben."

Der Wirt hatte sich gefaßt. „Wer sind Sie?" fragte er ruhiger, mit der Vorsicht, unter keinen Umständen einen einflußreichen Mann zu beleidigen.

„Der Arzt."

Der Wirt sah keine Gefahr mehr. „Wir brauchen hier keinen Arzt mehr", kollerte er aufs neue los. „Hier brauchen wir die Polizei."

Er starrte Ravic und die Frau an. Er erwartete Angst, Protest und Bitten.

„Ein guter Gedanke. Warum ist sie nicht schon hier? Sie wissen doch schon seit einigen Stunden, daß der Mann tot ist."

Der Patron erwiderte nichts. Er starrte Ravic nur weiter wütend an.

„Ich will es Ihnen sagen." Ravic trat einen Schritt näher. „Weil Sie kein Aufsehen wollen Ihrer Gäste wegen. Es gibt eine Menge Leute, die ausziehen, wenn sie so etwas hören. Aber die Polizei wird kommen, das ist das Gesetz. Es liegt nur an Ihnen, es unauffällig zu machen. Das war auch gar nicht Ihre Sorge. Sie hatten Angst, daß man Ihnen durchgegangen sei und Ihnen alles überlassen hätte. Das war unnötig. Außerdem hatten Sie Angst wegen Ihrer Rechnung. Sie werden bezahlt werden. Und jetzt möchte ich den Toten sehen. Ich werde dann für alles andere sorgen."

Ravic ging an dem Wirt vorbei. „Welche Zimmernummer?" fragte er die Frau.

„Vierzehn."

„Sie brauchen nicht mitzugehen. Ich kann das alleine machen."

„Nein. Ich möchte nicht hierbleiben."

„Es ist einfacher, wenn Sie nichts mehr sehen."

„Nein. Ich will nicht hierbleiben."

„Gut. Wie Sie wollen."

Das Zimmer war niedrig und lag nach der Straße. An der Tür drängten sich ein paar Zimmermädchen, Hausknechte und Kellner. Ravic schob sie beiseite. Der Raum hatte zwei Betten; in dem an der Wand lag der Mann. Er lag gelb und steif da wie eine Figur aus Kirchenwachs, mit krausen, schwarzen Haaren in einem roten Seidenpyjama. Die Hände waren zusammengelegt. Neben ihm auf dem Nachttisch stand eine kleine, billige, hölzerne Madonna, auf deren Gesicht Spuren von Lippenstift waren. Ravic nahm sie hoch, „made in Germany" stand auf dem Rücken eingedruckt. Ravic sah das Gesicht des Toten an; er hatte kein Lippenrouge auf den Lippen. Er sah auch nicht so aus. Die Augen waren halb offen; eines mehr als das andere – das gab dem Körper einen sehr gleichgültigen Ausdruck, als wäre er in einer ewigen Langeweile erstarrt.

Ravic beugte sich über ihn. Er musterte die Flaschen auf dem Tisch neben dem Bett und untersuchte den Körper. Keine Spur irgendeiner Gewalt. Er richtete sich auf. „Wie hieß der Arzt, der hier war?" fragte er die Frau. „Wissen Sie seinen Namen?"

„Nein."

Er sah sie an. Sie war sehr blaß. „Setzen Sie sich einmal da herüber. Dort drüben auf den Stuhl in der Ecke. Und bleiben Sie dort sitzen. Ist der Kellner hier, der Ihnen den Arzt besorgt hat?"

Er blickte auf die Gesichter in der Tür. Auf allen lag der gleiche Ausdruck: Grauen und Gier. „François hat die Etage", sagte die Scheuerfrau, die einen Besen wie einen Speer in der Hand hielt.

„Wo ist François?"

Ein Kellner drängte sich durch. „Wie hieß der Arzt, der hier war?"

„Bonnet, Charles Bonnet."

„Haben Sie seine Telephonnummer?"

Der Kellner kramte sie hervor. „Passy 2743."

„Gut." Ravic sah, daß das Gesicht des Wirtes auftauchte. „Wir wollen jetzt einmal die Tür schließen. Oder haben Sie ein Interesse daran, daß man auch noch von der Straße hereinkommt?"

„Nein! Raus! Alle raus! Was steht ihr überhaupt hier rum und stehlt die Zeit, die ich euch bezahle?"

Der Wirt trieb die Angestellten hinaus und schloß die Tür. Ravic nahm das Telephon ab. Er rief Veber an und sprach eine Weile mit ihm. Dann rief er die Passy-Nummer an. Bonnet war in seinem Sprechzimmer. Er bestätigte, was die Frau gesagt hatte. „Der Mann ist gestorben", sagte Ravic. „Können Sie herüberkommen, den Totenschein ausstellen?"

„Der Mann hat mich hinausgeworfen. In der beleidigendsten Weise."

„Er wird Sie jetzt nicht mehr beleidigen."

„Er hat mir mein Honorar nicht bezahlt. Dafür hat er mich einen habgierigen Kurpfuscher genannt."

„Würden Sie kommen, damit man Ihnen die Rechnung bezahlt?"

„Ich kann jemand schicken."

„Es ist besser, Sie kommen selbst. Sonst bekommen Sie Ihr Geld nie."

„Gut", sagte Bonnet nach einigem Zögern. „Aber ich unterschreibe nichts, ehe ich nicht bezahlt bin. Dreihundert Franc macht es."

„Schön. Dreihundert Franc. Sie werden sie bekommen."

Ravic hängte ab. „Tut mir leid, daß Sie das mit anhören mußten", sagte er zu der Frau. „Es war nicht anders zu machen. Wir brauchen den Mann."

Die Frau holte bereits einige Scheine hervor. „Es macht nichts", erwiderte sie. „So etwas ist nichts Neues für mich. Hier ist das Geld."

„Warten Sie noch damit. Er kommt gleich. Sie können es ihm dann geben."

„Können Sie den Totenschein nicht selbst ausstellen?" fragte die Frau.

„Nein", sagte Ravic. „Dazu brauchen wir einen französischen Arzt. Am einfachsten den, der ihn behandelt hat."

Als Bonnet die Tür hinter sich schloß, wurde es plötzlich still. Viel stiller, als wenn nur ein einzelner Mensch das Zimmer verlassen hätte. Der Autolärm von der Straße bekam etwas Blechernes, als pralle er gegen eine Wand schwerer Luft, durch die er nur mühsam sickerte. Nach dem Hin und Her der Stunde vorher, begann der Tote jetzt zum ersten Male dazusein. Sein mächtiges Schweigen füllte den billigen Raum, und es war gleichgültig, ob er glänzend rote Seidenpyjamas trug – er herrschte, wie selbst ein toter Clown herrscht –, weil er sich nicht mehr bewegte. Was lebte, bewegte sich – und was sich bewegte, konnte Kraft haben und Grazie und Lächerlichkeit –, aber nicht die fremde Majestät dessen, das sich nie mehr bewegen, sondern nur noch zerfallen konnte. Das Vollendete allein hatte es – und der Mensch war nur im Tode vollendet – und nur für kurze Zeit.

„Sie waren nicht verheiratet?" fragte Ravic.

„Nein. Warum?"

„Das Gesetz. Die Hinterlassenschaft. Die Polizei wird eine Auf-stellung darüber machen, was Ihnen und was ihm gehört. Was Ihnen gehört hat, behalten Sie. Was ihm gehört, wird von der Polizei fest-gehalten. Für Angehörige, die sich melden sollten. Hat er welche?"

„Nicht in Frankreich."

„Sie haben mit ihm gelebt?"

Die Frau antwortete nicht.

„Lange?"

„Zwei Jahre."

Ravic sah sich um. „Haben Sie keine Koffer?"

„Doch – sie waren hier – dort, drüben an der Wand. Gestern abend noch."

„Aha, der Wirt." Ravic öffnete die Tür. Die Putzfrau mit dem Besen prallte zurück. „Mutter", sagte er, „für Ihr Alter sind Sie zu neugierig. Rufen Sie den Wirt."

Die Putzfrau wollte protestieren.

„Sie haben recht", unterbrach Ravic. „In Ihrem Alter hat man nur noch die Neugier. Aber rufen Sie den Wirt."

Die Alte muffelte etwas, schob den Besen vor sich her und ent-schwand.

„Es tut mir leid", sagte Ravic. „Doch es hilft nichts. Es mag roh aussehen, aber wir müssen es besser jetzt gleich machen. Es ist einfacher, wenn Sie es im Augenblick vielleicht auch nicht verstehen."

„Ich verstehe es", sagte die Frau.

Ravic sah sie an. „Sie verstehen es?"

„Ja."

Der Wirt kam herein, einen Zettel in der Hand. Er klopfte nicht an.

„Wo sind die Koffer?" fragte Ravic.

„Zuerst einmal die Rechnung. Hier. Erst wird die Rechnung be-zahlt."

„Zuerst einmal die Koffer. Niemand hat sich bis jetzt geweigert, die Rechnung zu bezahlen. Das Zimmer ist immer noch vermietet. Das nächste Mal klopfen Sie an, wenn Sie hereinkommen. Geben Sie die Rechnung her und lassen Sie die Koffer bringen."

Der Wirt starrte ihn wütend an. „Sie werden Ihr Geld bekommen", sagte Ravic.

Der Patron zog ab. Er warf die Tür hinter sich zu.

„Ist Geld in den Koffern?" fragte Ravic die Frau.

„Ich – nein, ich glaube nicht."

„Wissen Sie, wo es ist? In seinem Anzug? Oder war keins da?"

„Er hatte Geld in seiner Brieftasche."

„Wo ist sie?"

„Unter –" Die Frau zögerte. „Unter seinem Kopfkissen hatte er sie meistens."

Ravic stand auf. Er hob vorsichtig das Kopfkissen mit dem Kopf des Toten und holte darunter eine lederne, schwarze Brieftasche hervor. Er gab sie der Frau. „Nehmen Sie das Geld heraus und alles, was wichtig für Sie ist. Rasch. Es ist keine Zeit für Sentimentalitäten. Sie müssen leben. Zu was sonst ist es nütze? Soll es bei der Polizei verschimmeln?"

Er blickte eine Minute aus dem Fenster. Ein Lastwagenchauffeur beschimpfte auf der Straße einen Kutscher mit einem von zwei Pferden gezogenen Grünkramwagen. Er beschimpfte ihn mit der vollen Überlegenheit, die ein schwerer Motor verleiht. Ravic wandte sich um. „Fertig?"

„Ja."

„Geben Sie mir die Brieftasche wieder zurück."

Er schob sie unter das Kissen. Er fühlte, daß sie dünner war, als vorher. „Packen Sie die Sachen in Ihre Handtasche", sagte er.

Sie tat es gehorsam. Ravic nahm die Rechnung und sah sie durch. „Haben Sie hier schon einmal eine Rechnung bezahlt?"

„Ich weiß es nicht. Ich glaube schon."

„Dies ist eine Rechnung für zwei Wochen. Bezahlte –" Ravic zögerte einen Moment. Es schien ihm sonderbar, von dem Toten als Herrn Raczinsky zu sprechen. „Wurden die Rechnungen immer pünktlich bezahlt?"

„Ja, immer. Er sagte oft, daß – in seiner Lage es wichtig wäre, immer pünktlich da zu zahlen, wo man müßte."

„Dieser Halunke von Wirt! Haben Sie eine Ahnung, wo die letzte Rechnung sein kann?"

Es klopfte. Ravic konnte sich nicht enthalten zu lächeln. Der Hausknecht brachte die Koffer herein. Der Wirt folgte ihm. „Sind das alle?" fragte Ravic die Frau.

„Ja."

„Natürlich sind das alle", grunzte der Wirt. „Was dachten Sie denn?"

Ravic nahm einen kleinen Koffer. „Haben Sie einen Schlüssel dazu? Nein? Wo können die Schlüssel sein?"

„Im Schrank. In seinem Anzug."

Ravic öffnete den Schrank. Er war leer. „Nun?" fragte er den Wirt. Der Wirt wandte sich an den Valet: „Nun?" fauchte er.

„Der Anzug ist draußen", stotterte der Valet.

„Warum?"

„Zum Bürsten und Reinigen."

„Das braucht er wohl nicht mehr", sagte Ravic.

„Bring ihn sofort herein, verdammter Dieb", schnauzte der Wirt. Der Hausdiener gab ihm einen kuriosen, zwinkernden Blick und ging. Gleich darauf brachte er den Anzug herein. Ravic schüttelte das Jackett, dann die Hose. Er klirrte in der Hose. Ravic zögerte einen Moment. Sonderbar, in die Hosentasche eines toten Mannes zu greifen. Als wäre der Anzug mitgestorben. Und sonderbar, so zu denken. Ein Anzug war ein Anzug.

Er nahm die Schlüssel heraus und öffnete die Koffer. Oben auf lag eine Segeltuchmappe. „Ist es diese?" fragte er die Frau.

Sie nickte.

Ravic fand die Rechnung sofort. Sie war quittiert. Er zeigte sie dem Wirt. „Sie haben eine Woche zuviel gerechnet."

„So?" schnappte der Patron zurück. „Und dann der Ärger? Die Schweinerei? Die Aufregung? Das ist wohl nichts, was? Daß ich meine Galle wieder fühle, das ist wohl inbegriffen, wie? Sie haben ja selbst gesagt, daß Gäste ausziehen werden! Der Schaden ist viel höher! Und das Bett? Das Zimmer, das ausgeschwefelt werden muß? Das Bettuch, das verdreckt ist?"

„Das Bettuch ist auf der Rechnung. Außerdem ein Diner für 25 Franc, das er gestern abend noch gegessen haben soll. Haben Sie etwas gegessen, gestern?" fragte er die Frau.

„Nein. Aber kann ich es nicht einfach bezahlen? Es ist – ich möchte es rasch erledigen."

Rasch erledigen, dachte Ravic. Wir kennen das. Und dann – die Stille und der Tote. Die Keulenschläge des Schweigens. Besser so – wenn es auch scheußlich ist. Er nahm einen Bleistift vom Tisch und rechnete. Dann gab er die Rechnung an den Wirt zurück. „Einverstanden?"

Der Patron warf einen Blick auf die Endziffer. „Ich bin doch nicht verrückt!"

„Einverstanden?" fragte Ravic noch einmal.

„Wer sind Sie überhaupt? Was mischen Sie sich hier ein?"

„Ich bin der Bruder", sagte Ravic. „Einverstanden?"

„Plus zehn Prozent Service und Steuer. Sonst nicht."

„Gut." Ravic fügte die Ziffer hinzu. „Sie haben zweihundertzweiundneunzig Franc zu zahlen", sagte er zu der Frau.

Sie nahm drei Hundertfrancscheine aus der Tasche und gab sie dem Wirt, der sie nahm und sich zum Gehen wandte. „Um sechs Uhr muß das Zimmer geräumt sein. Sonst rechnet es für einen anderen Tag."

„Acht Franc zurück", sagte Ravic.

„Und der Concierge?"

„Den bezahlen wir selbst. Die Trinkgelder auch."

Der Wirt zahlte mürrisch acht Franc auf den Tisch. „Sales étrangers", murmelte er und verließ das Zimmer.

„Der Stolz mancher französischen Hoteliers besteht darin, daß sie die Fremden hassen, von denen sie leben." Ravic bemerkte den Hausknecht, der mit einem Trinkgeldgesicht noch an der Tür stand. „Hier –"

Der Valet besah den Schein zuerst. „Merci, Monsieur", erklärte er dann und ging.

„Jetzt kommt noch die Polizei, und dann kann er abgeholt werden", sagte Ravic und sah die Frau an. Sie saß still in der Ecke zwischen den Koffern in der leise einfallenden Dämmerung. „Wenn man tot ist, ist man sehr wichtig – wenn man lebt, kümmert sich niemand." Er sah die Frau noch einmal an. „Wollen Sie nicht hinuntergehen? Es muß unten so etwas wie ein Schreibraum sein."

Sie schüttelte den Kopf.

„Ich kann mit Ihnen gehen. Ein Freund von mir kommt her, um die Sache mit der Polizei zu erledigen. Doktor Veber. Wir können unten auf ihn warten."

„Nein. Ich möchte hier bleiben."

„Sie können nichts tun. Warum wollen Sie hier bleiben?"

„Ich weiß nicht. Er – wird nicht mehr lange dasein. Und ich bin oft – er war nicht glücklich mit mir. Ich war oft fort. Jetzt will ich hier bleiben."

Sie sagte das ruhig, ohne Sentimentalität.

„Er weiß nichts mehr davon", sagte Ravic.

„Das ist es nicht –"

„Gut. Dann werden Sie hier etwas trinken. Sie brauchen das."

Ravic wartete nicht auf Antwort. Er klingelte. Der Kellner erschien überraschend schnell. „Bringen Sie zwei große Kognaks."

„Hierher?"

„Ja. Wohin sonst?"

„Sehr wohl, mein Herr."

Der Kellner brachte zwei Gläser und eine Flasche Courvoisier. Er blickte in die Ecke, wo das Bett weiß in der Dämmerung schimmerte. „Soll ich Licht machen?" fragte er.

„Nein. Aber Sie können die Flasche hierlassen."

Der Kellner stellte das Tablett auf den Tisch und verschwand mit einem zweiten Blick auf das Bett, so rasch er konnte.

Ravic nahm die Flasche und goß die Gläser voll. „Trinken Sie das. Es wird Ihnen guttun."

Er erwartete, daß die Frau sich weigern würde und er ihr zureden müsse. Aber sie trank das Glas ohne Zögern aus.

„Ist in den Koffern, die Ihnen nicht gehören, noch etwas Wichtiges?“

„Nein.“

„Etwas, das Sie behalten möchten. Das nützlich für Sie ist? Wollen Sie nicht nachsehen?“

„Nein. Es ist nichts drin. Ich weiß es.“

„Auch nicht in dem kleinen Koffer?“

„Vielleicht. Ich weiß nicht, was er darin hatte.“

Ravic nahm den Koffer, stellte ihn auf einen Tisch am Fenster und öffnete ihn. Ein paar Flaschen; etwas Wäsche; ein paar Notizbücher; ein Kasten mit Wasserfarben; einige Pinsel, ein Buch; in einem Seitenfach der Segeltuchmappe, in Seidenpapier gewickelt, zwei Geldscheine. Er hielt sie gegen das Licht. „Hier sind hundert Dollar“, sagte er. „Nehmen Sie das. Davon können Sie eine Zeitlang leben. Den Koffer werden wir zu den Ihren stellen. Er kann ebensogut Ihnen gehört haben.“

„Danke“, sagte die Frau.

„Es ist möglich, daß Sie das alles jetzt scheußlich finden. Aber es muß getan werden. Es ist wichtig für Sie. Es gibt Ihnen ein Stück Zeit.“

„Ich finde es nicht scheußlich. Ich hätte es nur nicht selbst tun können.“

Ravic schenkte die Gläser voll. „Trinken Sie das noch.“

Sie trank das Glas langsam aus. „Besser?“ fragte er.

Sie sah ihn an. „Nicht besser und nicht schlechter. Gar nichts.“ Sie saß undeutlich in der Dämmerung. Manchmal huschte der rote Schein einer Lichtreklame über ihr Gesicht und ihre Hände. „Ich kann nichts denken“, sagte sie, „solange er da ist.“

Die beiden Ambulanzgehilfen schlugen die Decke zurück und schoben die Bahre neben das Bett. Dann hoben sie den Körper hinüber. Sie taten es rasch und geschäftsmäßig. Ravic stand dicht neben der Frau für den Fall, daß sie ohnmächtig werden würde. Bevor die Gehilfen den Körper zudeckten, bückte er sich und nahm die kleine hölzerne Madonna vom Nachttisch. „Ich glaube, das gehört Ihnen“, sagte er. „Wollen Sie es nicht behalten?“

„Nein.“

Er gab ihr die Figur. Sie nahm sie nicht. Er öffnete den kleinen Koffer und legte sie hinein.

Die Ambulanzgehilfen deckten ein Tuch über den Leichnam. Dann hoben sie die Bahre auf. Die Tür war schmal und der Korridor draußen war nicht breit. Sie versuchten hindurchzukommen, aber es war unmöglich. Die Bahre stieß an.

„Wir müssen ihn herunternehmen", sagte der Ältere. „Wir kommen nicht um die Ecke mit ihm."

Er sah Ravic an. „Kommen Sie", sagte Ravic zu der Frau. „Wir können unten warten."

Die Frau schüttelte den Kopf.

„Gut", sagte er zu den Gehilfen. „Tun Sie, was nötig ist."

Die beiden hoben den Körper an den Füßen und an den Schultern auf und legten ihn auf den Fußboden. Ravic wollte etwas sagen. Er sah die Frau an. Sie rührte sich nicht. Er schwieg. Die Gehilfen trugen die Bahre hinaus. Dann kamen sie in die Dämmerung zurück und holten den Körper in den trübe beleuchteten Korridor. Ravic ging ihnen nach. Sie mußten den Körper sehr hoch heben, um die Treppe zu passieren. Ihre Köpfe schwollen an und wurden rot und feucht unter dem Gewicht, und der Tote schwebte schwer über ihnen. Ravic sah ihnen nach, bis sie unten waren. Dann ging er zurück.

Die Frau stand am Fenster und sah hinaus. Auf der Straße das Auto. Die Gehilfen schoben die Bahre hinein, wie ein Bäcker Brot in einen Ofen. Dann kletterten sie auf die Sitze, der Motor heulte auf, als schrie jemand aus der Erde, und der Wagen schoß in einer scharfen Kurve um die Ecke.

Die Frau drehte sich um. „Sie hätten vorher weggehen sollen", sagte Ravic. „Wozu mußten Sie das letzte noch sehen?"

„Ich konnte nicht. Ich konnte nicht vor ihm gehen. Verstehen Sie das nicht?"

„Ja. Kommen Sie. Trinken Sie noch ein Glas."

„Nein."

Veber hatte den Lichtschalter angedreht, als die Polizei und die Ambulanz kam. Der Raum erschien jetzt größer, seit der Körper fort war. Größer und sonderbar tot, als wäre der Körper fortgegangen und der Tod allein geblieben.

„Wollen Sie hier im Hotel bleiben? Doch sicher nicht?"

„Nein."

„Haben Sie Bekannte hier?"

„Nein. Niemand."

„Wissen Sie ein Hotel, in das Sie möchten?"

„Nein."

„In der Nähe hier ist ein kleines Hotel, ähnlich wie dieses. Sauber und ehrlich. Wir können dort etwas für Sie finden. Hotel Milan."

„Kann ich nicht in das Hotel gehen, wo – in Ihr Hotel?"

„Ins International?"

„Ja. Ich – es ist – ich kenne es nun schon etwas –. Es ist besser als ein ganz unbekanntes."

„Das International ist kein gutes Hotel für Frauen", sagte Ravic. Das fehlte noch, dachte er. Im selben Hotel. Ich bin kein Krankenwärter. Und dann – vielleicht dachte sie, er hätte bereits eine Verpflichtung. Es gab das. „Ich kann Ihnen nicht dazu raten", sagte er schroffer, als er gewollt hatte. „Es ist immer überfüllt. Mit Refugiés. Besser, Sie gehen zum Hotel Milan. Wenn es Ihnen nicht gefällt, können Sie es ja immer noch wechseln."

Die Frau sah ihn an. Er hatte das Gefühl, daß sie wußte, was er dachte, und er war beschämt. Aber es war besser, einen Augenblick beschämt zu sein und dafür später Ruhe zu haben.

„Gut", sagte die Frau. „Sie haben recht."

Ravic ließ die Koffer hinunter in ein Taxi bringen. Das Hotel Milan war nur wenige Minuten entfernt. Er mietete ein Zimmer und ging mit der Frau hinauf. Es war ein Raum im zweiten Stock mit einer Tapete mit Rosengirlanden, einem Bett, einem Schrank und einem Tisch mit zwei Stühlen.

„Ist das genug?" fragte er.

„Ja. Sehr gut."

Ravic musterte die Tapete. Sie war schauderhaft. „Es scheint immerhin hell zu sein", sagte er. „Hell und sauber."

„Ja."

Die Koffer wurden heraufgebracht. „So, jetzt haben Sie alles hier."

„Ja. Danke. Danke vielmals."

Die Frau saß auf dem Bett. Ihr Gesicht war sehr blaß und verwaschen. „Sie sollten schlafen gehen. Glauben Sie, daß Sie es können?"

„Ich werde es versuchen."

Ravic zog eine Aluminiumröhre aus der Tasche und schüttelte ein paar Tabletten heraus. „Hier ist etwas zum Schlafen. Mit einem Glas Wasser. Wollen Sie es jetzt nehmen?"

„Nein, später."

„Gut. Ich werde jetzt gehen. In den nächsten Tagen werde ich nach Ihnen fragen. Versuchen Sie, so bald wie möglich zu schlafen. Hier ist die Adresse des Beerdigungsinstituts, wenn Sie noch etwas zu tun haben. Gehen Sie nicht hin. Denken Sie an sich. Ich werde nach Ihnen fragen." Ravic zögerte einen Moment. „Wie heißen Sie?" fragte er.

„Madou. Joan Madou."

„Joan Madou. Gut. Ich werde es behalten." Er wußte, daß er es nicht behalten würde und daß er nicht nachfragen würde. Aber da er es wußte, wollte er den Schein aufrechterhalten. „Ich werde es doch lieber aufschreiben", sagte er und zog einen Rezeptblock aus der Tasche. „Hier – wollen Sie es selbst schreiben? Es ist einfacher."

Sie nahm den Block und schrieb ihren Namen. Er blickte darauf, riß das Blatt ab und steckte es in die Seitentasche seines Mantels. „Gehen Sie gleich schlafen", sagte er. „Morgen sieht alles anders aus. Es klingt albern und abgegriffen, aber es ist wahr; alles, was Sie jetzt brauchen, ist Schlaf und etwas Zeit. Eine gewisse Zeit, die Sie überstehen müssen. Wissen Sie das?"

„Ja, ich weiß es."

„Nehmen Sie die Tabletten und schlafen Sie."

„Ja. Danke. Danke für alles – ich weiß nicht, was ich getan hätte ohne Sie. Ich weiß es wirklich nicht."

Sie gab ihm die Hand. Sie war kühl, aber sie hatte einen festen Druck. Gut, dachte er. Etwas von einem Entschluß ist schon da.

Ravic trat auf die Straße hinaus. Er atmete den Wind, der feucht und weich war. Automobile, Menschen, ein paar fremde Huren bereits an den Ecken, Brasserien, Bistros, der Geruch nach Tabak, Apéritifs und Benzin – schwankendes, rasches Leben. Er blickte die Hausfront hinauf. Ein paar erleuchtete Fenster. Hinter einem davon saß jetzt die Frau und starrte vor sich hin. Er zog den Zettel mit dem Namen aus der Tasche, zerriß ihn und warf ihn fort. Vergessen. Welch ein Wort. Voll von Grauen, Trost und Gespensterei! Wer konnte leben, ohne zu vergessen? Aber wer konnte genug vergessen? Die Schlacken der Erinnerung, die das Herz zerrissen. Erst wenn man nichts mehr hatte, für das man lebte, war man frei.

Er ging zum Etoile. Eine große Menschenmenge füllte den Platz. Hinter dem Arc de Triomphe waren Scheinwerfer. Sie beleuchteten das Grab des unbekannten Soldaten. Eine riesige blauweißrote Fahne wehte darüber im Winde. Es war der zwanzigste Jahrestag des Waffenstillstandes von 1918.

Der Himmel war bedeckt, und die Strahlen der Scheinwerfer warfen den Schatten der Fahne matt, verwischt und zerrissen gegen die ziehenden Wolken. Es sah aus, als versinke dort ein zerfetztes Banner in der langsam tiefer werdenden Dunkelheit. Eine Militärkapelle spielte irgendwo. Es klang dünn und blechern. Niemand sang. Die Menge stand schweigend. „Waffenstillstand", sagte eine Frau neben Ravic. „Mein Mann ist im letzten Krieg gefallen. Jetzt ist mein Sohn dran. Waffenstillstand. Wer weiß, was noch kommen wird –"

4

Die Fiebertabelle über dem Bett war neu und leer. Nur der Name stand darauf. Lucienne Martinet. Butte Chaumont, Rue Clavel.

Das Mädchen lag grau in den Kissen. Es war am Abend vorher operiert worden. Ravic prüfte vorsichtig das Herz. Dann richtete er sich auf. "Besser", sagte er. "Die Blutübertragung hat ein kleines Wunder gewirkt. Wenn sie bis morgen durchhält, hat sie eine Chance."

"Gut", sagte Veber. "Gratuliere. Es sah nicht so aus. Hundertvierzig Puls und achtzig Blutdruck; Coffein, Coramin – das war verdammt nahe daran."

Ravic zuckte die Achseln. "Da ist nichts zu gratulieren. Sie ist früher gekommen als die andere. Die, mit der Goldkette um den Fuß. Das ist alles."

Er deckte das Mädchen zu. "Das ist der zweite Fall in einer Woche. Wenn es so weitergeht, werden Sie noch eine Klinik für verpfuschte Aborte in der Butte Chaumont. War die andere nicht auch daher?"

Veber nickte. "Ja, auch von der Rue Clavel. Kannten sich wahrscheinlich und waren bei derselben Hebamme. Kam sogar um dieselbe Zeit, abends, wie die andere. Gut, daß ich Sie noch im Hotel erreicht habe. Dachte schon, Sie wären nicht mehr da."

Ravic sah ihn an. "Wenn man im Hotel wohnt, ist man meistens abends nicht da, Veber – Hotelzimmer im November sind nichts besonders Trostvolles."

"Das kann ich mir vorstellen. Aber weshalb wohnen Sie dann eigentlich immer im Hotel?"

"Es ist bequem und unpersönlich. Man ist allein und doch nicht allein."

"Wollen Sie das?"

"Ja."

"Das können Sie anderswie doch auch. Wenn Sie sich ein kleines Appartement mieten, haben Sie es doch ebenso."

"Vielleicht." Ravic beugte sich wieder über das Mädchen.

"Finden Sie nicht auch, Eugenie?" fragte Veber.

Die Operationsschwester blickte auf. "Herr Ravic wird das nie tun", sagte sie kalt.

"Doktor Ravic, Eugenie", korrigierte Veber. "Er war Chefchirurg eines großen Hospitals in Deutschland. Viel mehr als ich."

"Hier –" begann die Schwester und rückte ihre Brille zurecht.

Veber winkte rasch ab. "Gut! Gut! Wir wissen das alles. Hier erkennt der Staat keine ausländischen Examen an. Blödsinnig genug!

Aber woher wissen Sie so genau, daß er kein Appartement nehmen wird?"

„Herr Ravic ist ein verlorener Mensch; er wird nie ein Heim gründen."

„Was?" fragte Veber verblüfft. „Was reden Sie da?"

„Herrn Ravic ist nichts mehr heilig. Das ist der Grund."

„Bravo", sagte Ravic vom Bett des Mädchens her.

„Hat man so etwas schon mal gehört?" Veber starrte Eugenie an.

„Fragen Sie ihn nur selbst, Doktor Veber."

Ravic richtete sich auf. „Sie haben ins Schwarze getroffen, Eugenie. Aber wenn einem nichts mehr heilig ist, wird einem alles auf eine menschlichere Weise wieder heilig. Man verehrt den Funken Leben, der selbst in einem Regenwurm pulst und ihn ab und zu ans Licht treibt. Das soll kein Vergleich sein."

„Sie können mich nicht treffen. Sie haben keinen Glauben." Eugenie strich sich energisch den weißen Kittel über der Brust zurecht. „Ich habe gottlob meinen Glauben."

Ravic griff nach seinem Mantel. „Glaube macht leicht fanatisch. Deshalb haben alle Religionen soviel Blut gekostet." Er grinste offen. „Toleranz ist die Tochter des Zweifels, Eugenie. Sind Sie mit all Ihrem Glauben nicht viel aggressiver gegen mich, als ich verlorener Ungläubiger gegen Sie?"

Veber lachte. „Da haben Sie es, Eugenie. Antworten Sie nicht. Es wird nur noch schlimmer!"

„Meine Würde als Frau –"

„Gut!" unterbrach Veber sie. „Bleiben Sie dabei! Das ist immer gut. Ich muß jetzt fort. Habe noch im Büro zu tun. Kommen Sie, Ravic. Guten Morgen, Eugenie."

„Guten Morgen, Doktor Veber."

„Guten Morgen, Schwester Eugenie", sagte Ravic.

„Guten Morgen", erwiderte Eugenie mühsam und erst, nachdem Veber sich nach ihr umgesehen hatte.

Vebers Büro war vollgestopft mit Möbeln aus der Empirezeit; weiß, golden und zerbrechlich. Über dem Schreibtisch hingen Fotografien seines Hauses und seines Gartens. An der Längswand stand eine breite, moderne Chaiselongue. Veber schlief darauf, wenn er nachts einmal dablieb. Die Klinik gehörte ihm.

„Was wollen Sie trinken, Ravic? Kognak oder Dubonnet?"

„Kaffee, wenn Sie noch welchen da haben."

„Natürlich." Veber stellte die Maschine auf den Schreibtisch und schaltete ein. Dann wandte er sich an Ravic. „Können Sie mich heute nachmittag im ,Osiris' vertreten?"

„Selbstverständlich."

„Macht es Ihnen nichts?"

„Nicht das geringste. Ich habe nichts vor."

„Gut. Ich brauche dann nicht extra wieder hereinzufahren. Kann in meinem Garten arbeiten. Ich hätte Fauchon gefragt, aber er ist in Urlaub."

„Unsinn", sagte Ravic. „Ich habe es doch schon oft genug gemacht."

„Das ist richtig. Immerhin –"

„Immerhin gibt es heutzutage nicht mehr. Nicht für mich."

„Ja. Idiotisch genug, daß ein Mann mit Ihrem Können hier nicht offiziell arbeiten darf und sich als schwarzer Chirurg verstecken muß."

„Aber Veber! Das ist doch schon eine alte Geschichte. Geht ja allen Ärzten so, die aus Deutschland geflüchtet sind."

„Trotzdem! Es ist lächerlich! Sie machen Durants schwierigste Operationen, und er macht sich einen Namen damit."

„Besser, als wenn er sie selbst machte."

Veber lachte. „Ich sollte nicht reden. Sie machen meine ja auch. Aber schließlich bin ich hauptsächlich Frauenarzt und kein Spezialist als Chirurg."

Die Kaffeemaschine begann zu pfeifen. Veber stellte sie ab. Er holte Tassen aus einem Schrank und goß den Kaffee ein. „Eines verstehe ich nicht, Ravic", sagte er. „Weshalb wohnen Sie wirklich noch immer in dieser Bude, dem ‚International'? Warum mieten Sie sich nicht eines dieser neuen Appartements in der Nähe des Bois? Ein paar Möbel können Sie überall billig kaufen. Dann wissen Sie doch wenigstens, was Sie haben."

„Ja", sagte Ravic. „Dann wüßte ich, was ich hätte."

„Na also, warum tun Sie es nicht?"

Ravic trank einen Schluck Kaffee. Er war bitter und sehr stark. „Veber", sagte er, „Sie sind ein prächtiges Beispiel für die Krankheit unserer Zeit: bequemes Denken. In einem Atemzug bedauern Sie, daß ich illegal hier arbeiten muß, und gleichzeitig fragen Sie mich, warum ich kein Appartement miete."

„Was hat das eine mit dem andern zu tun?"

Ravic lachte geduldig. „Wenn ich ein Appartement nehme, muß ich bei der Polizei angemeldet werden. Dazu brauche ich einen Paß und ein Visum."

„Richtig. Daran habe ich nicht gedacht. Und im Hotel?"

„Da auch. Aber es gibt gottlob einige Hotels in Paris, die es mit dem Anmelden nicht so genau nehmen." Ravic goß einen Schluck Kognak in seinen Kaffee. „Eines davon ist das ‚International'. Deshalb wohne ich da. Wie die Wirtin das arrangiert, weiß ich nicht. Sie muß gute Verbindungen haben. Entweder weiß die Polizei es wirklich nicht, oder sie wird geschmiert. Auf jeden Fall wohne ich schon ziemlich lange ungestört da."

Veber lehnte sich zurück. „Ravic", sagte er, „ich wußte das nicht. Ich dachte nur, Sie dürften hier nicht arbeiten. Das ist ja eine verdammte Situation."

„Es ist ein Paradies, verglichen mit einem deutschen Konzentrationslager."

„Und die Polizei? Wenn sie doch einmal kommt?"

„Wenn sie uns erwischt, gibt es ein paar Wochen Gefängnis und Ausweisung über die Grenze. Meistens in die Schweiz. Im Wiederholungsfalle sechs Monate Gefängnis."

„Was?"

„Sechs Monate", sagte Ravic.

Veber starrte ihn an. „Aber das ist doch unmöglich. Das ist ja unmenschlich."

„Das dachte ich auch, bis ich es lernte."

„Wieso lernte. Ist Ihnen denn das schon einmal passiert?"

„Nicht einmal. Dreimal. Ebenso, wie hundert andern auch. Im Anfang, als ich noch nichts davon wußte und auf die sogenannte Humanität vertraute. Bevor ich nach Spanien ging – wo ich keinen Paß brauchte – und eine zweite Lektion in angewandter Humanität erhielt. Von deutschen und italienischen Fliegern. Später, als ich dann wieder hierher zurückkam, wußte ich natürlich Bescheid."

Veber stand auf. „Aber um Himmels willen –" er rechnete – „dann sind Sie ja über ein Jahr für nichts im Gefängnis gewesen."

„Nicht so lange. Nur zwei Monate."

„Wieso? Sie sagten doch, im Wiederholungsfalle wären es schon sechs Monate?"

Ravic lächelte. „Es gibt eben keinen Wiederholungsfall, wenn man Erfahrung hat. Man wird unter einem Namen ausgewiesen und kommt einfach unter einem andern zurück. Möglichst an einer anderen Stelle der Grenze. So vermeidet man das. Da wir keine Papiere haben, ist das nur nachzuweisen, wenn jemand uns persönlich wiedererkennt. Das ist sehr selten. Ravic ist bereits mein dritter Name. Ich habe ihn seit fast zwei Jahren. Nichts passiert seitdem. Scheint mir Glück zu bringen. Gewinne ihn täglich lieber. Meinen wirklichen habe ich schon fast vergessen."

Veber schüttelte den Kopf. „Und das alles nur, weil Sie kein Nazi sind."

„Natürlich. Nazis haben erstklassige Papiere. Und sämtliche Visas, die sie wollen."

„Schöne Welt, in der wir leben! Daß die Regierung da nichts tut."

„Die Regierung hat einige Millionen Arbeitslose, für die sie zuerst sorgen muß. Außerdem ist das nicht nur in Frankreich so. Es ist überall dasselbe." Ravic stand auf. „Adieu, Veber. In zwei Stunden werde ich wieder nach dem Mädchen sehen. Nachts auch noch einmal."

Veber kam ihm nach zur Tür. „Hören Sie, Ravic", sagte er, „kommen Sie doch einmal abends zu uns heraus. Zum Essen."

„Bestimmt." Ravic wußte, daß er nicht gehen würde. „In der nächsten Zeit. Adieu, Veber."

„Adieu, Ravic. Und kommen Sie wirklich."

Ravic ging ins nächste Bistro. Er setzte sich an ein Fenster, um auf die Straße blicken zu können. Er liebte das – gedankenlos dazusitzen und die Leute draußen vorbeigehen zu sehen. Paris war die Stadt, wo man mit nichts seine Zeit am besten verbringen konnte.

Der Kellner wischte den Tisch ab und wartete. „Einen Pernod", sagte Ravic.

„Mit Wasser, mein Herr?"

„Nein. Warten Sie!" Ravic besann sich. „Bringen Sie mir keinen Pernod."

Es war da etwas, das er wegspülen mußte. Ein bitterer Geschmack. Dazu war das süße Anis-Zeug nicht scharf genug. „Einen Calvados", sagte er zu dem Kellner. „Einen doppelten Calvados."

„Gut, mein Herr."

Es war die Einladung Vebers. Diese Spur von Mitleid darin. Jemand einmal einen Abend in der Familie möglich machen. Franzosen luden Freunde nur selten in ihre Häuser ein; sie erledigten das lieber in Restaurants. Er war noch nie bei Veber gewesen. Es war gut gemeint, aber man vertrug das schlecht. Gegen Beleidigungen konnte man sich wehren; gegen Mitleid nicht.

Er nahm einen Schluck von dem Apfelschnaps. Wozu hatte er Veber erklärt, warum er im International wohnte? Es war nicht nötig gewesen. Veber wußte, was er wissen mußte. Er wußte, daß Ravic nicht operieren durfte, das war genug. Daß er trotzdem mit ihm arbeitete, war seine Sache. Er verdiente dabei und konnte Operationen annehmen, die er sich nicht allein zu machen getraute. Niemand wußte davon; – nur er und die Operationsschwester – und die hielt dicht. Mit Durant war es dasselbe. Nur zeremonieller. Wenn der eine Operation hatte, blieb er bei dem Patienten, bis er narkotisiert war. Erst dann kam Ravic und machte die Operation, zu der Durant zu alt und zu unfähig war. Wenn der Patient dann später erwachte, erschien Durant wieder an seinem Bett als stolzer Operateur. Ravic sah den

Patienten nur zugedeckt; er kannte von ihm nur die schmale, jod-
braune Stelle Körper, die offen war für die Operation. Er wußte oft
nicht einmal, wen er operierte. Durant gab ihm die Diagnose, und er
begann zu schneiden. Er zahlte Ravic weniger als ein Zehntel dessen,
was er selbst für die Operation bekam. Ravic hatte nichts dagegen.
Es war immer noch besser, als nicht zu operieren. Mit Veber arbeitete
er mehr kameradschaftlich. Veber zahlte ihm ein Viertel. Das war
fair.

Ravic blickte durch das Fenster. Und sonst? Es war nicht viel, was
übriggeblieben war. Er lebte, das war genug. Es lag ihm nichts daran,
in einer Zeit, wo alles schwankte, etwas aufzubauen, das in kurzer
Zeit wieder zusammenstürzen mußte. Es war besser, zu treiben, als
Kraft zu verschwenden, sie war das einzige, was unersetzbar war.
Überstehen war alles, bis irgendwo wieder ein Ziel sichtbar wurde.
Je weniger Kraft man dazu anwandte, um so besser; man hatte sie
dann nachher. Ameisenhaft immer wieder in einem zusammenbrechen-
den Jahrhundert eine bürgerliche Existenz aufbauen zu wollen – das
war das, woran er viele hatte scheitern sehen. Es war rührend, heroisch
und lächerlich in einem –, und nutzlos. Es machte mürbe. Eine Lawine
war nicht aufzuhalten, wenn sie im Rollen war; – wer es versuchte,
kam darunter. Besser abzuwarten und später die Verschütteten aus-
zugraben. Wenn viel marschiert wurde, mußte man leichtes Gepäck
haben. Auf der Flucht auch –

Ravic blickte auf seine Uhr. Es war Zeit, nach Lucienne Martinet
zu sehen. Und danach für das „Osiris".

Die Huren im „Osiris" warteten schon. Sie wurden zwar regelmäßig
von einem Amtsarzt untersucht; aber der Besitzerin war das nicht
genug. Sie konnte sich nicht leisten, daß sich jemand in ihrem Lokal
ansteckte, deshalb hatte sie mit Veber ein Abkommen getroffen, daß
die Mädchen jeden Donnerstag noch einmal privat untersucht wurden.
Ravic vertrat ihn manchmal dabei.

Die Besitzerin hatte einen Raum im ersten Stock als Untersuchungszimmer eingerichtet und ausgestattet. Sie war sehr stolz darauf, daß
seit mehr als einem Jahr keiner ihrer Kunden sich in ihrem Etablisse-
ment etwas geholt hatte; dafür aber hatten, trotz aller Vorsicht der
Mädchen, siebzehn Kunden Geschlechtskrankheiten eingeschleppt.

Rolande, die Gouvernante, brachte Ravic eine Flasche Brandy und
ein Glas. „Ich glaube, Marthe hat etwas", sagte sie.

„Gut. Ich werde sie genau ansehen."

„Ich habe sie schon gestern nicht mehr arbeiten lassen. Sie streitet
es ab, natürlich. Aber ihre Wäsche –"

„Gut, Rolande."

Die Mädchen kamen eine nach der anderen in ihren Hemden herein. Ravic kannte fast alle; es waren nur zwei Neue dabei.

„Mich brauchen Sie nicht zu untersuchen, Doktor", sagte Leonie, eine rothaarige Gascognerin.

„Warum nicht?"

„Keine Kunden, die ganze Woche."

„Was sagt die Madame dazu?"

„Nichts. Ich habe eine Menge Champagner gemacht. Sieben Flaschen jeden Abend. Drei Geschäftsleute aus Toulouse. Verheiratet. Wollten alle drei, aber genierten sich voreinander. Jeder hatte Angst, wenn er mit mir ginge, würden die andern zu Hause darüber reden. Soffen deshalb; jeder dachte, er würde allein übrigbleiben." Leonie lachte und kratzte sich faul. „Der, der übrigblieb, konnte dann nicht mehr aufstehen."

„Gut. Ich muß dich trotzdem untersuchen."

„Meinetwegen. Haben Sie eine Zigarette, Doktor?"

„Ja, hier."

Ravic machte den Abstrich und färbte ihn ein. Dann schob er die Glasplatte unter das Mikroskop.

„Wissen Sie, was ich nicht verstehe?" sagte Leonie, während sie Ravic beobachtete.

„Was?"

„Daß Sie, wenn Sie diese Sachen machen, noch Lust haben, mit einer Frau zu schlafen."

„Das verstehe ich auch nicht. Du bist in Ordnung. Wer kommt jetzt?"

„Marthe."

Marthe war blaß, schmal und blond. Sie hatte das Gesicht eines Botticelli-Engels, aber sie sprach den Jargon der Rue Blondel.

„Mir fehlt nichts, Doktor."

„Das ist gut. Wir werden sehen."

„Aber mir fehlt wirklich nichts."

„Um so besser."

Rolande stand plötzlich im Zimmer. Sie sah Marthe an. Das Mädchen sagte nichts mehr. Unruhig sah es Ravic an. Er untersuchte sie genau.

„Aber es ist nichts, Doktor. Sie wissen doch, wie vorsichtig ich bin."

Ravic erwiderte nichts. Das Mädchen redete weiter – stockte und begann wieder. Ravic machte einen Abstrich und untersuchte ihn.

„Du bist krank, Marthe", sagte er.

„Was?" Sie war mit einem Sprung auf. „Das kann nicht stimmen."

„Es stimmt."

Sie sah ihn an. Dann brach es plötzlich los – eine Flut von Flüchen und Verwünschungen. „Dieses Schwein! Dieses gottverdammte Schwein! Ich habe ihm gleich nicht getraut, diesem glatten Aas! Student wäre er, sagte er, müsse es doch wissen, er wäre ja Medizinstudent, dieser Lump!"

„Warum hast du nicht aufgepaßt?"

„Ich habe ja aufgepaßt, aber es ging so schnell, und er sagte, als Student –" Ravic nickte. Die alte Sache – ein Medizinstudent, der sich einen Tripper geholt und selbst behandelt hatte. Nach zwei Wochen hatte er sich für gesund gehalten, ohne eine Reaktion zu machen.

„Wie lange wird es dauern, Doktor?"

„Sechs Wochen." Ravic wußte, daß es länger dauern würde.

„Sechs Wochen?" Sechs Wochen kein Verdienst. Ins Hospital? „Muß ich ins Hospital?"

„Wir werden sehen. Vielleicht können wir dich später zu Hause behandeln – wenn du versprichst –"

„Ich verspreche alles! Nur nicht ins Hospital!"

„Zuerst mußt du hinein. Es geht nicht anders."

Das Mädchen starrte Ravic an. Das Hospital war bei allen Huren gefürchtet. Die Aufsicht dort war sehr streng. Aber es war anders unmöglich. Zu Hause würden sie trotz aller Versprechungen nach ein paar Tagen heimlich ausgehen und sich Männer suchen, um sich etwas zu verdienen, und sie anstecken.

„Die Madame zahlt die Kosten", sagte Ravic.

„Aber ich! Ich! Sechs Wochen ohne Verdienst. Und ich habe mir gerade einen Silberfuchs auf Abzahlung gekauft. Die Rate verfällt dann, und alles ist weg."

Sie weinte. „Komm, Marthe", sagte Rolande.

„Sie nehmen mich nicht wieder! Ich weiß es!" Marthe schluchzte stärker. „Sie nehmen mich nicht wieder nachher! Sie tun das nie! Dann muß ich auf die Straße. Und alles wegen diesem glatten Hund –"

„Wir nehmen dich wieder. Du warst gutes Geschäft. Die Kunden mögen dich."

„Wirklich?" Marthe sah auf.

„Natürlich. Und nun komm."

Marthe ging mit Rolande hinaus. Ravic sah ihr nach. Sie würde nicht wiederkommen. Madame war viel zu vorsichtig. Ihre nächste Etappe waren vielleicht noch die billigen Bordelle an der Rue Blondel. Dann die Straße. Dann Koks, Hospital, Blumen- oder Zigarettenhandel. Oder, wenn sie Glück hatte, ein Louis, der sie prügelte, ausnutzte und sie später rausschmiß.

Der Speisesaal des Hotels International lag unter der Erde. Die Bewohner nannten ihn deshalb die Katakombe. Er bekam tagsüber etwas trübes Licht durch einige dicke Milchglasscheiben, die einen Teil des Hofes bildeten; im Winter mußte er den ganzen Tag erleuchtet werden. Der Raum war gleichzeitig Rauchzimmer, Schreibzimmer, Halle, Versammlungsraum und die Rettung der Emigranten, die keine Papiere hatten; – sie konnten, wenn die Polizei kontrollierte, durch ihn zum Hof in eine Garage und von dort auf die gegenüberliegende Straße entkommen.

Ravic saß mit dem Portier des Nachtklubs Scheherazade, Boris Morosow, in einer Ecke der Katakombe, die von der Wirtin der Palmenraum genannt wurde; eine jammervolle Palme in einem Majolikakübel auf einem dünnbeinigen Tischchen fristete dort ihr Leben. Morosow lebte seit fünfzehn Jahren in Paris. Er war ein Refugié vom ersten Weltkrieg, einer der wenigen Russen, die nicht in Garderegimentern gedient haben wollten und die nicht über ihre adlige Familie sprachen.

Sie spielten Schach. Die Katakombe war leer, bis auf einen Tisch, an dem einige Leute saßen und tranken und laut redeten und alle paar Minuten einen Toast ausbrachten.

Morosow sah sich ärgerlich um. „Kannst du mir erklären, Ravic, warum hier heute abend so ein Radau ist? Warum gehen diese Emigranten nicht schlafen?"

Ravic lachte. „Diese Emigranten da in der Ecke gehen mich nichts an. Das ist die faschistische Sektion des Hotels."

„Spanien? Da warst du doch auch?"

„Ja, aber auf der anderen Seite. Außerdem als Arzt. Das da sind spanische Monarchisten, faschistisch verbrämt. Der Rest der Gesellschaft; die anderen sind längst drüben. Diese konnten sich noch nicht ganz entschließen. Franco war ihnen nicht fein genug. Die Mohren, die die Spanier schlachteten, haben sie natürlich nicht gestört."

Morosow stellte seine Figuren auf. „Feiern dann wahrscheinlich das Massaker von Guernica. Oder den Sieg italienischer und deutscher Maschinengewehre über Bergarbeiter und Bauern. Habe die Brüder noch nie hier gesehen."

„Sie sind seit Jahren hier. Du siehst sie nicht, weil du nie hier ißt."

„Ißt du hier?"

„Nein."

Morosow grinste. „Gut", sagte er, „schenken wir uns meine nächste Frage und deine Antwort, die bestimmt beleidigend sein würde. Meinetwegen können sie geboren sein in dieser Bude. Sie sollen nur leise reden. Hier – das gute, alte Damengambit."

Ravic zog den gegenüberliegenden Bauern. Sie machten die ersten Züge rasch. Dann begann Morosow zu brüten. „Es gibt da eine Variante von Aljechin –"

Einer der Spanier kam herüber. Es war ein Mann mit eng zusammenstehenden Augen. Er blieb neben dem Tisch stehen. Morosow blickte ihn mißvergnügt an. Der Spanier stand nicht ganz gerade. „Meine Herren", sagte er höflich. „Oberst Gomez bittet Sie, ein Glas Wein mit ihm zu trinken."

„Mein Herr", erwiderte Morosow ebenso höflich. „Wir spielen hier soeben eine Partie Schach um die Meisterschaft des XVII. Arrondissements. Wir danken verbindlichst, aber wir können nicht kommen."

Der Spanier verzog keine Miene. Er wendete sich an Ravic mit einer Formalität, als wäre er am Hofe Philipp II. „Sie haben Oberst Gomez vor einiger Zeit eine Freundlichkeit erwiesen. Er möchte vor seiner Abreise deshalb gern ein Glas mit Ihnen trinken."

„Mein Partner", erwiderte Ravic ebenso formell, „hat Ihnen bereits erklärt, daß wir diese Partie heute spielen müssen. Danken Sie dem Obersten Gomez. Ich bedaure sehr."

Der Spanier verbeugte sich und ging zurück. Morosow schmunzelte. „Ganz wie die Russen in den ersten Jahren. Hielten sich an ihre Titel und Manieren wie an Schwimmgürteln. Was für eine Freundlichkeit hast du dem Hottentotten erwiesen?"

„Ich habe ihm einmal ein Abführmittel verschrieben. Lateinische Völker halten sehr auf gute Verdauung."

„Nicht schlecht." Morosow blinzelte. „Die alte Schwäche der Demokratie. Ein Faschist in derselben Lage hätte einem Demokraten Arsenik gegeben."

Der Spanier kam zurück. „Mein Name ist Oberleutnant Navarro", erklärte er mit dem schweren Ernst eines Mannes, der zuviel getrunken hat und es nicht weiß. „Ich bin der Adjutant des Obersten Gomez. Der Oberst verläßt Paris diese Nacht. Er geht nach Spanien, um sich der glorreichen Armee des Generalissimus Franco anzuschließen. Er möchte deshalb mit Ihnen ein Glas auf Spaniens Freiheit und Spaniens Armee trinken."

„Oberleutnant Navarro", sagte Ravic kurz. „Ich bin kein Spanier."

„Wir wissen das; Sie sind ein Deutscher." Navarro zeigte den Schatten eines konspiratorischen Lächelns. „Das ist gerade der Grund für den Wunsch des Obersten Gomez. Deutschland und Spanien sind Freunde."

Ravic sah Morosow an. Die Ironie der Situation war stark. Es zuckte um Morosows Mund. „Oberleutnant Navarro", sagte er. „Ich bedaure, darauf bestehen zu müssen, diese Partie mit Doktor Ravic zu beenden. Die Resultate müssen heute nacht noch nach New York und Kalkutta gekabelt werden."

„Mein Herr", erwiderte Navarro kalt. „Wir haben erwartet, daß Sie ablehnen würden. Rußland ist der Feind Spaniens. Die Einladung bezog sich nur auf Doktor Ravic. Wir mußten Sie miteinladen, da Sie mit ihm zusammen sind."

Morosow setzte einen Springer, den er gewonnen hatte, auf seine riesige, flache Hand und sah Ravic an. „Glaubst du nicht, daß es genug ist mit diesem Affentheater?"

„Ja." Ravic drehte sich um. „Ich denke, es ist am einfachsten, Sie gehen zurück, junger Mann. Sie beleidigen den Obersten Morosow, der ein Feind der Sowjets ist, ohne Grund."

Er beugte sich, ohne eine Antwort abzuwarten, über das Schachbrett. Navarro stand einen Moment unschlüssig. Dann ging er.

„Er ist betrunken und dann, wie viele Lateiner, ohne Humor", sagte Ravic. „Das ist kein Grund, daß wir keinen haben sollen. Ich habe dich deshalb soeben zum Obersten befördert. Soviel ich weiß, warst du nur ein armseliger Oberstleutnant. Schien mir unerträglich, daß du nicht den gleichen militärischen Rang wie dieser Gomez haben solltest."

„Rede nicht, Knabe. Ich habe die Aljechinische Variante über den Unterbrechungen verpfuscht. Dieser Läufer scheint verloren zu sein." Morosow sah auf. „Mein Gott, da kommt schon wieder einer. Ein anderer Adjutant. Was für ein Volk!"

„Das ist der Oberst Gomez selbst." Ravic lehnte sich behaglich zurück. „Dies wird eine Diskussion zwischen zwei Obersten."

„Eine kurze, mein Sohn."

Der Oberst war noch förmlicher als Navarro. Er entschuldigte sich bei Morosow wegen des Irrtums seines Adjutanten. Die Entschuldigung wurde entgegengenommen. Gomez lud nun, da alle Schwierigkeiten überstanden waren, äußerst zeremoniell ein, als Zeichen der Versöhnung gemeinsam das Glas auf Franco zu trinken. Diesmal lehnte Ravic ab.

„Aber als verbündeter Deutscher —" Der Oberst war sichtlich verwirrt.

„Oberst Gomez", sagte Ravic, der allmählich ungeduldig wurde, „lassen wir die Situation, wie sie ist. Trinken Sie, auf wen Sie wollen, und ich spiele Schach."

Der Oberst versuchte nachzudenken. „Dann sind Sie also ein —"

„Besser, Sie stellen nichts fest", unterbrach Morosow ihn. „Führt nur zu Streitigkeiten."

Gomez wurde immer verwirrter. „Aber Sie, als Weißrusse und zaristischer Offizier müßten doch gegen —"

„Wir müssen gar nichts. Wir sind sehr veraltete Kreaturen. Wir haben verschiedene Meinungen und schlagen uns trotzdem nicht die Schädel ein."

Gomez schien endlich ein Licht aufzugehen. Er straffte sich. „Ich sehe“, erklärte er schneidend. „Verweichlichte, demokratische –“

„Mein Lieber“, sagte Morosow plötzlich gefährlich. „Verschwinden Sie! Sie hätten schon vor Jahren verschwunden sein sollen. Nach Spanien. Um zu kämpfen. Statt dessen kämpfen Deutsche und Italiener da für Sie. Adieu!“

Er stand auf. Gomez trat einen Schritt zurück. Er starrte Morosow an. Dann machte er abrupt kehrt und ging zu seinem Tisch zurück. Morosow setzte sich wieder. Er seufzte und klingelte dem Servier-mädchen. „Bringen Sie uns zwei doppelte Calvados, Clarisse.“

Clarisse nickte und verschwand. „Brave, soldatische Seelen.“ Ravic lachte. „Einfacher Verstand und komplizierte Ehrbegriffe. Erschweren das Leben, wenn man betrunken ist.“

„Das sehe ich. Da kommt bereits der nächste. Das ist ja eine Prozes-sion. Wer ist es diesmal? Franco selbst?“

Es war Navarro. Er hielt zwei Schritte vor dem Tische und adres-sierte Morosow. „Oberst Gomez bedauert, Ihnen keine Forderung überbringen zu können. Er verläßt Paris diese Nacht. Außerdem ist seine Mission zu wichtig, um mit der Polizei Schwierigkeiten zu haben.“ Er wandte sich an Ravic. „Oberst Gomez schuldete Ihnen noch das Honorar für Ihre Konsultation.“ Er warf eine zusammengefaltete Fünffrancnote auf den Tisch und wollte kehrtmachen.

„Einen Augenblick“, sagte Morosow. Clarisse stand gerade neben ihm mit dem Tablett. Er nahm das Glas Calvados, betrachtete es kurz, schüttelte den Kopf und stellte es zurück. Dann nahm er eines der Wassergläser vom Tablett und schüttete es Navarro ins Gesicht. „Das ist, um Sie nüchtern zu machen“, erklärte er ruhig. „Merken Sie sich künftig, daß man Geld nicht wirft. Und nun fort mit Ihnen, Sie mittel-alterlicher Idiot.“

Navarro stand überrascht. Er trocknete sich das Gesicht ab. Die an-dern Spanier kamen heran. Es waren vier. Morosow erhob sich lang-sam. Er überragte die Spanier um mehr als einen Kopf. Ravic blieb sitzen. Er sah Gomez an. „Machen Sie sich nicht lächerlich“, sagte er. „Sie sind alle nicht nüchtern. Sie haben nicht die geringste Chance. In ein paar Minuten würden Sie mit gebrochenen Knochen hier herum-liegen. Selbst wenn Sie nüchtern wären, hätten Sie keine Chance.“ Er stand auf, griff Navarro rasch an den Ellbogen, hob ihn an, drehte ihn herum und stellte ihn so dicht neben Gomez auf den Boden, daß Gomez beiseite treten mußte. „Und nun lassen Sie uns in Ruhe. Wir haben Sie nicht aufgefordert, uns zu belästigen.“ Er nahm die Fünffrancnote vom Tisch und legte sie auf das Tablett. „Das ist für Sie, Clarisse. Von den Herren hier.“

„Erstmals, daß ich von denen etwas bekomme", erklärte Clarisse. „Danke."

Gomez sagte etwas in Spanisch. Die fünf machten kehrt und gingen zu ihrem Tisch zurück. „Schade", sagte Morosow. „Ich hätte die Brüder gerne verprügelt. Geht leider deinetwegen nicht, du illegaler Findling. Bedauerst du es nicht manchmal, daß du es nicht kannst?"

„Nicht bei denen. Es gibt andere, die ich haben möchte."

Man hörte von dem Tisch in der Ecke ein paar Worte Spanisch. Die fünf standen auf. Ein dreifaches Viva erscholl. Die Gläser wurden klirrend niedergesetzt und die Gruppe verließ martialisch den Raum.

„Fast hätte ich ihm den guten Calvados ins Gesicht gegossen." Morosow nahm das Glas und trank es aus. „Und so was regiert jetzt in Europa! Waren wir auch einmal so blödsinnig?"

„Ja", sagte Ravic.

Sie spielten ungefähr eine Stunde. Dann sah Morosow auf. „Da kommt Charles", sagte er. „Er will wohl etwas von dir."

Ravic sah auf. Der Bursche aus der Conciergenloge kam heran. Er hatte ein kleines Paket in der Hand. „Dies hier ist für Sie abgegeben worden."

„Für mich?"

Ravic betrachtete das Paket. Es war klein, in weißes Seidenpapier gewickelt und verschnürt. Eine Adresse stand nicht darauf. „Ich erwarte keine Pakete. Muß ein Irrtum sein. Wer hat es gebracht?"

„Eine Frau – eine Dame –" stotterte der Bursche.

„Eine Frau oder eine Dame?" fragte Morosow.

„So – so dazwischen."

Morosow schmunzelte. „Ziemlich scharfsinnig."

„Es steht kein Name darauf. Hat sie gesagt, es sei für mich?"

„Das nicht gerade. Nicht Ihren Namen. Sie hat gesagt, für den Arzt, der hier wohnt. Und – Sie kennen die Dame."

„Hat sie das gesagt?"

„Nein", platzte der Bursche heraus. „Aber sie kam doch neulich nachts mit Ihnen."

„Es kommen ab und zu Damen mit mir, Charles. Aber du solltest wissen, daß Diskretion die erste Tugend eines Hotelangestellten ist. Indiskretion ist für die Kavaliere der großen Welt."

„Mach das Paket auf, Ravic", sagte Morosow. „Selbst, wenn es nicht für dich ist. Wir haben schon Schlimmeres angestellt in unserem bedauernswürdigen Leben."

Ravic lachte und öffnete es. Er wickelte einen kleinen Gegenstand aus. Es war die hölzerne Madonna, die er im Zimmer der Frau – er dachte nach – wie hieß sie doch? Madeleine – Mad –, er hatte es vergessen. Irgend so ein ähnlicher Name. Er sah in dem Seidenpapier nach. Es war kein Zettel dabei. „Gut", sagte er zu dem Burschen. „Es stimmt."

Er stellte die Figur auf den Tisch. Sie stand sonderbar fremd zwischen den Schachfiguren. „Russin?" fragte Morosow.

„Nein. Hatte ich anfangs auch gedacht."

Ravic sah, daß das Lippenrot abgewaschen war. „Was soll ich nur damit machen?"

„Stelle es irgendwohin. Man kann vieles irgendwo hinstellen. Es gibt für alles genug Platz in der Welt. Nur nicht für Menschen."

„Sie werden den Mann beerdigt haben."

„Ist es die?"

„Ja."

„Hast du dich noch einmal um sie gekümmert?"

„Nein."

„Sonderbar", sagte Morosow, „daß wir immer glauben, etwas getan zu haben, und dann aufhören, wenn es für den anderen am schwierigsten wird."

„Ich bin kein Wohltätigkeitsinstitut, Boris. Und ich habe schon Schlimmeres gesehen als das und nichts getan. Warum soll es für sie jetzt schwieriger sein?"

„Weil sie jetzt erst wirklich allein ist. Bisher war der Mann immer noch da, auch wenn er tot war. Er war über der Erde. Jetzt ist er unter der Erde – fort, nicht mehr da. Das da" – Morosow zeigte auf die Madonna – „ist kein Dank. Es ist ein Hilferuf."

„Ich habe mit ihr geschlafen", sagte Ravic, „ohne zu wissen, was los war. Ich will das vergessen."

„Unsinn! So was ist das Unwichtigste von der Welt, solange es keine Liebe ist. Ich kannte eine Frau, die sagte, es sei leichter, mit einem Manne zu schlafen, als ihn beim Vornamen zu nennen." Morosow beugte sich vor. Sein großer, kahler Schädel spiegelte sich im Licht. „Ich will dir etwas sagen, Ravic, wir sollen freundlich sein, wenn wir es können und solange wir es können – denn wir werden in unserem Leben noch einige sogenannte Verbrechen begehen. Ich wenigstens. Und du wohl auch."

„Ja."

Morosow legte seinen Arm um den Kübel der dürftigen Palme. Sie schwankte leicht. „Leben heißt, von andern leben. Wir fressen alle voneinander. So ein bißchen Flimmern von Güte ab und zu – das soll man sich nicht nehmen lassen. Es stärkt, wenn man schwierig lebt."

„Gut. Ich werde morgen mal nachfragen bei ihr."

„Schön", sagte Morosow. „Das war es, was ich meinte. Und nun laß das viele Reden. Wer hat Weiß?"

5

Der Wirt kannte Ravic gleich wieder. „Die Dame ist in ihrem Zimmer", sagte er.

„Können Sie ihr telephonieren, daß ich hier bin?"

„Das Zimmer hat kein Telephon. Sie können ruhig hinaufgehen."

„Welche Nummer ist es?"

„Siebenundzwanzig."

„Ich habe den Namen nicht mehr im Kopf. Wie hieß sie doch?"

Der Wirt zeigte kein Erstaunen. „Madou. Joan Madou", fügte er hinzu. „Glaube nicht, daß sie wirklich so heißt. Künstlername, wahrscheinlich."

„Wieso Künstlername?"

„Sie hat sich als Schauspielerin eingetragen. Klingt doch so, wie?"

„Das weiß ich nicht. Ich kannte einen Schauspieler, der nannte sich Gustav Schmidt. Er hieß in Wirklichkeit Alexander Marie Graf von Zambona. Gustav Schmidt war sein Künstlername. Klang gar nicht so, wie?"

Der Wirt gab sich nicht geschlagen. „Heutzutage passiert viel", erklärte er.

„Es passiert gar nicht einmal soviel. Wenn Sie Geschichte studieren, werden Sie finden, daß wir noch in verhältnismäßig ruhigen Zeiten leben."

„Danke, mir genügt's."

„Mir auch. Aber man muß seinen Trost suchen, wo man kann. Nummer siebenundzwanzig, sagten Sie?"

„Ja, mein Herr."

Ravic klopfte. Niemand antwortete. Er klopfte noch einmal und hörte eine undeutliche Stimme. Als er die Tür öffnete, sah er die Frau. Sie saß auf dem Bett, das an der Querwand stand, und blickte langsam auf. Sie war angezogen und trug das blaue Schneiderkostüm, in dem Ravic sie zum ersten Male gesehen hatte. Sie hätte weniger verlassen gewirkt, wenn sie vernachlässigt, in irgendeinem Schlafrock herumgelegen hätte. Aber so, angezogen für niemand und nichts, aus einer Gewohnheit heraus, die jetzt nichts mehr bedeutete, hatte sie etwas, das Ravic einen Schlag aufs Herz gab. Er kannte das – er hatte Hunderte von Menschen so sitzen sehen, Emigranten, verschlagen in fremdeste

Fremde. Eine kleine Insel ungewissen Daseins – so saßen sie da und wußten nicht wohin – und nur die Gewohnheit erhielt sie am Leben.

Er zog die Tür hinter sich zu. „Ich hoffe, ich störe Sie nicht", sagte er und empfand sofort, wie sinnlos das war. Was konnte die Frau schon stören? Da war nichts, was sie noch stören konnte.

Er legte seinen Hut auf einen Stuhl. „Konnten Sie alles erledigen?" fragte er.

„Ja. Es war nicht viel."

„Keine Schwierigkeiten?"

„Nein."

Ravic setzte sich in den einzigen Sessel des Zimmers. Die Sprungfedern knarrten, und er fühlte, daß eine zerbrochen war.

„Wollten Sie fortgehen?" fragte er.

„Ja. Irgendwann. Später. Nirgendwohin – nur so. Was soll man sonst tun?"

„Nichts. Es ist richtig; für ein paar Tage. Kennen Sie niemand in Paris?"

„Nein."

„Niemand?"

Die Frau hob mit einer müden Bewegung den Kopf. „Niemand – außer Ihnen, den Wirt, den Kellner und das Zimmermädchen." Sie lächelte trübe. „Das ist nicht viel, wie?"

„Nein. Kannte –" Ravic suchte nach dem Namen des toten Mannes. Er hatte ihn vergessen.

„Nein", sagte die Frau. „Raczinsky hatte keine Bekannten hier, oder ich habe sie nie gesehen. Er wurde gleich krank, als wir hier ankamen."

Ravic hatte nicht lange bleiben wollen. Jetzt, als er die Frau so dasitzen sah, änderte er seine Absicht. „Haben Sie schon zu Abend gegessen?"

„Nein. Ich bin auch nicht hungrig."

„Haben Sie heute überhaupt schon etwas gegessen?"

„Ja. Heute mittag. Tagsüber ist das einfacher. Abends –"

Ravic blickte sich um. Das kleine, kahle Zimmer roch nach Trostlosigkeit und November. „Es wird Zeit, daß Sie hier herauskommen", sagte er. „Kommen Sie. Wir werden zusammen essen gehen."

Er hatte erwartet, daß die Frau Einwendungen machen würde. Sie schien so gleichgültig, als könne sie sich zu nichts mehr aufraffen. Aber sie stand gleich auf und griff nach ihrem Regenmantel.

„Das da ist nicht genug", sagte er. „Der Mantel ist viel zu dünn. Haben Sie keinen wärmeren? Es ist kalt draußen."

„Es regnete vorhin –"

„Es regnet immer noch. Aber es ist kalt. Können Sie nicht etwas darunter anziehen. Einen anderen Mantel oder wenigstens einen Sweater?"

„Ich habe einen Sweater."

Sie ging zu dem größeren Koffer. Ravic sah, daß sie fast nichts ausgepackt hatte. Sie holte einen schwarzen Sweater aus dem Koffer, zog die Jacke aus und streifte ihn über. Sie hatte gerade und schöne Schultern. Dann nahm sie die Baskenmütze und zog die Jacke und den Mantel an. „Ist es so besser?"

„Viel besser."

Sie gingen die Treppe hinunter. Der Wirt war nicht mehr da. Statt dessen saß der Concierge neben dem Schlüsselbrett. Er sortierte Briefe und roch nach Knoblauch. Neben ihm saß regungslos eine gefleckte Katze und sah ihm zu.

„Haben Sie immer noch das Gefühl, daß Sie nichts essen können?" fragte Ravic draußen.

„Ich weiß es nicht. Nicht viel, glaube ich."

Ravic winkte ein Taxi heran. „Gut. Dann werden wir in die ‚Belle Aurore' fahren. Da braucht man kein langes Diner zu essen."

Die „Belle Aurore" war nicht sehr besetzt. Es war schon zu spät dafür. Sie fanden einen Tisch in dem schmalen, oberen Raum mit der niedrigen Decke. Außer ihnen war nur noch ein Paar da, das am Fenster saß und Käse aß, und ein einzelner, dünner Mann, der einen Berg Austern vor sich hatte. Der Kellner kam und besah das gewürfelte Tischtuch kritisch. Dann entschloß er sich, es zu wechseln.

„Zwei Wodkas", bestellte Ravic. „Kalt."

„Wir werden etwas trinken und Vorspeisen essen", sagte er zu der Frau. „Ich glaube, das ist das Richtige für Sie. Dies ist ein Restaurant für Hors d'oeuvres. Es gibt kaum etwas anderes hier. Jedenfalls kommt man fast nie dazu, etwas anderes zu essen. Es gibt Dutzende, warme und kalte, und alle sind sehr gut; wir werden es einmal versuchen."

Der Kellner brachte den Wodka und holte einen Notizblock heraus. „Eine Karaffe Vin rosé", sagte Ravic. „Haben Sie Anjou?"

„Anjou, offen, rosé, sehr wohl, mein Herr."

„Gut. Eine große Karaffe in Eis. Und die Vorspeisen."

Der Kellner ging. Er stieß an der Tür fast zusammen mit einer Frau in einem roten Federhut, die rasch die Treppe heraufkam. Sie schob ihn beiseite und ging auf den dünnen Mann mit den Austern zu. „Albert", sagte sie. „Du Schwein –"

„Tsk, tsk", machte Albert und sah sich um.

„Nichts tsk, tsk." Die Frau legte ihren nassen Regenschirm quer über den Tisch und setzte sich entschlossen. Albert schien nicht überrascht zu sein. „Chérie", sagte er und begann zu flüstern.

Ravic lächelte und hob sein Glas. „Wir wollen das hier einmal auf einen Schluck austrinken. Salute."

„Salute", sagte Joan Madou und trank.

Die Vorspeisen wurden auf kleinen Wagen hereingerollt. „Was möchten Sie?" Ravic sah die Frau an. „Ich glaube, das einfachste ist, ich stelle Ihnen etwas zusammen."

Er häufte einen Teller voll und gab ihn ihr hinüber. „Es macht nichts, wenn Ihnen davon nichts schmeckt. Es kommen noch ein paar andere Wagen. Dies ist nur der Anfang."

Er füllte sich selbst einen Teller und begann zu essen, ohne sich um sie weiter zu kümmern. Er spürte plötzlich, daß auch sie aß. Er schälte eine Langustine und hielt sie ihr hinüber. „Probieren Sie das einmal. Besser als Langusten. Und nun die Pâté Maison. Mit einer Kruste von dem weißen Brot dazu. So, das geht ja ganz gut. Und jetzt etwas von dem Wein. Leicht, herb und kühl."

„Sie machen sich viel Mühe mit mir", sagte die Frau.

„Ja, wie ein Oberkellner." Ravic lachte.

„Nein. Aber Sie machen sich viel Mühe mit mir."

„Ich esse nicht gern allein. Das ist alles. Genau wie Sie."

„Ich bin kein guter Partner."

„Doch", erwiderte Ravic. „Zum Essen schon. Zum Essen sind Sie ein erstklassiger Partner. Ich kann keine geschwätzigen Menschen leiden. Und keine, die zu laut sprechen."

Er sah zu Albert hinüber. Der rote Federhut erklärte dem gerade, sehr vernehmlich, warum er ein solches Schwein sei, und klopfte dabei rhythmisch mit dem Regenschirm auf den Tisch. Albert hörte geduldig zu und war nicht sehr beeindruckt.

Joan Madou lächelte flüchtig. „Das kann ich nicht."

„Hier kommt der nächste Vorratswagen. Wollen wir gleich heran, oder wollen Sie vorher eine Zigarette rauchen?"

„Lieber vorher eine Zigarette."

„Gut. Ich habe heute andere bei mir, als die mit dem schwarzen Tabak."

Er gab ihr Feuer. Sie lehnte sich zurück und atmete tief den Rauch ein. Dann sah sie Ravic voll an. „Es ist gut, so zu sitzen", sagte sie, und es schien ihm einen Augenblick, als würde sie sofort in Tränen ausbrechen.

*

Sie tranken Kaffee im „Colysée". Der große Raum zu den Champs Elysées war überfüllt, aber sie bekamen einen Tisch unten in der Bar, in der die obere Hälfte der Wände mit Glasscheiben verkleidet war, hinter denen Papageien und Kakadus hockten und bunte, tropische Vögel hin und her flogen.

„Haben Sie schon darüber nachgedacht, was Sie tun wollen?" fragte Ravic.

„Nein, noch nicht."

„Hatten Sie irgendwas Bestimmtes vor, als Sie hierherkamen?"

Die Frau zögerte. „Nein, nichts Genaues."

„Ich frage Sie nicht aus Neugier."

„Das weiß ich. Sie meinen, ich solle etwas tun. Das will ich auch. Ich sage es mir selbst jeden Tag. Aber dann –"

„Der Wirt sagte mir, Sie seien Schauspielerin. Ich habe ihn nicht danach gefragt. Er sagte es mir, als ich nach Ihrem Namen fragte."

„Wußten Sie ihn nicht mehr?"

Ravic blickte auf. Sie sah ihn ruhig an. „Nein", sagte er. „Ich hatte den Zettel im Hotel gelassen und konnte mich nicht mehr erinnern."

„Wissen Sie ihn jetzt?"

„Ja. Joan Madou."

„Ich bin keine gute Schauspielerin", sagte die Frau. „Ich habe nur kleine Rollen gespielt. In der letzten Zeit nichts mehr. Ich spreche auch nicht genug Französisch dafür."

„Was sprechen Sie denn?"

„Italienisch. Ich bin da aufgewachsen. Und etwas Englisch und Rumänisch. Mein Vater war Rumäne. Er ist tot. Meine Mutter ist Engländerin; sie lebt noch in Italien, ich weiß nicht, wo."

Ravic hörte nur halb zu. Er langweilte sich und wußte nicht mehr recht, was er reden sollte. „Haben Sie außerdem noch etwas getan?" fragte er, um etwas zu fragen. „Außerhalb der kleinen Rollen, die Sie gespielt haben?"

„Das, was so dazu gehört. Etwas singen und tanzen."

Er blickte sie zweifelnd an. Sie sah nicht so aus. Sie hatte etwas Fahles, Verwischtes und sie war nicht attraktiv. Sie sah nicht einmal aus wie eine Schauspielerin. Das war ohnehin ein weites Wort.

„So etwas können Sie ja leichter hier versuchen", sagte er. „Dazu brauchen Sie nicht perfekt zu sprechen."

„Nein. Aber ich muß erst etwas finden. Das ist schwer, wenn man niemand kennt."

Morosow, dachte Ravic plötzlich. Die Scheherazade. Natürlich. Morosow mußte von solchen Sachen etwas wissen. Der Gedanke belebte ihn. Morosow hatte ihn in diesen trüben Abend hineingebracht; –

jetzt konnte er die Frau an ihn weiterschieben, und Boris sollte einmal zeigen, was er konnte. „Können Sie Russisch?" fragte er.

„Etwas. Ein paar Lieder. Zigeunerlieder. Sie sind so ähnlich wie rumänische. Warum?"

„Ich kenne jemand, der von diesen Dingen etwas versteht. Vielleicht kann er Ihnen helfen. Ich werde Ihnen seine Adresse geben."

„Ich fürchte, es hat nicht viel Zweck. Agenten sind überall gleich. Empfehlungen nützen da wenig."

Ravic merkte, daß sie annahm, er wolle sie auf bequeme Art loswerden. Da es stimmte, protestierte er. „Der Mann, den ich meine, ist kein Agent. Er ist Portier in der Scheherazade. Das ist ein russischer Nachtklub in Montmartre."

„Portier?" Joan Madou hob den Kopf. „Das ist etwas anderes. Portiers wissen mehr als Agenten. Das kann etwas sein. Kennen Sie ihn gut?"

„Ja."

Ravic war überrascht. Sie hatte auf einmal ganz geschäftsmäßig gesprochen. Das geht ja schnell, dachte er. „Es ist ein Freund von mir. Er heißt Boris Morosow", sagte er. „Er ist seit zehn Jahren in der Scheherazade. Sie haben da immer eine ziemlich große Show. Die Nummern wechseln oft. Morosow ist mit dem Manager befreundet. Wenn in der Scheherazade nichts für Sie frei ist, weiß er sicher etwas anderes – irgendwo. Wollen Sie es versuchen?"

„Ja. Wann?"

„Am besten so um neun Uhr abends. Dann ist noch nichts zu tun, und er hat Zeit für Sie. Ich werde ihm Bescheid sagen." Ravic freute sich bereits auf das Gesicht Morosows. Er fühlte sich plötzlich besser. Die leichte Verantwortung, die er immer noch gespürt hatte, war verschwunden. Er hatte getan, was er konnte, und nun mußte sie weitersehen. „Sind Sie müde?" fragte er.

Joan Madou blickte ihm gerade in die Augen. „Ich bin nicht müde", sagte sie. „Aber ich weiß, daß es kein Vergnügen ist, mit mir hier zu sitzen. Sie haben Mitleid mit mir gehabt, und ich danke Ihnen dafür. Sie haben mich aus dem Zimmer genommen und mit mir gesprochen. Das war viel für mich, denn ich habe seit Tagen kaum mit jemand ein Wort gewechselt. Ich werde jetzt gehen. Sie haben mehr als genug für mich getan. All die Zeit schon. Was wäre sonst aus mir geworden!"

Mein Gott, dachte Ravic, jetzt fängt sie auch noch damit an! Er sah unbehaglich auf die Glaswand vor sich. Eine Taube versuchte dort, einen Kakadu zu vergewaltigen. Der Kakadu war so gelangweilt, daß er sie nicht einmal abschüttelte. Er fraß einfach weiter und ignorierte sie.

„Es war kein Mitleid", sagte Ravic.

„Was sonst?"

Die Taube gab auf. Sie hüpfte von dem breiten Rücken des Kakadus herunter und begann ihre Federn zu putzen. Der Kakadu lüftete gleichgültig seinen Schwanz und schiß.

„Wir werden jetzt einen guten, alten Armagnac trinken", sagte Ravic. „Das ist die beste Antwort. Glauben Sie mir: Ich bin kein besonderer Menschenfreund. Es gibt viele Abende, wo ich allein irgendwo herumsitze. Halten Sie das für besonders interessant?"

„Nein, aber ich bin ein schlechter Partner. Das ist schlimmer."

„Ich habe verlernt, nach Partnern zu suchen. Hier ist Ihr Armagnac. Salute!"

„Salute!"

Ravic setzte sein Glas nieder. „So, und jetzt werden wir aus dieser Menagerie hier verschwinden. Sie möchten doch noch nicht ins Hotel zurück?"

Joan Madou schüttelte den Kopf.

„Gut. Dann werden wir weitergehen. Und zwar zur Scheherazade. Wir werden da trinken. Das haben wir beide sicher nötig, und Sie können dann gleich ansehen, was dort los ist."

Es war gegen drei Uhr nachts. Sie standen vor dem Hotel Milan. „Haben Sie genug getrunken?" fragte Ravic.

Joan Madou zögerte. „Ich dachte, es wäre genug drüben in der Scheherazade. Aber jetzt hier, wenn ich diese Tür ansehe – es war nicht genug."

„Dagegen läßt sich etwas tun. Vielleicht gibt es hier im Hotel noch etwas. Sonst gehen wir in eine Kneipe und kaufen eine Flasche. Kommen Sie."

Sie sah ihn an. Dann sah sie die Tür an. „Gut", sagte sie mit einem Entschluß. Doch sie blieb stehen. „Da hinaufgehen", sagte sie. „In das leere Zimmer –"

„Ich werde Sie hinaufbringen. Und wir werden eine Flasche mitnehmen."

Der Portier erwachte. „Haben Sie noch etwas zu trinken?" fragte Ravic.

„Champagnercocktail?" fragte der Portier sofort geschäftsmäßig zurück, während er noch gähnte.

„Danke. Etwas Herzhafteres. Kognak. Eine Flasche."

„Courvoisier, Martell, Hennessy, Biscuit Dubouché?"

„Courvoisier."

„Sehr wohl, mein Herr. Ich werde den Kork ziehen und die Flasche heraufbringen."

Sie gingen die Treppe hinauf. „Haben Sie Ihren Schlüssel?" fragte Ravic die Frau.

„Das Zimmer ist nicht abgeschlossen."

„Man kann Ihnen Ihr Geld und Ihre Papiere stehlen, wenn Sie nicht abschließen."

„Das kann man auch, wenn ich abschließe."

„Das ist wahr – bei diesen Schlössern. Trotzdem – es ist dann nicht ganz so einfach."

„Vielleicht. Aber ich mag nicht allein von der Straße zurückkommen, einen Schlüssel nehmen und aufschließen, um in ein leeres Zimmer zu gehen – das ist wie ein Grab aufschließen. Es ist schon genug, daß man ohne das hier hineingeht – wo nichts auf einen wartet als ein paar Koffer."

„Es wartet nirgendwo etwas", sagte Ravic. „Man muß alles immer selbst mitbringen."

„Das mag sein. Aber es ist dann noch eine barmherzige Illusion dabei. Hier ist nichts –"

Joan Madou warf ihren Mantel und ihre Baskenmütze auf das Bett und sah Ravic an. Ihre Augen waren hell und groß in dem blassen Gesicht und wie erstarrt in einer zornigen Verzweiflung Sie stand einen Augenblick so da. Dann begann sie in dem kleinen Raum hin und her zu gehen, die Hände in den Taschen ihrer Jacke, mit langen Schritten, geschmeidig den Körper herumwerfend, wenn sie sich umdrehte. Ravic sah sie aufmerksam an. Sie hatte plötzlich Kraft und eine ungestüme Grazie, und das Zimmer schien viel zu eng für sie.

Es klopfte. Der Portier brachte den Kognak herein. „Wollen die Herrschaften noch etwas essen? Kaltes Huhn. Sandwiches –"

„Das wäre Zeitverschwendung, Bruder." Ravic zahlte ihn und schob ihn hinaus. Dann schenkte er zwei Gläser ein. „Hier. Es ist einfach und barbarisch – aber in schwierigen Situationen ist das Primitive das beste. Verfeinerung ist etwas für ruhige Zeiten. Trinken Sie das."

„Und dann?"

„Dann trinken Sie das nächste."

„Ich habe das versucht. Es nützt nichts. Es ist nicht gut, betrunken zu sein, wenn man allein ist."

„Man muß nur genug betrunken sein. Dann geht es."

Ravic setzte sich auf eine schmale, wacklige Chaiselongue, die an der Zimmerwand quer dem Bett gegenüberstand. Er hatte sie früher nicht gesehen. „Stand das schon hier, als Sie einzogen?" fragte er.

Sie schüttelte den Kopf. „Ich habe es hereinstellen lassen. Ich wollte nicht in dem Bett schlafen. Es schien sinnlos. Ein Bett und sich ausziehen und alles. Wofür? Morgens und am Tage ging es. Aber nachts –"

„Sie müssen etwas zu tun haben." Ravic zündete sich eine Zigarette an. „Schade, daß wir Morosow nicht getroffen haben. Ich wußte nicht, daß er heute seinen freien Tag hatte. Gehen Sie morgen abend hin. Gegen neun. Irgend etwas wird er schon für Sie finden. Und wenn es Arbeit in der Küche wäre. Dann sind Sie nachts beschäftigt. Das wollen Sie doch?"

„Ja." Joan Madou hörte auf, hin und her zu gehen. Sie trank das Glas Kognak und setzte sich auf das Bett. „Ich bin draußen herumgegangen jede Nacht. Solange man geht, ist alles besser. Erst wenn man sitzt, und die Decke fällt einem auf den Kopf –"

„Ist Ihnen nie etwas passiert unterwegs? Nichts gestohlen?"

„Nein. Ich sehe wohl nicht so aus, als ob viel zu stehlen wäre bei mir." Sie hielt Ravic ihr leeres Glas hin. „Und das andere? Ich habe oft genug darauf gewartet, daß wenigstens einer zu einem spricht! Daß man nicht nur so Nichts ist, nur Gehen! Daß wenigstens Augen einen ansehen, Augen und nicht nur Steine! Daß man nicht so wie ein Ausgestoßener herumrennt! Wie jemand auf einem fremden Planeten!" Sie warf das Haar zurück und nahm das Glas, das Ravic ihr hinüberreichte. „Ich weiß nicht, weshalb ich davon spreche. Ich will es gar nicht. Vielleicht, weil ich stumm war all die Tage. Vielleicht, weil heute abend zum erstenmal –" Sie brach ab. „Hören Sie nicht auf mich –"

„Ich trinke", sagte Ravic. „Sagen Sie, was Sie wollen. Es ist Nacht. Niemand hört Sie. Ich höre auf mich selbst. Morgen ist alles vergessen."

Er lehnte sich zurück. Irgendwo im Hause rauschte Wasser. Die Heizung knackte, und an das Fenster klopfte immer noch mit weichen Fingern der Regen.

„Wenn man dann zurückkommt und das Licht ausmacht – und die Dunkelheit fällt über einen wie ein Wattebausch mit Chloroform – und man macht das Licht wieder an und starrt und starrt –"

Ich muß schon betrunken sein, dachte Ravic. Früher als sonst, heute. Oder ist es das halbe Licht? Oder beides? Das ist nicht mehr dieselbe, belanglose, ausgeglichene Frau. Das ist etwas anderes. Da sind plötzlich Augen. Da ist ein Gesicht. Da sieht mich etwas an. Es müssen die Schatten sein. Es ist das sanfte Feuer hinter meiner Stirn, das sie anleuchtet. Der erste Glanz der Trunkenheit.

Er hörte nicht auf das, was Joan Madou sprach. Er kannte es und wollte es nicht mehr kennen. Allein sein – der ewige Refrain des Lebens. Es war nicht schlimmer und nicht besser als manches andere. Man sprach zuviel davon. Man war immer allein und nie. Eine Geige war plötzlich da, irgendwo auf einem Zwielicht. Ein Garten auf den Hügeln von Budapest. Der schwere Geruch der Kastanien. Der Wind. Und wie junge Eulen, geduckt auf der Schulter hockend, die Träume, mit den

Augen, die heller wurden in der Dämmerung. Die Nacht, die nie Nacht wurde. Die Stunde, wo alle Frauen schön waren. Die großen, braunen Schmetterlingsflügel des Abends.

Er blickte auf. „Danke", sagte Joan Madou.

„Warum?"

„Weil Sie mich sprechen ließen, ohne zuzuhören. Es war gut. Ich brauchte das."

Ravic nickte. Er sah, daß ihr Glas wieder leer war. „Gut", sagte er. „Ich werde Ihnen die Flasche hierlassen."

Er stand auf. Ein Zimmer. Eine Frau. Nichts weiter. Ein blasses Gesicht, in dem nichts mehr leuchtete. „Wollen Sie gehen?" fragte Joan Madou. Sie sah sich um, als sei jemand im Zimmer versteckt.

„Hier ist die Adresse Morosows. Sein Name, damit Sie ihn nicht vergessen. Morgen abend um neun." Ravic schrieb es auf einen Rezeptblock. Dann riß er das Blatt ab und legte es auf den Koffer.

Joan Madou war aufgestanden. Sie griff nach ihrem Mantel und ihrer Mütze. Ravic sah sie an. „Sie brauchen mich nicht herunterzubringen."

„Das will ich auch nicht. Ich will nur nicht hier bleiben. Nicht jetzt. Ich will noch irgendwo herumgehen."

„Dann müssen Sie später doch wieder zurückkommen. Noch einmal dasselbe. Warum bleiben Sie nicht hier? Jetzt ist es schon überstanden."

„Es ist bald Morgen. Wenn ich zurückkomme, wird es Morgen sein. Dann ist es einfacher."

Ravic ging zum Fenster. Es regnete immer noch. Naß und grau wehten die Strähnen im Wind vor den gelben Lichthöfen der Laternen. „Kommen Sie", sagte er. „Wir trinken noch ein Glas und Sie legen sich schlafen. Das ist kein Wetter für Spaziergänge."

Er griff nach der Flasche. Joan Madou war plötzlich dicht neben ihm. „Laß mich nicht hier", sagte sie rasch und dringend, und er fühlte ihren Atem. „Laß mich nicht allein hier, nur heute nicht; ich weiß nicht, was es ist, aber nur heute nicht! Morgen werde ich Mut haben, aber heute kann ich es nicht; ich bin mürbe und weich und falle zusammen und habe keine Kraft mehr; Sie hätten mich nicht herausnehmen sollen, nur heute nicht – ich kann jetzt nicht allein sein."

Ravic stellte die Flasche behutsam hin und machte ihre Hände von seinem Arm los. „Kind", sagte er – „irgendwann müssen wir uns alle daran gewöhnen." Er musterte die Chaiselongue. „Ich kann hier schlafen. Es hat keinen Zweck, noch anderswo hinzugehen. Ich brauche ein paar Stunden Schlaf. Muß morgen um neun operieren. Kann ebensogut hier schlafen wie bei mir. Ist nicht meine erste Nachtwache. Ist das ausreichend?"

Sie nickte. Sie stand noch immer dicht neben ihm.

„Ich muß um halb acht raus. Verdammt früh. Wird Sie aufwecken."

„Das macht nichts. Ich werde aufstehen und Frühstück für Sie machen, alles –"

„Sie werden gar nichts tun", sagte Ravic. „Ich werde frühstücken im nächsten Café wie ein vernünftiger Arbeiter; Kaffee mit Rum und Croissants. Alles andere kann ich in der Klinik machen. Wird nicht schlecht sein, Eugenie um ein Bad zu fragen. Gut, bleiben wir hier. Zwei verlorene Seelen im November. Sie nehmen das Bett. Wenn Sie wollen, kann ich solange zu dem alten Portier runtergehen, bis Sie fertig sind."

„Nein", sagte Joan Madou.

„Ich laufe nicht fort. Wir brauchen außerdem noch ein paar Sachen, Kissen, Decke und so was."

„Ich kann klingeln."

„Das kann ich auch." Ravic suchte nach dem Knopf. „Besser, ein Mann macht das."

Der Portier kam schnell. Er hatte eine zweite Kognakflasche in der Hand. „Sie überschätzen uns", sagte Ravic. „Herzlichen Dank. Wir gehören zur Nachkriegsgeneration. Eine Decke, ein Kissen und etwas Leinen. Ich muß hier schlafen. Zu kalt und zuviel Regen draußen. Ich bin gerade zwei Tage aus dem Bett nach einer schweren Lungenentzündung. Können Sie das machen?"

„Selbstverständlich, mein Herr. Dachte mir schon so etwas."

„Gut." Ravic zündete sich eine Zigarette an. „Ich werde auf den Korridor gehen. Schuhe ansehen vor den Türen. Ein alter Sport von mir. Ich laufe nicht weg", sagte er, als er den Blick Joan Madous sah. „Ich bin nicht Josef von Ägypten. Ich lasse meinen Mantel nicht im Stich."

Der Portier kam mit den Sachen. Er stoppte, als er Ravic im Korridor stehen sah. Dann verklärte sich sein Gesicht. „Das findet man selten", sagte er.

„Ich tue das auch selten. Nur an Geburtstagen und Weihnachten. Geben Sie mir die Sachen. Ich nehme sie mit hinein. Was ist denn das da?"

„Eine Wärmeflasche. Wegen Ihrer Lungenentzündung."

„Vortrefflich. Aber ich wärme meine Lungen mit Kognak." Ravic zog ein paar Scheine aus der Tasche.

„Mein Herr, Sie haben sicher keine Pyjamas. Ich kann Ihnen ein Paar geben."

„Danke, Bruder." Ravic sah den Alten an. „Sie würden mir sicher
u klein sein."

„Im Gegenteil. Sie werden Ihnen passen. Es sind ganz neue. Im Vertrauen gesagt, ein Amerikaner hat sie mir einmal geschenkt. Dem hatte
sie eine Dame geschenkt. Ich trage so etwas nicht. Ich trage Nachthemden. Sie sind ganz neu, mein Herr."

„Gut, bringen Sie sie herauf. Wir können sie ja einmal ansehen."

Ravic wartete im Korridor. Drei Paar Schuhe standen vor den Türen.
Ein Paar Zugstiefeletten mit ausgeleierten Gummizügen. Aus dem
Raum dahinter klang ein brausendes Schnarchen. Die anderen beiden
waren ein Paar braune Männerhalbschuhe und ein Paar hochhackige
Damenlackschuhe mit Knöpfen. Sie standen vor derselben Tür und
wirkten sonderbar verlassen, obschon sie nebeneinander standen.

Der Portier brachte die Pyjamas. Sie waren Prachtstücke. Blaue
Kunstseide mit goldenen Sternen darauf. Ravic betrachtete sie eine
Weile sprachlos. Er verstand den Amerikaner.

„Herrlich, was?" fragte der Portier stolz.

Die Pyjamas waren neu. Sie waren sogar noch in dem Karton des
Magazin du Louvre, in dem sie gekauft waren. „Schade", sagte Ravic.
„Ich hätte gern die Dame gesehen, die sie ausgesucht hat."

„Sie können sie haben für diese Nacht. Sie brauchen sie nicht zu
kaufen, mein Herr."

„Was kostet die Miete?"

„Nach Belieben."

„Sind Sie kein Franzose?"

„Doch. Aus St. Nazaire."

„Dann sind Sie verdorben worden durch den Umgang mit Amerikanern. Außerdem – für diese Pyjamas ist nichts zuviel."

„Freut mich, daß sie Ihnen gefallen. Gute Nacht, mein Herr. Ich
werde sie dann morgen bei der Dame abholen."

„Ich werde Sie Ihnen morgen früh selbst übergeben. Wecken Sie mich
um halb acht. Klopfen Sie nur leise an. Ich höre es schon. – Gute Nacht."

„Sehen Sie sich das an", sagte Ravic zu Joan Madou und zeigte die
Pyjamas. „Ein Kostüm für einen Weihnachtsmann. Dieser Portier ist
ein Zauberer. Ich werde die Sachen sogar anziehen. Man muß nicht nur
den Mut, sondern auch die Unbefangenheit zur Lächerlichkeit haben."

Er ordnete die Decken auf der Chaiselongue. Es war ihm gleichgültig, wo er schlief, in seinem Hotel oder hier. Er hatte auf dem Korridor ein erträgliches Badezimmer gefunden und von dem Portier
eine neue Zahnbürste bekommen. Alles andere war ihm egal. Die Frau
war irgend etwas wie ein Patient.

Er füllte ein Wasserglas mit Kognak und stellte es mit einem der kleinen Gläser, die der Portier gebracht hatte, neben das Bett. „Ich glaube, das ist genug für Sie", sagte er dann. „Es ist einfacher so. Ich brauche dann nicht mehr aufzustehen und nachzufüllen. Die Flasche und das andere Glas nehme ich herüber zu mir."

„Ich brauche das kleine Glas nicht. Ich kann aus dem andern trinken."

„Noch besser." Ravic packte sich auf der Chaiselongue zurecht. Es gefiel ihm, daß die Frau sich nicht weiter darum kümmerte, ob er es bequem hatte. Sie hatte erreicht, was sie wollte; — jetzt entwickelte sie gottlob keine überflüssigen Hausfraueneigenschaften.

Er goß ein Glas voll und stellte die Flasche auf den Boden. „Salute!"

„Salute! Und danke!"

„Das ist in Ordnung. Ich hatte ohnehin nicht viel Lust, durch den Regen zu gehen."

„Regnet es noch?"

„Ja."

Das leise Klopfen kam von draußen durch die Stille; als wolle etwas hinein, grau, trostlos und ohne Form, etwas, das trauriger war als Traurigkeit — eine ferne, anonyme Erinnerung, eine endlose Welle, die heranwehte und zurück haben und begraben wollte, was sie früher einmal herangebracht und auf einer Insel vergessen hatte — ein bißchen Mensch und Licht und Denken.

„Gute Nacht zum Trinken."

„Ja — und eine schlechte, allein zu sein."

Ravic schwieg eine Weile. „Daran haben wir uns alle gewöhnen müssen", sagte er dann. „Das, was uns früher einmal zusammenhielt, ist heute zerstört. Wir sind heute auseinandergefallen wie eine Kette aus Glasperlen, deren Band zerrissen ist. Nichts ist mehr fest." Er goß sein Glas aufs neue voll. „Als Junge habe ich einmal nachts auf einer Wiese geschlafen. Es war Sommer und der Himmel war sehr klar. Bevor ich einschlief, sah ich den Orion über den Wäldern am Horizont stehen. Dann wachte ich auf, mitten in der Nacht — und der Orion stand auf einmal hoch über mir. Ich habe das nie vergessen. Ich hatte gelernt, daß die Erde ein Stern ist und sich dreht; aber ich hatte es gelernt, wie man vieles lernt, was in Büchern steht und nie darüber nachgedacht. Jetzt zum erstenmal empfand ich, daß es wirklich so war. Ich fühlte, wie sie lautlos durch den ungeheuren Raum flog. Ich fühlte es so stark, daß ich fast glaubte, mich festhalten zu müssen, um nicht heruntergeschleudert zu werden. Es kam wohl, weil ich, aufgewacht aus tiefem Schlaf, einen Augenblick verlassen von Gedächtnis und Gewohnheit, in den riesig verschobenen Himmel sah.

Die Erde war plötzlich nicht mehr fest für mich – und sie ist seitdem nie wieder ganz geworden."

Er trank sein Glas aus. „Das macht manches schwerer und vieles leichter." Er sah zu Joan Madou hinüber. „Ich weiß nicht, wie weit Sie sind", sagte er. „Wenn Sie müde sind, antworten Sie einfach nicht mehr."

„Noch nicht. Bald. Es ist noch eine Stelle, die wach ist. Wach und kalt."

Ravic stellte die Flasche neben sich auf den Boden. Aus der Wärme des Zimmers sickerte langsam eine braune Müdigkeit in ihn hinüber. Die Schatten kamen. Das Wehen der Flügel. Ein fremdes Zimmer, Nacht und draußen – wie ferne Trommeln – das monotone Klopfen des Regens – eine Hütte mit etwas Licht am Rande des Chaos, ein kleines Feuer in der Wildnis ohne Sinn – ein Gesicht, gegen das man sprach –

„Haben Sie das auch einmal gespürt?" fragte er.

Sie schwieg eine Weile. „Ja. Nicht so. Anders. Wenn ich tagelang mit niemandem gesprochen hatte und nachts umherging, und überall waren Menschen, die irgendwohin gehörten, die irgendwohin gingen, irgendwo zu Hause waren. Nur ich nicht. Dann wurde langsam alles unwirklich, als wäre ich ertrunken und ginge durch eine fremde Stadt unter Wasser –"

Jemand kam draußen die Treppe hinauf. Ein Schlüssel klirrte und eine Tür klappte. Gleich darauf rauschte die Wasserleitung. „Warum bleiben Sie in Paris, wenn Sie niemand hier kennen?" fragte Ravic. Er fühlte, daß er schläfrig wurde.

„Ich weiß nicht. Wohin soll ich sonst gehen?"

„Haben Sie nichts, wohin Sie zurückgehen können?"

„Nein. Man kann auch nirgendwohin zurückgehen."

Der Wind jagte einen Regenschauer über das Fenster. „Weshalb sind Sie nach Paris gekommen?" fragte Ravic.

Joan Madou antwortete nicht. Er glaubte schon, sie sei eingeschlafen. „Raczinsky und ich kamen nach Paris, weil wir uns trennen wollten", sagte sie dann.

Ravic hörte es, ohne überrascht zu sein. Es gab Stunden, wo einen nichts überraschte. Im Zimmer gegenüber begann der Mann, der kurz vorher gekommen war, zu kotzen. Man hörte sein Stöhnen gedämpft durch die Tür.

„Warum waren Sie dann so verzweifelt?" fragte Ravic.

„Weil er tot war! Tot! Plötzlich nicht mehr da! Nie zurückzuholen! Tot! Nie mehr etwas zu machen! Verstehen Sie das nicht?" Joan Madou hatte sich im Bett halb aufgerichtet und starrte Ravic an. Weil er fortgegangen ist, bevor du es tun konntest. Weil er dich allein gelassen hat, bevor du dafür bereit warst.

„Ich – ich hätte anders sein sollen zu ihm – ich war –"

„Vergessen Sie das. Reue ist das Nutzloseste in der Welt. Man kann nichts zurückholen. Man kann nichts gutmachen. Wir wären sonst alle Heilige. Das Leben hat nicht beabsichtigt, uns vollkommen zu machen. Wer vollkommen ist, gehört in ein Museum."

Joan Madou antwortete nicht. Ravic sah, daß sie trank und sich wieder in die Kissen zurücklehnte. Da war noch etwas – aber er war zu müde, um noch darüber nachzudenken. Es war ihm auch gleichgültig. Er wollte schlafen. Morgen mußte er operieren. Dies alles ging ihn nichts mehr an. Er stellte das leere Glas auf den Boden neben die Flasche. Sonderbar, wo man manchmal so landet, dachte er.

6

Lucienne Martinet saß am Fenster, als Ravic hereinkam. „Wie ist das?" fragte er. „So zum ersten Male aus dem Bett zu sein?"

Das Mädchen sah ihn an und dann hinaus in den grauen Nachmittag und wieder zurück zu ihm. „Kein gutes Wetter heute", sagte er.

„Doch", erwiderte sie. „Für mich schon."

„Warum?"

„Weil ich nicht raus muß."

Sie saß zusammengekauert in einem Sessel, einen billigen baumwollenen Kimono um die Schultern gezogen, ein schmales, unansehnliches Wesen mit schlechten Zähnen; – aber für Ravic war sie im Augenblick schöner als Trojas Helena. Sie war ein Stück Leben, das er mit seinen Händen gerettet hatte. Es war nichts, um besonders stolz zu sein; eine hatte er kurz vorher verloren. Die nächste verlor er vielleicht wieder; und am Ende verlor man sie alle und sich selbst auch. Aber diese hier war für den Augenblick gerettet.

„Hüte herumschleppen ist kein Spaß bei diesem Wetter", sagte Lucienne.

„Haben Sie Hüte herumgeschleppt?"

„Ja. Für Madame Lanvert. Das Geschäft an der Avenue Matignon. Bis fünf Uhr mußten wir arbeiten. Dann mußte ich die Kartons zu den Kunden bringen. Jetzt ist es halb sechs. Jetzt wäre ich unterwegs." Sie blickte durch das Fenster. „Schade, daß es nicht mehr regnet. Gestern war es besser. Da regnete es in Strömen. Jetzt muß jemand anders da hindurch."

Ravic setzte sich ihr gegenüber auf die Fensterbank. Merkwürdig, dachte er. Man erwartet immer, Menschen müßten hemmungslos glücklich sein, wenn sie dem Tode entronnen sind. Sie sind es fast nie. Diese hier ist es auch nicht. Ein kleines Wunder ist geschehen, und alles, was sie daran interessiert, ist, daß sie nicht durch den Regen gehen muß.

„Wie sind Sie gerade hierher in die Klinik gekommen, Lucienne?" fragte er.

Sie sah ihn vorsichtig an. „Jemand hat es mir gesagt."

„Wer?"

„Eine Bekannte."

„Was für eine Bekannte?"

Das Mädchen zögerte. „Eine Bekannte, die auch hier war. Ich habe sie hierhergebracht, bis vor die Tür. Daher wußte ich es."

„Wann war das?"

„Eine Woche bevor ich kam."

„War es die, die während der Operation gestorben ist?"

„Ja."

„Und trotzdem sind Sie hierhergekommen?"

„Ja", sagte Lucienne gleichgültig. „Warum nicht?"

Ravic sagte nicht, was er sagen wollte. Er sah das kleine, kalte Gesicht an, das einmal weich gewesen war und das das Leben so rasch hart gemacht hatte. „Waren Sie vorher auch bei derselben Hebamme?" fragte er.

Lucienne antwortete nicht. „Oder bei demselben Arzt? Sie können es mir ruhig sagen. Ich weiß ja nicht, wer es ist."

„Marie war zuerst da. Eine Woche früher. Zehn Tage früher."

„Und Sie sind später hingegangen, obwohl Sie wußten, was Marie passiert war?"

Lucienne hob die Schultern. „Was sollte ich machen? Ich mußte es riskieren. Ich wußte niemand anders. Ein Kind – was sollte ich mit einem Kind?" Sie sah aus dem Fenster. Auf einem Balkon gegenüber stand ein Mann in Hosenträgern, der einen Schirm über sich hielt. „Wie lange muß ich noch hierbleiben, Doktor?"

„Ungefähr zwei Wochen."

„Zwei Wochen noch?"

„Das ist nicht lange. Warum?"

„Es kostet und kostet –"

„Vielleicht können wir es ein paar Tage früher machen."

„Glauben Sie, daß ich es abzahlen kann? Ich habe nicht genug Geld. Es ist teuer, jeden Tag dreißig Franc."

„Wer hat Ihnen denn das gesagt?"

„Die Schwester."

„Welche? Eugenie, natürlich –"

„Ja. Sie sagte, die Operation und die Verbände wären noch extra. Ist das sehr teuer?"

„Die Operation haben Sie schon bezahlt."

„Die Schwester sagt, es wäre längst nicht genug gewesen."

„Das weiß die Schwester nicht so genau, Lucienne. Da fragen Sie besser später Doktor Veber."

„Ich möchte es gern bald wissen."

„Warum?"

„Ich kann es mir dann besser einteilen, wie lange ich dafür arbeiten muß." Lucienne blickte auf ihre Hände. Die Finger waren dünn und zerstochen. „Ich muß auch noch einen Monat Zimmermiete zahlen", sagte sie. „Als ich hierherkam, war es gerade der dreizehnte. Am fünfzehnten hätte ich kündigen müssen. Jetzt muß ich noch den Monat bezahlen. Für nichts."

„Haben Sie nicht jemand, der Ihnen hilft?"

Lucienne blickte auf. Ihr Gesicht war plötzlich zehn Jahre älter. „Das wissen Sie doch selbst, Doktor! Der war nur ärgerlich. Er hätte nicht gewußt, daß ich so dumm sei. Sonst hätte er nie mit mir angefangen."

Ravic nickte. So etwas war nichts Neues. „Lucienne", sagte er, „wir können versuchen, von der Frau, die den Eingriff gemacht hat, etwas zu bekommen. Sie war schuld. Sie müssen uns nur ihren Namen geben."

Das Mädchen richtete sich rasch auf. Sie war plötzlich nichts als Abwehr. „Polizei? Nein, da fliege ich selbst rein."

„Ohne Polizei. Wir drohen nur."

Sie lachte bitter. „Von der kriegen Sie damit nichts. Die ist aus Eisen. Dreihundert Franc habe ich ihr bezahlen müssen. Und dafür —" Sie strich ihren Kimono glatt. „Manche Menschen haben eben gar kein Glück", sagte sie ohne Resignation, als spräche sie von jemand anderem als sich selbst.

„Doch", erwiderte Ravic. „Sie hatten eine Menge Glück."

Er sah Eugenie im Operationssaal. Sie putzte Nickelsachen blank. Es war eine ihrer Liebhabereien. Sie war so versunken in ihre Arbeit, daß sie ihn nicht kommen hörte.

„Eugenie", sagte er.

Sie fuhr herum. „Ach Sie! Müssen Sie einen dauernd erschrecken?"

„Ich glaube nicht, daß ich soviel Persönlichkeit habe. Aber Sie sollten die Patienten nicht erschrecken, mit Ihren Geschichten über Honorare und Kosten."

Eugenie richtete sich auf, die Putzlappen in der Hand. „Die Hure hat natürlich sofort geklatscht."

„Eugenie", sagte Ravic. „Es gibt mehr Huren unter Frauen, die nie mit einem Mann geschlafen haben, als unter denen, die einen schwierigen Broterwerb daraus machen. Ganz zu schweigen von den Verheirateten. Außerdem hat das Mädchen nicht geklatscht. Sie haben ihm nur den Tag verdorben, das ist alles."

„Na, wenn schon! Empfindlichkeit noch bei dem Lebenswandel!"

Du wandelnder Moralkatechismus, dachte Ravic. Du ekelhafter Tugendprotz – was weißt du von der Verlassenheit dieser kleinen Hutmacherin, die tapfer zu derselben Hebamme gegangen ist, die ihre Freundin verpfuscht hat –, und zum selben Hospital, in dem die andere gestorben ist, und die nichts weiter dazu sagt, als: Was sollte ich machen, und: Wie kann ich es bezahlen –

„Sie sollten heiraten, Eugenie", sagte er. „Einen Witwer mit Kindern. Oder den Besitzer eines Begräbnisinstituts."

„Herr Ravic", sagte die Schwester mit Würde. „Wollen Sie sich bitte nicht um meine Privatsachen kümmern? Ich muß mich sonst bei Herrn Doktor Veber beschweren."

„Das tun Sie ohnehin den ganzen Tag." Ravic sah mit Freude zwei rote Flecken auf ihren Wangenknochen erscheinen. „Warum können fromme Menschen so selten loyal sein, Eugenie? Den besten Charakter haben Zyniker; am unerträglichsten sind Idealisten. Gibt Ihnen das nicht zu denken?"

„Gottlob nein."

„Das dachte ich mir. Ich gehe jetzt hinüber zu den Kindern der Sünde. Zum Osiris. Für den Fall, daß Doktor Veber etwas für mich hat."

„Ich glaube kaum, daß Doktor Veber etwas für Sie haben wird."

„Jungfräulichkeit macht noch nicht zur Hellseherin. Es könnte doch sein. Ich werde bis ungefähr fünf Uhr dort sein. Dann in meinem Hotel."

„Schönes Hotel, die Judenbude."

Ravic drehte sich um. „Eugenie, nicht alle Refugiés sind Juden. Noch nicht einmal alle Juden sind Juden. Und manche sind es, von denen man es nicht glaubt. Ich kannte sogar mal einen jüdischen Neger. War ein furchtbar einsamer Mensch. Das einzige, was er liebte, war chinesisches Essen. So geht es in der Welt zu."

Die Schwester antwortete nicht. Sie putzte eine Nickelplatte, die völlig blank war.

*

Ravic saß in dem Bistro an der Rue Boissière und starrte durch die verregneten Scheiben, als er den Mann draußen sah. Es war wie ein Schlag in den Magen. Im ersten Augenblick fühlte er nur den Schock, ohne zu realisieren, was es war – aber gleich darauf stieß er den Tisch beiseite, sprang von seinem Stuhl auf und drängte sich rücksichtslos durch den vollen Raum der Tür zu.

Jemand hielt ihn am Arm fest. Er drehte sich um. „Was?" fragte er verständnislos. „Was?"

Es war der Kellner. „Sie haben nicht bezahlt, mein Herr."

„Was? – Ach so – ich komme zurück –" Er zerrte seinen Arm los. Der Kellner wurde rot. „Das gibt es hier nicht! Sie –"

„Hier –"

Ravic riß einen Schein aus der Tasche, warf ihn dem Kellner zu und riß die Tür auf. Er drängte sich an einer Gruppe von Leuten vorbei und stürzte nach rechts, um die Ecke, die Rue Boissière entlang.

Jemand schimpfte hinter ihm her. Er besann sich, hörte auf zu laufen und ging weiter, so schnell er konnte, ohne aufzufallen. Es ist unmöglich, dachte er, es ist völlig unmöglich, ich bin verrückt, es ist unmöglich! Das Gesicht, dieses Gesicht, es muß eine Ähnlichkeit sein, irgendeine hundsgemeine, verfluchte Ähnlichkeit, ein blöder Trick, den meine Nerven mir spielen – es kann nicht in Paris sein, dieses Gesicht, es ist in Deutschland, es ist in Berlin, die Scheibe war verregnet, man konnte nicht deutlich sehen, ich muß mich geirrt haben, bestimmt –

Er ging weiter, eilig, er schob sich durch die Menge, die aus einem Kino strömte, er musterte jedes Gesicht, das er überholte, genau, er starrte unter Hüte, er begegnete ärgerlichen und erstaunten Blicken, weiter, weiter, andere Gesichter, andere Hüte, graue, schwarze, blaue, er überholte sie, er wandte sich um, er starrte sie an –

An der Kreuzung der Avenue Kléber blieb er stehen. Eine Frau, eine Frau mit einem Pudel, erinnerte er sich plötzlich. Gleich hinterher war der andere gekommen.

Die Frau mit dem Pudel hatte er schon längst überholt. Rasch ging er zurück. Als er die Frau mit dem Hund von weitem sah, blieb er an der Bordkante stehen. Er ballte die Fäuste in den Taschen und musterte jeden Vorübergehenden genau. Der Pudel blieb an einem Laternenpfahl stehen, schnupperte und hob unendlich langsam ein Hinterbein. Dann kratzte er umständlich das Pflaster und lief weiter. Ravic spürte plötzlich, daß sein Nacken naß war von Schweiß. Er wartete noch einige Minuten; – das Gesicht kam nicht. Er musterte die geparkten Autos. Niemand saß darin. Er kehrte wieder um und ging bis zur Untergrundbahn an der Avenue Kléber. Er lief den Eingang hinunter, löste ein Billett und ging den Bahnsteig entlang. Es waren ziemlich viel Leute da. Bevor er durch war, lief ein Zug ein, hielt und verschwand in dem Tunnel. Der Bahnsteig war leer.

Langsam ging er zurück in das Bistro. Er setzte sich an den Tisch, an dem er vorher gesessen hatte. Da stand noch sein Glas, halb voll mit Calvados. Es schien sonderbar, daß es immer noch da stand –

Der Kellner schlurfte heran. „Entschuldigen Sie, mein Herr. Ich wußte nicht –"

„Gut, gut", sagte Ravic. „Bringen Sie mir ein anderes Glas Calvados."

„Ein anderes?" Der Kellner blickte auf das halbvolle Glas auf dem Tisch. „Wollen Sie dieses nicht erst trinken?"

„Nein, bringen Sie mir ein anderes."

Der Kellner nahm das Glas und roch daran. „Ist er nicht gut?"

„Doch. Ich will nur ein anderes haben."

„Gut, mein Herr."

Ich habe mich geirrt, dachte Ravic. Die verregnete Scheibe, halb beschlagen, wie konnte man da etwas genau erkennen? Er starrte durch das Fenster. Er starrte aufmerksam hinaus, wie ein Jäger auf dem Anstand, er beobachtete jeden Menschen, der vorüberging – aber schattenhaft, grau und scharf, jagte gleichzeitig ein Film darüber, ein Fetzen Erinnerung –

Berlin. Ein Sommerabend 1934; – das Haus der Gestapo; Blut; ein kahles Zimmer ohne Fenster; das grelle Licht nackter, elektrischer Birnen; ein rotbespritzter Tisch mit Riemen zum Festschnallen; die übernächtige Helligkeit seines Gehirns, das ein dutzendmal aus Ohnmachten durch halbes Ersticken in einem Wassereimer wieder aufgeschreckt worden war; seine Nieren, die so zerschlagen waren, daß sie nicht mehr schmerzten; das verzerrte, fassungslose Gesicht Sybils; ein paar Henkersknechte in Uniform, die sie hielten; – und eine Stimme und ein lächelndes Gesicht, das freundlich erklärte, was mit der Frau geschehen würde, wenn man nicht gestand – Sybil, die dann drei Tage später angeblich erhängt aufgefunden wurde.

Der Kellner erschien und stellte das Glas auf den Tisch. „Dies ist eine andere Sorte, mein Herr. Von Didier aus Caën. Älter."

„Gut, gut. Danke."

Ravic trank das Glas aus. Er holte ein Päckchen Zigaretten aus der Tasche, zog eine heraus und zündete sie an. Seine Hände waren noch immer nicht ruhig. Er warf das Streichholz auf den Boden und bestellte einen anderen Calvados.

Das Gesicht, dieses lächelnde Gesicht, das er soeben wiedergesehen zu haben glaubte – es mußte ein Irrtum sein! Es war unmöglich, daß Haake in Paris war. Unmöglich! Er schüttelte die Erinnerungen ab.

Es hatte keinen Zweck, sich damit kaputt zu machen, solange man nichts tun konnte. Die Zeit dafür war, wenn das drüben zusammenkrachte und man zurückkonnte. Bis dahin –

Er rief den Kellner und zahlte; aber er konnte es nicht hindern, daß er jeden unterwegs genau beobachtete.

Er saß mit Morosow in der Katakombe.

„Du glaubst nicht, daß er es war?" fragte Morosow.

„Nein. Aber er sah so aus. Irgendeine verdammte Ähnlichkeit. Oder mein Gedächtnis, das nicht mehr sicher ist."

„Pech, daß du im Bistro warst."

„Ja."

Morosow schwieg eine Weile. „Regt einen verflucht auf, was?" sagte er dann.

„Nein. Warum?"

„Weil man es nicht weiß."

„Ich weiß es."

Morosow erwiderte nichts.

„Gespenster", sagte Ravic. „Dachte, ich wäre drüber weg."

„Das ist man nie. Ich habe das auch gehabt. Im Anfang hauptsächlich. In den ersten fünf, sechs Jahren. Ich warte noch auf drei in Rußland. Es waren sieben. Vier sind gestorben. Zwei davon erschossen von der eigenen Partei. Ich warte jetzt schon seit über zwanzig Jahren. Seit 1917. Einer von den dreien, die noch leben, ist jetzt an Siebzig. Die anderen beiden um Vierzig, Fünfzig herum. Die werde ich hoffentlich noch kriegen. Es sind die für meinen Vater."

Ravic sah Boris an. Er war ein Riese, aber über Sechzig. „Du wirst sie kriegen", sagte er.

„Ja." Morosow öffnete und schloß die großen Hände. „Darauf warte ich. Lebe deshalb vorsichtiger. Trinke nicht mehr so oft. Vielleicht dauert es noch eine Zeit. Ich muß kräftig sein dann. Ich will nicht schießen und nicht stechen."

„Ich auch nicht."

Sie saßen eine Zeitlang. „Wollen wir eine Partie Schach spielen?" fragte Morosow.

„Ja. Aber ich sehe kein freies Brett."

„Drüben der Professor hört auf. Hat mit Levy gespielt. Gewonnen wie immer."

Ravic ging, das Brett und die Figuren holen. „Sie haben lange gespielt, Professor", sagte er. „Den ganzen Nachmittag."

Der alte Mann nickte. „Es lenkt ab. Schach ist vollkommener als Kartenspielen. Kartenspielen ist Glück und Pech. Das lenkt nicht genug ab. Schach ist eine Welt für sich. Solange man spielt, tritt sie an die Stelle der anderen da draußen." Er hob seine entzündeten Augen. „Die ist nicht so vollkommen."

Levy, sein Partner, meckerte plötzlich auf. Dann schwieg er, sah sich erschreckt um und folgte dem Professor.

Sie machten zwei Spiele. Dann stand Morosow auf. „Ich muß gehen, Türen öffnen für die Blüte der Menschheit. Warum schaust du eigentlich nie mehr bei uns herein?"

„Ich weiß nicht. Zufall."

„Wie ist es mit morgen abend?"

„Morgen abend kann ich nicht. Da gehe ich essen. Ins Maxime."

Morosow grinste. „Für einen illegalen Flüchtling treibst du dich eigentlich ziemlich frech in den elegantesten Lokalen von Paris herum."

„Das sind die einzigen, in denen man völlig sicher ist, Boris. Wer sich benimmt wie ein Refugié, wird bald erwischt. Das solltest selbst du noch wissen, du Nansenpaßbesitzer."

„Stimmt. Mit wem gehst du denn? Mit dem deutschen Gesandten als Protektion?"

„Mit Kate Hegström."

Morosow tat einen Pfiff. „Kate Hegström", sagte er. „Ist sie zurück?"

„Sie kommt morgen früh. Von Wien."

„Gut. Dann sehe ich dich also doch später bei uns."

„Vielleicht auch nicht."

Morosow winkte ab. „Unmöglich! Die Scheherazade ist Kate Hegströms Hauptquartier, wenn sie in Paris ist."

„Diesmal ist es anders. Sie kommt, um in die Klinik zu gehen. Wird in den nächsten Tagen operiert."

„Dann wird sie gerade kommen. Du verstehst nichts von Frauen." Morosow kniff die Augen zusammen. „Oder willst du nicht, daß sie kommt?"

„Warum nicht?"

„Mir fällt gerade ein, daß du nicht mehr bei uns warst, seit du mir damals die Frau geschickt hast. Joan Madou. Scheint mir doch kein reiner Zufall zu sein."

„Unsinn. Ich weiß nicht einmal, daß sie noch bei euch ist. Konntet ihr sie gebrauchen?"

„Ja. Sie war zuerst im Chor. Jetzt hat sie eine kleine Solonummer. Zwei oder drei Lieder."

„Hat sie sich inzwischen einigermaßen gewöhnt?"

„Natürlich. Warum nicht?"

„Sie war verdammt verzweifelt. Ein armer Teufel."

„Was?" fragte Morosow.

„Ein armer Teufel, sagte ich."

Morosow lächelte. „Ravic", erwiderte er väterlich, mit einem Gesicht, in dem plötzlich Steppen, Weite, Wiesen und alle Erfahrung der Welt waren. „Rede keinen Unsinn. Das ist ein ziemlich großes Luder."

„Was?" sagte Ravic.

„Ein Luder. Keine Hure. Ein Luder. Wenn du ein Russe wärest, würdest du das verstehen."

Ravic lachte. „Dann muß sie sich sehr geändert haben. Servus, Boris! Gott segne deine Augen."

7

Wann muß ich in der Klinik sein, Ravic?" fragte Kate Hegström.

„Wann Sie wollen. Morgen, übermorgen, irgendwann. Es kommt auf einen Tag nicht an."

Sie stand vor ihm, schmal, knabenhaft, selbstsicher, hübsch und nicht mehr ganz jung.

Ravic hatte ihr vor zwei Jahren den Blinddarm herausgenommen. Es war seine erste Operation in Paris gewesen. Sie hatte ihm Glück gebracht. Er hatte seitdem gearbeitet und keine Schwierigkeiten mit der Polizei gehabt. Sie war für ihn eine Art Maskotte.

„Diesmal habe ich Angst", sagte sie. „Ich weiß nicht, warum. Aber ich habe Angst."

„Das brauchen Sie nicht. Es ist eine Routinesache."

Sie ging zum Fenster und sah hinaus. Draußen lag der Hof des Hotels Lancaster. Eine mächtige alte Kastanie reckte ihre alten Arme aufwärts zum nassen Himmel. „Dieser Regen", sagte sie. „Ich bin in Wien weggefahren, und es regnete. Ich bin in Zürich aufgewacht, und es regnete. Und jetzt hier –" Sie schob die Vorhänge zurück. „Ich weiß nicht, was mit mir los ist. Ich glaube, ich werde alt."

„Das glaubt man immer, wenn man es nicht ist."

„Ich sollte anders sein. Ich bin vor zwei Wochen geschieden worden. Ich sollte froh sein. Aber ich bin müde. Alles wiederholt sich, Ravic. Warum?"

„Nichts wiederholt sich. Wir wiederholen uns, das ist alles."

Sie lächelte und setzte sich auf ein Sofa, das neben dem künstlichen Kamin stand. „Es ist gut, daß ich zurück bin", sagte sie. „Wien ist eine Kaserne geworden. Trostlos. Die Deutschen haben es zertrampelt. Und mit ihnen die Österreicher. Die Österreicher auch, Ravic. Ich dachte, es sei ein Widerspruch der Natur; ein österreichischer Nazi. Aber ich habe sie gesehen."

„Das ist nicht überraschend. Macht ist die ansteckendste Krankheit, die es gibt."

„Ja, und die am meisten deformierende. Deshalb bin ich geschieden worden. Der charmante Nichtstuer, den ich vor zwei Jahren geheiratet hatte, wurde plötzlich ein brüllender Sturmführer, der den alten Professor Bernstein Straßen waschen ließ und dabeistand und lachte. Bernstein, der ihn ein Jahr vorher von einer Nierenentzündung geheilt hatte. Angeblich, weil das Honorar zu hoch gewesen war." Kate Hegström verzog die Lippen. „Das Honorar, das ich bezahlt hatte, nicht er."

„Seien Sie froh, daß Sie ihn los sind."

„Er verlangte zweihundertfünfzigtausend Schilling für die Scheidung."

„Billig", sagte Ravic. „Alles, was man mit Geld abmachen kann, ist billig."

„Er hat nichts bekommen." Kate Hegström hob das schmale Gesicht, das fehlerfrei wie eine Gemme geschnitten war. „Ich habe ihm gesagt, was ich über ihn, seine Partei und seinen Führer denke – und daß ich das von nun an öffentlich tun würde. Er drohte mir mit Gestapo und Konzentrationslager. Ich habe ihn ausgelacht. Ich sei immer noch Amerikanerin und unter dem Schutz der Gesandtschaft. Mir würde nichts geschehen, aber ihm, weil er mit mir verheiratet sei." Sie lachte. „Daran hatte er nicht gedacht. Er machte von da an keine Schwierigkeiten mehr."

Gesandtschaft, Schutz, Protektion, dachte Ravic. Das war wie von einem anderen Planeten. „Mich wundert, daß Bernstein noch praktizieren darf", sagte er.

„Er darf nicht mehr. Er hat mich heimlich untersucht, als ich die erste Blutung hatte. Gottlob, daß ich kein Kind bekommen darf. Ein Kind von einem Nazi –" Sie schüttelte sich.

Ravic stand auf. „Ich muß jetzt gehen. Veber wird Sie nachmittags noch einmal untersuchen. Nur der Form wegen."

„Ich weiß. Trotzdem – ich habe Angst diesmal."

„Aber Kate – es ist doch nicht das erstemal. Einfacher als der Blinddarm, den ich Ihnen vor zwei Jahren herausgenommen habe." Ravic nahm sie leicht um die Schultern. „Sie waren meine erste Operation, als ich nach Paris kam. Das ist etwas, wie eine erste Liebe. Ich werde schon aufpassen. Außerdem sind Sie meine Maskotte. Sie haben mir Glück gebracht. Das sollen Sie auch weiter."

„Ja", sagte sie und sah ihn an.

„Gut. Adieu, Kate. Ich hole Sie abends um acht Uhr ab."

„Adieu, Ravic. Ich gehe jetzt mir ein Abendkleid bei Mainbocher kaufen. Ich muß diese Müdigkeit loswerden. Und das Gefühl, in einem

Spinngewebe zu sitzen. Dieses Wien", sagte sie mit einem bitteren Lächeln, „die Stadt der Träume –"

Ravic fuhr mit dem Aufzug hinunter und ging an der Bar vorbei durch die Halle. Ein paar Amerikaner saßen herum. In der Mitte stand auf einem Tisch ein riesiger Strauß roter Gladiolen. Sie hatten in dem grauen, zerstreuten Licht die Farbe von altem Blut, und erst, als er nahe herankam, sah er, daß sie ganz frisch waren. Es war nur das Licht von draußen, das sie so machte.

Im zweiten Stock des „International" war großer Betrieb. Eine Anzahl Zimmer standen offen, das Mädchen und der Valet rannten hin und her, und die Proprietaire dirigierte alles vom Korridor her.

Ravic kam die Treppe herauf. „Was ist los?" fragte er.

Die Proprietaire war eine kräftige Frau mit mächtigem Busen und einem zu kleinen Kopf mit kurzen, schwarzen Locken. „Die Spanier sind doch fort", sagte sie.

„Das weiß ich. Aber wozu räumen Sie so spät die Zimmer noch auf?"

„Wir brauchen sie morgen früh."

„Neue deutsche Emigranten?"

„Nein, spanische."

„Spanische?" fragte Ravic, der einen Augenblick nicht verstand, was sie meinte. „Wieso, die sind ja gerade weg?"

Die Wirtin sah ihn mit ihren schwarzen, glänzenden Augen an und lächelte. Es war ein Lächeln aus einfachstem Wissen und einfachster Ironie. „Die anderen kommen zurück", sagte sie.

„Welche andern?"

„Die von der Gegenseite natürlich. Das ist doch immer so." Sie rief dem aufräumenden Mädchen ein paar Worte zu. „Wir sind ein altes Hotel", sagte sie dann mit einem gewissen Stolz. „Die Gäste kommen gern zu uns zurück. Sie warten schon auf ihre alten Zimmer."

„Sie warten schon?" fragte Ravic erstaunt. „Wer wartet schon?"

„Die Herren von der Gegenseite. Die meisten waren doch schon einmal hier. Eine Anzahl sind natürlich inzwischen getötet worden. Aber die andern haben in Biarritz und St. Jean de Luz gewartet, bis Zimmer bei uns frei wurden."

„Waren die denn schon einmal hier?"

„Aber, Herr Ravic!" Die Wirtin war überrascht, daß er das nicht sofort wußte. „In der Zeit doch, als Primo de Rivera Diktator in Spanien war. Sie mußten damals fliehen und lebten hier. Als Spanien dann republikanisch wurde, gingen sie zurück und die Monarchisten und Faschisten kamen her. Jetzt gehen die letzten davon zurück und die Republikaner kommen wieder. Die, die noch übrig sind."

„Richtig. Daran habe ich nicht gedacht."

Die Wirtin blickte in eines der Zimmer. Ein farbiger Druck des ehemaligen Königs Alfons hing über dem Bett. „Nimm das herunter, Jeanne", rief sie.

Das Mädchen brachte das Bild. „Hier. Stell es hierher." Die Wirtin lehnte das Bild rechts an die Wand und ging weiter. Im nächsten Zimmer hing ein Bild des General Franco. „Das da auch. Stelle es zu dem andern."

„Weshalb haben diese Spanier ihre Bilder eigentlich nicht mitgenommen?" fragte Ravic.

„Emigranten nehmen selten Bilder mit, wenn sie zurückgehen", erklärte die Wirtin. „Bilder sind ein Trost in der Fremde. Wenn man zurückgeht, braucht man sie nicht mehr. Die Rahmen sind auch zu unbequem beim Reisen, und das Glas bricht leicht. Bilder werden fast immer in Hotels gelassen."

Sie stellte zwei andere Bilder des fetten Generalissimus, eines von Alfons und ein kleineres von Queipo de Llano zu den übrigen im Korridor. „Die Heiligenbilder können wir drin lassen", entschied sie, als sie eine grellfarbige Madonna entdeckte. „Heilige sind neutral."

„Nicht immer", sagte Ravic.

„In schwierigen Zeiten hat Gott immer eine Chance. Ich habe hier schon manchen Atheisten beten sehen." Die Wirtin rückte mit einer energischen Bewegung ihren linken Busen zurecht. „Haben Sie nicht auch schon einmal gebetet, wenn Ihnen das Wasser am Halse stand?"

„Natürlich. Aber ich bin auch kein Atheist. Ich bin nur ein Schwergläubiger."

Der Hausknecht kam die Treppe herauf. Er schleppte einen Haufen Bilder über den Korridor heran. „Wollen Sie umdekorieren?" fragte Ravic.

„Natürlich. Man muß eine Menge Takt haben im Hotelfach. Das gibt einem Hause erst den wirklichen guten Ruf. Besonders bei unserer Art von Kundschaft, die, ich kann wohl sagen, in diesen Dingen sehr delikat ist. Man kann nicht erwarten, daß jemand Freude an einem Zimmer hat, in dem sein Todfeind stolz in bunten Farben und oft sogar in einem Goldrahmen auf ihn heruntersieht. Habe ich recht?"

„Hundertprozentig."

Die Wirtin wandte sich an den Hausknecht. „Leg die Bilder hierher, Adolphe. Nein, stell sie besser an die Wand ins Licht, nebeneinander, damit man sie sehen kann."

Der Mann grunzte und bückte sich, um die Ausstellung vorzubereiten. „Was hängen Sie jetzt da hinein?" fragte Ravic interessiert. „Hirsche und Landschaften und Vesuvausbrüchen und so was?"

„Nur, wenn's nicht reicht. Sonst gebe ich die alten Bilder zurück."

„Welche alten?"

„Die von früher. Die die Herren hiergelassen haben, als sie die Regierung übernahmen. Hier sind sie."

Sie zeigte auf die linke Wand des Korridors. Der Hausknecht hatte dort inzwischen die neuen Bilder aufgestellt, in einer Reihe, gegenüber denen, die aus den Zimmern geholt worden waren. Es waren zwei Marx, drei Lenins, von denen eines zur Hälfte mit Papier überklebt war, ein Trotzki und ein paar kleinere gerahmte schwarze Drucke von Negrin und andern republikanischen Führern Spaniens. Sie waren unscheinbar, und keines war so leuchtend in Farben mit Orden und Emblemen wie die pompöse Reihe der Alfonsos, Primos und Francos gegenüber auf der rechten Seite. Die beiden Reihen Weltanschauung starrten sich schweigend in dem schwach erleuchteten Korridor an, und dazwischen stand die französische Wirtin mit Takt, Erfahrung und der ironischen Weisheit ihrer Rasse.

„Ich habe die Sachen damals aufbewahrt", sagte sie, „als die Herren auszogen. Regierungen dauern heutzutage nicht lange. Sie sehen, daß ich recht hatte – jetzt kommen sie uns zugute. Im Hotelfach muß man einen weiten Blick haben."

Sie ordnete an, wo die Bilder aufgehängt werden sollten. Den Trotzki schickte sie zurück; er war ihr zu unsicher. Ravic inspizierte den Druck von Lenin, dessen Hälfte überklebt war. Er kratzte etwas von dem Papier in der Höhe von Lenins Kopf ab – hinter dem aufgeklebten Stück kam ein anderer Kopf Trotzkis hervor, der zu Lenin herüberlächelte. Ein Anhänger Stalins hatte ihn wahrscheinlich überklebt. „Hier", sagte Ravic. „Noch ein versteckter Trotzki. Aus der guten alten Zeit der Freundschaft und Brüderschaft."

Die Wirtin nahm das Bild. „Das können wir wegwerfen. Das ist ganz wertlos. Eine Hälfte davon beleidigt dauernd die andere." Sie gab es dem Hausknecht. „Hebe den Rahmen auf, Adolphe. Er ist gute Eiche."

„Was machen Sie mit den übrigen?" fragte Ravic. „Den Alfonsos und den Francos?"

„Die kommen in den Keller. Man weiß nie, ob man sie nicht noch gebrauchen kann."

„Ihr Keller muß fabelhaft sein. Ein temporäres Mausoleum. Haben Sie da noch mehr?"

„Oh, natürlich! Wir haben russische – ein paar einfachere Lenins – in Papprahmen zur Aushilfe, und dann die vom letzten Zaren. Von Russen, die hier gestorben sind. Ein wunderbares Original in Öl und schwerem Goldrahmen von einem Herrn, der Selbstmord begangen hat. Dann sind da die Italiener. Zwei Garibaldis, drei Könige und ein etwas beschädigter Mussolini, auf Zeitungspapier, aus der Zeit, als er noch Sozialist war in Zürich. Das Ding hat allerdings nur Seltenheitswert. Keiner will es hängen haben."

„Haben Sie auch Deutsche?"

„Noch ein paar Marx; das sind die häufigsten; einen Lasalle; einen Bebel – dann ein Gruppenbild von Ebert, Scheidemann, Noske und vielen anderen. Noske ist darauf mit Tinte zugeschmiert. Die Herren sagten mir, daß er ein Nazi geworden sei."

„Das stimmt. Sie können es zu dem sozialistischen Mussolini hängen. Von der andern Seite in Deutschland haben Sie keine, wie?"

„O doch! Wir haben einen Hindenburg, einen Kaiser Wilhelm, einen Bismarck – und", die Wirtin lächelte, „sogar einen Hitler im Regenmantel. Wir sind ziemlich komplett."

„Was?" fragte Ravic. „Hitler? Woher haben Sie den denn?"

„Von einem Homosexuellen. Er kam 1934, als Röhm und die andern drüben getötet wurden. Hatte Angst und betete viel. Später wurde er von einem reichen Argentinier mitgenommen. Er hieß Putzi mit Vornamen. Wollen Sie das Bild sehen? Es steht im Keller."

„Jetzt nicht. Nicht im Keller. Ich sehe es lieber, wenn alle Zimmer im Hotel mit derselben Sorte vollhängen."

Die Wirtin sah ihn einen Augenblick scharf an. „Ach so", sagte sie dann. „Sie meinen, wenn die als Emigranten kommen?"

Boris stand in seiner goldbetreßten Uniform vor der Scheherazade und öffnete die Tür des Taxis. Ravic stieg aus. Morosow schmunzelte. „Ich dachte, du wolltest nicht kommen?"

„Das wollte ich auch nicht."

„Ich habe ihn gezwungen, Boris." Kate Hegström umarmte Morosow. „Gottlob, daß ich wieder zurück bin bei euch!"

„Sie haben eine russische Seele, Katja. Der Himmel weiß, warum Sie in Boston geboren werden mußten. Komm, Ravic." Morosow stieß die Tür zum Eingang auf. „Der Mensch ist groß in seinen Vorsätzen, aber schwach in der Ausführung. Darin liegt unser Elend und unser Charme."

Die Scheherazade war wie ein kaukasisches Zelt eingerichtet. Die Kellner waren Russen in roten Tscherkessenuniformen. Das Orchester bestand aus russischen und rumänischen Zigeunern. Man saß an kleinen Tischen, die vor einer Banquette standen, die an der Wand entlanglief. Der Raum war dunkel und ziemlich besetzt.

„Was wollen Sie trinken, Kate?" fragte Ravic.

„Wodka. Und die Zigeuner sollen spielen. Ich habe genug vom

‚Wiener Wald' im Parademarsch." Sie schlüpfte aus ihren Schuhen und zog die Füße auf die Banquette. „Ich bin jetzt nicht mehr müde, Ravic", sagte sie. „Ein paar Stunden Paris haben mich schon verändert. Aber mir ist immer noch, als wäre ich aus einem Konzentrationslager entkommen. Können Sie sich das vorstellen?"

Ravic sah sie an. „So ungefähr", sagte er.

Der Tscherkesse brachte eine kleine Flasche Wodka und die Gläser. Ravic füllte sie und gab eines an Kate Hegström. Sie trank es rasch und durstig und stellte es zurück. Dann sah sie sich um. „Eine Mottenbude", sagte sie und lächelte. „Aber nachts wird sie eine Höhle der Zuflucht und der Träume."

Sie lehnte sich zurück. Das weiche Licht unter der Tischplatte erleuchtete ihr Gesicht. „Warum, Ravic? Nachts wird alles farbiger. Nichts erscheint einem mehr schwer, man glaubt, alles zu können, und was man nicht erreichen kann, füllt man mit Träumen aus. Warum?"

Er lächelte. „Wir haben unsere Träume, weil wir ohne sie die Wahrheit nicht ertragen könnten."

Das Orchester begann zu stimmen. Ein paar Quinten und ein paar Geigenläufe flatterten auf. „Sie sehen nicht so aus, als ob Sie sich mit Träumen betrügen würden", sagte Kate Hegström.

„Man kann sich auch mit der Wahrheit betrügen. Das ist ein noch gefährlicherer Traum."

Das Orchester fing an zu spielen. Anfangs war es nur das Cymbal. Die weichen umwickelten Hämmer pflückten leise, fast unhörbar, eine Melodie aus der Dämmerung, warfen sie hoch in ein sanftes Glissando und gaben sie dann zögernd weiter an die Violinen.

Der Zigeuner kam langsam über die Tanzfläche heran an den Tisch. Er stand da, lächelnd, die Geige an der Schulter, mit zudringlichen Augen und gierig abwesendem Gesicht. Ohne seine Geige wäre er ein Viehhändler gewesen – mit ihr war er der Bote der Steppe, der weiten Abende, der Horizonte und all dessen, was nie Wirklichkeit war.

Kate Hegström fühlte die Melodie auf ihrer Haut wie Quellwasser im April. Sie war plötzlich voller Echos, aber niemand war da, der nach ihr rief. Verwehte Stimmen murmelten, vage Erinnerungsfetzen flatterten, manchmal blinkte es wie Brokat, aber es verwirbelte, und niemand war da, der rief. Niemand rief.

Der Zigeuner verbeugte sich. Ravic schob ihm unter dem Tisch einen Schein in die Hand. Kate Hegström rührte sich in ihrer Ecke. „Waren Sie einmal glücklich, Ravic?"

„Oft."

„Das meine ich nicht. Ich meine richtig glücklich, atemlos, besinnungslos, mit allem, was Sie haben."

Ravic sah in das bewegte, schmale Gesicht vor ihm, das nur eine Deutung für Glück kannte, die schwankendste von allen: Liebe, und keine von den anderen. „Oft, Kate", sagte er und meinte etwas ganz anderes und wußte, auch das war es nicht.

„Sie wollen mich nicht verstehen. Oder nicht darüber sprechen. Wer singt da jetzt mit dem Orchester?"

„Ich weiß es nicht. Ich war lange nicht hier."

„Man kann die Frau von hier nicht sehen. Sie ist nicht bei den Zigeunern. Sie muß irgendwo an einem Tisch sitzen."

„Dann ist es wahrscheinlich ein Gast. Das passiert hier oft."

„Eine sonderbare Stimme", sagte Kate Hegström. „Traurig und rebellisch in einem."

„Das sind die Lieder."

„Oder ich bin es. Verstehen Sie, was sie singt?"

„Ja wass loubill – ich habe dich geliebt. Ein Lied von Puschkin."

„Können Sie Russisch?"

„Nur so viel wie Morosow mir beigebracht hat. Meistens Flüche. Russisch ist eine hervorragende Sprache für Flüche."

„Sie sprechen nicht gern über sich, wie?"

„Ich denke nicht einmal gern über mich nach."

Sie saß eine Weile. „Manchmal glaube ich, das alte Leben ist vorbei", sagte sie dann. „Die Sorglosigkeit, die Erwartung – all das von früher."

Ravic lächelte. „Es ist nie vorbei, Kate. Leben ist eine viel zu große Sache, als daß es vorbei sein könnte, bevor wir aufhören zu atmen."

Sie hörte nicht auf das, was er sagte. „Es ist eine Angst oft", sagte sie. „Eine plötzliche, unerklärliche Angst. So, als ob, wenn wir hier herauskommen, die Welt draußen auf einmal zusammengebrochen sein könnte. Kennen Sie das auch?"

„Ja, Kate. Jeder kennt das. Es ist eine europäische Krankheit. Seit zwanzig Jahren."

Sie schwieg. „Das ist aber nicht mehr russisch", sagte sie dann und horchte zu der Musik hinüber.

„Nein. Das ist italienisch. Santa Lucia Luntana."

Der Scheinwerfer wanderte vom Geiger zu einem Tisch neben dem Orchester hinüber. Ravic sah die Frau jetzt, die sang. Es war Joan Madou. Sie saß allein an dem Tisch, einen Arm aufgestützt, und blickte vor sich hin, als wäre sie in Gedanken und außer ihr niemand da. Ihr Gesicht war sehr bleich in dem weißen Licht. Es hatte nichts mehr von dem flachen, verwischten Ausdruck, den er kannte. Es war plötzlich von einer aufregenden, verlorenen Schönheit, und er erinnerte sich, es einmal flüchtig so gesehen zu haben – nachts in ihrem Zimmer – aber damals hatte er geglaubt, es sei der sanfte Betrug der Trunkenheit gewesen, und es war gleich darauf erloschen und verschwunden. Jetzt war es ganz da, und es war noch mehr da.

„Was ist los, Ravic?" fragte Kate Hegström.

Er wandte sich um. „Nichts. Ich kenne nur das Lied. Ein neapolitanischer Schmachtfetzen."

„Erinnerungen?"

„Nein. Ich habe keine Erinnerungen."

Er sagte es heftiger, als er wollte. Kate Hegström sah ihn an. „Manchmal wollte ich wirklich, ich wüßte, was mit Ihnen los ist, Ravic."

Er machte eine abwehrende Bewegung. „Nicht mehr als mit jedem anderen. Die Welt ist heute voll von Abenteurern wider Willen. In jedem Refugié-Hotel sitzen sie. Und jeder hat eine Geschichte, die für Alexander Dumas und Victor Hugo eine Sensation gewesen wäre; jetzt gähnt man schon, bevor er anfängt, sie zu erzählen. Hier ist ein neuer Wodka für Sie, Kate. Das große Abenteuer heute ist ein klares, ruhiges Leben."

Das Orchester begann einen Blues zu spielen. Es spielte Tanzmusik ziemlich schlecht. Ein paar Gäste fingen an zu tanzen. Joan Madou stand auf und ging dem Ausgang zu. Sie ging, als wäre das Lokal leer. Ravic fiel plötzlich ein, was Morosow über sie gesagt hatte. Sie kam ziemlich nahe an seinem Tisch vorbei. Es schien ihm, als hätte sie ihn gesehen; aber ihr Blick glitt gleich darauf gleichgültig über ihn hinweg, und sie verließ den Raum.

„Kennen Sie die Frau?" fragte Kate Hegström, die ihn beobachtet hatte.

„Nein."

8

Sehen Sie das, Veber?" fragte Ravic. „Hier – und hier – und hier –"

Veber beugte sich über die aufgeklammerte Wunde. „Ja –"

„Die kleinen Höcker hier – und da, das ist keine Geschwulst und keine Verwachsung –"

„Nein –"

Ravic richtete sich auf. „Krebs", sagte er. „Klarer, einwandfreier Krebs! Das ist die verfluchteste Operation, die ich seit langem gemacht habe: Das Speculum zeigt nichts, die Pelvisuntersuchung nur eine leichte Weichheit an einer Seite, ein bißchen Schwellung, Möglichkeit einer Zyste oder eines Myoms, nichts Wichtiges, aber wir können nicht von unten arbeiten, müssen schneiden, und plötzlich finden wir Krebs."

Veber sah ihn an. „Was wollen Sie machen?"

„Wir können einen Gefrierschnitt machen. Mikroskopischen Befund feststellen. Ist Boisson noch im Laboratorium?"

„Bestimmt."

Veber gab der Infirmière den Auftrag, das Laboratorium anzurufen. Sie verschwand eilig, auf geräuschlosen Gummisohlen.

„Wir müssen weiterschneiden. Den Histerectomieschnitt machen", sagte Ravic. „Keinen Sinn, was anderes zu tun. Das Verdammte ist nur, daß sie es nicht weiß. Wie ist ihr Puls?" fragte er die Narkoseschwester.

„Regelmäßig. Neunzig."

„Blutdruck?"

„Hundertzwanzig."

„Gut." Ravic sah auf den Körper Kate Hegströms, der, den Kopf tief, in der Trendelenburg-Position auf dem Operationstisch lag. „Sie müßte es vorher wissen. Sie müßte einverstanden sein. Wir können nicht so einfach in ihr herumschneiden. – Oder können wir?"

„Nach dem Gesetz nicht. Sonst – wir haben ja schon angefangen."

„Das mußten wir. Die Ausschabung war nicht von unten zu machen. Dies hier ist eine andere Operation. Eine Gebärmutter herausnehmen, ist etwas anderes als eine Auskratzung."

„Ich glaube, sie vertraut Ihnen, Ravic."

„Ich weiß es nicht. Vielleicht. Aber ob sie einverstanden wäre –?" Er schob mit dem Ellbogen die Gummischürze über dem weißen Kittel zurecht. „Immerhin – ich kann zuerst einmal versuchen, weiterzufahren. Wir können dann immer noch entscheiden, ob wir die Hysterectomie machen müssen. Messer, Eugenie."

Er machte den Schnitt bis zum Nabel und klammerte die kleineren Blutgefäße ab. Dann stoppte er die größeren mit Doppelknoten, nahm ein anderes Messer und durchschnitt die gebliche Fascia. Die Muskeln darunter separierte er mit dem Messerrücken, hob dann das Peritoneum an, öffnete es und klammerte es auf. „Den Spreizapparat!"

Die Hilfsschwester hatte ihn schon bereit. Sie warf die Kette mit dem Gewicht zwischen die Beine Kate Hegströms und hakte die Blasenplatte an. „Tücher."

„Tücher!"

Er schob die feuchten, warmen Tücher ein, legte die Bauchhöhle frei und setzte behutsam die Greifzange an. Dann sah er auf. „Sehen Sie hier, Veber – und hier – das breite Ligament. Die dicke, harte Masse. Unmöglich, eine Kocherzange anzulegen. Es ist schon zu weit."

Veber starrte auf die Stelle, die Ravic ihm wies. „Sehen Sie das hier", sagte Ravic. „Wir können die Arterien nicht mehr abklammern. Brüchig. Da wuchert es auch schon. Hoffnungslos –"

Er löste vorsichtig ein schmales Stück los. „Ist Boisson im Laboratorium?"

„Ja", sagte die Infirmière. „Ich habe telephoniert. Er wartet schon."

„Gut. Schicken Sie es hinüber. Wir können auf den Befund warten. Wird nicht länger als zehn Minuten dauern."

„Sagen Sie ihm, er soll telephonieren", sagte Veber. „Sofort. Wir warten mit der Operation."

Ravic richtete sich auf. „Wie ist der Puls?"

„Fünfundneunzig."

„Blutdruck?"

„Hundertfünfzehn."

„Gut. Ich glaube, Veber, wir brauchen jetzt nicht mehr nachzudenken, ob wir ohne Zustimmung operieren sollen oder nicht. Hier ist nichts mehr zu tun."

Veber nickte.

„Zunähen", sagte Ravic. „Das Kind wegnehmen, das ist alles. Zunähen und nichts sagen."

Er stand einen Moment und sah auf den offenen Körper unter den weißen Tüchern. Das grelle Licht machte die Tücher noch weißer, wie frischer Schnee, unter dem der rote Krater der klaffenden Wunde gähnte. Kate Hegström, vierunddreißig Jahre alt, kapriziös, schmal, braun, trainiert, voll von Willen zum Leben – zum Tode verurteilt durch den neblig unsichtbaren Griff, der ihre Zellen zerstört hatte.

Er beugte sich wieder über den Körper. „Wir müssen ja noch –"

Das Kind. In diesem zerfallenden Körper wuchs ja noch blind ein tappendes Wesen heran. Verurteilt mit ihm. Noch fressend, saugend, gierig, nichts als Trieb zum Wachsen, irgend etwas, das einmal spielen wollte in Gärten, das irgend etwas werden wollte, Ingenieur, Priester, Soldat, Mörder, Mensch, etwas, das leben, leiden, glücklich sein wollte und zerbrechen – vorsichtig ging das Instrument die unsichtbare Wand entlang – fand den Widerstand, brach ihn behutsam, brachte ihn heraus – vorbei. Vorbei mit all dem unbewußten Kreisen, vorbei mit dem ungelebten Atem, Jubel, Klage, Wachsen, Werden. Nichts mehr als etwas totes, bleiches Fleisch und etwas gerinnendes Blut.

„Schon Nachricht von Boisson?"

„Noch nicht. Muß bald kommen."

„Wir können noch ein paar Minuten warten."

Ravic trat zurück. „Puls?"

Er sah hinter dem Bügel Kate Hegströms Augen. Sie blickte ihn an – nicht starr, sondern als ob sie ihn sähe und alles wüßte. Einen Augenblick glaubte er, sie sei erwacht. Er machte einen Schritt und stoppte dann. Unmöglich! Es war ein Zufall; das Licht. „Wie ist der Puls?"

„Hundert. Blutdruck hundertzwölf. Fällt."

„Es wird Zeit", sagte Ravic. „Boisson könnte jetzt fertig sein."

Das Telephon klingelte gedämpft von unten. Veber blickte zur Tür. Ravic sah nicht hin. Er wartete. Er hörte die Tür. Die Schwester kam herein. „Ja", sagte Veber. „Krebs."

Ravic nickte und begann weiterzuarbeiten. Er löste die Zangen, die Klammern. Er hob den Retractor heraus; die Handtücher. Neben ihm zählte Eugenie die Instrumente.

Er begann zu nähen. Fein, methodisch, genau, völlig konzentriert und ohne jeden Gedanken. Das Grab schloß sich, die Häute legten sich aneinander, bis zur letzten, äußeren; er klammerte sie ab und richtete sich auf. „Fertig."

Eugenie kurbelte mit dem Fuß den Tisch wieder horizontal und deckte Kate Hegström zu. Scheherazade, dachte Ravic, vorgestern, ein Kleid von Mainbocher, waren Sie einmal glücklich, oft, ich habe Angst, eine Routinesache; die Zigeuner spielen. – Er sah auf die Uhr über der Tür. Zwölf. Mittag. Draußen öffneten sich jetzt die Büros und Fabriken und gesunde Leute strömten heraus. Die beiden Schwestern schoben den flachen Wagen aus dem Operationssaal heraus. Ravic riß die Gummihandschuhe von den Händen, ging in den Waschraum und begann sich zu waschen.

„Ihre Zigarette", sagte Veber, der sich neben ihm an dem zweiten Becken wusch. „Sie verbrennen sich die Lippen."

„Ja. Danke. Wer wird es ihr nun sagen, Veber?"

„Sie", erklärte Veber ohne Zögern.

„Wir müssen ihr erklären, weshalb wir geschnitten haben. Sie hatte erwartet, wir würden es von innen machen. Wir können ihr nicht sagen, was es wirklich war."

„Es wird Ihnen schon etwas einfallen", sagte Veber zuversichtlich.

„Meinen Sie?"

„Natürlich. Sie haben ja bis heute abend Zeit."

„Und Sie?"

„Mir würde sie nichts glauben. Sie weiß, daß Sie sie operiert haben und wird es von Ihnen wissen wollen. Sie würde nur mißtrauisch werden, wenn ich käme."

„Stimmt."

„Ich verstehe nicht, wie es sich in so kurzer Zeit entwickeln konnte."

„Es kann. Ich wollte, ich wüßte, was ich sagen soll."

„Ihnen wird schon etwas einfallen, Ravic. Irgendeine Zyste oder ein Myom."

„Ja", sagte Ravic. „Irgendeine Zyste oder ein Myom."

*

Nachts ging er noch einmal zur Klinik. Kate Hegström schlief. Sie war abends aufgewacht, hatte erbrochen, ungefähr eine Stunde unruhig gelegen und war dann wieder eingeschlafen.

„Hat sie irgend etwas gefragt?"

„Nein", sagte die rotbackige Schwester. „Sie war noch benommen und hat nichts gefragt."

„Ich nehme an, daß sie durchschlafen wird bis morgen. Wenn sie aufwacht und fragt, sagen Sie ihr, alles sei gut abgelaufen. Sie solle weiterschlafen. Geben Sie ihr, wenn es nötig wird, ein Mittel. Wenn sie unruhig wird, rufen Sie Doktor Veber oder mich an. Ich hinterlasse im Hotel, wo ich bin."

Er stand auf der Straße wie jemand, der noch einmal entkommen war. Ein paar Stunden Frist, ehe er in ein vertrauendes Gesicht hineinlügen mußte. Die Nacht erschien ihm plötzlich warm und schimmernd. Der graue Aussatz des Lebens wurde wieder einmal barmherzig überdeckt von ein paar geschenkten Stunden, die wie Tauben emporflogen. Auch sie waren Lügen – es wurde einem nichts geschenkt; sie waren nur ein Aufschub, aber was war es nicht? War nicht alles Aufschub, barmherziger Aufschub, eine bunte Fahne, die das ferne, schwarze, unerbittlich näher kommende Tor verdeckte?

Er trat in ein Bistro und setzte sich an einen Marmortisch am Fenster. Der Raum war rauchig und voll Lärm. Der Kellner kam. „Einen Dubonnet und ein Paket Colonial."

Er öffnete das Paket und zündete sich eine der schwarzen Zigaretten an. Neben ihm debattierten ein paar Franzosen über die korrupte Regierung und den Pakt von München. Ravic hörte nur halb hin. Jeder wußte, daß die Welt apathisch in einen neuen Krieg hineintrieb. Niemand hatte etwas dagegen – Aufschub, noch ein Jahr Aufschub – das war alles, worum man sich aufraffte zu kämpfen. Aufschub auch hier – immer wieder.

Er trank das Glas Dubonnet. Der süßlich dumpfe Geruch des Apéritifs füllte den Mund mit schalem Widerwillen. Wozu hatte er ihn nur bestellt? Er winkte dem Kellner. „Einen Fine."

Er blickte durch die Scheiben hinaus und schüttelte die Gedanken ab. Wenn man nichts tun konnte, sollte man sich nicht verrückt machen. Er erinnerte sich, wann er diese Lehre bekommen hatte. Eine der großen Lehren seines Lebens. –

Es war 1916 gewesen, im August, in der Nähe von Ypern. Die Kompanie war einen Tag vorher von der Front zurückgekommen. Es war ein ruhiger Abschnitt gewesen, in dem sie das erstemal, seit man sie ins Feld geschickt hatte, eingesetzt worden war. Nichts war passiert. Jetzt lagen sie in der warmen Augustsonne um ein kleines Feuer herum und brieten Kartoffeln, die sie in den Feldern gefunden hatten. Eine Minute später war nichts mehr davon da. Ein plötzlicher Artillerie-Überfall – eine Granate, die mitten ins Feuer geschlagen hatte; – als er wieder zu sich kam, heil, unverletzt, sah er zwei seiner Kameraden tot – und etwas weiter seinen Freund Paul Meßmann, den er kannte, seit sie beide laufen konnten, mit dem er gespielt hatte, die Schule besuchte, von dem er unzertrennlich gewesen war – er lag da, den Magen und den Bauch aufgerissen, die Eingeweide hervorquellend –

Sie schleppten ihn auf einer Zeltbahn zum Feldlazarett, den nächsten Weg, durch ein Getreidefeld einen flachen Abhang hinauf. Sie schleppten ihn zu viert, jeder an einer Ecke, und er lag in der braunen Zeltbahn, die Hände in die weißen, fetten, blutigen Eingeweide gepreßt, den Mund offen, die Augen verständnislos starr.

Er starb zwei Stunden später. Eine davon schrie er.

Ravic erinnerte sich, wie sie zurückgekommen waren. Er hatte stumpf und verstört in der Baracke gesessen. Es war das erstemal, daß er so etwas gesehen hatte. Katczinsky hatte ihn da gefunden, der Gruppenführer, Schuhmacher im Privatleben. „Komm mit", hatte er gesagt. „In der Bayernkantine gibt es heute Bier und Schnaps. Wurst auch." Er hatte ihn angestarrt. Hatte solche Roheit nicht begriffen. Katczinsky hatte ihn eine Weile beobachtet, hatte dann gesagt: „Du kommst mit. Und wenn ich dich hinprügeln sollte. Du wirst heute fressen und saufen und in ein Puff gehen." Er hatte nichts geantwortet. Katczinsky hatte sich neben ihn gesetzt. „Ich weiß, was los ist. Ich weiß auch, was du jetzt denkst über mich. Aber ich bin zwei Jahre hier und du zwei Wochen. Hör zu! Können wir noch etwas für Meßmann tun? – Nein. – Glaubst du, daß wir alles riskieren würden, wenn eine Chance da wäre, ihn zu retten?" – Er hatte aufgeblickt. Ja, das wußte er. Er wußte das von Katczinsky. „Gut. Er ist tot. Wir können nichts mehr machen. Aber in zwei Tagen müssen wir wieder raus und nach vorn. Diesmal wird es nicht so ruhig da sein. Wenn du jetzt hier hockst und an Meßmann denkst, frißt du es in dich rein. Es macht deine Nerven kaputt, wirst unsicher. Gerade genug vielleicht, daß du beim nächsten Feuerüberfall draußen nicht schnell genug bist. Halbe Sekunde zu spät. Dann schleppen wir dich wie Meßmann zurück. Wem nützt das? Meßmann? Nein. Jemand anderem? Nein. Dich haut es um, das ist alles. Verstehst du nun?" „Ja, aber ich kann nicht." „Halts Maul, du kannst! Andere haben es auch gekonnt. Du bist nicht der erste."

Es war besser geworden nach dieser Nacht. Er war mitgegangen, er hatte seine erste Lektion gelernt. Hilf, wenn du kannst; – tu alles dann – aber wenn du nichts mehr tun kannst, vergiß! Dreh dich um!

Halt dich fest! Mitleid ist etwas für ruhige Zeiten. Nicht wenn es ums Leben geht. Begrabe die Toten und friß das Dasein! Du wirst es noch brauchen müssen. Trauer ist eines, Tatsachen sind ein anderes. Man trauert nicht weniger, wenn man trotzdem die Tatsachen sieht und anerkennt. Nur so überlebt man.

Ravic trank den Kognak aus. Die Franzosen am Nebentisch schwatzten immer noch über ihre Regierung. Über das Versagen Frankreichs. Über England. Über Italien. Über Chamberlain. – Worte, Worte. Die einzigen, die handelten, waren die anderen. Sie waren nicht stärker, nur entschlossener. Sie waren nicht mutiger; sie wußten nur, daß die anderen nicht kämpfen würden. Aufschub, aber was tat man damit? Rüstete man, holte man nach, raffte man sich auf? Man sah zu, wie die andern weiterrüsteten – und wartete, hoffte untätig auf neuen Aufschub. Die Geschichte der Walroßherde. Hunderte am Strand; zwischen ihnen der Jäger, der eines nach dem andern mit der Keule erschlug. Zusammen konnten sie ihn leicht erdrücken – aber sie lagen da, sahen ihn kommen, morden, und rührten sich nicht; er erschlug ja nur gerade den Nachbarn – einen Nachbarn nach dem andern. Die Geschichte der europäischen Walrosse. Das Abendrot der Zivilisation. Müde, gestaltlose Götterdämmerung. Die leeren Banner der Menschenrechte. Der Ausverkauf eines Kontinents. Anbrandende Sintflut. Krämergeschäftigkeit um die letzten Preise. Der alte Jammertanz auf dem Vulkan. Völker, wieder einmal langsam auf die Schlachtbank getrieben. Die Flöhe würden sich schon retten, wenn das Schaf geopfert wurde. Wie immer.

Ravic drückte seine Zigarette aus. Er blickte sich um. Was sollte das alles? War der Abend nicht wie eine Taube gewesen vorhin, wie eine weiche, graue Taube? Begrabe die Toten und friß das Leben. Die Zeit ist kurz. Überstehen war alles. Irgendwann würde man gebraucht werden. Man sollte sich dafür heil und bereithalten. Er winkte dem Kellner und zahlte.

Die Scheherazade war dunkel, als er eintrat. Die Zigeuner spielten, und nur das Licht des Scheinwerfers lag voll auf dem Tisch neben dem Orchester, an dem Joan Madou saß.

Ravic blieb am Eingang stehen. Einer der Kellner kam heran und rückte ihm einen Tisch zurecht. Aber Ravic blieb stehen und sah zu Joan Madou hinüber.

„Wodka?" fragte der Kellner.

„Ja. Eine Karaffe."

Ravic setzte sich hin. Er goß sich ein Glas Wodka ein und trank es rasch. Er wollte loswerden, was er draußen gedacht hatte. Die Fratze

der Vergangenheit und die Fratze des Todes – einen von Granaten
zerrissenen Bauch und einen von Krebs zerfressenen. Er sah, daß er an
demselben Tisch saß, an dem er vor zwei Tagen mit Kate Hegström
gesessen hatte. Nebenan wurde ein anderer Tisch frei. Er rückte nicht
hinüber. Es war gleichgültig, ob er an diesem Tisch saß oder am nächsten – es half Kate Hegström nicht. Was hatte Veber einmal gesagt?
Weshalb regen Sie sich auf, wenn eine Operation hoffnungslos ist?
Man tut, was man kann und geht nach Hause. Wo bliebe man sonst?
Ja, wo bliebe man sonst? Er hörte die Stimme Joan Madous vom
Orchester her. Kate Hegström hatte recht gehabt – es war eine erre-
gende Stimme. Er griff nach der Karaffe mit dem klaren Schnaps.
Einer dieser Augenblicke, wo die Farben zerfielen und das Leben grau
wurde unter machtlosen Händen. Die mystische Ebbe. Die tonlose
Cäsur zwischen den Atemzügen. Der Biß der Zeit, die langsam das
Herz zernagte. Santa Lucia Luntana, sang die Stimme neben dem
Orchester. Es kam herüber wie ein Meer – von einem vergessenen
anderen Ufer, an dem etwas blühte.

„Wie gefällt sie Ihnen?"

„Wer?" Ravic stand auf. Der Manager stand neben ihm. Er machte
eine Bewegung zu Joan Madou hinüber.

„Gut. Sehr gut."

„Sie ist gerade keine Sensation. Aber zu brauchen, zwischen den
anderen Nummern."

Der Manager glitt weiter. Sein Spitzbart stand einen Augenblick
schwarz vor dem weißen Licht. Dann verschwand er in der Dunkelheit. Ravic blickte ihm nach und griff nach seinem Glas.

Der Scheinwerfer erlosch. Das Orchester begann einen Tango zu
spielen. Die erleuchteten Tischflächen tauchten wieder auf, und über
ihnen die undeutlichen Gesichter. Joan Madou erhob sich und ging
zwischen den Tischen hindurch. Sie mußte einige Male warten, weil die
Paare zur Tanzfläche gingen. Ravic sah sie an, und sie sah ihn an. Ihr
Gesicht verriet keine Überraschung. Sie ging gerade auf ihn zu. Er
stand auf und schob den Tisch beiseite. Ein Kellner kam, um ihm zu
helfen. „Danke", sagte er, „das mache ich schon alleine. Wir brauchen
nur noch ein Glas."

Er rückte den Tisch wieder zurecht und füllte das Glas, das der
Kellner brachte. „Das ist Wodka hier", sagte er. „Ich weiß nicht, ob
Sie das trinken."

„Ja. Wir haben es schon einmal getrunken. In der Belle Aurore."

„Richtig."

Wir waren auch schon einmal hier, dachte Ravic. Vor einer Ewigkeit. Vor drei Wochen. Damals hast du hier gesessen, zusammen-

gekauert in deinem Regenmantel, nichts als ein bißchen Unglück und Ausgelöschtsein im Halbdunkel. Jetzt – „Salute", sagte er.

Ein Schein flog über ihr Gesicht. Sie lachte nicht; ihr Gesicht wurde nur heller. „Das habe ich lange nicht gehört", sagte sie. „Salute."

Er trank sein Glas aus und sah sie an. Die hohen Brauen, die weit auseinanderstehenden Augen, der Mund – alles, was früher verwischt und einzeln und ohne Zusammenhang gewesen war, hatte sich auf einmal versammelt zu einem hellen, geheimnisvollen Gesicht, einem Gesicht, dessen Geheimnis seine Offenheit war. Es versteckte nichts und gab dadurch nichts preis. Daß ich das früher nicht gesehen habe, dachte er. Aber vielleicht war es damals nicht da, vielleicht war es da ganz ausgefüllt von Verwirrung und Angst.

„Haben Sie eine Zigarette?" fragte Joan Madou.

„Nur die algerischen. Die mit dem schweren, schwarzen Tabak."

Ravic wollte dem Kellner winken. „Sie sind nicht zu schwer", sagte sie. „Sie haben mir schon einmal eine gegeben. Am Pont de l'Alma."

„Das ist wahr."

Es ist wahr und es ist nicht wahr, dachte er. Damals warst du ein gehetztes, fahles Wesen, nicht du; da ist noch manches andere zwischen uns gewesen, und plötzlich ist nichts mehr davon wahr. „Ich war schon einmal hier", sagte er. „Vorgestern."

„Ich weiß. Ich habe Sie gesehen."

Sie fragte nicht nach Kate Hegström. Sie saß ruhig und entspannt in der Ecke und rauchte, und sie schien ganz hingegeben daran, daß sie rauchte. Dann trank sie, ruhig und langsam, und schien ganz hingegeben daran, daß sie trank. Sie schien alles ganz zu tun, was sie gerade tat, auch wenn es noch so nebensächlich war. Sie war auch ganz verzweifelt damals, dachte Ravic – und ebenso ist sie es jetzt nicht mehr. Sie hatte plötzlich Wärme und eine selbstverständliche, sichere Gelassenheit. Er wußte nicht, ob es daher kam, weil nichts im Augenblick ihr Leben bewegte; er fühlte nur, wie es ihn anstrahlte.

Die Karaffe Wodka war leer. „Wollen wir das weiter trinken?" fragte Ravic.

„Was war es, das Sie mir damals zu trinken gegeben haben?"

„Wann? Hier? Ich glaube, wir haben da eine Menge durcheinander getrunken."

„Nein. Nicht hier. Am ersten Abend."

Ravic dachte nach. „Ich weiß es nicht mehr. – War es nicht Kognak?"

„Nein. Es sah aus wie Kognak, aber es war etwas anderes. Ich habe versucht, es zu bekommen, aber ich habe es nicht gefunden."

„Warum? War es so gut?"

„Nicht deshalb. Es war das wärmste, was ich je in meinem Leben getrunken habe."

„Wo haben wir es getrunken?"

„In einem kleinen Bistro in der Nähe des Arc. Man mußte ein paar Stufen hinuntergehen. Es waren Chauffeure da und ein paar Mädchen. Der Kellner hatte eine Frau auf seinen Arm tätowiert."

„Ah, ich weiß. Es wird Calvados gewesen sein. Apfelschnaps aus der Normandie. Haben Sie den schon versucht?"

„Ich glaube nicht."

Ravic winkte dem Kellner. „Haben Sie Calvados?"

„Nein. Leider nicht. Es wird nie verlangt."

„Zu elegant hier dafür. Es wird also Calvados gewesen sein. Schade, daß wir es nicht herausfinden können. Am einfachsten wäre, noch einmal in die Kneipe zu gehen. Aber das können wir ja jetzt nicht."

„Warum nicht?"

„Müssen Sie nicht hierbleiben?"

„Nein. Ich bin fertig."

„Gut. Wollen wir gehen?" – „Ja."

Ravic fand die Kneipe ohne Mühe. Sie war ziemlich leer. Der Kellner mit der tätowierten Frau auf dem Arm warf beiden einen kurzen Blick zu; dann schlürfte er hinter der Theke hervor und wischte die Tischplatte ab. „Ein Fortschritt", sagte Ravic. „Das hat er damals nicht gemacht."

„Nicht diesen Tisch", sagte Joan. „Den dort."

Ravic lächelte. „Sind Sie abergläubisch?"

„Manchmal."

Der Kellner stand neben ihnen. „Stimmt", sagte er und ließ die Tätowierung springen. „Damals haben Sie auch hier gesessen."

„Erinnern Sie sich noch daran?"

„Genau."

„Sie sollten General werden", sagte Ravic. „Mit so einem Gedächtnis."

„Ich vergesse nie etwas."

„Dann wundert es mich, daß Sie noch leben. Aber wissen Sie auch noch, was wir damals getrunken haben?"

„Calvados", sagte der Kellner ohne Zögern.

„Gut. Das wollen wir jetzt wieder trinken." Ravic wandte sich an Joan Madou. „Wie einfach sich manchmal Probleme lösen! Jetzt werden wir sehen, ob er auch noch genauso schmeckt."

Der Kellner brachte die Gläser. „Doppelte. Sie bestellten damals doppelte Calvados."

„Sie werden mir langsam unheimlich, Mann. Wissen Sie auch noch, wie wir angezogen waren?"

„Regenmantel. Die Dame trug ein Béret de Basque."

„Sie sind zu schade hier. Sie gehören in ein Varieté."

„War ich doch", erwiderte der Kellner erstaunt. „Zirkus. Habe ich Ihnen doch erzählt. Haben Sie das denn vergessen?"

„Ja. Zu meiner Schande, ja."

„Der Herr vergißt leicht", sagte Joan Madou zu dem Kellner. „Er ist ein Künstler im Vergessen. So wie Sie ein Künstler im Nichtvergessen."

Ravic blickte auf. Sie sah ihn an. Er lächelte. „Vielleicht doch nicht", sagte er. „Und jetzt wollen wir den Calvados versuchen. – Salute!"

„Salute!"

Der Kellner blieb stehen. „Was man vergißt, das fehlt einem später im Leben, mein Herr", erklärte er. Das Thema war für ihn noch nicht erschöpft.

„Richtig. Und was man nicht vergißt, macht es einem zur Hölle."

„Mir nicht. Es ist ja vorbei. Wie kann es einem da das Leben zur Hölle machen?"

Ravic blickte auf. „Gerade deshalb, Bruder. Aber Sie sind ein glücklicher Mensch, nicht nur ein Künstler. Ist es derselbe Calvados?" fragte er Joan Madou. – „Er ist besser."

Er sah sie an. Eine leichte Wärme stieg ihm in die Stirn. Er wußte, was sie meinte; aber es war entwaffnend, daß sie es sagte. Sie schien sich nicht darum zu kümmern, wie es wirken konnte. Sie saß in der kahlen Kneipe, als wäre sie ganz bei sich selbst. Das Licht der ungeschützten elektrischen Birnen war unbarmherzig. Zwei Huren, die ein paar Tische weiter saßen, sahen darin aus wie ihre Großmütter. Aber es tat ihr nichts. Was vorher, im Dämmer des Nachtklubs dagewesen war, hielt hier stand. Das kühne, helle Gesicht, das nicht fragte, das nur da war und wartete – es war ein leeres Gesicht, dachte er; ein Gesicht, das jeder Wind des Ausdrucks ändern konnte. Man konnte alles hineinträumen. Es war wie ein schönes, leeres Haus, das auf Teppiche und Bilder wartete. Alle Möglichkeiten waren in ihm – es konnte ein Palast und eine Hurenbude werden. Es kam auf den an, der es füllte. Wie begrenzt erschien dagegen alles, was schon vollgestopft war und eine Maske hatte –

Er sah, daß sie ihr Glas ausgetrunken hatte. „Alle Achtung", sagte er. „Das war ein doppelter Calvados. Wollen Sie noch einen?"

„Ja. Wenn Sie Zeit haben."

Warum sollte ich keine Zeit haben? dachte er. Dann fiel ihm ein, daß sie ihn das letztemal mit Kate Hegström gesehen hatte. Er blickte auf. Ihr Gesicht verriet nichts.

„Ich habe Zeit", sagte er. „Ich muß morgen um neun operieren, das ist alles."

„Können Sie das, wenn Sie so spät aufbleiben?"

„Ja. Das hat nichts damit zu tun. Es ist Gewohnheit. Ich operiere auch nicht jeden Tag."

Der Kellner füllte die Gläser nach. Er brachte mit der Flasche eine Schachtel Zigaretten und legte sie auf den Tisch. Es war ein Paket Laurens grün. „Die hatten Sie doch damals auch, wie?" fragte er Ravic triumphierend.

„Keine Ahnung. Sie wissen mehr als ich. Aber ich glaube Ihnen ohne weiteres."

„Es stimmt", sagte Joan Madou. „Es waren Laurens grün."

„Sehen Sie! Die Dame hat ein besseres Gedächtnis als Sie, mein Herr."

„Das weiß man noch nicht. Auf jeden Fall können wir die Zigaretten gebrauchen."

Ravic öffnete das Paket und hielt es ihr hinüber. „Wohnen Sie noch in demselben Hotel?" fragte er.

„Ja. Ich habe nur ein größeres Zimmer genommen."

Eine Gruppe von Chauffeuren kam herein. Sie setzten sich an den Nebentisch und begannen ein lautes Gespräch.

„Wollen wir gehen?" fragte Ravic. Sie nickte.

Er winkte dem Kellner und zahlte. „Müssen Sie nicht doch noch zurück zur Scheherazade?"

„Nein."

Er nahm ihren Mantel. Sie zog ihn nicht an. Sie hängte ihn nur über ihre Schultern. Es war ein billiger Nerz und möglicherweise eine Imitation – aber er sah an ihr nicht billig aus. Billig war nur, was man nicht selbstverständlich trug, dachte Ravic. Er hatte schon billige Kronenzobel gesehen.

„Dann werden wir Sie jetzt zu Ihrem Hotel bringen", sagte er, als sie draußen vor dem Eingang in dem leise sprühenden Regen standen.

Sie wandte sich langsam zu ihm. „Gehen wir nicht zu dir?"

Ihr Gesicht war dicht unter seinem, schräg aufwärts zu ihm gerichtet. Das Licht von der Laterne vor der Tür lag voll darauf. Die feinen Sprühperlen der Feuchtigkeit glitzerten in ihrem Haar.

„Ja", sagte er.

Ein Taxi kam heran und hielt. Der Chauffeur wartete eine Weile. Dann gab er einen schnalzenden Laut von sich, schaltete knarrend und fuhr weiter.

„Ich habe auf dich gewartet. Wußtest du das?" fragte sie. – „Nein."

Ihre Augen glänzten im Widerschein der Laternen. Man konnte hindurchsehen und sie schienen nirgendwo aufzuhören. „Ich habe dich heute erst gesehen", sagte er. „Das früher warst du nicht."

„Nein."

„Das früher war alles nicht."

„Nein. Ich habe es vergessen."

Er fühlte die leichte Ebbe und Flut ihres Atems. Unsichtbar bebte es ihm entgegen, sanft, ohne Schwere, bereit und voll Vertrauen – ein fremdes Dasein in der fremden Nacht. Er spürte plötzlich sein Blut. Es kam und kam und war mehr als das: Leben, tausendmal verflucht und gegrüßt, oft verloren und wiedergewonnen; – vor einer Stunde noch eine dürre Landschaft, kahl, voll Gestern und ohne Trost – und jetzt wieder strömend und nahe dem rätselhaften Augenblick, an den er nie mehr geglaubt hatte; man war wieder der erste Mensch am Rande des Meeres, und aus den Fluten stieg es auf, weiß und leuchtend, Frage und Antwort in einem, es kam und kam, und der Sturm über den Augen begann –

„Halte mich", sagte Joan.

Er sah in ihr Gesicht hinunter und legte den Arm um sie. Ihre Schultern kamen ihm entgegen wie ein Schiff, das sich in einen Hafen legen will. „Muß man dich halten?" fragte er.

„Ja."

Ihre Hände lagen dicht zusammen an seiner Brust. „Ich werde dich schon halten."

„Ja."

Ein zweites Taxi bremste quietschend an der Bordkante. Der Chauffeur schaute ungerührt zu ihnen hinüber. Auf seiner Schulter saß ein kleiner Hund, der eine Strickweste trug. „Taxi?" krächzte der Mann unter einem langen, flächsernen Schnurrbart hervor.

„Sieh", sagte Ravic. „Der dort weiß von nichts. Er weiß nicht, daß uns etwas angerührt hat. Er sieht uns und er sieht nicht, daß wir uns verändert haben. Das ist das Verrückte in der Welt: Du kannst dich in einen Erzengel, einen Narren oder einen Verbrecher verwandeln, niemand sieht es. Aber wenn dir ein Knopf fehlt – das sieht jeder."

„Es ist nicht verrückt. Es ist gut. Es läßt uns bei uns."

Ravic sah sie an. Uns – dachte er. Welch ein Wort! Das geheimnisvollste Wort der Welt.

„Taxi?" krächzte der Chauffeur ungeduldig, aber lauter, und zündete sich eine Zigarette an.

„Komm", sagte Ravic. „Den dort werden wir nicht los. Er hat Berufserfahrung."

„Wir wollen nicht fahren. Laß uns gehen."

„Es fängt an zu regnen."

„Das ist kein Regen. Das ist Nebel. Ich will kein Taxi. Ich will mit dir gehen."

„Gut. Aber dann will ich dem da drüben wenigstens klarmachen, daß inzwischen hier etwas geschehen ist."

Ravic ging hinüber und sprach mit dem Chauffeur. Der Mann lächelte ein wunderschönes Lächeln, grüßte mit einer Geste, wie sie nur Franzosen in solchen Augenblicken haben, zu Joan hin und fuhr ab.

„Wie hast du es ihm klargemacht", fragte sie, als Ravic zurückkam.

„Durch Geld. Es ist das einfachste. Nachtarbeiter und Zyniker. Er verstand sofort. War wohlwollend mit einer Spur liebenswürdiger Verachtung."

Sie lächelte und lehnte sich an ihn. Er spürte, wie etwas in ihm sich öffnete und ausbreitete, warm und weich und weit, etwas, das ihn niederzog wie mit vielen Händen, und es war plötzlich unerträglich, daß sie nebeneinander standen, auf Füßen, schmalen Plattformen, lächerlich aufgerichtet, balancierend; anstatt es zu vergessen und niederzusinken, dem Schluchzen der Haut nachzugeben, dem Ruf hinter den Jahrtausenden, als es das alles noch nicht gab, Gehirn und Fragen und Qual und Zweifel – nur das dunkle Glück des Blutes –

„Komm", sagte er.

Sie gingen durch den feinen Regen die leere, graue Straße entlang, und plötzlich, als sie an das Ende kamen, lag der Platz wieder mächtig und ohne Grenzen vor ihnen, und schwebend, hoch, hob sich das schwere Grau des Arc aus dem fließenden Silber.

9

Ravic ging zum Hotel zurück. Joan Madou hatte morgens noch geschlafen, als er weggegangen war. Er hatte geglaubt, in einer Stunde zurück zu sein. Jetzt war es drei Stunden später.

„Hallo, Doktor", sagte jemand, der ihm auf der Treppe zum zweiten Stock begegnete.

Ravic sah den Mann an. Ein blasses Gesicht, ein Busch wilder schwarzer Haare, eine Brille. Er kannte ihn nicht.

„Alvarez", sagte der Mann. „Jaime Alvarez. Erinnern Sie sich nicht?"

Ravic schüttelte den Kopf.

Der Mann bückte sich und streifte ein Hosenbein hoch. Eine lange Narbe lief vom Schienbein aufwärts zum Knie. „Erinnern Sie sich jetzt?"

„Habe ich das operiert?"

Der Mann nickte. „Auf einem Küchentisch hinter der Front. In einem provisorischen Lazarett von Aranjuez. Kleine, weiße Villa in einem Mandelhain. Erinnern Sie sich nun?"

Ravic spürte plötzlich den schweren Geruch der Mandelblüten. Er roch ihn, als käme er die dunkle Treppe herauf, süß, faulig, unentwirrbar gemischt mit dem süßeren und fauleren von Blut.

„Ja", sagte er. „Ich erinnere mich."

Die Verwundeten hatten auf der mondhellen Terrasse gelegen, in Reihen nebeneinander. Ein paar deutsche und italienische Flugzeuge hatten das fertiggebracht. Kinder, Frauen, Bauern, zerrissen von Bombensplittern. Ein Kind ohne Gesicht; eine schwangere Frau, aufgerissen bis zur Brust; ein alter Mann, der die Finger der Hand, die ihm weggeschmettert waren, ängstlich in der andern hielt, weil er glaubte, man könne sie wieder annähen. Über allem der schwere Nachtgeruch und der klare, fallende Tau.

„Ist das Bein wieder ganz in Ordnung?" fragte Ravic.

„Ungefähr. Ich kann es nicht voll biegen." Der Mann lächelte. „Es war gut genug, um über die Pyrenäen damit zu kommen. Gonzales ist tot."

Ravic wußte nicht mehr, wer Gonzales war. Aber er erinnerte sich jetzt an einen jungen Studenten, der ihm geholfen hatte. „Wissen Sie, was aus Manolo geworden ist?"

„Gefangen. Erschossen."

„Und Serna? Der Brigadekommandeur?"

„Tot. Vor Madrid." Der Mann lächelte wieder. Es war ein starres, automatisches Lächeln, das plötzlich kam und ohne jede Emotion war. „Mura und La Pena sind gefangen worden. Erschossen."

Ravic wußte nicht mehr, wer Mura und La Pena waren. Er hatte Spanien nach sechs Monaten verlassen, als die Front durchbrochen war und das Lazarett aufgelöst wurde.

„Carnero, Orta und Goldstein sind im Konzentrationslager", sagte Alvarez. „In Frankreich. Blatzky ist auch sicher. Versteckt hinter der Grenze."

Ravic erinnerte sich nur noch an Goldstein. Es waren zu viele Gesichter damals gewesen. „Wohnen Sie jetzt hier im Hotel?" fragte er.

„Ja. Wir sind vorgestern eingezogen. Drüben." Der Mann zeigte auf die Zimmer im zweiten Stock. „Wir waren lange im Lager unten an der Grenze. Sind endlich rausgelassen worden. Wir hatten noch Geld." Er lächelte wieder. „Betten. Richtige Betten. Gutes Hotel. Sogar Bilder von unseren Führern an den Wänden."

„Ja", sagte Ravic, ohne Ironie. „Das muß angenehm sein, nach all dem drüben."

Er verabschiedete sich von Alvarez und ging auf sein Zimmer.

Das Zimmer war aufgeräumt und leer. Joan war fort. Er sah sich um. Sie hatte nichts hinterlassen. Er hatte es auch nicht erwartet.

Er klingelte. Das Mädchen kam nach einer Weile. „Die Dame ist fort", sagte es, bevor er fragen konnte.

„Das sehe ich selbst. Woher wissen Sie denn, daß jemand hier war?"

„Aber Herr Ravic", sagte das Mädchen, ohne weiter etwas hinzu-zufügen, mit einem Gesicht, als sei ihre Ehre schwer beleidigt worden.

„Hat sie Frühstück gehabt?"

„Nein. Ich habe sie nicht gesehen. Ich hätte sonst schon daran ge-dacht. Ich weiß das doch von früher."

Ravic sah sie an. Der Nachsatz gefiel ihm nicht. Er zog ein paar Francs hervor und steckte sie dem Mädchen in die Schürzentasche. „Schön", sagte er. „Machen Sie es das nächstemal ebenso. Bringen Sie nur Frühstück, wenn ich es Ihnen ausdrücklich sage. Und kommen Sie nicht zum Aufräumen, bevor Sie genau wissen, daß das Zimmer leer ist."

Das Mädchen lächelte vertraulich. „Sehr wohl, Herr Ravic."

Er blickte ihr unbehaglich nach. Er wußte, was sie dachte. Sie glaubte, Joan sei verheiratet und wolle nicht gesehen werden. Früher hätte er darüber gelacht. Jetzt gefiel es ihm nicht. Warum eigentlich nicht, dachte er. Er zuckte die Achseln und ging zum Fenster. Hotels waren Hotels. Man konnte das nicht ändern.

Er öffnete das Fenster. Ein wolkiger Mittag stand über den Häusern. Spatzen schrien in den Dachrinnen. Einen Stock tiefer zankten zwei Stimmen. Es mußte die Familie Goldberg sein. Der Mann war zwanzig Jahre älter als die Frau. Getreidehändler en gros aus Breslau. Die Frau hatte ein Verhältnis mit dem Emigranten Wiesenhoff. Sie glaubte, daß niemand das wußte. Der einzige, der es nicht wußte, war Gold-berg.

Ravic schloß das Fenster. Er hatte morgens eine Gallenblase operiert. Eine anonyme Gallenblase für Durant. Ein Stück unbekannten, männ-lichen Bauch, den er für Durant aufgeschnitten hatte. Zweihundert Franc Honorar. Danach war er bei Kate Hegström gewesen. Sie hatte Fieber. Zu viel Fieber. Er war eine Stunde dagewesen. Sie hatte un-ruhig geschlafen. Es war nichts Außergewöhnliches. Aber es hätte besser nicht sein sollen.

Er starrte durch das Fenster. Das sonderbare, leere Gefühl des Nach-

her. Das Bett, das nichts mehr sagte. Der Tag, der das Gestern unbarmherzig zerriß, wie ein Schakal das Fell einer Antilope. Die Wälder der
Nacht, zauberhaft in der Dunkelheit hochgeschossen, schon wieder endlos entfernt, eine Fata Morgana nur noch über der Wüste der Stunden –
Er wandte sich ab. Auf einem Tisch fand er die Adresse Lucienne
Martinets. Sie war vor kurzem entlassen worden. Sie hatte keine Ruhe
gegeben. Er war vor zwei Tagen bei ihr gewesen. Es war nicht nötig,
sie schon wieder zu sehen; er hatte nichts weiter zu tun und beschloß,
hinzugehen.

Das Haus lag in der Rue Clavel. Zu ebener Erde lag eine Schlächterei, in der eine mächtige Frau das Beil schwang und Fleisch verkaufte.
Sie war in Trauer. Der Mann vor zwei Wochen gestorben. Jetzt regierte
die Frau das Geschäft mit einem Gesellen. Ravic sah sie im Vorbeigehen. Sie schien einen Besuch vorzuhaben. Sie trug einen Hut mit
einem langen, schwarzen Kreppschleier und hackte für eine Bekannte
aus Gefälligkeit rasch noch ein Schweinebein ab. Der Schleier wehte
über das offene Schwein, das Beil blitzte und krachte hernieder.

„Mit einem Schlag", sagte die Witwe befriedigt und warf das Bein
auf die Waage.

Lucienne wohnte im obersten Stock in einem kleinen Zimmer unter
dem Dach. Sie war nicht allein. Ein Bursche von etwa fünfundzwanzig
Jahren lungerte auf einem Stuhl herum. Er hatte eine Radfahrermütze
auf und rauchte eine selbstgedrehte Zigarette, die beim Sprechen an
der Oberlippe kleben blieb. Als Ravic eintrat, blieb er sitzen.

Lucienne lag im Bett. Sie war verwirrt und errötete. „Doktor – ich
wußte nicht, daß Sie heute kommen würden." Sie sah nach dem Burschen. „Dies ist –"

„Irgend jemand", unterbrach der Bursche sie grob. „Nicht weiter
nötig, mit Namen herumzuwerfen." Er lehnte sich zurück. „So, Sie
sind also der Doktor?"

„Wie geht es, Lucienne?" fragte Ravic, ohne sich um ihn zu kümmern. „Vernünftig, daß Sie noch im Bett liegen."

„Sie könnte längst aufstehen", erklärte der Bursche. „Ihr fehlt nichts
mehr. Wenn sie nicht arbeitet, kostet und kostet das nur."

Ravic sah sich nach ihm um. „Gehen Sie mal raus", sagte er.

„Was?"

„Raus. Vor die Tür. Ich will Lucienne untersuchen."

Der Bursche brach in ein Gelächter aus. „Das können Sie auch so.
Wir sind nicht so fein. Und wieso untersuchen? Sie waren ja erst vorgestern hier. Das kostet dann wieder einen Besuch extra, was?"

„Bruder", sagte Ravic ruhig. „Sie sehen nicht so aus, als ob Sie es bezahlen. Und ob es was kostet, ist außerdem eine andere Sache. Und nun verschwinden Sie."

Der Bursche grinste und spreizte behaglich die Beine. Er trug spitze Lackschuhe und violette Strümpfe.

„Bitte, Bobo", sagte Lucienne. „Es dauert sicher nur einen Augenblick."

Bobo beachtete sie nicht. Er fixierte Ravic. „Ganz gut, daß Sie da sind", sagte er. „Da kann ich Ihnen gleich einmal Bescheid stoßen. Wenn Sie vielleicht denken, mein Lieber, Sie könnten eine Rechnung schinden, Hospital, Operation und so was – ist nicht! Wir haben nicht verlangt, daß sie ins Hospital sollte –, von Operation gar nicht zu reden, also mit großem Geld ist Essig. Sie können sich noch freuen, daß wir keinen Schadenersatz beanspruchen! Operation wider Willen." Er zeigte eine Reihe fleckiger Zähne. „Da staunen Sie, was? Ja. Bobo weiß Bescheid; er ist nicht leicht anzuschmieren."

Der Bursche sah sehr zufrieden aus. Er hatte das Gefühl, sich glänzend herausgedreht zu haben. Lucienne war blaß geworden. Sie blickte ängstlich von Bobo zu Ravic.

„Verstanden?" fragte Bobo triumphierend.

„War es der?" fragte Ravic Lucienne. Sie antwortete nicht. „Der also", sagte er und betrachtete Bobo.

Ein magerer, langer Lümmel, mit einem kunstseidenen Schal um den dünnen Hals, an dem der Adamsapfel auf und ab stieg. Abfallende Schultern, eine zu lange Nase, ein degeneriertes Kinn – ein Vorstadtzuhälter aus dem Buche.

„Was, der also?" fragte Bobo herausfordernd.

„Ich habe Ihnen, glaube ich, jetzt oft genug gesagt, daß Sie rausgehen sollen. Ich will untersuchen."

„Merde", erwiderte Bobo.

Ravic ging langsam auf ihn zu. Er hatte genug von Bobo. Der Bursche sprang auf, wich zurück und hatte plötzlich einen dünnen Strick von etwa einem Meter Länge in den Händen. Ravic wußte, was er wollte. Er hatte vor, wenn Ravic näher kam, zur Seite zu springen, dann schnell hinter ihn, um ihm dann den Strick über den Kopf zu streifen und ihn von hinten zu drosseln. Es war gut, wenn der andere es nicht kannte oder zu boxen versuchte.

„Bobo", rief Lucienne. „Bobo, nicht!"

„Du Rotzjunge", sagte Ravic. „Der jämmerliche, alte Seiltrick – weiter weißt du nichts?" Er lachte.

Bobo war einen Moment verblüfft. Seine Augen wurden unsicher, Ravic hatte ihm gleich darauf das Jackett mit beiden Händen über die Schultern heruntergezogen, so daß er die Arme nicht mehr heben konnte. „Das hier kanntest du wohl nicht?" sagte er, öffnete rasch die Tür und stieß den überraschten, wehrlosen Burschen ziemlich grob hinaus. „Wenn du Lust auf so was hast, werde Soldat, du Möchtegern-Apache! Aber belästige keine Erwachsenen."

Er schloß die Tür von innen ab. „So, Lucienne", sagte er. „Nun wollen wir mal sehen."

Sie zitterte. „Ruhig, ruhig. Es ist schon vorbei." Er nahm das verschlissene, baumwollene Plumeau und legte es auf den Stuhl. Dann rollte er die grüne Decke zurück. „Pyjama? Warum denn das? Es ist doch unbequemer. Sie sollen sich noch nicht viel bewegen, Lucienne."

Sie schwieg einen Augenblick. „Ich habe sie nur heute angezogen", sagte sie dann.

„Haben Sie keine Nachthemden mehr? Ich kann Ihnen zwei von der Klinik schicken."

„Nein, nicht deshalb. Ich habe sie angezogen, weil ich wußte –", sie blickte nach der Tür und flüsterte –, „daß er kam. Er sagt, ich wäre nicht mehr krank. Er will nicht mehr warten."

„Was? Schade, daß ich das vorher nicht gewußt habe." Ravic blickte grimmig nach der Tür. „Er wird warten!"

Lucienne hatte die sehr weiße Haut anämischer Frauen. Die Adern lagen blau unter der dünnen Oberschicht. Sie war hübsch gewachsen, mit schmalen Knochen, schlank, aber nirgendwo mager. Eines der zahllosen Mädchen, dachte Ravic, bei denen man sich fragt, warum die Natur den Aufwand gemacht hatte, sie so zierlich zu bilden – wenn man wußte, was aus fast allen von ihnen wurde – ein überarbeitetes, durch falsches und ungesundes Leben rasch formlos werdendes Wesen.

„Sie müssen noch eine Woche ziemlich viel im Bett liegenbleiben, Lucienne. Sie können aufstehen und hier herumgehen. Aber seien Sie vorsichtig; heben Sie nichts. Und steigen Sie keine Treppen in den nächsten Tagen. Haben Sie jemand, der nach Ihnen sieht? Außer diesem Bobo?"

„Die Vermieterin. Aber die knurrt auch schon."

„Sonst niemand?"

„Nein. Marie war früher da. Sie ist tot."

Ravic musterte das Zimmer. Es war ärmlich und sauber. Vor dem Fenster standen ein paar Fuchsien. „Und Bobo?" fragte er. „Der ist also wieder aufgetaucht, nachdem alles vorbei war –"

Lucienne antwortete nicht.

„Warum schmeißen Sie ihn nicht raus?"

„Er ist nicht so schlecht, Doktor. Nur wild –"

Ravic sah sie an. Liebe, dachte er. Auch das ist Liebe. Das alte Mirakel. Es wirft nicht nur den Regenbogen der Träume an den grauen

Himmel der Tatsachen – es verklärt sogar einen Scheißhaufen mit
romantischem Licht; – ein Wunder und ein toller Hohn. Er hatte plötzlich das sonderbare Gefühl, in einer fernen Weise zum Mitschuldigen
geworden zu sein. „Gut, Lucienne", sagte er. „Machen Sie sich nichts
daraus. Werden Sie nur erst gesund."

Sie nickte erleichtert. „Und das mit dem Geld", sagte sie verlegen
und eilig, „das ist nicht wahr. Er hat das nur so gesagt. Ich werde alles
bezahlen. Alles. In Raten. Wann kann ich wieder arbeiten?"

„In ungefähr zwei Wochen, wenn Sie keinen Unsinn machen. Und
nichts mit Bobo! Absolut nichts, Lucienne! Sie können sonst sterben,
verstehen Sie?"

„Ja", erwiderte sie ohne Überzeugung.

Ravic legte die Decke über den schmalen Körper. Als er aufblickte,
sah er, daß sie weinte. „Geht es nicht doch früher?" sagte sie. „Ich kann
ja sitzen, wenn ich arbeite. Ich muß –"

„Vielleicht. Wir werden sehen. Es hängt davon ab, wie Sie sich ver-
halten. Sie sollten mir sagen, wie die Hebamme hieß, die den Eingriff
gemacht hat, Lucienne."

Er sah die Abwehr in ihren Augen. „Ich gehe nicht zur Polizei",
sagte er. „Bestimmt nicht. Ich will nur versuchen, das Geld herauszu-
bekommen, das Sie ihr bezahlt haben. Sie können dann ruhiger sein.
Wieviel war es?"

„Dreihundert Franc. Sie werden es nie von ihr kriegen."

„Man kann es versuchen. Wie heißt sie und wo wohnt sie? Sie werden sie nie mehr brauchen, Lucienne. Sie können keine Kinder mehr
bekommen. Und sie kann nichts gegen Sie tun."

Das Mädchen zögerte. „In der Schublade dort", sagte sie dann.
„Rechts in der Schublade."

„Dieser Zettel hier?" – „Ja."

„Gut. Ich werde in den nächsten Tagen hingehen. Haben Sie keine
Angst." Ravic zog seinen Mantel an. „Was ist denn?" fragte er. „Weshalb wollen Sie aufstehen?"

„Bobo. Sie kennen ihn nicht."

Er lächelte. „Ich glaube, ich kenne schlimmere. Bleiben Sie nur liegen. Nach dem, was ich gesehen habe, brauchen wir keine Sorge zu
haben. Auf Wiedersehen, Lucienne. Ich komme bald wieder."

Ravic drehte den Schlüssel und die Klinke zur selben Zeit und öffnete rasch die Tür. Niemand stand auf dem Flur. Er hatte es auch nicht
erwartet; er kannte Bobos Typ.

In der Schlächterei unten stand jetzt der Geselle, ein gelbgesichtiger
Mensch, ohne die Passion der Wirtin. Er hackte lustlos herum. Seit dem
Trauerfall war er bedeutend müder geworden. Seine Chance, die Mei-

sterin zu heiraten, war gering. Ein Bürstenbinder gegenüber im Bistro erklärte das laut und auch, daß sie ihn vorher ebenfalls zum Friedhof bringen würde. Der Geselle habe bereits stark verloren. Die Witwe aber sei mächtig aufgeblüht. Ravic trank einen Cassis und zahlte. Er hatte geglaubt, Bobo in dem Bistro zu treffen; aber Bobo war nicht da.

Joan Madou kam aus der Tür der Scheherazade. Sie öffnete die Tür des Taxis, in dem Ravic wartete. „Komm", sagte sie. „Laß uns weg von hier. Wir wollen zu dir."

„Ist etwas passiert?"

„Nein. Nichts. Ich habe nur genug vom Nachtklubleben."

„Einen Augenblick." Ravic winkte die Blumenverkäuferin, die vor dem Eingang stand, heran. „Muttchen", sagte er. „Gib mir alle deine Rosen. Was kosten sie? Aber sei nicht wahnsinnig."

„Sechzig Franc. Für Sie. Weil Sie mir das Rezept für den Rheumatismus gegeben haben."

„Hat es genützt?"

„Nein. Kann es auch nicht, solange ich die Nacht im Nassen stehe."

„Sie sind der vernünftigste Patient, den ich im Leben getroffen habe."

Er nahm die Rosen. „Hier ist eine Entschuldigung, weil du heute morgen alleine aufwachen mußtest und kein Frühstück bekommen hast", sagte er zu Joan und packte die Blumen auf den Boden des Taxis. „Willst du noch irgend etwas trinken?"

„Nein. Wir wollen zu dir. Leg die Blumen hierher auf den Sitz. Nicht auf den Boden."

„Sie liegen da gut. Man soll Blumen lieben, aber nicht zu viele Umstände mit ihnen machen."

Sie wendete rasch den Kopf. „Du meinst, was man liebt, soll man nicht verwöhnen?"

„Nein. Ich meine nur, daß man schöne Dinge nicht dramatisieren soll. Im Augenblick ist es außerdem besser, wenn keine Blumen zwischen uns liegen."

Joan blickte ihn einen Moment zweifelnd an. Dann erhellte sich ihr Gesicht. „Weißt du, was ich heute getan habe? Ich habe gelebt. Wieder gelebt. Ich habe geatmet. Wieder geatmet. Ich war da. Wieder da. Zum ersten Male. Ich habe wieder Hände. Und Augen und einen Mund."

Der Chauffeur manövrierte das Taxi in der schmalen Straße aus den anderen Wagen heraus. Dann fuhr er mit einem Ruck an. Der Stoß warf Joan gegen Ravic. Er hielt sie einen Augenblick in seinen Armen und fühlte sie. Es war wie ein warmer Wind, als wehe sie ihn an und

schmelze die Krusten des Tages hinweg, die sonderbare, abwehrende
Kühle in ihm, während sie dasaß und sprach, hingerissen von ihrem
Gefühl und von sich selbst.

„Den ganzen Tag – es strömte, als wären überall Brunnen, es warf
sich mir über den Nacken und gegen die Brust, als müßte ich grün
werden und Blätter treiben und Blüten –, es hielt mich und hielt mich
und ließ mich nicht los – und da bin ich nun – und du –"

Ravic sah sie an. Sie saß vorgebeugt auf dem schmutzigen Ledersitz,
und ihre Schultern leuchteten aus ihrem schwarzen Abendkleid. Sie war
offen und unbedenklich und ohne Scham, sie sagte, was sie fühlte und
er kam sich ärmlich und trocken gegen sie vor.

Ich habe operiert, dachte er. Ich habe dich vergessen. Ich war
bei Lucienne. Ich war irgendwo in der Vergangenheit. Ohne dich.
Dann, als der Abend kam, kam langsam die Wärme. Ich war nicht bei
dir. Ich habe an Kate Hegström gedacht.

„Joan", sagte er und legte seine Hände über ihre Hände, die sie auf
den Sitz gestützt hatte. „Wir können noch nicht gleich zu mir fahren.
Ich muß noch einmal zur Klinik. Nur für einige Minuten."

„Mußt du nach der Frau sehen, die du operiert hast?"

„Nicht nach der von heute morgen. Nach einer anderen. Willst du
irgendwo auf mich warten?"

„Mußt du gleich hingehen?"

„Es ist besser. Ich will nicht, daß man mich später anruft."

„Ich kann bei dir warten. Haben wir soviel Zeit, bei deinem Hotel
vorbeizufahren?"

„Ja."

„Dann laß uns hinfahren. Du kommst dann später. Ich kann auf
dich warten."

„Gut." Ravic sagte dem Chauffeur die Adresse. Er lehnte sich zurück und fühlte die Kante des Sitzes an seinem Nacken. Seine Hände
waren noch auf den Händen Joans. Er spürte, daß sie wartete, er solle
etwas sagen. Etwas über ihn und sie. Aber er konnte es nicht. Sie hatte
schon zuviel gesagt. Es war nicht soviel, dachte er.

Der Wagen hielt. „Fahr weiter", sagte Joan. „Ich werde schon hier
fertig. Ich habe keine Angst. Gib mir nur deinen Schlüssel."

„Der Schlüssel ist im Hotel."

„Ich werde ihn mir geben lassen. Ich muß das lernen." Sie nahm die
Blumen vom Boden. „Bei einem Mann, der mich verläßt, während ich
schlafe und wiederkommt, wenn ich es nicht erwarte – ich muß da wohl
manches lernen. Laß mich gleich anfangen."

„Ich werde mit dir hinaufgehen. Wir wollen nicht übertreiben.
Schlimm genug, daß ich dich gleich wieder allein lasse."

Sie lachte. Sie sah sehr jung aus. „Warten Sie bitte einen Moment", sagte Ravic zu dem Chauffeur.

Der Mann schloß langsam ein Auge. „Auch länger."

„Gib mir den Schlüssel", sagte Joan, als sie die Treppe hinaufgingen.

„Warum?"

„Gib ihn mir."

Sie schloß die Tür auf. Dann blieb sie stehen. „Schön", sagte sie in das dunkle Zimmer hinein, in dem hinter dem Fenster ein kahler Mond durch die Wolken schien.

„Schön? Diese Bude?"

„Ja, schön! Alles ist schön."

„Jetzt vielleicht noch. Jetzt ist es dunkel. Aber –" Ravic griff nach dem Lichtschalter.

„Laß. Ich mache das selbst. Und nun geh. Aber komm nicht erst morgen mittag wieder."

Sie stand an der Türöffnung im Dunkeln. Das silberne Licht vom Fenster war hinter ihren Schultern und ihrem Kopf. Sie war undeutlich und aufregend und geheimnisvoll. Ihr Mantel war hinuntergeglitten; er lag wie ein Haufen schwarzer Schaum zu ihren Füßen. Sie lehnte in der Türöffnung, und nur einer ihrer Arme fing einen langen Streifen Licht vom Korridor her. „Geh und komm wieder", sagte sie und schloß die Tür.

Das Fieber Kate Hegströms war heruntergegangen. „Ist sie aufgewacht?" fragte Ravic die verschlafene Schwester.

„Ja. Um elf. Sie hat nach Ihnen gefragt. Ich habe ihr gesagt, was Sie mir aufgetragen haben."

„Hat sie etwas über die Verbände gesagt?"

„Ja. Ich habe ihr gesagt, Sie hätten schneiden müssen. Eine leichte Operation. Sie würden es ihr morgen erklären."

„Das war alles?"

„Ja. Sie sagte, wenn Sie es für richtig gehalten hätten, wäre alles in Ordnung. Ich sollte Sie grüßen, wenn Sie noch einmal kämen, heute nacht, und Ihnen sagen, sie vertraue Ihnen."

„So –"

Ravic stand eine Weile und sah auf das schwarz gescheitelte Haar der Schwester hinab. „Wie alt sind Sie?" fragte er dann.

Sie hob verwundert den Kopf. „Dreiundzwanzig."

„Dreiundzwanzig. Und wie lange pflegen Sie schon?"

„Seit zweieinhalb Jahren. Im Januar werden es zweieinhalb Jahre."

„Lieben Sie Ihren Beruf?"

Die Schwester lächelte über ihr Apfelgesicht. „Ich habe ihn gern", erklärte sie redselig. „Manche Kranke sind natürlich anstrengend, aber die meisten sind sehr nett. Madame Brissot hat mir gestern ein schönes, fast neues Seidenkleid geschenkt. Und die letzte Woche habe ich von Madame Lerner ein Paar Lackschuhe bekommen. Von der, die dann zu Hause gestorben ist." Sie lächelte wieder. „Ich brauche mir fast keine Garderobe zu kaufen. Ich bekomme fast immer irgend etwas. Wenn ich es nicht verwerten kann, tausche ich es um bei einer Freundin, die ein Geschäft hat. Mir geht es dadurch sehr gut. Madame Hegström ist auch immer sehr freigebig. Sie gibt Geld. Das letztemal waren es einhundert Franc. Für nur zwölf Tage. Wie lange wird sie diesesmal liegen, Doktor?"

„Länger. Ein paar Wochen."

Die Schwester sah glücklich aus. Sie rechnete hinter ihrer klaren, faltenlosen Stirne aus, wieviel ihr das einbringen würde. Ravic beugte sich noch einmal über Kate Hegström. Sie atmete ruhig. Der schwache Wundgeruch mischte sich mit dem herben Parfüm ihres Haares. Er konnte es plötzlich nicht ertragen. Sie hatte Vertrauen zu ihm. Vertrauen. Der schmale, zerschnittene Bauch, in dem das Tier fraß. Zugenäht, ohne etwas tun zu können. Vertrauen.

„Gute Nacht, Schwester", sagte er. „Gute Nacht, Doktor."

Die rundliche Schwester setzte sich in den Sessel in der Ecke des Zimmers. Sie schirmte das Licht gegen das Bett hin ab, wickelte sich eine Decke um die Füße und griff nach einem Magazin. Es war eines der billigen Hefte mit Detektivgeschichten und Filmbildern. Sie rückte sich behaglich zurecht und begann zu lesen. Neben sich auf dem Tischchen hatte sie eine geöffnete Tüte mit Schokoladeplätzchen liegen. Ravic sah noch, wie sie ohne aufzuschauen, eines herausnahm. Manchmal begreift man die einfachsten Dinge nicht, dachte er – daß in demselben Raum einer todkrank liegt, und den andern geht es überhaupt nichts an. Er schloß die Tür. Aber ist es nicht mit mir dasselbe? Gehe ich nicht aus diesem Zimmer in ein anderes, in dem –

Das Zimmer war dunkel. Die Tür zum Badezimmer war etwas geöffnet. Dahinter brannte Licht. Ravic zögerte. Er wußte nicht, ob Joan noch im Badezimmer war. Dann hörte er sie atmen. Er ging durch den Raum zum Bad. Er sagte nichts. Er wußte, sie war da, und sie schlief nicht, aber auch sie sagte nichts. Das Zimmer war plötzlich voll Schweigen und Warten und Spannung; – wie ein Strudel, der lautlos rief –, ein unbekannter Abgrund, jenseits der Gedanken, aus dem der Schwindel und der Mohn einer roten Betäubung aufwölkte.

Er schloß die Badezimmertür. Im klaren Licht der weißen Birnen war alles wieder vertraut und bekannt. Er drehte die Hähne der

Brause an. Es war die einzige Brause im Hotel. Ravic hatte sie selbst bezahlt und anbringen lassen. Er wußte, daß sie in seiner Abwesenheit als Sehenswürdigkeit noch immer den französischen Verwandten und Freunden der Hotelbesitzerin gezeigt wurde.

Das heiße Wasser strömte über seine Haut. Nebenan lag jetzt Joan Madou und wartete auf ihn. Ihre Haut war glatt, ihr Haar überstürzte wie eine heftige Welle das Kissen, und ihre Augen glänzten, sogar wenn das Zimmer fast dunkel war, als fingen sie selbst das spärliche Licht der Wintersterne vor dem Fenster und reflektierten es. Sie lag da, geschmeidig und veränderlich und aufregend, weil nichts übrigblieb von der Frau, die man noch eine Stunde vorher kannte, sie war alles, was es an Reiz und Lockung ohne Liebe geben konnte – und doch empfand er auf einmal etwas wie Abneigung gegen sie –, eine sonderbare Abwehr, gemischt mit einer heftigen und plötzlichen Zuneigung. Er blickte sich unwillkürlich um; – wenn das Badezimmer noch einen zweiten Ausgang gehabt hätte, hätte er es für möglich gehalten, daß er sich angezogen hätte und fortgegangen wäre, um zu trinken.

Er trocknete sich ab und zögerte noch eine Weile herum. Merkwürdig, was ihm da angeflogen war aus dem Nirgendwo. Ein Schatten, ein Nichts. Vielleicht war es gekommen, weil er bei Kate Hegström gewesen war. Oder durch das, was Joan vorher im Taxi gesagt hatte. Viel zu schnell und viel zu leicht. Oder einfach nur, weil jemand wartete – statt daß er wartete. Er verzog die Lippen und öffnete die Tür.

„Ravic", sagte Joan aus dem Dunkel. „Der Calvados steht auf dem Tisch am Fenster."

Er blieb stehen. Er merkte, daß er in einer Spannung gewesen war. Er hätte vieles nicht ertragen können, was sie gesagt hätte. Dieses war richtig. Die Spannung löste sich zu loser, leiser Sicherheit. „Hast du die Flasche gefunden", fragte er.

„Das war einfach. Sie stand ja da. Aber ich habe sie geöffnet. Ich habe einen Korkenzieher entdeckt, irgendwo unter deinen Sachen. Gib mir noch ein Glas."

Er schenkte zwei Gläser ein und brachte ihr eines. „Hier –" Es war gut, den klaren Apfelgeist zu spüren. Es war gut, daß Joan das richtige Wort gefunden hatte.

Sie lehnte den Kopf zurück und trank. Das Haar fiel auf die Schultern und sie schien nichts zu sein als Trinken in diesem Augenblick. Ravic hatte das schon vorher an ihr bemerkt. Sie gab sich ganz hin an das, was sie gerade tat. Es streifte ihn vage, daß darin nicht nur ein Reiz, sondern auch eine Gefahr lag. Sie war nichts als Trinken, wenn sie trank; nichts als Liebe, wenn sie liebte; nichts als Verzweiflung, wenn sie verzweifelte; und nichts als Vergessen, wenn sie vergaß.

Joan setzte das Glas ab und lachte plötzlich. „Ravic", sagte sie. „Ich weiß, was du gedacht hast."

„Wirklich?"

„Ja. Du fühltest dich schon halb verheiratet vorhin. Ich mich auch. Vor der Tür verlassen zu werden, ist kein besonderes Erlebnis. Noch dazu mit Rosen im Arm. Gottlob war der Calvados da. Sei nicht so vorsichtig mit der Flasche."

Ravic goß ein. „Du bist eine großartige Person", sagte er. „Es ist wahr. Drüben im Badezimmer konnte ich dich nicht besonders ausstehen. Jetzt finde ich dich wunderbar. Salute!"

„Salute!"

Er trank seinen Calvados aus. „Es ist die zweite Nacht", sagte er. „Sie ist gefährlich. Der Reiz des Unbekannten ist vorbei und der Reiz des Vertrauens ist noch nicht da. Wir werden sie überstehen."

Joan setzte ihr Glas nieder. „Du scheinst ja eine ganze Menge darüber zu wissen."

„Ich weiß gar nichts. Ich rede nur. Man weiß nie etwas. Alles ist immer anders. Jetzt auch. Es ist nie die zweite Nacht. Es ist immer die erste. Die zweite wäre das Ende."

„Gottlob! Wohin käme man sonst. In irgend etwas wie Arithmetik. Und nun komm. Ich will noch nicht schlafen. Ich will mit dir trinken. Die Sterne stehen nackt da oben in der Kälte. Wie leicht man friert, wenn man allein ist! Auch wenn es heiß ist. Zu zweien nie."

„Zu zweien kann man sogar erfrieren."

„Wir nicht."

„Natürlich nicht", sagte Ravic, und sie sah im Dunkeln den Ausdruck nicht, der über sein Gesicht flog. „Wir nicht."

10

„Was war los mit mir, Ravic?" fragte Kate Hegström.

Sie lag in ihrem Bett, etwas hochgeschoben, mit zwei Kissen unter dem Kopf. Das Zimmer roch nach Eau de Santé und Parfüm. Das obere Fenster war einen Spalt geöffnet. Die klare, etwas frostige Luft von draußen kam herein und mischte sich mit der Zimmerwärme, als wäre es nicht Januar, sondern schon April.

„Sie haben Fieber gehabt, Kate. Ein paar Tage. Dann haben Sie geschlafen. Fast vierundzwanzig Stunden. Jetzt ist das Fieber vorbei und alles ist in Ordnung. Wie fühlen Sie sich?"

„Müde. Immer noch. Aber anders, als vorher. Nicht so verkrampft. Ich habe kaum Schmerzen."

„Sie werden noch welche haben. Nicht sehr viel, und wir werden schon dafür sorgen, daß Sie es aushalten können. Aber ganz so wie jetzt wird es nicht bleiben. Das wissen Sie ja selbst –"

Sie nickte. „Ihr habt mich aufgeschnitten, Ravic –"

„Ja, Kate."

„War es nötig?"

„Ja."

Ravic wartete. Es war besser, sie fragen zu lassen. „Wie lange werde ich liegen müssen?"

„Ein paar Wochen."

Sie schwieg eine Weile. „Ich glaube, es wird gut für mich sein. Ich kann Ruhe gebrauchen. Ich hatte genug. Ich merke es jetzt. Ich war müde. Ich wollte es nicht wahrhaben. Hatte es etwas mit dieser Sache zu tun?"

„Sicher, ganz sicher."

„Auch das, daß ich ab und zu geblutet habe? Zwischen den Monaten?"

„Das auch, Kate."

„Dann ist es gut, daß ich jetzt Zeit habe. Vielleicht war es nötig. Jetzt aufstehen müssen und all dem wieder gegenüberzustehen – ich glaube, ich könnte das nicht."

„Sie brauchen es nicht. Vergessen Sie es. Denken Sie nur an das Allernächste. Ihr Frühstück zum Beispiel."

„Gut." Sie lächelte schwach. „Dann geben Sie mir einmal den Spiegel herüber."

Er gab ihr den Handspiegel vom Nachttisch. Sie sah sich aufmerksam darin an. „Sind die Blumen drüben von Ihnen, Ravic?"

„Nein. Von der Klinik."

Sie legte den Spiegel auf das Bett. „Kliniken schicken im Januar keinen Flieder. Kliniken schicken Astern oder so etwas. Kliniken wissen auch nicht, daß Flieder meine Lieblingsblumen sind."

„Hier schon. Hier sind Sie ja ein Veteran, Kate." Ravic stand auf. „Ich muß jetzt gehen. Ich komme so gegen sechs noch einmal vorbei, um nach Ihnen zu sehen."

„Ravic –"

„Ja –"

Er wandte sich um. Jetzt kommt es, dachte er. Jetzt wird sie fragen.

Sie streckte die Hand aus. „Danke", sagte sie. „Danke für die Blumen. Und danke, daß Sie auf mich aufgepaßt haben. Ich fühle mich immer so sicher bei Ihnen."

„Gut, Kate, gut. Da war weiter nichts aufzupassen. Und nun schlafen Sie noch, wenn Sie können. Wenn Sie Schmerzen haben, klingeln

Sie der Schwester. Ich werde dafür sorgen, daß sie ein Mittel da hat. Nachmittags komme ich noch einmal."

„Veber, wo ist der Schnaps?"

„War es so schlimm? Hier ist die Flasche. Eugenie, geben Sie einmal ein Glas heraus."

Eugenie holte widerwillig ein Glas. „Das ist ein Fingerhut", protestierte Veber. „Holen Sie ein vernünftiges Glas. Oder warten Sie. Sie könnten sich die Hand dabei brechen. Ich mache es selbst."

„Ich weiß nicht, Herr Doktor Veber", erklärte Eugenie spitz, „immer, wenn Herr Ravic hereinkommt, werden Sie –"

„Gut, gut", unterbrach Veber sie. Er schenkte ein Glas Kognak ein. „Hier, Ravic. Was glaubt sie?"

„Sie fragt gar nicht. Sie glaubt, ohne zu fragen."

Veber blickte auf. „Sehen Sie", erwiderte er triumphierend. „Ich habe es ja gleich gesagt."

Ravic trank sein Glas auf einen Zug aus. „Hat sich schon einmal ein Patient bei Ihnen dafür bedankt, daß Sie nichts für ihn tun konnten?"

„Oft."

„Und Ihnen alles geglaubt?"

„Selbstverständlich."

„Und wie haben Sie sich gefühlt?"

„Erleichtert", sagte Veber erstaunt. „Sehr erleichtert."

„Ich fühle mich zum Kotzen. Wie ein Schwindler."

Veber lachte. Er stellte die Flasche wieder weg. „Zum Kotzen", wiederholte Ravic.

„Das ist das erstemal, daß ich eine menschliche Regung bei Ihnen entdecke", sagte Eugenie. „Abgesehen natürlich von der Art, wie Sie sich ausdrücken."

„Sie sind keine Entdeckerin, Sie sind eine Pflegerin, Eugenie, das vergessen Sie oft", erklärte Veber. „Die Sache ist also in Ordnung, Ravic?"

„Ja, vorläufig."

„Gut. Sie hat heute morgen zu der Schwester gesagt, wenn sie das Hospital verließe, wolle sie nach Italien fahren. Dann sind wir aus allem raus." Veber rieb sich die Hände. „Dann können die Ärzte drüben sich damit beschäftigen. Ich habe nicht gern, wenn jemand hier stirbt. Schadet immer dem Ruf."

Ravic klingelte an der Tür der Hebamme, die bei Lucienne den Eingriff gemacht hatte. Ein schwärzlich aussehender Mann öffnete nach langer Zeit. Er behielt die Tür in der Hand, als er Ravic sah. „Was wollen Sie?" knurrte er.

„Ich will mit Madame Boucher sprechen."

„Sie hat keine Zeit."

„Das macht nichts. Ich werde so lange warten."

Der Mann wollte die Tür schließen. „Wenn ich nicht warten kann, werde ich in einer Viertelstunde wiederkommen", sagte Ravic. „Aber nicht allein. Mit jemand, für den sie auf jeden Fall zu sprechen sein wird."

Der Mann starrte ihn an. „Was soll das? Was wollen Sie?"

„Ich sagte es Ihnen schon. Ich will mit Madame Boucher sprechen."

Der Mann überlegte. „Warten Sie", sagte er dann und schloß die Tür.

Ravic betrachtete die abgestoßene, braungestrichene Tür mit dem blechernen Briefkasten und dem runden Emailleschild mit dem Namen. Eine Menge Elend und Angst war durch diese Tür gegangen. Ein paar sinnlose Gesetze, die viele Leben zwangen, anstatt zu Ärzten zu Pfuschern zu gehen, waren die Ursache. Kein Kind wurde dadurch mehr geboren. Wer es nicht wollte, fand einen Weg, Gesetz oder nicht. Der einzige Unterschied war nur, daß jährlich Tausende von Müttern ruiniert wurden.

Die Tür öffnete sich wieder. „Sind Sie von der Polizei?" fragte der unrasierte Mann.

„Wenn ich von der Polizei wäre, würde ich nicht mehr hier warten."

„Kommen Sie rein."

Der Mann bugsierte Ravic durch einen dunklen Korridor in einen Raum, der mit Möbeln vollgestopft war. Ein Plüschsofa und eine Anzahl vergoldeter Stühle, ein falscher Aubussonteppich, Nußbaumvertiko und an den Wänden Drucke aus der Schäferzeit. Vor dem Fenster stand ein metallener Ständer mit einem Vogelkäfig und einem Kanarienvogel darin. Wo nur irgendwo Platz war, sah man Porzellan und Nippesfiguren.

Madame Boucher erschien. Sie war enorm dick und trug eine Art von herumflutendem Kimono, der nicht ganz sauber wirkte. Sie war ein Monstrum; aber das Gesicht war glatt und hübsch, bis auf die Augen, die unruhig umherwanderten. „Monsieur?" fragte sie geschäftlich und blieb stehen.

Ravic stand auf. „Ich komme für Lucienne Martinet. Sie haben bei ihr einen Eingriff gemacht."

„Unsinn!" erwiderte die Frau sofort und völlig ruhig. „Ich kenne keine Lucienne Martinet und ich mache keine Eingriffe. Sie müssen sich geirrt haben, oder man hat Sie belogen."

Sie tat, als sei die Sache damit erledigt, und als wolle sie gehen. Aber sie ging nicht. Ravic wartete. Sie drehte sich um. „Sonst noch etwas?"

„Der Eingriff ist mißlungen. Das Mädchen hatte eine schwere Blutung und ist fast gestorben. Sie mußte operiert werden. Ich habe sie operiert."

„Lüge!" zischte die Boucher plötzlich. „Lüge! Die Ratten! Murksen an sich selbst herum und wollen dann andere hereinreißen. Aber ich werde ihr das schon beibringen. Diese Ratten! Mein Anwalt wird das schon erledigen. Ich bin bekannt und ein Steuerzahler, und ich will doch mal sehen, ob so ein freches, kleines Biest, das herumhurt –"

Ravic betrachtete sie fasziniert. Ihr Gesicht hatte sich bei dem Ausbruch nicht verändert. Es war glatt und hübsch geblieben, nur der Mund war zusammengezogen und spuckte wie ein Maschinengewehr.

„Das Mädchen will wenig", unterbrach er die Frau. „Es will nur das Geld zurückhaben, das es Ihnen gezahlt hat."

Die Boucher lachte. „Geld? Zurückzahlen? Wann habe ich denn etwas von ihr bekommen? Hat sie eine Quittung?"

„Natürlich nicht. Sie werden doch keine Quittungen ausstellen."

„Weil ich sie nie gesehen habe! Und das soll ihr jemand glauben?"

„Ja. Sie hat Zeugen. Sie ist operiert worden in der Klinik Doktor Vebers. Der Befund war klar. Es gibt ein Protokoll darüber."

„Sie können tausend Protokolle haben! Wo steht, daß ich sie angerührt habe? Klinik! Doktor Veber! Zum Totlachen! So eine Ratte muß in eine feine Klinik! Haben Sie sonst nichts zu tun?"

„Doch. Genug. Hören Sie. Das Mädchen hat Ihnen dreihundert Franc gezahlt. Es kann Sie verklagen auf Schadenersatz –"

Die Tür öffnete sich. Der schwärzliche Mann trat ein. „Irgend etwas los, Adèle?"

„Nein. Schadenersatz klagen? Wenn sie klagt, wird sie selbst verurteilt. Zuerst sie einmal, das ist sicher, denn sie gibt zu, daß ein Eingriff gemacht worden ist. Daß ich es war, muß sie dann noch beweisen. Das kann sie nicht."

Der schwärzliche Mann meckerte. „Ruhig, Roger", sagte Madame Boucher. „Du kannst gehen."

„Brunier ist draußen."

„Gut. Sag ihm, er solle warten. Du weißt ja –"

Der Mann nickte und verschwand. Mit ihm verschwand ein intensiver Kognakgeruch. Ravic schnupperte. „Das ist alter Kognak", sagte er. „Mindestens dreißig, vierzig Jahre alt. Glücklicher Mensch, der so etwas schon am Nachmittag trinkt."

Die Boucher starrte ihn einen Moment konsterniert an. Dann verzog sie langsam die Lippen. „Stimmt. Wollen Sie einen?"

„Warum nicht?"

Sie war trotz ihrer Dicke überraschend schnell und lautlos an der Tür. „Roger!"

Der schwärzliche Mann erschien. „Du bist wieder an dem guten Kognak gewesen! Lüg nicht, ich rieche es! Bring die Flasche! Rede nicht, bring die Flasche!"

Roger brachte eine Flasche. „Ich habe Brunier einen gegeben. Er zwang mich, einen mitzutrinken."

Die Boucher antwortete nicht. Sie schloß die Tür und holte aus dem Nußbaumvertiko ein geschweiftes Glas. Ravic betrachtete es mit Abscheu. Es hatte einen Frauenkopf eingraviert. Die Boucher schenkte ein und stellte das Glas vor ihn auf die Tischdecke, die mit Pfauen verziert war. „Sie scheinen ein vernünftiger Mensch zu sein, mein Herr", sagte sie.

Ravic konnte ihr eine gewisse Achtung nicht versagen. Sie war nicht aus Eisen, wie Lucienne ihm erzählt hatte; sie war schlimmer – aus Gummi. Eisen konnte man brechen, Gummi nicht. Der Einwand gegen die Schadenersatzforderung war richtig. „Ihre Operation ist mißglückt", sagte er. „Sie hatte schlimme Folgen. Das sollte Grund genug für Sie sein, das Geld zurückzugeben."

„Zahlen Sie Geld zurück, wenn ein Patient nach der Operation stirbt?"

„Nein. Aber wir nehmen manchmal kein Geld für eine Operation; zum Beispiel von Lucienne."

Die Boucher sah ihn an. „Na also – wozu macht sie dann noch Geschichten? Kann doch froh sein!"

Ravic hob das Glas. „Madame", sagte er. „Meine Hochachtung. Sie sind nicht kleinzukriegen."

Die Frau stellte langsam die Flasche auf den Tisch. „Mein Herr, das haben schon viele versucht. Aber Sie scheinen vernünftiger zu sein. Meinen Sie, das Geschäft ist ein Spaß oder alles Verdienst? Von den dreihundert Franc gehen fast hundert weg an die Polizei. Glauben Sie, ich könnte sonst arbeiten? Da draußen sitzt schon wieder einer, um Geld zu holen. Schmieren muß man, immer schmieren. Sonst geht es nicht. Ich sage Ihnen das hier allein, zwischen uns, und sollten Sie irgend etwas damit anfangen wollen, würde ich es abstreiten, und die Polizei würde die Sache versacken lassen. Sie können das glauben."

„Ich glaube es."

Die Boucher warf ihm einen schnellen Blick zu. Als sie sah, daß er es nicht ironisch meinte, rückte sie einen Stuhl heran und setzte sich.

Sie rückte den Stuhl heran wie eine Feder; unter ihrem Fett schien sie enorme Kraft zu haben. Sie goß sein Glas mit dem Bestechungskognak noch einmal voll. „Dreihundert Franc sieht nach viel Geld aus – aber es geht noch mehr davon ab als nur die Polizei. Die Miete – hier natürlich viel höher als anderswo, Wäsche, Apparate – für mich doppelt so teuer als für Ärzte, Provisionen, Bestechungen – gut stehen muß man mit allen, Getränke, Geschenke zu Neujahr und zu den Geburtstagen für die Beamten und ihre Frauen – allerhand, mein Herr! Manchmal bleibt kaum etwas."

„Dagegen ist nichts zu sagen."

„Wogegen denn?"

„Daß so etwas passiert, wie mit Lucienne."

„Passiert das bei Ärzten nie?" fragte die Boucher rasch.

„Längst nicht so oft."

„Mein Herr!" Sie richtete sich auf. „Ich bin ehrlich. Ich sage jeder, die kommt, daß etwas passieren kann dabei. Und keine geht zurück. Sie flehen mich an, es zu machen. Sie jammern und sind verzweifelt. Sie wollen Selbstmord begehen, wenn ich ihnen nicht helfe. Was für Szenen sich hier schon abgespielt haben. Auf dem Teppich haben sie sich gewälzt und mich angefleht! Sehen Sie dort das Vertiko, die Ecke, wo die Politur abgeschlagen ist? Eine wohlhabende Dame hat das in ihrer Verzweiflung getan. Ich habe ihr geholfen. Wollen Sie etwas anderes sehen? In der Küche stehen zehn Pfund Pflaumenmarmelade, die sie gestern geschickt hat. Aus reiner Dankbarkeit, obschon sie bezahlt hat. Ich will Ihnen etwas sagen, mein Herr –" die Stimme der Boucher hob sich und wurde voller – „Sie mögen mich eine Abtreiberin nennen – andere nennen mich ihren Wohltäter und Engel."

Sie war aufgestanden. Ihr Kimono umfaltete sie majestätisch. Der Kanarienvogel im Käfig fing wie auf Kommando an zu singen. Ravic erhob sich. Er hatte Sinn für Melodramatik. Aber er wußte auch, daß die Boucher nicht übertrieb. „Schön", sagte er. „Ich gehe jetzt. Für Lucienne waren Sie gerade kein Wohltäter."

„Sie hätten sie sehen sollen, vorher! Was will sie denn mehr? Sie ist gesund – das Kind ist weg –, das ist doch alles, was sie wollte. Und die Klinik braucht sie nicht zu bezahlen."

„Sie kann nie wieder ein Kind bekommen."

Die Boucher stutzte eine Sekunde. „Um so besser", erklärte sie dann ungerührt. „Da wird sie selig sein, die kleine Hure."

Ravic sah, daß nichts zu machen war. „Au revoir, Madame Boucher", sagte er. „Es war interessant bei Ihnen."

Sie kam dicht an ihn heran. Ravic hätte gern vermieden, ihr die

Hand zu geben. Aber sie dachte gar nicht daran. Sie dämpfte vertraulich ihre Stimme. „Sie sind vernünftig, mein Herr. Vernünftiger als die meisten Ärzte. Schade, daß Sie –" Sie stockte und sah ihn aufmunternd an. „Manchmal braucht man für gewisse Fälle – ein verständiger Arzt würde eine große Hilfe sein können –"

Ravic widersprach nicht. Er wollte mehr hören. „Es würde Ihr Schaden nicht sein", fügte die Boucher hinzu. „Gerade in speziellen Fällen." Sie beobachtete ihn wie eine Katze, die vorgibt, Vögel zu lieben. „Wohlhabende Klienten sind darunter, manchmal – Zahlung natürlich nur im voraus, und – wir sind sicher, todsicher mit der Polizei – ich nehme an, daß Sie ganz gut einige hundert Franc Nebenverdienst brauchen könnten –" sie klopfte ihm auf die Schulter – „ein gutaussehender Mann wie Sie –"

Sie ergriff mit einem breiten Lächeln die Flasche. „Nun, was meinen Sie?"

„Danke", sagte Ravic und hielt die Flasche zurück. „Keinen mehr. Ich vertrage nicht viel." Es fiel ihm schwer, denn der Kognak war hervorragend. Die Flasche hatte kein Fabriketikett und stammte bestimmt aus einem erstklassigen Privatkeller. „Die andere Sache werde ich mir überlegen. Ich komme nächstens einmal wieder. Ich würde ganz gerne einmal Ihre Instrumente sehen. Vielleicht kann ich Ihnen da einen Rat geben."

„Meine Instrumente zeige ich Ihnen, wenn Sie wiederkommen. Sie zeigen mir dann Ihre Papiere. Ein Vertrauen um das andere."

„Sie haben mir schon ein gewisses Vertrauen gezeigt."

„Nicht das mindeste", lächelte die Boucher. „Ich habe Ihnen nur einen Vorschlag gemacht, den ich jederzeit abstreiten kann. Sie sind kein Franzose, das hört man, obschon Sie gut sprechen. Sie sehen auch nicht so aus. Sie sind wahrscheinlich ein Refugié." Sie lächelte stärker und sah ihn mit kühlen Augen an. „Man würde Ihnen nicht glauben, und sich höchstens für das französische Diplom interessieren, das Sie nicht haben. Draußen im Vorzimmer sitzt ein Polizeibeamter. Wenn Sie wollen, können Sie mich da gleich anzeigen. Sie werden es nicht tun. Aber meinen Vorschlag können Sie sich überlegen. Sie würden mir Ihren Namen und Ihre Adresse nicht geben, nicht wahr?"

„Nein", sagte Ravic, der sich geschlagen fühlte.

„Das dachte ich mir." Die Boucher sah jetzt wirklich aus wie eine ungeheure, vollgefressene Katze. „Au revoir, Monsieur. Überlegen Sie mein Angebot. Ich habe schon öfter daran gedacht, einen Refugié-Arzt zuzuziehen."

Ravic lächelte. Er wußte, weshalb. Einen Refugié-Arzt hatte sie vollkommen in der Hand. Wenn irgendwann einmal etwas passierte, war er der Schuldige. „Ich werde darüber nachdenken", sagte er. „Au revoir, Madame."

Er ging den dunklen Korridor entlang. Hinter einer der Türen hörte er jemand stöhnen. Er nahm an, daß die Zimmer wie Kojen eingerichtet waren, mit Betten. Die Frauen blieben ein paar Stunden dort liegen, bevor sie nach Hause wankten.

Im Vorzimmer saß ein schlanker Mann mit einem gestutzten Schnurrbärtchen und olivenfarbener Haut. Er betrachtete Ravic aufmerksam. Neben ihm saß Roger. Er hatte eine zweite Flasche des alten Kognak auf dem Tisch. Unwillkürlich suchte er sie zu verstecken, als er Ravic sah. Dann grinste er und ließ die Hand fallen. „Bon soir, docteur", sagte er und zeigte ein fleckiges Gebiß. Er schien an der Tür gelauscht zu haben.

„Bon soir, Roger." Es schien Ravic angemessen, familiär zu sein. Innerhalb einer halben Stunde hatte das unverwüstliche Weib da drinnen ihn aus einem offenen Feind nahezu in einen Komplizen verwandelt. Da war es danach direkt eine Erlösung, nicht zu formell zu Roger zu sprechen, der plötzlich, nach all dem, etwas erstaunlich Menschliches hatte.

Unten auf der Treppe begegneten ihm zwei Mädchen. Sie suchten an den Türen herum. „Mein Herr", fragte die eine dann mit einem Entschluß. „Wohnt Madame Boucher hier im Hause?"

Ravic zögerte. Aber was hatte es für einen Zweck, etwas zu sagen? Es würde nichts nützen. Sie würden doch gehen. Er konnte ihnen ja auch nichts anderes angeben. „Im dritten Stock. Es ist ein Schild an der Tür."

Das Leuchtzifferblatt der Uhr schimmerte wie eine winzige, geborgte Sonne durch das Dunkel. Es war fünf Uhr morgens. Joan hätte um drei Uhr kommen sollen. Möglich, daß sie noch kam. Möglich auch, daß sie zu müde gewesen und gleich in ihr Hotel gegangen war.

Ravic legte sich zurück, um weiterzuschlafen. Aber er schlief nicht ein. Er lag lange und blickte auf die Decke, auf der das rote Band der Leuchtreklame vom Dach schräg gegenüber in regelmäßigen Abständen entlanglief. Er fühlte sich leer und wußte nicht warum. Es war, als ob die Wärme seines Körpers langsam durch die Haut tropfte, irgendwohin, und als ob sein Blut sich anlehnen wollte an etwas, das nicht da war, und als ob es fiel und fiel in ein sanftes Nirgendwo. Er kreuzte die Hände hinter dem Kopf und lag still. Er wußte jetzt, daß er wartete. Und er wußte, daß nicht nur sein Bewußtsein auf Joan Madou wartete, daß seine Hände und seine Adern und eine sonderbare, fremde Zärtlichkeit in ihm warteten.

Er stand auf, zog seinen Morgenmantel an und setzte sich ans Fenster. Er fühlte die Wärme der weichen Wolle auf seiner Haut. Der Mantel war alt; er hatte ihn durch viele Jahre mitgeschleppt. Er hatte in ihm auf der Flucht geschlafen; er hatte in den kalten Nächten Spaniens, wenn er todmüde aus dem Lazarett in seine Baracke zurückkam, sich in ihm gewärmt. Juana, zwölf Jahre alt, mit Augen, die achtzig Jahre alt waren, war unter ihm in einem zerschossenen Hotel Madrids gestorben – mit dem einzigen Wunsch, einmal ein Kleid aus so weicher Wolle zu besitzen und zu vergessen, wie man ihre Mutter vergewaltigt und ihren Vater zu Tode getrampelt hatte.

Er blickte sich um. Das Zimmer, ein paar Koffer, ein paar Sachen, eine Handvoll zerlesener Bücher – ein Mann braucht wenige Dinge, um zu leben. Es war gut, sich nicht an viele zu gewöhnen, wenn das Leben unruhig war. Man hatte sie immer wieder zu verlassen, oder sie wurden genommen. Man mußte jeden Tag aufbrechen können. Das war der Grund, weshalb er allein gelebt hatte; wenn man unterwegs war, sollte man nichts haben, was einen festhalten konnte. Nichts was das Herz bewegte. Das Abenteuer – aber nicht mehr.

Er sah auf das Bett. Das verwühlte, blasse Leinen. Es machte nichts, daß er wartete. Er hatte oft auf Frauen gewartet. Aber er fühlte, daß er anders gewartet hatte – einfach, klar und brutal. Manchmal auch mit der anonymen Zärtlichkeit, die die Begierde umsilberte – aber lange nicht mehr so wie heute. Es war da etwas in ihn hineingeschlichen, auf das er nicht geachtet hatte. Regte es sich da wieder? Bewegte es sich? Wie lange war das her? Rief da nicht schon wieder etwas aus der Vergangenheit, aus blauen Tiefen; wehte es nicht bereits wie ein Hauch von Wiesen, voll von Pfefferminz, eine Pappelreihe am Horizont, der Geruch von Wäldern im April? Er wollte es nicht mehr. Er wollte es nicht besitzen. Er wollte nicht besessen werden. Er war unterwegs.

Er stand auf und begann sich anzuziehen. Man mußte unabhängig bleiben. Alles begann mit kleinen Abhängigkeiten. Man achtete nicht darauf – und plötzlich hing man im Netz der Gewohnheit. Gewohnheit, für die es viele Namen gab – Liebe war eine davon. Man sollte sich an nichts gewöhnen. Nicht einmal an einen Körper.

Er schloß die Tür nicht ab. Wenn Joan Madou kam, würde sie ihn nicht finden. Sie konnte bleiben, wenn sie wollte. Er überlegte eine Sekunde, ob er einen Zettel hinterlassen sollte. Aber er wollte nicht lügen, und er wollte ihr auch nicht sagen, wohin er ging.

Er kam gegen acht Uhr morgens zurück. Er war durch die kalte Laternenfrühe gegangen und hatte sich klar und entspannt gefühlt.

Aber als er vor dem Hotel stand, spürte er die Spannung wieder.

Joan war nicht da. Ravic erklärte sich, daß er nichts anderes erwartet hatte. Aber das Zimmer erschien ihm leerer als sonst. Er sah sich um und suchte nach einem Zeichen, ob sie dagewesen sei. Er fand nichts.

Er klingelte dem Mädchen. Sie kam nach einer Weile. „Ich möchte Frühstück haben", sagte er.

Sie sah ihn an. Sie sagte nichts. Er wollte sie auch nichts fragen. „Kaffee und Croissants, Eve."

„Sehr wohl, Herr Ravic."

Er sah das Bett an. Wenn Joan gekommen war, konnte man nicht gut erwarten, daß sie sich in ein zerwühltes, leeres Bett legte. Sonderbar, wie tot alles wurde, was mit dem Körper zu tun hatte, wenn es nicht mehr seine Wärme hatte – ein Bett, Wäsche, sogar ein Bad. Es wurde abstoßend, wenn es die Wärme verlor.

Er zündete sich eine Zigarette an. Sie konnte angenommen haben, er wäre zu einem Patienten gerufen worden. Aber dann hätte er einen Zettel hinterlassen können. Er fand sich plötzlich idiotisch. Er hatte unabhängig sein wollen und war nur rücksichtslos gewesen. Rücksichtslos und albern wie ein Achtzehnjähriger, der sich selbst etwas beweisen will. Es war mehr Abhängigkeit darin, als wenn er gewartet hätte.

Das Mädchen brachte das Frühstück. „Soll ich das Bett machen?" fragte es.

„Warum jetzt?"

„Wenn Sie noch schlafen wollen. Es schläft sich besser in einem frischen Bett."

Sie sah ihn ausdruckslos an. „War jemand hier?" fragte er.

„Ich weiß es nicht. Ich bin erst um sieben gekommen."

„Eve", sagte Ravic. „Wie fühlt man sich, wenn man jeden Morgen ein Dutzend Betten von fremden Leuten machen muß?"

„Es geht, Herr Ravic. Solange die Herrschaften weiter nichts wollen. Aber es sind immer einige da, die mehr wollen. Dabei sind die Bordelle doch so billig in Paris."

„Morgens kann man nicht ins Bordell gehen, Eve. Und morgens fühlen sich manche Gäste besonders stark."

„Ja, besonders die Alten." Sie zuckte die Schultern. „Man verliert das Trinkgeld, wenn man es nicht tut, das ist alles. Einige beschweren sich auch hinterher jeden Augenblick – daß das Zimmer nicht sauber sei, oder daß man frech wäre. Aus Wut natürlich. Man kann nichts dagegen tun. So ist das Leben."

Ravic zog einen Geldschein hervor. „Machen wir uns heute das

Leben etwas einfacher, Eve. Kaufen Sie sich einen Hut dafür. Oder eine Wolljacke."

Eves Augen belebten sich. „Danke, Herr Ravic. Der Tag fängt gut an. Soll ich dann das Bett später machen?"

„Ja."

Sie sah ihn an. „Die Dame ist eine sehr interessante Dame", sagte sie. „Die Dame, die jetzt immer kommt."

„Noch ein Wort, und ich nehme Ihnen den Schein wieder ab." Ravic schob Eve zur Tür hinaus. „Die alten Erotiker warten schon auf Sie. Enttäuschen Sie sie nicht."

Er setzte sich an den Tisch und aß. Das Frühstück schmeckte ihm nicht besonders. Er stand auf und aß stehend. Es schmeckte besser.

Die Sonne kam rot über die Dächer. Das Hotel erwachte. Der alte Goldberg im Stock unter ihm begann sein Morgenkonzert. Er hustete und krächzte, als hätte er sechs Lungen. Der Emigrant Wiesenhoff öffnete sein Fenster und pfiff einen Parademarsch. Im Stock darüber rauschte Wasser. Türen klappten. Nur bei den Spaniern war alles still. Ravic reckte sich. Die Nacht war vorbei. Die Korruption der Dunkelheit war vorüber. Er beschloß, ein paar Tage allein zu bleiben.

Draußen riefen die Zeitungsjungen die Morgennachrichten aus. – Zwischenfälle an der tschechischen Grenze. Deutsche Truppen an der Sudetenlinie. Der Pakt von München in Gefahr.

11

Der Junge schrie nicht. Er starrte die Ärzte nur an. Er war noch so verstört, daß er den Schmerz nicht fühlte. Ravic warf einen Blick auf das zerschmetterte Bein. „Wie alt ist er?" fragte er die Mutter.

„Was?" fragte die Frau verständnislos.

„Wie alt ist er?"

Die Frau mit dem Kopftuch bewegte die Lippen. „Sein Bein!" sagte sie. „Sein Bein! Es war ein Lastauto."

Ravic horchte das Herz ab. „Ist er einmal krank gewesen, früher?"

„Sein Bein!" sagte die Frau. „Es ist doch sein Bein!"

Ravic richtete sich auf. Das Herz schlug rasch wie ein Vogelherz, aber es war nichts Alarmierendes zu hören. Er mußte den Jungen, der abgezehrt und rachitisch aussah, während der Narkose beobachten. Er mußte sofort anfangen. Das zerrissene Bein war voll Straßenschmutz.

„Wird nun das Bein abgenommen?" fragte der Junge.

„Nein", sagte Ravic, ohne es zu glauben.

„Es ist besser, Sie nehmen es ab, anstatt daß es steif wird."

Ravic sah aufmerksam in das altkluge Gesicht. Es war noch kein Zeichen von Schmerz darin. „Wir werden sehen", sagte er. „Wir müssen dich jetzt einschläfern. Es ist sehr einfach. Du brauchst keine Angst zu haben. Sei ganz ruhig."

„Einen Augenblick, mein Herr. Die Nummer ist FO 2019. Wollen Sie das aufschreiben für meine Mutter?"

„Was? Was Jeannot?" fragte die Mutter aufgeschreckt.

„Ich habe mir die Nummer gemerkt. Die Nummer des Autos. FO 2019. Ich sah sie dicht vor mir. Es war rotes Licht. Der Fahrer war schuld." Der Junge begann mühsam zu atmen. „Die Versicherung muß zahlen. Die Nummer –"

„Ich habe sie aufgeschrieben", sagte Ravic. „Sei ruhig. Ich habe alles aufgeschrieben." Er winkte Eugenie, mit der Narkose anzufangen.

„Meine Mutter muß zur Polizei gehen. Die Versicherung muß zahlen." Dicke Schweißperlen standen so plötzlich auf dem Gesicht, als hätte es darauf geregnet. „Wenn Sie das Bein abnehmen, zahlt sie mehr – als wenn es – steif bleibt –"

Die Augen verschwanden in blauschwarzen Ringen, die aus der Haut hervortraten wie schmutzige Teiche. Der Junge stöhnte und versuchte rasch noch etwas zu sagen. „Meine Mutter – versteht nicht – sie – helfen –" Er konnte nicht mehr. Er fing an zu brüllen, dumpf, unterdrückt, als hocke in ihm ein gemartertes Tier.

„Was macht die Welt draußen, Ravic?" fragte Kate Hegström.

„Wozu wollen Sie das wissen, Kate? Denken Sie lieber an etwas Erfreulicheres."

„Ich habe das Gefühl, daß ich schon seit Wochen hier bin. Alles andere ist weit fort, wie versunken."

„Lassen Sie es ruhig eine Weile versunken bleiben."

„Nein. Ich fürchte sonst, daß dieses Zimmer die letzte Arche ist und daß unter dem Fenster schon die Sintflut kommt. Was ist draußen los, Ravic?"

„Nichts Neues, Kate. Die Welt fährt eifrig fort, ihren Selbstmord vorzubereiten und sich gleichzeitig darüber hinwegzutäuschen."

„Gibt es Krieg?"

„Daß es Krieg gibt, weiß jeder. Was man noch nicht weiß, ist wann. Jeder wartet auf ein Wunder." Ravic lächelte. „Ich habe noch nie so viele wundergläubige Staatsmänner gesehen wie augenblicklich in Frankreich und England. Und noch nie so wenige wie in Deutschland."

Sie lag eine Zeitlang still. „Daß das möglich ist –" sagte sie dann.

„Ja – es scheint so unmöglich, daß es eines Tages geschehen wird.

Eben deshalb, weil man es für unmöglich hielt und sich deshalb nicht schützte. Haben Sie Schmerzen, Kate?"

„Nicht so viel, daß ich es nicht aushalten kann." Sie schob das Kissen unter ihrem Kopf zurecht. „Ich möchte fort von dem allem, Ravic."

„Ja –" erwiderte er ohne Überzeugung. „Wer möchte das nicht?"

„Wenn ich hier rauskomme, will ich nach Italien gehen. Nach Fiesole. Ich habe da ein stilles, altes Haus mit einem Garten. Da will ich eine Zeitlang bleiben. Es wird noch kühl sein. Eine blasse, heitere Sonne. Mittags die ersten Eidechsen auf der Südmauer. Abends die Glocken von Florenz. Und nachts der Mond und die Sterne hinter den Zypressen. Es sind Bücher in dem Haus, und es ist da ein großer, steinerner Kamin mit Holzbänken darin. Man kann im Kamin vor dem Feuer sitzen. Die eisernen Feuerböcke sind so gemacht, daß sie einen Halter tragen, in den man sein Glas stellen kann. Der rote Wein wird so gewärmt. Keine Menschen. Nur ein altes Ehepaar, das Ordnung hält."

Sie blickte Ravic an. „Schön", sagte er. „Ruhe, ein Feuer, Bücher und Frieden. Früher galt so etwas als Bürgerlichkeit. Heute ist es der Traum von einem verlorenen Paradies."

Sie nickte. „Ich will eine Zeitlang da bleiben. Ein paar Wochen. Vielleicht auch einige Monate. Ich weiß es nicht. Ich will ruhig werden. Und dann werde ich wiederkommen und nach Amerika zurückgehen."

Ravic hörte, wie auf dem Korridor Tabletts mit dem Abendessen vorübergetragen wurden. Ein paar Schüsseln klapperten. „Gut, Kate", sagte er.

Sie zögerte. „Kann ich noch ein Kind haben, Ravic?"

„Nicht sofort. Sie müssen erst viel kräftiger werden."

„Das meine ich nicht. Kann ich es irgendwann? Nach dieser Operation. Ist nicht –"

„Nein", sagte Ravic. „Wir haben nichts herausgeschnitten. Nichts."

Sie atmete tief. „Das wollte ich wissen."

„Es wird aber noch lange dauern, Kate. Ihr ganzer Organismus muß sich erst ändern."

„Es macht nichts, wie lange es dauern wird." Sie strich sich das Haar zurück. Der Stein auf ihrer Hand funkelte in der Dämmerung. „Es ist lächerlich, daß ich das frage, wie? Gerade jetzt."

„Nein. Das kommt oft vor. Öfter, als man glaubt."

„Ich habe genug von allem hier, plötzlich. Ich will zurückgehen und heiraten, richtig, altmodisch, und Kinder haben und ruhig sein und Gott loben und das Leben lieben."

Ravic blickte aus dem Fenster. Ein wildes Abendrot stand über den Dächern. Die Lichtreklamen ertranken darin wie blutlose Farbenschatten.

„Es muß Ihnen albern erscheinen, nach al!em, was Sie von mir kennen", sagte Kate Hegström hinter ihm.

„Nein, gar nicht. Gar nicht, Kate."

Joan Madou kam um vier Uhr nachts. Ravic erwachte, als er die Tür hörte. Er hatte geschlafen und nicht auf sie gewartet. Er sah sie in der Türöffnung stehen. Sie versuchte, einen Arm voll riesiger Chrysanthemen hindurchzuzwängen. Er sah ihr Gesicht nicht. Er sah nur ihre Gestalt und die großen, hellen Dolden der Blumen. „Was ist denn das?" sagte er. „Ein Wald von Chrysanthemen. Was um Himmels willen soll das bedeuten?"

Joan brachte die Blumen durch die Tür und warf sie mit einem Schwung auf das Bett. Die Blüten waren feucht und kühl, und die Blätter rochen stark nach Herbst und Erde. „Geschenke", sagte sie. „Seit ich dich kenne, fange ich an, Geschenke zu bekommen."

„Nimm sie weg. Ich bin noch nicht tot. Unter Blumen zu liegen – Chrysanthemen noch dazu –, das gute alte Bett des Hotel International sieht ja aus wie ein Sarg."

„Nein!" Joan raffte mit einer heftigen Bewegung die Blumen zusammen und warf sie auf den Boden. „Sprich nicht so! Nie!"

Ravic sah sie an. Er hatte vergessen gehabt, wie sie sich kennengelernt hatten. „Vergiß es!" sagte er. „Ich habe mir nichts dabei gedacht."

„Sprich nie wieder so. Auch nicht im Scherz. Versprich es mir."

Ihre Lippen zitterten. „Aber Joan –" sagte er. „Erschreckt es dich wirklich so?"

„Ja. Es ist mehr als Erschrecken. Ich weiß nicht, was."

Ravic stand auf. „Ich werde nie wieder Witze darüber machen. Bist du nun zufrieden?"

Sie nickte an seiner Schulter. „Ich weiß nicht, was es ist. Ich kann es einfach nicht ertragen. Es ist, als ob eine Hand aus dem Dunkeln nach mir greife. Es ist Angst – besinnungslose Angst, als warte es irgendwo auf mich." Sie schmiegte sich an ihn. „Laß es nicht zu."

Ravic hielt sie fest in seinem Arm. „Nein – ich lasse es nicht zu."

Sie nickte wieder. „Du kannst es doch –"

„Ja", sagte er mit einer Stimme voll Trauer und Hohn und dachte an Kate Hegström. „Ich kann es, natürlich kann ich es –"

Sie rührte sich in seinem Arm. „Ich war gestern hier –"

Ravic regte sich nicht. „Warst du?"

„Ja."

Er schwieg. Wie da etwas verwehte! Wie kindisch er gewesen war! Warten oder Nichtwarten – wozu das alles? Ein törichtes Spiel mit jemand, der nicht spielte.

„Du warst nicht da –"

„Nein."

„Ich weiß, ich sollte dich nicht fragen, wo du warst –"

„Nein."

Sie löste sich von ihm. „Ich möchte baden", sagte sie mit veränderter Stimme. „Ich bin kalt. Kann ich das noch? Oder weckt das das Hotel auf?"

Ravic lächelte. „Frag nicht nach den Konsequenzen, wenn du etwas tun willst. Sonst tust du es nie."

Sie sah ihn an. „In kleinen Dingen soll man schon fragen. In großen nie."

„Auch richtig."

Sie ging ins Badezimmer und ließ das Wasser ein. Ravic setzte sich ans Fenster und zog eine Schachtel Zigaretten hervor. Über den Dächern draußen stand der rötliche Widerschein der Stadt, in dem lautlos der Schnee wirbelte. Ein Taxi kläffte durch die Straßen. Die Chrysanthemen schimmerten bleich auf dem Fußboden. Auf dem Sofa lag eine Zeitung. Er hatte sie abends mitgebracht. – Kämpfe an der tschechischen Grenze, Kämpfe in China, ein Ultimatum, ein gestürztes Kabinett. Er nahm die Zeitung und schob sie unter die Blumen.

Joan kam aus dem Badezimmer. Sie war warm und hockte sich auf den Boden neben ihn, zwischen die Blumen. „Wo warst du gestern nacht?" fragte sie.

Er reichte ihr eine Zigarette herüber. „Willst du es wirklich wissen?"

„Ja."

Er zögerte. „Ich war hier", sagte er dann, „und wartete auf dich. Ich glaubte, du würdest nicht mehr kommen, und da bin ich fortgegangen."

Joan wartete. Ihre Zigarette glühte in der Dunkelheit auf und erlosch wieder.

„Das ist alles", sagte Ravic.

„Bist du trinken gegangen?"

„Ja –"

Joan drehte sich um und sah ihn an. „Ravic", sagte sie, „bist du wirklich deswegen fortgegangen?"

„Ja."

Sie legte die Arme auf seine Knie. Er fühlte ihre Wärme durch seinen Mantel. Es war ihre Wärme und die Wärme des Mantels, der ihm bekannter war als manche Jahre seines Lebens, und es erschien ihm plötzlich, als gehörten beide schon lange zusammen und als wäre Joan von irgendwoher aus seinem Leben zurückgekehrt.

„Ravic, ich bin doch jeden Abend zu dir gekommen. Du mußtest

doch wissen, daß ich gestern auch kommen würde. Bist du nicht fortgegangen, weil du mich nicht sehen wolltest?"

„Nein."

„Du kannst es mir ruhig sagen, wenn du mich nicht sehen willst."

„Ich würde es dir sagen."

„War es nicht das?"

„Nein, es war wirklich nicht das."

„Dann bin ich glücklich."

Ravic sah sie an. „Was sagst du da?"

„Ich bin glücklich", wiederholte sie.

Er schwieg eine Weile. „Weißt du auch, was du sagst?" fragte er
dann.

„Ja."

Der matte Lichtschein von draußen spiegelte sich in ihren Augen.
„Man soll so etwas nicht leichtfertig sagen, Joan."

„Ich sage es auch nicht leichtfertig."

„Glück", sagte Ravic. „Wo fängt es an und wo hört das auf?"

Sein Fuß stieß an die Chrysanthemen. Glück, dachte er. Die blauen
Horizonte der Jugend. Die goldhelle Balance des Lebens, Glück! Mein
Gott, wo war das geblieben?

„Es fängt mit dir an und hört mit dir auf", sagte Joan. „Das ist doch
ganz einfach."

Ravic erwiderte nichts. Was redet sie da, dachte er. „Du wirst mir
gleich noch sagen, daß du mich liebst", sagte er dann.

„Ich liebe dich."

Er machte eine Bewegung. „Du kennst mich doch kaum."

„Was hat das damit zu tun?"

„Viel. Lieben – das ist jemand, mit dem man alt werden will."

„Davon weiß ich nichts. Es ist jemand, ohne den man nicht leben
kann. Das weiß ich."

„Wo ist der Calvados?"

„Auf dem Tisch. Ich hole ihn dir. Bleib sitzen."

Sie brachte die Flasche und ein Glas und stellte sie auf den Boden zwischen die Blumen. „Ich weiß, daß du mich nicht liebst",
sagte sie.

„Dann weißt du mehr als ich."

Sie sah rasch auf. „Du wirst mich lieben."

„Gut. Darauf wollen wir trinken."

„Warte." Sie füllte das Glas und trank es aus. Dann goß sie es wieder
voll und reichte es ihm. Er nahm es und hielt es einen Augenblick. Dies
alles ist nicht wahr, dachte er. Ein halber Traum in der verwelkenden
Nacht. Worte, im Dunkeln gesprochen – wie können sie schon wahr

sein? Wirkliche Worte brauchen viel Licht. „Woher weißt du das alles so genau?" fragte er.

„Weil ich dich liebe."

Wie sie mit dem Wort umgeht, dachte Ravic. Ohne Bedenken, wie mit einer leeren Schüssel. Sie füllt sie mit irgend etwas und nennt es Liebe. Was hat man schon alles hineingefüllt! Angst vor dem Allein-sein, Aufregung an einem andern Ich, Steigerung des Selbstgefühls, schimmernde Spiegelung der Phantasie! Aber wer weiß es wirklich? Ist das, was ich gesagt habe, vom Altwerden, nicht das Törichtste von allem? Hat sie nicht viel mehr recht mit ihrer Unbedenklichkeit? Und wozu sitze ich hier in einer Winternacht zwischen Krieg und Krieg wie ein Schulmeister und spalte Worte? Wozu wehr' ich mich, anstatt mich ungläubig hineinzustürzen?

„Wozu wehrst du dich?" fragte Joan.

„Was?"

„Wozu wehrst du dich?" wiederholte sie.

„Ich wehre mich nicht – wogegen sollte ich mich wehren?"

„Ich weiß es nicht. Irgend etwas in dir ist verschlossen, und du willst nichts und niemand hineinlassen."

„Komm", sagte Ravic. „Gib mir noch etwas zu trinken."

„Ich bin glücklich und ich möchte, daß du auch glücklich bist. Ich bin ganz glücklich. Ich wache auf mit dir und ich gehe schlafen mit dir. Ich weiß nichts anderes. Mein Kopf ist aus Silber, wenn ich an uns denke, und manchmal wie eine Violine. Die Straßen sind voll von uns wie von Musik, und ab und zu reden Menschen hinein, und wie im Film gleiten Bilder vorbei, aber die Musik bleibt. Sie bleibt immer."

Vor ein paar Wochen noch warst du unglücklich, dachte Ravic, und kanntest mich nicht. Ein leichtes Glück! Er trank das Glas Calvados aus. „Warst du oft glücklich?" fragte er.

„Nicht oft."

„Aber manchmal. Wann war dein Kopf das letztemal aus Silber?"

„Wozu fragst du das?"

„Um etwas zu fragen. Ohne Grund."

„Ich habe es vergessen. Ich will es auch nicht mehr wissen. Es war anders."

„Es ist immer anders."

Sie lächelte ihm zu. Ihr Gesicht war hell und offen wie eine Blume mit wenigen Blütenblättern, die nichts versteckt. „Vor zwei Jahren", sagte sie. „Es dauerte nicht lange. In Mailand."

„Warst du damals allein?"

„Nein. Ich war schon mit jemand anderem. Er war sehr unglücklich und eifersüchtig und verstand es nicht."

„Natürlich nicht."

„Du würdest es verstehen. Er machte furchtbare Szenen." Sie rückte sich zurecht, zog ein Kissen vom Sofa und schob es hinter den Rücken. Dann lehnte sie sich gegen das Sofa. „Er beschimpfte mich. Ich sei eine Hure und untreu und undankbar. Es war nicht wahr. Ich war ihm treu, solange ich ihn liebte. Er verstand nicht, daß ich ihn nicht mehr liebte."

„Das versteht man nie."

„Doch, du würdest es verstehen. Aber ich werde dich auch immer lieben. Du bist anders und alles ist anders mit uns. Er wollte mich töten." Sie lachte. „Immer wollen sie einen töten. Ein paar Monate später wollte mich der andere töten. Sie tun das nie. Du würdest mich nie töten wollen."

„Höchstens mit Calvados", sagte Ravic. „Gib die Flasche mal her. Die Unterhaltung wird gottlob menschlicher. Vor ein paar Minuten war ich ziemlich erschreckt."

„Weil ich dich liebe?"

„Wir wollen nicht wieder davon anfangen. Das ist wie Spazierengehen in Reifrock und Perücke. Wir sind zusammen – für kurz oder lang, wer weiß das? Wir sind zusammen, das ist genug. Wozu brauchen wir dann ein Etikett?"

„Für kurz oder lang gefällt mir nicht. Aber das sind ja nur Worte. Du wirst mich nicht verlassen. Das sind auch nur Worte und du weißt es."

„Natürlich. Hat dich schon einmal jemand verlassen, den du liebtest?"

„Ja." Sie sah ihn an. „Einer verläßt doch immer. Manchmal ist der andere schneller."

„Und was hast du getan?"

„Alles!" Sie nahm das Glas aus seiner Hand und trank den Rest aus. „Alles! Aber es hat nichts genutzt. Ich war entsetzlich unglücklich."

„Lange?"

„Eine Woche."

„Das ist nicht lange."

„Es ist eine Ewigkeit, wenn man wirklich unglücklich ist. Ich war so, mit allem, was ich bin, unglücklich, daß nach einer Woche alles erschöpft war. Mein Haar war unglücklich, meine Haut, mein Bett, meine Kleider sogar. Ich war so voll Unglück, daß nichts sonst existierte. Und wenn nichts anderes mehr existiert, fängt Unglück an, kein Unglück mehr zu sein; – weil nichts mehr da ist, womit man es vergleichen kann. Dann ist es nur noch völlige Erschöpfung. Und dann ist es vorbei. Man fängt langsam wieder an zu leben."

Sie küßte seine Hand. Er fühlte die weichen, behutsamen Lippen. „Was denkst du?" fragte sie.

„Nichts", sagte er. „Nichts, als daß du von einer wilden Unschuld bist. Völlig korrupt und überhaupt nicht. Das Gefährlichste auf der Welt. Gib mir mal das Glas. Ich will auf meinen Freund Morosow, den Kenner des menschlichen Herzens, trinken."

„Ich mag Morosow nicht. Können wir nicht auf etwas anderes trinken?"

„Natürlich magst du ihn nicht. Er hat gute Augen. Laß uns auf dich trinken."

„Auf mich?"

„Ja, auf dich."

„Ich bin nicht gefährlich", sagte Joan. „Ich bin gefährdet, aber nicht gefährlich."

„Das gehört dazu, daß du das glaubst. Dir wird nie etwas passieren. Salute!"

„Salute. Aber du verstehst mich nicht."

„Wer will schon verstehen? Daher kommen alle Mißverständnisse der Welt. Gib mir die Flasche herüber."

„Du trinkst soviel. Wozu willst du soviel trinken?"

„Joan", sagte Ravic. „Es wird der Tag kommen, da du sagen wirst: zuviel! Du trinkst zuviel, wirst du sagen und glauben, daß du nur mein Bestes willst. In Wirklichkeit wirst du nur meine Ausflüge in eine Zone verhüten wollen, die du nicht kontrollieren kannst. Salute! Wir zelebrieren heute. Wir sind der Pathetik, die wie eine Wolke drohend vor dem Fenster stand, glorreich entkommen. Wir haben sie mit der Pathetik totgeschlagen. Salute!"

Er fühlte, wie sie zuckte. Sie richtete sich halb auf, stützte sich mit den Händen auf den Boden und sah ihn an. Ihre Augen waren weit geöffnet, der Bademantel war von der Schulter geglitten, das Haar war in den Nacken geworfen, und sie hatte im Dunkel etwas von einer hellen, sehr jungen Löwin. „Ich weiß", sagte sie ruhig. „Du lachst mich aus. Ich weiß es und ich mache mir nichts daraus. Ich fühle, daß ich lebe; ich fühle es mit allem, was ich bin, mein Atem ist anders und mein Schlaf ist nicht mehr tot, meine Gelenke haben wieder Sinn, und meine Hände sind nicht mehr leer, und es ist mir ganz gleich, was du darüber denkst und was du darüber sagst, ich lasse mich fliegen und lasse mich laufen und ich werfe mich hin, ohne Gedanken, und ich bin glücklich und habe weder Vorsicht noch Angst, es zu sagen, auch wenn du lachst und mich verspottest –"

Ravic schwieg eine Weile. „Ich verspotte dich nicht", sagte er dann. „Ich verspotte mich, Joan –"

Sie lehnte sich an ihn. „Warum? Da ist etwas hinter deiner Stirn, das nicht will. Warum?"

„Da ist nichts, was nicht will. Ich bin nur langsamer als du."

Sie schüttelte den Kopf. „Es ist nicht nur das. Es ist da etwas, das allein bleiben will. Ich fühle es. Es ist wie eine Barriere."

„Da ist keine Barriere, da sind nur fünfzehn Jahre mehr Leben, als du hast. Nicht jedermanns Leben ist ein Haus, das ihm gehört und das er mit den Möbeln der Erinnerung immer reicher dekoriert. Mancher lebt in Hotels, in vielen Hotels. Die Jahre klappen hinter ihm zusammen wie Hoteltüren – und das einzige, was bleibt, ist ein bißchen Courage und kein Bedauern."

Sie antwortete eine Zeitlang nicht. Er wußte nicht, ob sie ihm zugehört hatte. Er sah aus dem Fenster und spürte den tiefen Glanz des Calvados ruhig in seinen Adern. Das Klopfen der Pulse schwieg und wurde zu einer ausgebreiteten Stille, in der die Maschinengewehre der rastlos dahintickenden Zeit schwiegen. Der Mond hob sich verschwommen und rot über die Dächer, wie die Kuppel einer halb in die Wolken verschwundenen Moschee, die langsam aufstieg, während die Erde im Schneetreiben versank.

„Ich weiß", sagte Joan, die Hände auf seinen Knien und ihr Kinn auf die Hände gestützt, „es ist töricht, wenn ich dir diese Dinge von mir von früher erzähle. Ich könnte schweigen oder könnte lügen, aber ich will es nicht. Warum soll ich dir nicht alles sagen, was in meinem Leben war, und warum soll ich mehr daraus machen? Ich will lieber weniger daraus machen, denn es ist nur noch lächerlich jetzt für mich und ich verstehe es nicht mehr, und du sollst lachen darüber und meinetwegen auch über mich."

Ravic sah sie an. Ihre Knie preßten die großen, weißen Blüten gegen die Zeitung, die er unter die Chrysanthemen geschoben hatte. Eine sonderbare Nacht, dachte er. Irgendwo wird jetzt geschossen, und Menschen werden gejagt und eingesperrt und gequält und gemordet, und ein Stück friedliche Welt wird zertreten, und man ist da und weiß es und ist hilflos, und in den hellen Bistros summt es von Leben, niemand kümmert sich, Menschen gehen ruhig schlafen, und ich sitze hier mit einer Frau zwischen bleichen Chrysanthemenblüten und einer Flasche Calvados, und der Schatten der Liebe steigt auf, schaudernd, fremd und traurig, einsam auch sie, vertrieben aus den sicheren Gärten der Vergangenheit, scheu und wild und rasch, als hätte sie kein Recht –

„Joan", sagte er langsam und wollte etwas ganz anderes sagen. „Es ist schön, daß du da bist."

Sie sah ihn an.

Er nahm ihre Hände. „Du verstehst, was das heißt? Mehr als tausend Worte –"

Sie nickte. Ihre Augen waren plötzlich voll Tränen. „Es heißt gar nichts", sagte sie. „Ich weiß es."

„Das ist nicht richtig", erwiderte Ravic und wußte, daß es richtig war.

„Nein. Gar nichts. Du mußt mich lieben, Liebster, das ist alles."

Er antwortete nicht.

„Du mußt mich lieben", wiederholte sie. „Sonst bin ich verloren."

Verloren – dachte er. Wie schnell sie das sagt! Wer wirklich verloren ist, spricht nicht mehr.

12

Haben Sie das Bein abgenommen?" fragte Jeannot.

Sein schmales Gesicht war blutlos und weiß wie eine alte Hauswand. Die Sommersprossen stachen so dunkel daraus hervor, als gehörten sie nicht dazu und wären mit Farbe übergesprenkelt. Der Beinstumpf lag unter einem Drahtkorb, über den die Decke gebreitet war.

„Hast du Schmerzen?" fragte Ravic.

„Ja. Im Fuß. Der Fuß tut sehr weh. Ich habe die Schwester gefragt. Der alte Drachen will es mir nicht sagen."

„Dein Bein ist amputiert", sagte Ravic.

„Über dem Knie oder unter dem Knie?"

„Zehn Zentimeter darüber. Das Knie war zerschmettert und nicht zu retten."

„Gut", sagte Jeannot. „Das gibt ungefähr zehn Prozent mehr bei der Versicherung. Sehr gut. Ein künstliches Bein ist ein künstliches Bein, über oder unter dem Knie. Aber fünfzehn Prozent mehr sind etwas, was man jeden Monat in die Tasche stecken kann." Er zögerte einen Augenblick. „Besser, Sie sagen es meiner Mutter vorläufig nicht. Sehen kann sie es ja nicht mit diesem Papageienkäfig über dem Stumpf da."

„Wir werden ihr nichts sagen, Jeannot."

„Die Versicherung muß eine Rente fürs Leben zahlen. Das stimmt doch, nicht wahr?"

„Ich glaube."

Das käsige Gesicht verzog sich zu einer Grimasse. „Die werden staunen. Ich bin dreizehn Jahre alt. Die werden lange zahlen müssen. Wissen Sie schon, welche Versicherung es ist?"

„Noch nicht. Aber wir haben die Nummer des Autos. Du hast sie dir ja gemerkt. Die Polizei war schon hier. Sie will dich vernehmen. Du schliefst noch heute morgen. Sie will heute abend wiederkommen."

Jeannot dachte nach. „Zeugen", sagte er dann. „Es ist wichtig, daß wir Zeugen haben. Haben wir welche?"

„Ich glaube, deine Mutter hat zwei Adressen. Sie hatte die Zettel in der Hand."

Der Junge wurde unruhig. „Sie wird sie verlieren. Wenn sie sie nur nicht schon verloren hat. Sie wissen, wie alte Leute sind. Wo ist sie jetzt?"

„Deine Mutter hat die Nacht über bis heute mittag an deinem Bett gesessen. Dann haben wir sie wegschicken können. Sie wird bald wiederkommen."

„Hoffentlich hat sie sie noch. Die Polizei –" Er machte eine schwache Geste mit der abgezehrten Hand. „Gauner", murmelte er. „Alles Gauner. Stecken mit den Versicherungen zusammen. Aber wenn man gute Zeugen hat – wann kommt sie zurück?"

„Bald. Reg dich nicht auf deswegen. Es wird schon in Ordnung sein."

Jeannot bewegte den Mund, als kaue er an etwas. „Manchmal zahlen sie das Geld auch auf einen Schlag aus. Als Abfindung. Statt einer Rente. Wir könnten ein Geschäft damit anfangen, Mutter und ich."

„Ruh dich jetzt aus", sagte Ravic. „Du kannst darüber noch immer nachdenken."

Der Junge schüttelte den Kopf. „Doch", sagte Ravic. „Du mußt frisch sein, wenn die Polizei kommt."

„Ja, richtig. Was soll ich denn machen?"

„Schlafen."

„Aber dann –"

„Man wird dich schon wecken."

„Rotes Licht. Es war bestimmt rotes Licht."

„Bestimmt. Und nun versuche, etwas zu schlafen. Da ist eine Klingel, wenn du etwas brauchst."

„Doktor –"

Ravic drehte sich um.

„Wenn alles klappt –" Jeannot lag in seinen Kissen und etwas wie ein Lächeln ging über sein altkluges, verkrampftes Gesicht – „Manchmal hat man doch Glück, was?"

Der Abend war feucht und warm. Zerrissene Wolken zogen niedrig über die Stadt. Vor dem Restaurant Fouquet's waren runde Koksöfen aufgestellt. Ein paar Tische und Stühle standen darum herum. An einem saß Morosow. Er winkte Ravic zu. „Komm, trink was mit mir."

Ravic setzte sich zu ihm. „Wir sitzen zuviel in Zimmern", erklärte Morosow. „Ist dir das schon mal aufgefallen?"

„Du nicht. Du stehst ja dauernd auf der Straße vor der Scheherazade."

„Knabe, laß deine armselige Logik. Ich bin abends eine Art zweibeiniger Tür zur Scheherazade, aber kein Mensch im Freien. Wir sitzen zuviel in Zimmern, sage ich. Wir denken zuviel in Zimmern. Wir leben zuviel in Zimmer. Wir verzweifeln zuviel in Zimmern. Kann man im Freien verzweifeln?"

„Und wie!" sagte Ravic.

„Nur weil man zuviel in Zimmern lebt. Nicht, wenn man es gewöhnt ist. Man verzweifelt anständiger in einer Landschaft als in einem Zimmer-Appartement mit Küche. Auch komfortabler. Widersprich nicht! Widerspruch zeigt abendländische Enge des Geistes. Wer will schon recht haben? Ich habe heute meinen freien Abend und will das Leben spüren. Wir trinken übrigens auch zuviel in Zimmern."

„Wir pissen auch zuviel in Zimmern."

„Bleib mir mit deiner Ironie vom Leibe. Die Fakten des Daseins sind simpel und trivial. Erst unsere Phantasie gibt ihnen Leben. Sie macht aus den Wäschepfählen der Tatsachen Flaggenmaste der Träume. Habe ich recht?"

„Nein."

„Selbstverständlich nicht. Will ich auch gar nicht."

„Natürlich hast du recht."

„Gut, Bruder. Wir schlafen auch zuviel in Zimmern. Wir werden Möbelstücke. Die Steinhäuser haben unser Rückgrat gebrochen. Wir sind wandelnde Sofas, Toilettentische, Kassenschränke, Mietkontrakte, Gehaltsempfänger, Kochtöpfe und Wasserklosetts geworden."

„Richtig. Wandelnde Parteiprogramme, Munitionsfabriken, Blindenanstalten und Irrenhäuser."

„Unterbrich mich nicht dauernd. Trink, schweige und lebe, du Mörder mit dem Skalpell. Sieh, was aus uns geworden ist! Soviel ich weiß, hatten nur die alten Griechen Götter für das Trinken und die Lebenslust: Bacchos und Dionysos. Wir haben dafür Freud, Minderwertigkeitskomplexe und die Psychoanalyse – Angst vor zu großen Worten in der Liebe, und viel zu große Worte in der Politik. Ein trauriges Geschlecht?" Morosow blinzelte.

Ravic blinzelte. „Alter, braver Zyniker mit Träumen", sagte er.

Morosow grinste. „Elender Romantiker ohne Illusion – für eine kurze Zeit auf Erden Ravic genannt."

„Für eine sehr kurze Zeit. Was Namen anbelangt, ist dieses bereits mein drittes Leben. Ist das polnischer Wodka?"

„Estnischer. Von Riga. Der beste. Schenk dir ein – und dann laß uns ruhig hier sitzen und auf die schönste Straße der Welt starren und diesen milden Abend loben und gelassen der Verzweiflung in die Schnauze spucken."

Die Feuer in den Koksöfen knackten. Ein Mann mit einer Violine stellte sich am Rande des Bürgersteiges auf und begann „Auprès de ma blonde" zu spielen. Die Vorübergehenden stießen ihn an. Der Bogen kratzte, aber der Mann spielte weiter, als wäre er allein. Es klang dürr und leer. Die Violine schien zu frieren. Zwei Marokkaner gingen zwischen den Tischen umher und boten Teppiche aus greller Kunstseide an.

Die Zeitungsjungen kamen mit den letzten Ausgaben vorbei. Morosow kaufte den „Paris Soir" und den „Intransigeant". Er las die Überschriften und schob dann die Zeitung beiseite. „Falschmünzer", knurrte er. „Hast du schon mal bemerkt, wie wir im Zeitalter der Falschmünzer leben?"

„Nein. Ich dachte, wir lebten im Zeitalter der Konserven."

„Konserven? Wieso?"

Ravic zeigte auf die Zeitungen. „Wir brauchen nicht mehr zu denken. Alles ist vorgedacht, vorgekaut, vorgefühlt. Konserven. Nur aufzumachen. Dreimal am Tage ins Haus geliefert. Nichts mehr selbst zu ziehen, wachsen zu lassen, auf dem Feuer der Fragen, des Zweifels und der Sehnsucht zu kochen. Konserven." Er grinste. „Wir leben nicht leicht, Boris. Nur billig."

„Wir leben als Falschmünzer." Morosow hob die Zeitungen hoch. „Sieh dir das an. Ihre Waffenfabriken bauen sie, weil sie Frieden wollen; ihre Konzentrationslager, weil sie die Wahrheit lieben; Gerechtigkeit ist der Deckmantel für jede Parteiraserei; politische Gangster sind Erlöser, und Freiheit ist das große Wort für alle Gier nach Macht. Falsches Geld! Falsches geistiges Geld! Die Lüge der Propaganda. Küchenmacchiavellismus. Der Idealismus in den Händen der Unterwelt. Wenn sie noch wenigstens ehrlich wären –" Er knüllte die Blätter zusammen und warf sie fort.

„Wir lesen auch zuviel Zeitungen in Zimmern", sagte Ravic.

Morosow lachte. „Natürlich. Im Freien braucht man sie nur, um Feuer –"

Er hielt inne. Ravic saß nicht mehr neben ihm. Er war aufgesprungen und drängte sich durch die Menge vor dem Café in der Richtung zur Avenue George V.

Morosow saß nur eine Sekunde überrascht da. Dann zog er Geld aus der Tasche, warf es in einen der Porzellanuntersätze unter den Gläsern und folgte Ravic. Er wußte nicht, was los war, aber er folgte ihm auf alle Fälle, um dazusein, wenn er ihn brauchte. Er sah keine

Polizei. Auch nicht, daß ein Zivildetektiv hinter Ravic her war. Der
Bürgersteig war gepackt voll von Menschen. Gut für ihn, dachte Morosow. Wenn ein Polizist ihn wiedererkannt hat, kann er leicht ent-
wischen. Er sah ihn erst wieder, als er die Avenue George V. erreichte.
Der Verkehr wechselte gerade, und die gestauten Wagenreihen schos-
sen vorwärts. Ravic versuchte trotzdem, die Straße zu überqueren. Ein
Taxi fuhr ihn fast um. Der Chauffeur tobte. Morosow packte Ravic
von hinten am Arm und riß ihn zurück. „Bist du verrückt?" schrie er.
„Willst du Selbstmord begehen? Was ist los?"

Ravic antwortete nicht. Er starrte zur anderen Seite hinüber. Der
Verkehr war sehr dicht. Wagen schob sich an Wagen, vier Reihen tief.
Es war unmöglich, durchzukommen. Ravic stand am Rande des Trot-
toirs, vorgebeugt und starrte hinüber.

Morosow schüttelte ihn. „Was ist los? Polizei?"

„Nein." Ravic ließ die Augen nicht von den gleitenden Wagen.

„Was denn? Was denn, Ravic?"

„Haake –"

„Was?" Morosows Augen verengten sich. „Wie sieht er aus? –
Rasch!"

„Grauer Mantel –"

Der schrille Pfiff des Verkehrspolizisten kam von der Mitte der
Champs-Elysées her. Ravic stürzte los, zwischen den letzten Wagen
hindurch. Ein dunkelgrauer Mantel – das war alles, was er wußte.
Er überquerte die Avenue George V. und die Rue de Bassano. Es gab
plötzlich Dutzende von grauen Mänteln. Er fluchte und drängte sich
weiter, so rasch er konnte. An der Rue de Galilée war der Verkehr
gestoppt. Er überquerte sie eilig und schob sich rücksichtslos vorwärts
durch die Menschenmasse, weiter, die Champs-Elysées entlang. Er kam
an die Rue de Pressbourg, er lief über die Kreuzung weiter und stand
plötzlich still: Vor ihm lag die Place de l'Etoile, riesig, verwirrend,
voll Verkehr, mit Straßenmündungen nach allen Seiten. Vorbei! Hier
war nichts mehr zu finden.

Er kehrte um, langsam, aufmerksam die Gesichter in der Menge
immer noch beobachtend – aber die Aufregung schlug um. Er fühlte
sich plötzlich sehr leer. Er hatte sich wieder getäuscht – oder Haake
war ihm zum zweitenmal entschlüpft. Aber konnte man sich zweimal
täuschen? Konnte jemand zweimal vom Erdboden verschwinden? Da
waren noch die Seitenstraßen. Haake konnte abgebogen sein. Er blickte
die Rue de Pressbourg entlang. Wagen, Wagen und Menschen, Menschen. Die geschäftigste Stunde des Abends. Es hatte keinen Zweck,
sie noch zu durchsuchen. Wieder zu spät.

„Nichts?" fragte Morosow, der ihm entgegenkam.

Ravic schüttelte den Kopf. „Ich sehe wahrscheinlich wieder einmal Gespenster."

„Hast du ihn erkannt?"

„Ich glaubte es. Eben noch. Jetzt – ich weiß jetzt überhaupt nichts mehr."

Morosow sah ihn an. „Es gibt viele Gesichter, die sich ähnlich sehen."

„Ja, und manche, die man nie vergißt."

Ravic blieb stehen. „Was willst du machen?" fragte Morosow.

„Ich weiß es nicht. Was soll ich schon machen?"

Morosow starrte auf die Menschenmenge. „Verdammtes Pech! Gerade um diese Zeit. Geschäftsschluß. Alles voll –"

„Ja –"

„Und dazu noch dieses Licht! Halbdunkel. Hast du ihn genau gesehen?"

Ravic antwortete nicht.

Morosow nahm ihn am Arm. „Hör zu", sagte er. „Weiter hier durch die Straßen und Querstraßen zu rennen, hat keinen Zweck mehr. Wenn du in einer bist, wirst du glauben, er sei gerade in der nächsten. Keine Chance. Laßt uns zurückgehen zu Fouquet's. Das ist der richtige Platz. Von da kannst du besser beobachten, als wenn du herumläufst. Wenn er zurückkommen sollte, mußt du ihn von da sehen."

Sie setzten sich an einen Tisch, der am Rande stand und frei nach allen Seiten war. Sie saßen lange da. „Was willst du machen, wenn du in treffen solltest?" fragte Morosow schließlich. „Weißt du das schon?"

Ravic schüttelte den Kopf.

„Denk darüber nach. Besser, du weißt es vorher. Es hat keinen Zweck, überrascht zu werden und Dummheiten zu machen. Besonders nicht in deiner Lage. Du willst doch nicht für Jahre ins Gefängnis."

Ravic sah auf. Er antwortete nicht. Er sah Morosow nur an.

„Mir wäre es auch egal", sagte Morosow. „Mit mir. Aber es ist mir nicht egal mit dir. Was hättest du getan, wenn er es jetzt gewesen wäre und du ihn erwischt hättest drüben an der Ecke?"

„Ich weiß es nicht, Boris. Ich weiß es wirklich nicht."

„Du hast nichts bei dir, wie?"

„Nein."

„Wenn du ihn angefallen hättest, ohne Überlegung, wäret ihr in einer Minute getrennt gewesen. Du wärest jetzt auf der Polizei, und er hätte wahrscheinlich nur ein paar blaue Flecken, das weißt du, wie?"

„Ja." Ravic starrte auf die Straße.

Morosow dachte nach. „Du hättest höchstens versuchen können, ihn an einer Kreuzung unter die Autos zu stoßen. Aber das wäre auch unsicher gewesen. Er hätte mit ein paar Schrammen davonkommen können."

„Ich werde ihn nicht unter ein Auto stoßen." Ravic starrte auf die Straße.

„Das weiß ich. Ich werde es auch nicht tun."

Morosow schwieg eine Weile. „Ravic", sagte er dann. „Wenn er es war und wenn du ihn triffst, dann mußt du todsicher sein, das weißt du? Du hast nur eine einzige Chance."

„Ja, das weiß ich." Ravic starrte weiter auf die Straße.

„Wenn du ihn sehen solltest, folge ihm. Nichts anderes. Folge ihm nur. Finde heraus, wo er wohnt. Weiter nichts. Alles andere kannst du später überlegen. Laß dir Zeit. Mach keinen Unsinn, hörst du?"

„Ja", sagte Ravic abwesend und starrte auf die Straße.

Ein Pistazienverkäufer kam an den Tisch. Ihm folgte ein Junge mit künstlichen Mäusen. Er ließ sie auf der Marmorplatte tanzen und auf seinem Ärmel emporlaufen. Der Geigenspieler erschien zum zweiten Male. Er spielte jetzt „Parlez moi d'amour" und trug einen Hut. Eine alte Frau mit syphilitischer Nase bot Veilchen an.

Morosow sah auf seine Uhr. „Acht", sagte er. „Zwecklos, weiter zu warten, Ravic. Wir sitzen schon über zwei Stunden hier. Der Mann kommt um diese Zeit nicht mehr zurück. Jeder Mensch in Frankreich ißt im Augenblick irgendwo zu Abend."

„Geh ruhig, Boris. Wozu sollst du überhaupt mit mir hier rumsitzen?"

„Das hat nichts zu sagen. Ich kann mit dir hier sitzen, solange wir wollen. Aber ich will nicht, daß du dich verrückt machst. Es ist sinnlos, daß du hier noch stundenlang wartest. Die Wahrscheinlichkeit, ihn zu treffen, ist jetzt überall gleich. Im Gegenteil: Sie ist jetzt sogar größer in jedem Restaurant, in jedem Nachtklub, in jedem Bordell."

„Ich weiß, Boris."

Morosow legte seine große, behaarte Hand auf Ravics Arm. „Ravic", sagte er. „Hör mich an. Wenn du den Mann treffen sollst, wirst du ihn treffen – und wenn nicht, dann kannst du Jahre auf ihn warten. Du weißt, was ich meine. Halte deine Augen offen – überall. Und sei auf alles vorbereitet. Aber sonst lebe so, als hättest du dich geirrt. Wahrscheinlich hast du das auch. Das ist das einzige, was du tun kannst. Du machst dich sonst kaputt. Ich habe das auch schon gehabt. Vor ungefähr zwanzig Jahren. Glaubte alle Augenblicke, einen der Henker meines Vaters zu sehen; Halluzinationen." Er trank sein Glas aus. „Verdammte Halluzinationen. Und jetzt komm mit mir. Wir wollen irgendwo essen gehen."

„Geh du essen, Boris. Ich komme später."

„Willst du hier sitzen bleiben?"

„Nur noch einen Augenblick. Ich gehe dann zum Hotel. Habe da noch etwas zu tun."

Morosow sah ihn an. Er wußte, was Ravic im Hotel wollte. Aber er wußte auch, daß er nichts mehr tun konnte. Dies ging Ravic allein an. „Gut", sagte er. „Ich bin bei der ‚Mère Marie'. Später im ‚Bubilshki'. Ruf mich an oder komm." Er hob seine buschigen Augenbrauen. „Und riskiere nichts. Sei kein unnötiger Held! Und kein verdammter Idiot. Schieße nur, wenn du bestimmt entkommen kannst. Dies ist kein Kinderspiel und kein Gangsterfilm."

„Das weiß ich, Boris, sei unbesorgt."

Ravic ging zum Hotel International und von da gleich zurück. Unterwegs kam er am Hotel Milan vorbei. Er sah auf die Uhr. Es war halb neun. Er konnte Joan noch zu Hause treffen.

Sie kam ihm entgegen. „Ravic", sagte sie überrascht. „Du kommst hierher?"

„Ja –"

„Du bist noch nie hier gewesen, weißt du das? Seit damals, als du mich abgeholt hast."

Er lächelte abwesend. „Es ist wahr, Joan. Wir führen ein sonderbares Leben."

„Ja. Wie die Maulwürfe oder Fledermäuse. Oder Eulen. Wir sehen uns nur, wenn es dunkel ist."

Sie ging mit langen, weichen Schritten im Zimmer hin und her. Sie trug einen dunkelblauen Dressinggown, der wie der eines Mannes geschnitten und mit einem Gürtel fest um die Hüften gezogen war. Auf dem Bett lag das schwarze Abendkleid, das sie in der Scheherazade brauchte. Sie war sehr schön und unendlich weit weg.

„Mußt du nicht gehen, Joan?"

„Noch nicht. Erst in einer halben Stunde. Dies ist meine beste Zeit. Die Stunde, bevor ich fort muß. Du siehst, was ich dann habe. Kaffee und alle Zeit der Welt. Und nun bist du sogar da. Ich habe auch Calvados."

Sie brachte die Flasche. Er nahm sie und stellte sie ungeöffnet auf den Tisch. Dann nahm er behutsam ihre Hände. „Joan", sagte er.

Das Licht in ihren Augen erlosch. Sie stand dicht vor ihm. „Sag mir nur gleich, was es ist –"

„Warum? Was soll es sein?"

„Irgend etwas. Wenn du so bist, ist es immer irgend etwas. Bist du deshalb gekommen?"

Er fühlte, daß ihre Hände von ihm wegstrebten. Sie bewegte sich nicht. Auch ihre Hände bewegten sich nicht. Es war nur, als ob in ihnen sich etwas fortzöge von ihm. „Du kannst heute abend nicht kommen, Joan. Heute nicht und vielleicht morgen und einige Tage nicht."

„Mußt du in der Klinik bleiben?"

„Nein. Es ist etwas anderes. Ich kann nicht darüber sprechen. Aber es ist etwas, das nichts mit dir und mir zu tun hat."

Sie stand eine Weile regungslos. „Gut", sagte sie dann.

„Du verstehst es?"

„Nein. Aber wenn du es sagst, wird es richtig sein."

„Du bist nicht böse?"

Sie sah ihn an. „Mein Gott, Ravic", sagte sie. „Wie könnte ich dir jemals für etwas böse sein?"

Er blickte auf. Ihm war, als hätte eine Hand sich fest auf sein Herz gelegt. Joan hatte ohne Absicht gesagt, was sie gesagt hatte, aber sie hätte nicht mehr tun können, um ihn zu treffen. Er gab nur wenig auf das, was sie in den Nächten stammelte und flüsterte; es war vergessen, wenn der Morgen grau vor dem Fenster rauchte. Er wußte, daß die Hingerissenheit in den Stunden, wenn sie neben ihm hockte oder lag, ebensoviel Hingerissenheit über sie selbst war, und er nahm es als Rausch und leuchtende Konfession der Stunde, aber nie mehr als das. Jetzt, zum erstenmal, wie ein Flieger, der durch einen Riß glänzender Wolken, auf denen das Licht Verstecken spielt, unten plötzlich die Erde, grün und braun und glänzend, erblickt, sah er mehr. Er sah unter Hingerissenheit Hingabe, unter Rausch Gefühl, unter dem Geklirr der Worte einfaches Vertrauen. Er hatte Mißtrauen, Fragen und Verständnislosigkeit erwartet – aber nicht dieses. Es waren immer die kleinen Dinge, die Aufschluß gaben, nie die großen. Die großen lagen zu nahe der dramatischen Geste und der Verführung zur Lüge.

Ein Raum. Ein Hotelraum. Ein paar Koffer, ein Bett, Licht, vor dem Fenster die schwarze Öde der Nacht und der Vergangenheit – und ein helles Gesicht hier mit grauen Augen und hohen Brauen und dem kühnen Schwung des Haares – Leben, biegsames Leben, ihm offen zugewandt, wie ein Oleanderbusch dem Licht – da war es, da stand es, wartend, schweigend, ihm zurufend: Nimm mich! Halte mich! Hatte er nicht einmal, vor langer Zeit, gesagt: Ich werde dich schon halten?

Er stand auf. „Gute Nacht, Joan."

„Gute Nacht, Ravic."

Er saß vor dem Café Fouquet's. Er saß an demselben Tisch wie vorher. Er saß Stunde um Stunde da, vergraben in die Finsternis der

Vergangenheit, in der nur ein einziges, schwaches Licht brannte: die Hoffnung auf Rache.

Man hatte ihn im August 1933 verhaftet. Er hatte zwei Freunde, die von der Gestapo gesucht wurden, vierzehn Tage bei sich verborgen gehalten und ihnen dann geholfen, zu fliehen. Einer davon hatte ihm 1917, vor Bixschoote in Flandern, das Leben gerettet und ihn, als er langsam verblutend im Niemandslande lag, unter gedecktem Maschinengewehrfeuer zurückgeholt. Der zweite war ein jüdischer Schriftsteller, den er seit Jahren kannte. Man brachte ihn zum Verhör; man wollte wissen, in welcher Richtung beide geflohen wären, was für Papiere sie hätten und wer ihnen unterwegs behilflich sein würde. Haake hatte ihn verhört. Nach der ersten Ohnmacht hatte er versucht, Haake mit seinem Revolver zu erschießen oder ihn zu erschlagen. Er sprang in eine krachende, rote Dunkelheit hinein. Es war ein sinnloser Versuch gegen vier bewaffnete, kräftige Leute gewesen. Drei Tage lang tauchte dann aus Ohnmachten, langsamem Erwachen, rasenden Schmerzen immer wieder das kühle, lächelnde Gesicht Haakes auf. Drei Tage dieselben Fragen – drei Tage derselbe Körper, zerschlagen, fast unfähig mehr zu leiden. Und dann, am Nachmittag des dritten Tages, brachte man die Frau. Sie wußte von nichts. Man zeigte ihn ihr, damit sie aussagen solle. Sie war ein luxuriöses, schönes Geschöpf, das ein spielerisches, belangloses Leben geführt hatte. Er erwartete, daß sie schreien und zusammenbrechen würde. Sie war nicht zusammengebrochen. Sie war auf die Henker losgefahren. Sie hatte tödliche Worte gesagt. Tödlich für sie, und sie wußte es. Haake hatte nicht mehr gelächelt. Er hatte das Verhör abgebrochen. Am nächsten Tage hatte er Ravic erklärt, was mit ihr geschehen würde im Konzentrationslager für Frauen, wenn er nicht gestehen würde. Ravic hatte nicht geantwortet. Haake hatte ihm dann erklärt, was vorher mit ihr geschehen würde. Ravic hatte nichts gestanden, weil nichts zu gestehen war. Er hatte Haake zu überzeugen versucht, daß die Frau nichts wissen konnte. Er hatte ihm gesagt, daß er sie oberflächlich kannte. Daß sie wenig mehr in seinem Dasein bedeutete als ein schönes Bild. Daß er sie nie zu irgend etwas ins Vertrauen hätte ziehen können. Alles war wahr gewesen. Haake hatte nur gelächelt. Drei Tage später war die Frau tot. Sie hatte sich im Konzentrationslager für Frauen erhängt. Einen Tag darauf brachte man einen der Flüchtlinge wieder. Es war der jüdische Schriftsteller. Als Ravic ihn sah, kannte er ihn nicht wieder, selbst an der Stimme nicht. Es dauerte noch eine Woche unter Haakes Verhör, bis er ganz tot war. Dann kam für ihn selbst das Konzentrationslager. Das Hospital. Die Flucht aus dem Hospital.

*

Der Mond stand silbern über dem Arc de Triomphe. Die Laternen die Champs-Elysées hinauf wehten im Wind. Das mächtige Licht spiegelte sich in den Gläsern auf dem Tisch. Unwirklich, diese Gläser, dieser Mond, diese Straße, diese Nacht und diese Stunde, die mich anweht, fremd und vertraut, als wäre sie schon einmal dagewesen, in einem anderen Leben, auf einem anderen Stern – unwirklich, diese Erinnerungen an Jahre, die vergangen sind, versunken, lebendig und tot zugleich, die nur noch in meinem Gehirn phosphoreszieren und sich zu Worten versteint haben – und unwirklich dieses, das durch das Dunkel meiner Adern rollt, ohne Ruhe, 37,6 Grad warm, etwas salzig schmeckend, vier Liter Geheimnis und Weitertreiben, Blut, Spiegelung in Ganglienzellen, unsichtbarer Storeraum im Nichts, Gedächtnis genannt, Stern um Stern, Jahr um Jahr hochwerfend, das eine hell, das andere blutig wie der Mars über der Rue de Berry und manches düster schimmernd und voll Flecken – der Himmel der Erinnerung, unter der die Gegenwart unruhig ihr konfuses Wesen trieb.

Das grüne Licht der Rache. Die Stadt, leise schwimmend im späten Mondlicht und dem Sausen der Automobilmotoren. Häuserreihen, lang, endlos sich dehnend, Fensterreihen, und hinter sie gepackte Bündel von Schicksalen, straßenweit. Herzklopfen von Millionen Menschen, unaufhörliches Herzklopfen, wie von einem millionenfältigen Motor, langsam, langsam die Straße des Lebens entlang, mit jedem Klopfen einen geringen Millimeter näher dem Tode zu.

Er stand auf. Die Champs-Elysées waren fast leer. Ein paar Huren lungerten an den Ecken herum. Er ging die Straße herunter, an der Rue Pierre Chardon, der Rue Marbeuf, der Rue Marignan vorüber, bis zum Rond Point und zurück bis zum Arc de Triomphe. Er stieg über die Ketten und stand vor dem Grab des Unbekannten Soldaten. Die kleine, blaue Lampe flackerte im Schatten. Ein verwelkender Kranz lag davor. Er überquerte den Etoile und ging zu dem Bistro, vor dem er Haake zuerst gesehen zu haben glaubte. Ein paar Chauffeure saßen darin. Er setzte sich an das Fenster, wo er damals gesessen hatte und trank einen Kaffee. Die Straße draußen war leer. Die Chauffeure unterhielten sich über Hitler. Sie fanden ihn lächerlich und prophezeiten ihm ein rasches Ende, wenn er sich an die Maginotlinie wagen sollte. Ravic starrte auf die Straße. Wozu sitze ich hier noch, dachte er. Ich könnte überall in Paris sitzen: die Chance ist gleich. Er sah auf die Uhr. Es war kurz vor drei. Zu spät. Haake – wenn er es war – würde um diese Zeit nicht mehr auf der Straße herumlaufen.

Er sah draußen eine Hure herumschlendern. Sie blickte durch das Fenster hinein und ging weiter. Wenn sie zurückkommt, gehe ich, dachte er. Die Hure kam zurück. Er ging nicht. Wenn sie noch einmal

wiederkommt, gehe ich bestimmt, beschloß er. Haake ist dann nicht
in Paris. Die Hure kam zurück. Sie winkte ihm mit dem Kopf und
ging vorüber. Er blieb sitzen. Sie kam noch einmal zurück. Er ging
nicht.

Der Kellner stellte die Stühle auf den Tisch. Die Chauffeure zahlten
und verließen das Bistro. Der Kellner drehte das Licht über der Theke
aus. Der Raum sank in schmutzige Dämmerung. Ravic sah sich um.
„Zahlen", sagte er.

Draußen war es windiger und kälter geworden. Die Wolken zogen
höher und rascher. Er kam an Joans Hotel vorbei und blieb stehen.
Alle Fenster waren dunkel, bis auf eines, in dem eine Lampe hinter
den Vorhängen schimmerte. Es war Joans Zimmer. Er wußte, daß
sie es haßte, in ein dunkles Zimmer zu kommen. Sie hatte das Licht
brennen lassen, weil sie heute nicht zu ihm kam. Er blickte auf und
begriff sich plötzlich nicht mehr. Wozu hatte er sie nicht sehen wollen?
Die Erinnerung an jene Frau war längst verschollen; nur die Erinnerung an ihren Tod war geblieben.

Und das andere? Was hatte das mit ihr zu tun? Was hatte es sogar
mit ihm selbst noch zu tun? War er nicht ein Narr, daß er einer Täuschung nachjagte, dem Reflex einer verknäuelten, schwarzen Erinnerung, einer finsteren Reaktion – daß er wieder zu wühlen begann in
den Schlacken toter Jahre, aufgerührt durch einen Zufall, eine verfluchte Ähnlichkeit – daß er ein Stück verfaulter Vergangenheit, eine
Schwäche kaum verheilter Neurose wieder aufbrechen ließ, und alles
dadurch in Gefahr brachte, was er in sich aufgebaut hatte, und den
einzigen Menschen, in all dem Gleiten, der ihm verbunden war? Was
hatte das eine mit dem andern zu tun? Hatte er sich das nicht selbst
immer wieder gelehrt? Wie wäre er sonst entkommen? Und wo wäre
er sonst geblieben?

Er spürte wie das Blei in seinen Gliedern schmolz. Er atmete tief.
Der Wind kam mit raschen Stößen die Straßen entlang. Er blickte
wieder auf das erleuchtete Fenster. Da war jemand, dem er etwas
bedeutete, jemand, für den er wichtig war, jemand, dessen Gesicht sich
veränderte, wenn es ihn sah – und er hatte es einer verzerrten Illusion,
dem ungeduldig abweisenden Hochmut einer blassen Rachehoffnung
opfern wollen –

Was wollte er denn? Wozu wehrte er sich? Wozu hob er sich auf?
Das Leben hielt sich ihm hin, und er machte Einwendungen. Nicht, weil
es zuwenig – weil es zuviel war. Mußte erst das blutige Gewitter der
Vergangenheit über ihn hinweggehen, damit er das erkennen konnte?
Er bewegte die Schultern. Herz, dachte er. Herz! Wie es sich öffnete!

Wie es sich bewegte! Fenster, dachte er, einsames leuchtendes Fenster in der Nacht, Widerschein eines anderen Lebens, das sich ungestüm ihm entgegengeworfen hatte, offen, bereit, bis auch er sich öffnete. Die Flamme der Lust, das Elmsfeuer der Zärtlichkeit, das helle, rasche Wetterleuchten des Blutes – man kannte das, man kannte alles, man kannte so viel, daß man glaubte, nie wieder würde die weiche, goldene Verwirrung das Gehirn überschwemmen können – und dann stand man plötzlich in einer Nacht vor einem drittklassigen Hotel, und es stieg wie Rauch aus dem Asphalt, und man spürte es, als käme von der andern Seite der Erde, von blauen Kokosinseln, die Wärme eines tropischen Frühlings, filtere sich durch Ozeane, Korallengründe, Lava und Dunkelheit und stiege jäh auf in Paris, in der schäbigen Rue de Poncelet, mit dem Duft von Hibiskus und Mimosen, in einer Nacht voll Rache und Vergangenheit, unwiderstehlich, unwidersprechlich, rätselhafte Erlösung des Gefühls –

Die Scheherazade war voller Menschen. Joan saß an einem Tisch mit einigen Leuten. Sie sah Ravic sofort. Er blieb an der Tür stehen. Das Lokal schwamm in Rauch und Musik. Sie sagte etwas zu den Leuten am Tisch und kam rasch auf ihn zu. „Ravic –"

„Hast du hier noch zu tun?"

„Warum?"

„Ich will dich mitnehmen."

„Aber du sagtest doch –"

„Das ist vorbei. Hast du hier noch etwas zu tun?"

„Nein. Ich muß nur denen drüben sagen, daß ich gehe."

„Tu es schnell – ich warte draußen im Taxi auf dich."

„Ja." Sie blieb stehen. „Ravic –"

Er sah sie an. „Bist du meinetwegen zurückgekommen?" fragte sie.

Er zögerte eine Sekunde. „Ja", sagte er dann leise in das atmende Gesicht hinein, das sich ihm hinhielt. „Ja. Joan. Deinetwegen. Nur deinetwegen!"

Sie machte eine rasche Bewegung. „Komm", sagte sie dann. „Laß uns gehen! Was kümmern uns diese Leute hier noch."

Das Taxi fuhr die Rue de Liège entlang. „Was war, Ravic?"

„Nichts."

„Ich hatte Angst."

„Vergiß es. Es war nichts."

Joan sah ihn an. „Ich dachte, du kämest nie wieder."

Er beugte sich über sie. Er fühlte, wie sie zitterte. „Joan", sagte er.
„Denk an nichts und frage nichts. Siehst du die Laternenlichter und die

tausend bunten Schilder da draußen? Wir leben in einer sterbenden Zeit, und diese Stadt bebt von Leben. Wir sind losgerissen von allem und haben nur noch unsere Herzen. Ich war auf einer Mondlandschaft und ich bin wiedergekommen, und du bist da und bist das Leben. Frage nichts mehr. Es gibt mehr Geheimnisse in deinem Haar als in tausend Fragen. Da, vor uns ist die Nacht, ein paar Stunden und eine Ewigkeit, bis der Morgen an das Fenster dröhnt. Daß Menschen sich lieben, ist alles; ein Wunder und das Selbstverständlichste, was es gibt, das habe ich heute gefühlt, als die Nacht in einen Blütenbusch zerschmolz und der Wind nach Erdbeeren roch, und ohne Liebe ist man nur ein Toter auf Urlaub, nichts als ein paar Daten und ein zufälliger Name, und man kann ebensogut sterben —"

Das Licht der Laterne flog durch das Fenster des Taxis wie die kreisenden Scheinwerfer eines Leuchtturms durch die Dunkelheit einer Schiffskabine. Joans Augen waren abwechselnd sehr durchsichtig und sehr schwarz in dem bleichen Gesicht. „Wir sterben nicht", flüsterte sie in Ravics Armen.

„Nein. Nicht wir. Nur die Zeit. Die verdammte Zeit. Sie stirbt immer. Wir leben. Wir leben immer. Wenn du erwachst, ist es Frühling, und wenn du einschläfst, ist es Herbst, und tausendmal dazwischen ist es Winter und Sommer, und wenn wir uns genug lieben, sind wir ewig und unzerstörbar, wie der Herzschlag und der Regen und der Wind, und das ist viel. Wir siegen in Tagen, süße Geliebte, und wir verlieren in Jahren, aber wer will es wissen und wen kümmert es? Die Stunde ist das Leben. Der Augenblick am nächsten der Ewigkeit, deine Augen schimmern, der Sternstaub tropft durch die Unendlichkeit, Götter vergreisen, aber dein Mund ist jung, das Rätsel zittert zwischen uns, das Du und Ich, Ruf und Antwort, aus den Abenden, aus den Dämmerungen, aus den Entzückungen aller Liebenden, gekeltert aus fernsten Brunstschreien zum goldenen Sturm, den unendlichen Weg von der Amöbe zu Ruth und Esther und Helena und Aspasia, zu blauen Madonnen in Kapellen am Wege, von Kriechen und Tier zu dir und mir —"

Sie lag in seinem Arm, regungslos, mit blassem Gesicht, und so hingegeben, daß sie fast abweisend erschien — und er beugte sich über sie und sprach und sprach — und es war ihm im Anfang, als sähe ihm jemand über die Schultern, ein Schatten, und spräche lautlos, mit einem undeutlichen Lächeln, mit, und er beugte sich tiefer und fühlte, wie sie ihm entgegenkam, und noch war es da, und dann nicht mehr.

13

Ein Skandal", sagte die Frau mit den Smaragden, die Kate Hegström gegenübersaß. „Ein herrlicher Skandal! Ganz Paris lacht darüber. Hast du je gewußt, daß Louis homosexuell ist? Sicher nicht. Wir alle haben das nicht gewußt; er hat das sehr gut kaschiert. Lina de Newbourg galt als seine offizielle Mätresse – und nun stell dir vor: Vor einer Woche kommt er aus Rom zurück, drei Tage früher, als er gesagt hat, und geht abends zu dem Appartement dieses Nickys, will ihn überraschen, und wen findet er da?"

„Seine Frau", sagte Ravic.

Die Frau mit den Smaragden blickte auf. Sie sah plötzlich aus, als hätte sie gerade gehört, ihr Mann sei bankrott. „Sie kennen die Geschichte schon?" fragte sie.

„Nein. Aber es muß so sein."

„Das verstehe ich nicht." Sie starrte Ravic irritiert an. „Es war doch äußerst unwahrscheinlich."

Kate Hegström lächelte. „Doktor Ravic hat eine Theorie, Daisy. Er nennt sie Systematik des Zufalls. Danach ist das Unwahrscheinliche immer nahezu das Logischste."

„Interessant." Daisy lächelte höflich und gänzlich uninteressiert. „Es wäre nichts herausgekommen", fuhr sie fort, „wenn Louis nicht eine fürchterliche Szene gemacht hätte. Er war völlig außer sich. Jetzt wohnt er im Crillon. Will sich scheiden lassen. Jeder wartet auf die Gründe." Sie lehnte sich voll Erwartung in ihren Sessel zurück. „Was sagst du dazu?"

Kate Hegström sah rasch zu Ravic hinüber. Er betrachtete einen Zweig Orchideen, der zwischen Hutschachteln und einem Obstkorb mit Trauben und Pfirsichen auf dem Tisch stand – schmetterlingshafte, weiße Blüten mit lasziven, rotgesprenkelten Herzen.

„Unwahrscheinlich, Daisy", sagte sie. „Wirklich unwahrscheinlich!"

Daisy genoß ihren Triumph. „Das hätten Sie doch wohl nicht vorhergewußt wie?" fragte sie Ravic.

Er steckte behutsam den Zweig in die schmale Kristallvase zurück. „Nein, das allerdings nicht."

Daisy nickte befriedigt und sammelte ihre Handtasche, ihre Puderdose und ihre Handschuhe ein. „Ich muß davon. Louise hat um fünf eine Cocktailparty. Ihr Minister kommt. Man munkelt da so allerlei." Sie stand auf. „Übrigens, Fery und Marthe sind wieder auseinander. Sie hat ihm ihren Schmuck zurückgeschickt. Zum drittenmal jetzt. Es beeindruckt ihn immer noch. Das gute Schaf. Glaubt, um seiner selbst willen geliebt zu werden. Er wird ihr alles zurückgeben und zur Belohnung noch ein Stück dazu. Wie immer. Er weiß es nicht – aber sie hat sich bei Ostertag schon ausgesucht, was sie haben will. Er kauft da immer. Eine Rubinbrosche; viereckige, große Steine, bestes Taubenblut. Sie ist gescheit."

Sie küßte Kate Hegström. „Adieu, mein Lamm. Jetzt bist du wenigstens etwas auf dem Laufenden über das, was in der Welt passiert. Kannst du noch nicht bald hier heraus?" Sie sah Ravic an.

Er fing einen Blick Kate Hegströms auf. „Vorläufig noch nicht", sagte er. „Leider."

Er half Daisy in ihren Mantel. Es war ein dunkler Nerz ohne Kragen. Ein Mantel für Joan, dachte er. „Kommen Sie doch einmal mit Kate zum Tee", sagte Daisy. „Mittwochs sind immer nur ein paar Leute da; wir können dann ungestört plaudern. Ich interessiere mich sehr für Operationen."

„Gerne."

Ravic schloß die Tür hinter ihr und kam zurück. „Schöne Smaragde", sagte er.

Kate Hegström lachte. „Das war nun früher mein Leben, Ravic. Können Sie das verstehen?"

„Ja. Warum nicht? Herrlich, wenn man es kann. Schützt einen vor vielem."

„Ich kann es nicht mehr verstehen." Sie stand auf und ging vorsichtig zu ihrem Bett.

Ravic sah ihr nach. „Es ist ziemlich belanglos, wo man lebt, Kate. Es kann bequemer sein, aber es ist nie wichtig. Wichtig ist nur, was man daraus macht. Und das auch nicht immer."

Sie zog die langen, schönen Beine aufs Bett. „Alles ist belanglos", sagte sie, „wenn man ein paar Wochen im Bett gelegen hat und wieder gehen kann."

„Sie brauchen nicht mehr hier zu bleiben, wenn Sie nicht wollen. Sie können in Lancaster wohnen, wenn Sie eine Schwester mitnehmen."

Kate Hegström schüttelte den Kopf. „Ich bleibe hier, bis ich reisen kann. Hier bin ich vor allzu vielen Daisys geschützt."

„Werfen Sie sie raus, wenn sie kommen. Nichts ist anstrengender als Geschwätz."

Sie streckte sich vorsichtig im Bett aus. „Können Sie sich denken, daß diese Daisy, trotz ihrer Klatschereien, eine großartige Mutter ist? Sie erzieht ihre beiden Kinder ausgezeichnet."

„Das kommt vor", erklärte Ravic ungerührt.

Sie zog die Decke über sich. „Eine Klinik ist wie ein Konvent", sagte sie. „Man lernt die einfachsten Sachen wieder schätzen. Gehen, Atmen, Sehen."

„Ja. Das Glück liegt nur so um uns herum. Wir brauchen es bloß aufzuheben."

Sie sah ihn an. „Ich meine das wirklich, Ravic."

„Ich auch, Kate. Nur einfache Dinge enttäuschen nie. Und mit Glück kann man gar nicht weit genug unten anfangen."

Jeannot lag im Bett, einen Haufen Broschüren über die Decke verstreut.

„Warum machst du kein Licht?" fragte Ravic.

„Ich kann noch genug sehen. Ich habe gute Augen."

Die Broschüren waren Beschreibungen künstlicher Beine. Jeannot hatte sie sich auf alle mögliche Weise besorgt. Seine Mutter hatte ihm die letzten gebracht. Er zeigte Ravic einen besonders farbigen Prospekt. Ravic drehte das Licht an. „Dieses ist das teuerste", sagte Jeannot.

„Es ist nicht das beste", erwiderte Ravic.

„Aber es ist das teuerste. Ich werde der Versicherung erklären, daß ich es haben muß. Ich will es natürlich überhaupt nicht haben. Die Versicherung soll es nur bezahlen. Ich will einen Holzstumpf haben und das Geld."

„Die Versicherung hat Vertrauensärzte, die alles kontrollieren, Jeannot."

Der Junge richtete sich auf. „Meinen Sie, daß sie mir kein Bein bewilligen werden?"

„Doch. Vielleicht nicht das teuerste. Aber sie werden dir nicht das Geld geben; sie werden dafür sorgen, daß du es wirklich bekommst."

„Dann muß ich es nehmen und sofort zurückverkaufen. Dabei verliere ich natürlich. Glauben Sie, daß zwanzig Prozent Verlust genug ist? Ich werde es zuerst mit zehn anbieten. Vielleicht kann man mit dem Händler vorher reden. Was geht es die Versicherung an, ob ich das Bein nehme? Bezahlen muß sie es; alles andere kann ihr doch egal sein – oder nicht?"

„Natürlich. Du kannst es ja einmal versuchen."

„Es würde etwas ausmachen. Wir könnten für das Geld schon die Theke und eine Ausstattung für eine kleine Crèmerie kaufen." Jeannot lachte verschmitzt. „So ein Bein mit Gelenk und allem ist Gott sei Dank ziemlich teuer. Präzisionsarbeit. Das ist gut."

„War schon jemand von der Versicherung da?"

„Nein. Für das Bein und die Abfindung noch nicht. Nur für die

Operation und die Klinik. Müssen wir einen Rechtsanwalt nehmen?
Was glauben Sie? Es war rotes Licht! Ganz bestimmt. Die Polizei –"

Die Schwester kam mit dem Abendessen. Sie stellte es auf den Tisch
neben Jeannot. Der Junge sagte nichts, bis sie fort war. „Es gibt hier
viel zu essen", sagte er dann. „So gut habe ich es nie gehabt. Ich kann
es nicht allein aufessen. Meine Mutter kommt immer und ißt den Rest.
Es ist genug für uns beide. Sie spart so. Das Zimmer hier kostet ohnehin sehr viel."

„Das bezahlt die Versicherung. Es ist ganz gleich, wo du liegst."

Ein Schimmer huschte über das graue Gesicht des Jungen. „Ich habe
mit Doktor Veber gesprochen. Er gibt mir zehn Prozent. Die Rechnung für das, was es kostet, schickt er an die Versicherung. Die bezahlt
es; aber er gibt mir zehn Prozent in bar zurück."

„Du bist tüchtig, Jeannot."

„Man muß tüchtig sein, wenn man arm ist!"

„Das stimmt. Hast du Schmerzen?"

„Im Fuß, den ich nicht mehr habe."

„Das sind die Nerven, die noch da sind."

„Ich weiß. Komisch, trotzdem. Daß man Schmerzen hat in etwas,
das nicht mehr da ist. Vielleicht ist die Seele von meinem Fuß noch
da." Jeannot grinste. Er hatte einen Witz gemacht. Dann deckte er die
oberen Schüsseln seines Abendessens ab. „Suppe, Huhn, Gemüse, Pud-
ding. Das ist was für meine Mutter. Sie ißt gern Huhn. Haben wir
nicht oft gehabt zu Hause." Er legte sich behaglich zurück. „Manchmal
wache ich nachts auf und denke, wir müßten hier alles selbst bezahlen.
Wie man nachts so denkt, im ersten Augenblick. Dann erinnere ich mich,
daß ich hier liege, wie ein Sohn von feinen Leuten, und habe ein Recht,
alles zu verlangen und kann Schwestern klingeln, und sie müssen
kommen, und andere Leute müssen das alles bezahlen. Großartig,
was?"

„Ja", sagte Ravic. „Großartig."

Er saß im Untersuchungszimmer des „Osiris". „Ist noch jemand
da?" fragte er.

„Ja", sagte Leonie. „Yvonne. Sie ist die letzte."

„Schick sie herein. Du bist gesund, Leonie."

Yvonne war fünfundzwanzig Jahre alt, fleischig, blond, mit einer
breiten Nase und den kurzen dicken Händen und Füßen vieler Huren.
Sie schaukelte selbstzufrieden herein und hob den seidenen Fetzen, den
sie trug, hoch.

„Dorthin", sagte Ravic.

„Geht es nicht so?" fragte Yvonne.

„Warum?"

Statt zu antworten, drehte sie sich schweigend um und zeigte ihren kräftigen Hintern. Er war blau von Striemen. Sie mußte eine furchtbare Tracht Prügel von jemand bekommen haben.

„Ich hoffe, der Kunde hat dich gut dafür bezahlt", sagte Ravic. „So was ist kein Spaß."

Yvonne schüttelte den Kopf. „Keinen Centime, Doktor. Es war kein Kunde."

„Dann hat es dir also Spaß gemacht. Ich wußte nicht, daß du das gern hast."

Yvonne schüttelte wieder den Kopf, ein zufriedenes, mysteriöses Lächeln auf dem Gesicht. Ravic sah, daß ihr die Situation gefiel. Sie fühlte sich wichtig. „Ich bin keine Masochistin", sagte sie. Sie war stolz, das Wort zu kennen.

„Was war es dann? Krach?"

Yvonne wartete eine Sekunde. „Liebe", sagte sie dann und dehnte wohlig die Schultern.

„Eifersucht?"

„Ja." Yvonne strahlte.

„Tut es sehr weh?"

„Sowas tut nicht weh." Sie legte sich vorsichtig hin. „Wissen Sie, Doktor, daß Madame Rolande mich erst nicht arbeiten lassen wollte? Nur eine Stunde, habe ich gesagt; probieren Sie es nur eine Stunde! Sie werden sehen! Und jetzt habe ich viel mehr Erfolg mit dem blauen Hintern als je früher."

„Warum?"

„Ich weiß nicht. Es gibt Kerle, die verrückt darnach sind. Es regt sie auf. Ich habe in den letzten drei Tagen zweihundertfünfzig Franc mehr gemacht. Wie lange wird das noch zu sehen sein?"

„Mindestens zwei bis drei Wochen."

Yvonne schnalzte mit der Zunge. „Wenn das so weitergeht, kann ich mir davon einen Pelzmantel kaufen. Fuchs – tadellos geblendete Katzenfelle."

„Wenn es nicht reicht, kann dein Freund dir ja leicht nachhelfen mit einer neuen Tracht Prügel."

„Das macht er nicht", sagte Yvonne lebhaft. „So ist er nicht. Kein berechnendes Aas, wissen Sie? Er macht das nur aus Leidenschaft. Wenn es über ihn kommt. Ich könnte ihn auf den Knien bitten, er täte es sonst nicht."

„Charakter." Ravic blickte auf. „Du bist gesund, Yvonne."

Sie erhob sich. „Dann kann ja die Arbeit losgehen. Unten wartet schon ein Alter auf mich. Einer mit einem grauen Spitzbart. Ich habe ihm die Striemen gezeigt. Er ist wild darnach. Hat zu Hause nichts zu sagen. Träumt davon, daß er seine Alte verhauen möchte, glaube ich." Sie brach in ein glockenklares Gelächter aus. „Doktor, die Welt ist komisch, wie?" Sie schaukelte selbstzufrieden hinaus.

Ravic wusch sich. Dann stellte er die Sachen, die er gebraucht hatte, beiseite und trat ans Fenster. Die Dämmerung hing silbergrau über den Häusern. Die kahlen Bäume griffen wie schwarze Hände von Toten durch den Asphalt. In verschütteten Schützengräben hatte man manchmal solche Hände gesehen. Er öffnete das Fenster und sah hinaus. Die Stunde der Unrealität, schwebend zwischen Tag und Nacht. Die Stunde der Liebe in den kleinen Hotels – für Leute, die verheiratet waren und abends würdig der Familie präsidierten. Die Stunde, in der die Italienerinnen der lombardischen Tiefebene schon begannen, felicissima notte zu sagen. Die Stunde der Verzweiflung und die Stunde der Träume.

Er schloß das Fenster. Das Zimmer schien plötzlich viel dunkler geworden zu sein. Schatten waren hereingeflogen und hockten in den Winkeln, voll von lautlosem Geschwätz. Die Kognakflasche, die Rolande gebracht hatte, leuchtete wie ein polierter Topasquarz auf dem Tisch. Ravic stand einen Augenblick – dann ging er hinunter.

Der Musikapparat spielte, und der große Raum war bereits hell erleuchtet. Die Mädchen saßen in ihren rosa Seidenhemden in zwei Reihen auf den gepolsterten Puffs. Alle hatten die Brüste frei. Die Kunden wollten sehen, was sie kauften. Ein halbes Dutzend waren schon da. Meistens Kleinbürger mittleren Alters. Es waren die vorsichtigen Fachleute, die wußten, wann die Untersuchung war, und sie kamen um diese Zeit, um absolut keinen Tripper zu riskieren. Yvonne war mit ihrem Alten. Er saß an einem Tsich, mit einem Dubonnet vor sich. Sie stand neben ihm, ein Fuß auf einem Stuhl, und trank Champagner. Sie bekam zehn Prozent von der Flasche. Der Mann mußte sehr verrückt sein, daß er das spendierte. Es war eine Sache für Ausländer. Yvonne war sich dessen bewußt. Sie hatte eine Haltung wie ein leutseliger Zirkusdompteur.

„Fertig, Ravic?" fragte Rolande, die an der Tür stand.

„Ja. Alles in Ordnung."

„Willst du etwas trinken?"

„Nein, Rolande. Ich muß zum Hotel. Habe bis jetzt gearbeitet. Ein heißes Bad und frische Wäsche – das ist alles, was ich jetzt brauche."

Er ging an der Garderobe neben der Bar vorüber hinaus. Der Abend stand mit violetten Augen vor der Tür. Einsam und eilig summte ein Flugzeug über den blauen Himmel. Ein Vogel zwitscherte schwarz und klein auf dem obersten Ast eines der kahlen Bäume.

Eine Frau mit Krebs, der in ihr fraß wie ein augenloses, graues Tier; ein Krüppel, der seine Rente ausrechnete; – eine Hure mit einem goldbringenden Hintern; – die erste Drossel im Geäst; – das glitt und glitt, und jetzt ging er, unbewegt von dem allem, langsam durch die Dämmerung, die nach warmem Bett roch, zu einer Frau.

„Willst du noch einen Calvados?"

Joan nickte. „Ja, gib mir noch etwas."

Ravic winkte dem Maître d'hôtel. „Gibt es noch einen älteren Calvados als diesen?"

„Ist dieser nicht gut?"

„Doch. Aber vielleicht haben Sie noch einen anderen im Keller."

„Ich will sehen."

Der Kellner ging zur Kasse, an der die Wirtin mit ihrer Katze schlief. Von dort verschwand er hinter einer Tür mit einer Milchglasscheibe, hinter der der Patron mit seinen Rechnungen hauste. Nach einer Weile kam er mit wichtiger, gesammelter Miene zurück und ging, ohne zu Ravic hinüberzusehen, die Treppe zum Keller hinunter.

„Es scheint zu klappen."

Der Kellner kam mit einer Flasche zurück, die er wie ein Wickelkind in den Armen hielt. Es war eine schmutzige Flasche; nicht eine der malerisch verkrusteten für Touristen, sondern einfach eine sehr schmutzige Flasche, die viele Jahre im Keller gelegen hatte. Er öffnete sie vorsichtig, beroch den Korken und holte dann zwei große Gläser.

„Mein Herr", sagte er zu Ravic und schenkte ein paar Tropfen ein. Ravic nahm das Glas und atmete den Duft ein. Dann trank er, lehnte sich zurück und nickte. Der Kellner nickte feierlich zurück und füllte dann die beiden Gläser zu einem Drittel.

„Versuch das einmal", sagte Ravic zu Joan.

Sie nahm einen Schluck und setzte das Glas nieder. Der Kellner beobachtete sie. Sie sah Ravic erstaunt an. „So etwas habe ich noch nie gehabt", sagte sie, und nahm einen zweiten Schluck. „Man trinkt es nicht, man atmet es nur einfach ein."

„Das ist es, meine Dame", erklärte der Kellner befriedigt. „Sie haben es erfaßt."

„Ravic", sagte Joan. „Du tust hier etwas Gefährliches. Nach diesem Calvados will ich nie mehr einen andern trinken."

„O doch, du wirst auch noch andern trinken."

„Aber ich werde immer von diesem träumen."

„Gut. Du wirst dadurch ein Romantiker. Ein Calvados-Romantiker."

„Der andere wird mir dann aber nicht mehr schmecken."

„Im Gegenteil, er wird dir sogar noch besser schmecken, als er in Wirklichkeit ist. Es wird ein Calvados mit Sehnsucht nach einem andern Calvados sein. Das macht ihn dann bereits weniger alltäglich."

Joan lachte. „Das ist Unsinn. Du weißt das auch."

„Natürlich ist es Unsinn. Aber wir leben von Unsinn. Nicht vom magern Brot der Tatsachen. Wo bliebe die Liebe sonst?"

„Was hat das mit Liebe zu tun?"

„Eine Menge. Es sorgt für das Fortbestehen. Wir würden sonst nur einmal lieben und alles später ablehnen. So aber wird das bißchen Sehnsucht nach dem, den man verläßt oder der einen verläßt, schon zur Glorie um den Schädel dessen, der nachher kommt. Daß man aber vorher etwas verloren hat, gibt dem Neuen bereits eine gewisse romantische Verklärung. Eine alte, fromme Gaukelei."

Joan blickte ihn an. „Ich finde es scheußlich, wenn du so redest."

„Ich auch."

„Du solltest das nicht tun. Nicht einmal im Scherz. Es macht ein Wunder zu einem Trick."

Ravic antwortete nicht.

„Und es klingt, als wärest du schon müde und dächtest darüber nach, mich zu verlassen."

Ravic sah sie mit einer fernen Zärtlichkeit an. „Darüber brauchst du nie nachzudenken, Joan. Wenn es einmal soweit ist, wirst du mich verlassen. Nicht ich dich. Das ist sicher."

Sie setzte ihr Glas hart nieder. „Was ist das für ein Unsinn! Ich werde dich nie verlassen. Wohin willst du mich da wieder hineinreden?"

Die Augen, dachte Ravic. Als gingen Blitze dahinter nieder. Sanfte, rötliche Blitze von einem Gewirr von Kerzen. „Joan", sagte er. „Ich will dich in nichts hineinreden. Aber ich will dir einmal die Geschichte von der Welle und dem Felsen erzählen. Es ist eine alte Geschichte. Älter als wir. Hör zu. Es war einmal eine Welle, die liebte den Felsen irgendwo im Meer, sagen wir in der Bucht von Capri. Sie umschäumte und umbrauste ihn, sie küßte ihn Tag und Nacht, sie umschlang ihn mit ihren weißen Armen. Sie seufzte und weinte und flehte ihn an, zu ihr zu kommen, sie liebte ihn und umschwärmte ihn und unterspülte ihn dabei langsam, und eines Tages gab er nach und war ganz unterspült und sank in ihre Arme."

Er nahm einen Schluck Calvados. „Und?" fragte Joan.

„Und plötzlich war er kein Felsen mehr zum Umspielen, zum Umlieben und zum Umtrauern. Er war nur noch ein Steinbrocken auf dem Meeresgrunde, untergegangen in ihr. Die Welle fühlte sich enttäuscht und betrogen und suchte sich dann einen neuen Felsen."

„Und?" Joan sah ihn mißtrauisch an. „Was heißt das schon? Er hätte eben ein Felsen bleiben sollen."

„Das sagen die Wellen immer. Aber alles Bewegliche ist stärker als alles Starre. Wasser ist stärker als Felsen."

Sie machte eine ungeduldige Bewegung. „Was hat das alles mit uns zu tun? Das ist doch nur eine Geschichte, die nichts bedeutet. Oder du machst dich wieder einmal lustig über mich. Wenn es einmal dazu kommt, wirst du mich verlassen, das ist alles, was ich bestimmt weiß."

„Das", sagte Ravic lachend, „wird die letzte Feststellung sein, wenn du gehst. Du wirst mir erklären, ich habe dich verlassen. Und du wirst Gründe dafür haben und es glauben –, und du wirst recht haben vor dem ältesten Gerichtshof der Welt: Natur."

Er winkte dem Kellner. „Können wir diese Flasche Calvados kaufen?"

„Sie wollen sie mitnehmen?"

„Exakt."

„Mein Herr, das ist gegen unsere Grundsätze. Wir verkaufen keine Flaschen."

„Fragen Sie den Patron."

Der Kellner kam mit einer Zeitung zurück. Es war der „Paris Soir". „Der Wirt will eine Ausnahme machen", erklärte er, drückte den Korken fest ein und wickelte die Flasche in den „Paris Soir", nachdem er die Sportbeilage herausgenommen, zusammengefaltet und in die Tasche gesteckt hatte. „Hier, mein Herr. Lagern Sie ihn am besten dunkel und kühl. Er stammt vom Gute des Großvaters unseres Patrons."

„Gut." Ravic zahlte. Er nahm die Flasche und sah sie an. „Sonnenschein, auf Äpfeln einen heißen Sommer und einen blauen Herbst lang gelegen, in einem windverwehten, alten Obstgarten der Normandie, komm mit uns. Wir brauchen dich. Es stürmt irgendwo im Universum."

Sie traten auf die Straße. Es hatte angefangen zu regnen. Joan blieb stehen. „Ravic! Liebst du mich?"

„Ja, Joan. Mehr als du glaubst."

Sie lehnte sich an ihn. „Es sieht manchmal nicht so aus."

„Im Gegenteil. Ich würde dir sonst solche Dinge nie erzählen."

„Du solltest mir lieber andere erzählen."

Er sah in den Regen und lächelte. „Liebe ist kein Teich, in dem man sich immer spiegeln kann, Joan. Sie hat Ebbe und Flut. Und Wracks und versunkene Städte und Oktopusse und Stürme und Goldkisten und Perlen. Aber die Perlen liegen tief."

„Davon weiß ich nichts. Liebe ist Zusammengehören. Für immer."

Für immer, dachte er. Das alte Kindermärchen. Wenn man nicht einmal die Minute halten kann!

Joan knöpfte ihren Mantel zu. „Ich wollte, es wäre Sommer", sagte sie. „Ich habe es noch nie so gewollt wie in diesem Jahr."

Sie nahm ihr schwarzes Abendkleid aus dem Schrank und warf es auf das Bett. „Wie ich das manchmal hasse. Dieses ewige, schwarze Kleid! Diese ewige Scheherazade! Immer dasselbe! Immer dasselbe!"

Ravic blickte auf. Er sagte nichts.

„Verstehst du das nicht?" fragte sie.

„O ja –"

„Warum nimmst du mich nicht da weg, Liebster?"

„Wohin?"

„Irgendwohin! Irgendwohin!"

Ravic wickelte die Flasche Calvados aus und zog den Pfropfen heraus. Dann holte er ein Glas und goß es voll. „Komm", sagte er. „Trink das."

Sie schüttelte den Kopf. „Es nützt nichts. Manchmal nützt es nicht, zu trinken. Manchmal nützt alles nicht. Ich will heute abend nicht dahin gehen, zu diesen Idioten."

„Bleib hier."

„Und dann?"

„Telephoniere, du seist krank."

„Dann muß ich morgen trotzdem hin. Das ist noch schlimmer."

„Du kannst für ein paar Tage krank sein."

„Das bleibt dasselbe." Sie sah ihn an. „Was ist das nur? Was ist das nur mit mir, Liebster? Ist es der Regen? Ist es die nasse Dunkelheit? Manchmal ist es wie ein Sarg, in dem man liegt. Die grauen Nachmittage, in denen man ertrinkt. Ich hatte es vergessen, vorhin, ich war glücklich mit dir in dem kleinen Restaurant; – warum mußtest du über Verlassen und Verlassenwerden sprechen? Ich will nichts davon wissen und will nichts davon hören! Es macht mich traurig, es hält mir Bilder hin, die ich nicht sehen will, und es macht mich unruhig. Ich weiß, du meinst es nicht so, aber es trifft mich. Es trifft mich, und dann kommt der Regen und die Dunkelheit. Du kennst das nicht. Du bist stark."

„Stark?" wiederholte Ravic.

„Ja."

„Woher weißt du das?"

„Du hast keine Angst."

„Ich habe schon keine Angst mehr. Das ist nicht dasselbe, Joan."

Sie hörte nicht, was er sagte. Sie ging auf und ab mit ihren langen Schritten, für die der Raum zu klein war. Sie geht immer, als ginge sie gegen den Wind, dachte Ravic. „Ich möchte weg von dem allem", sagte sie. „Weg von diesem Hotel, weg von diesem Nachtklub mit den klebrigen Blicken, weg!" Sie blieb stehen. „Ravic, müssen wir so leben, wie wir leben? Können wir nicht leben wie andere Menschen, die sich lieben? Beieinandersein und Dinge haben, die einem gehören, und Abende und Sicherheit, anstatt dieser Koffer und leeren Tage und dieser Hotelzimmer, in denen man fremd ist?"

Ravics Gesicht war undeutbar. Da kommt es, dachte er. Er hatte es irgendwann erwartet. „Siehst du das wirklich für uns, Joan?"

„Warum nicht? Andere haben es auch! Wärme, Zusammengehören, ein paar Zimmer, und wenn man die Tür zumacht, ist die Unruhe fort, und es kriecht nicht durch die Wände, wie hier."

„Siehst du es wirklich?" wiederholte Ravic.

„Ja."

„Eine hübsche, kleine Wohnung mit einer hübschen, kleinen Bürgerlichkeit. Eine hübsche, kleine Sicherheit am Rande des Kraters. Siehst du das wirklich?"

„Man kann es auch anders nennen", sagte sie traurig. „Nicht gerade so – verächtlich. Wenn man jemand liebt, hat man andere Namen dafür."

„Es bleibt dasselbe, Joan. Siehst du es wirklich? Wir sind beide nicht dafür geschaffen."

Sie blieb stehen. „Ich schon."

Ravic lächelte. Es war Zärtlichkeit, Ironie und ein Schatten von Traurigkeit darin. „Joan", sagte er. „Du auch nicht. Du noch weniger als ich. Aber das ist nicht der einzige Grund. Da ist noch ein anderer."

„Ja", erwiderte sie bitter. „Das weiß ich."

„Nein, Joan. Das weißt du nicht. Aber ich will es dir sagen. Es ist besser. Du sollst nicht denken, was du jetzt denkst."

Sie stand immer noch vor ihm. „Wir wollen es rasch machen", sagte er. „Und frag mich nicht viel nachher."

Sie antwortete nicht. Ihr Gesicht war leer. Es war plötzlich wieder das Gesicht, das sie früher gehabt hatte. Er nahm ihre Hände. „Ich lebe illegal in Frankreich", sagte er. „Ich habe keine Papiere. Das ist der wirkliche Grund. Deshalb kann ich nie eine Wohnung nehmen. Ich kann auch nie heiraten, wenn ich jemand liebe. Ich brauche Ausweise und Visa dazu. Die habe ich nicht. Ich darf nicht einmal arbeiten. Ich muß es schwarz tun. Ich kann nie anders leben als jetzt."

Sie starrte ihn an. „Ist das wahr?"

Er zuckte die Achseln. „Es gibt ein paar tausend Menschen, die so ähnlich leben. Du weißt das doch sicher auch. Jeder weiß das ja heute. Ich bin einer davon." Er lächelte und ließ ihre Hände los. „Ein Mensch ohne Zukunft, wie Morosow das nennt."

„Ja – aber –"

„Ich habe es sogar noch sehr gut. Ich arbeite, ich lebe, ich habe dich – was sind da ein paar Unbequemlichkeiten?"

„Und die Polizei?"

„Die Polizei kümmert sich nicht allzuviel darum. Wenn sie mich zufällig erwischt, würde ich ausgewiesen, das ist alles. Aber das ist unwahrscheinlich. Und nun geh und telephoniere deinem Nachtklub, daß du nicht kommst. Wir wollen heute den Abend für uns haben. Den ganzen Abend. Sag, daß du krank seiest. Wenn sie ein Attest wollen, besorge ich dir eines von Veber."

Sie ging nicht. „Ausgewiesen", sagte sie, als begriffe sie das nur langsam, „Ausgewiesen? Aus Frankreich? Und dann bist du fort?"

„Nur für eine kurze Zeit."

Sie schien nicht zu hören. „Fort", sagte sie. „Fort! Und was soll ich dann machen?"

Ravic lächelte. „Ja", sagte er. „Was sollst du dann machen?"

Sie saß da, die Hände aufgestützt, wie erstarrt. „Joan", sagte Ravic. „Ich bin seit zwei Jahren hier, und es ist nichts passiert."

Ihr Gesicht veränderte sich nicht. „Und wenn es trotzdem passiert?"

„Dann bin ich bald wieder zurück. In ein, zwei Wochen. Es ist wie eine Reise, weiter nichts. Und nun ruf die Scheherazade an."

Sie erhob sich zögernd. „Was soll ich sagen?"

„Daß du Bronchitis hast. Sprich etwas heiser."

Sie ging zum Telephon hinüber. Dann kam sie rasch zurück. „Ravic –"

Er machte sich vorsichtig los. „Komm", sagte er. „Das ist vergessen. Es ist sogar ein Segen. Es behütet uns davor, Rentiers der Leidenschaft zu werden. Es hält die Liebe rein – sie bleibt eine Flamme –, und wird kein Kochherd für den Familienkohl. Geh jetzt und telephoniere."

Sie nahm den Hörer hoch. Er sah ihr zu, wie sie sprach. Im Anfang war sie nicht dabei; sie sah ihn immer noch an, als würde er gleich verhaftet. Aber dann begann sie allmählich ziemlich leicht und selbstverständlich zu lügen. Sie log sogar mehr hinzu, als notwendig war. Ihr Gesicht belebte sich und zeigte die Schmerzen in der Brust, die sie beschrieb. Ihre Stimme wurde müde und immer heiserer und am Schluß begann sie zu husten. Sie sah Ravic nicht mehr an; sie blickte vor sich hin und war ganz hingegeben an ihre Rolle. Er beobachtete sie schweigend und trank dann einen großen Schluck Calvados. Keine Komplexe, dachte er. Ein Spiegel, der wunderbar spiegelt – aber nichts hält.

Joan legte den Hörer nieder und strich sich das Haar zurück. „Sie haben alles geglaubt."

„Du warst erstklassig."

„Sie sagten, ich solle zu Bett bleiben. Und wenn es morgen nicht vorbei sei, um Himmels willen auch."

„Siehst du. Damit ist die Angelegenheit mit morgen auch schon erledigt."

„Ja", sagte sie eine Sekunde finster. „Wenn man es so nimmt." Dann kam sie zu ihm herüber. „Du hast mich erschreckt, Ravic. Sag, daß es nicht wahr ist. Du sagst oft Dinge nur so dahin. Sag, daß es nicht wahr ist. Nicht so, wie du es gesagt hast."

„Es ist nicht wahr."

Sie legte den Kopf an seine Schulter. „Es kann nicht wahr sein. Ich will nicht wieder allein sein. Du mußt bei mir bleiben. Ich bin nichts, wenn ich allein bin. Ich bin nichts ohne dich, Ravic."

Ravic sah auf sie herunter. „Joan", sagte er. „Manchmal bist du die Tochter eines Portiers und manchmal Diana aus den Wäldern. Und manchmal beides."

Sie rührte sich nicht an seiner Schulter. „Was bin ich jetzt?"

Er lächelte. „Diana mit dem silbernen Bogen. Unverwundbar und tödlich."

„Du sollst mir das öfters sagen."

Ravic schwieg. Sie hatte nicht verstanden, was er gemeint hatte. Es war auch nicht nötig. Sie nahm, was ihr paßte und wie es ihr paßte, und kümmerte sich um weiter nichts. Aber war es nicht das gerade, was ihn anzog? Wer wollte schon jemanden, der war, wie man selbst? Und wer fragte nach Moral in der Liebe? Das war eine Erfindung der Schwachen. Und der Klagegesang der Opfer.

„Was denkst du?" fragte sie.

„Nichts."

„Nichts?"

„Doch", sagte er. „Wir werden ein paar Tage wegfahren, Joan. Dahin, wo Sonne ist. Nach Cannes oder Antibes. Zum Teufel mit aller Vorsicht! Zum Teufel auch mit allen Träumen von Dreizimmerwohnungen und dem Geiergeschrei der Bürgerlichkeit! Das ist nichts für uns. Bist du nicht Budapest und der Geruch blühender Kastanienalleen, nachts, wenn die ganze Welt heiß und sommergierig mit dem Monde schläft? Du hast recht! Wir wollen heraus aus der Dunkelheit und der Kälte und dem Regen! Wenigstens für ein paar Tage."

Sie hatte sich rasch aufgerichtet und sah ihn an. „Meinst du das wirklich?"

„Ja."

„Aber – die Polizei –"

„Zum Teufel mit der Polizei! Es ist drüben nicht gefährlicher als hier. Touristenplätze werden nicht scharf kontrolliert. Besonders nicht die guten Hotels. Warst du nie da?"

„Nein. Nie. Ich war nur in Italien und an der Adria. Wann fahren wir?"

„In zwei, drei Wochen. Das ist die beste Zeit."

„Haben wir denn Geld?"

„Wir haben etwas. In zwei Wochen werden wir genügend haben."

„Wir können in einer kleinen Pension wohnen."

„Du gehörst in keine kleine Pension. Du gehörst in eine Bude wie hier, oder in ein erstklassiges Hotel. Wir werden im Caphotel in Antibes wohnen. Solche Hotels sind völlig sicher, und niemand verlangt dort Papiere. Ich muß in der nächsten Zeit einem bedeutenden Tier, irgendeinem höheren Beamten, den Bauch aufschneiden; der wird dafür sorgen, daß wir den Rest des Geldes, das wir brauchen, dazu bekommen."

Joan stand rasch auf. Ihr Gesicht leuchtete. „Komm", sagte sie. „Gib mir noch von dem Calvados. Er scheint wirklich ein Calvados der Träume zu sein." Sie ging zum Bett hinüber und hob das Abendkleid hoch. „Mein Gott – und ich habe nur diese zwei alten schwarzen Fetzen!"

„Vielleicht können wir da auch noch etwas tun. In zwei Wochen kann manches passieren. Ein Blinddarm in der besseren Gesellschaft oder ein komplizierter Bruch bei einem Millionär –"

14

André Durant war ehrlich entrüstet. „Man kann mit Ihnen nicht mehr arbeiten", erklärte er.

Ravic zuckte die Achseln. Er wußte von Veber, daß Durant zehntausend Franc für die Operation bekam. Wenn er nicht vorher abmachte, was er haben wollte, würde Durant ihm zweihundert Franc schicken. Er hatte es das letztemal auch getan.

„Eine halbe Stunde vor der Operation. Ich hätte das von Ihnen nie erwartet, Doktor Ravic."

„Ich auch nicht", sagte Ravic.

„Sie wissen, daß Sie sich auf meine Generosität stets verlassen konnten. Ich verstehe nicht, weshalb Sie jetzt so geschäftlich sind. Es ist mir peinlich, in diesem Augenblick, wo der Patient weiß, daß wir sein Leben in der Hand halten, über Geld zu reden."

„Mir nicht", erwiderte Ravic.

Durant sah ihn eine Weile an. Sein faltiges Gesicht mit dem weißen

Knebelbart zeigte Würde und Indignation. Er rückte an der goldenen Brille. „Was haben Sie denn gedacht?" fragte er widerstrebend.

„Zweitausend Franc."

„Was?" Durant wirkte, als sei er erschossen worden und glaubte es noch nicht. „Lächerlich", sagte er dann kurz.

„Schön", sagte Ravic. „Sie können ja leicht noch jemand andern finden. Nehmen Sie Binot; er ist ausgezeichnet."

Er griff nach seinem Mantel. Durant starrte ihn an. In seinem würdigen Gesicht arbeitete es. „Warten Sie doch", sagte er, als Ravic seinen Hut nahm. „Sie können mich doch nicht einfach so sitzenlassen! Warum haben Sie mir das nicht gestern gesagt?"

„Gestern waren Sie auf dem Lande und nicht zu erreichen."

„Zweitausend Franc! Wissen Sie, daß ich das nicht einmal verlangen werde? Der Patient ist ein Freund, dem ich nur meine Auslagen rechnen kann."

André Durant sah aus wie der liebe Gott in Kinderbüchern. Er war siebzig Jahre alt, ein leidlicher Diagnostiker, aber ein schwacher Operateur. Seine glänzende Praxis gründete sich hauptsächlich auf die Arbeit seines früheren Assistenten Binot, dem es vor zwei Jahren gelungen war, sich endlich selbständig zu machen. Seitdem benützte Durant Ravic für seine schwierigen Operationen. Ravic machte die kleinsten Schnitte und arbeitete so, daß die Narben kaum sichtbar blieben. Durant war ein ausgezeichneter Bordeauxkenner, ein beliebter Gast auf eleganten Parties, und seine Patienten kamen meistens daher.

„Hätte ich das gewußt", murmelte er.

Er wußte es immer. Das war die Ursache dafür, daß er vor größeren Operationen ein oder zwei Tage in seinem Hause auf dem Lande war. Er wollte vermeiden, vor der Operation über den Preis zu reden. Nachher war es einfacher – er konnte dann Hoffnung auf das nächste Mal machen – und das nächste Mal war es dann wieder dasselbe. Diesmal war Ravic, zu Durants Überraschung nicht im letzten Moment, sondern eine halbe Stunde vor der angesetzten Zeit zur Operation erschienen und hatte ihn erwischt, bevor der Patient eingeschläfert war. Es gab so keine Möglichkeit, das als Grund zu benutzen, um die Diskussion abzukürzen.

Die Schwester steckte den Kopf in die Tür. „Sollen wir mit der Narkose anfangen, Herr Professor?"

Durant schaute sie an; dann beschwörend und mit Menschlichkeit Ravic. Ravic schaute menschlich, aber fest zurück. „Was meinen Sie, Herr Doktor Ravic?" fragte Durant.

„Die Entscheidung liegt bei Ihnen, Professor."

„Eine Minute, Schwester. Wir sind uns noch nicht ganz klar über den Verlauf." Die Schwester zog sich zurück. Durant wandte sich an Ravic. „Was nun?" fragte er vorwurfsvoll.

Ravic steckte die Hände in die Taschen. „Verschieben Sie die Operation auf morgen – oder um eine Stunde und nehmen Sie Binot."

Binot hatte zwanzig Jahre fast alle Operationen Durants gemacht und war dabei zu nichts gekommen, weil Durant ihn systematisch von fast jeder Möglichkeit, etwas selbständig zu werden, abgeschnitten und ihn stets als besseren Handlanger gekennzeichnet hatte. Er haßte Durant und würde mindestens fünftausend Franc verlangen, das wußte Ravic. Durant wußte es auch.

„Doktor Ravic", sagte er. „Unser Beruf sollte nicht in geschäftliche Diskussionen ausarten."

„Das finde ich auch."

„Warum überlassen Sie es nicht meiner Diskretion, die Sache zu regeln? Sie waren doch bisher stets zufrieden."

„Nie", sagte Ravic.

„Das haben Sie mir niemals gesagt."

„Weil es wenig Zweck gehabt hätte. Außerdem hat es mich nicht sehr interessiert. Diesmal interessiert es mich. Ich brauche das Geld."

Die Schwester kam wieder herein. „Der Patient ist unruhig, Herr Professor."

Durant starrte Ravic an. Ravic starrte zurück. Es war schwer, einem Franzosen Geld zu entreißen, das wußte er. Schwerer als einem Juden. Ein Jude sieht das Geschäft, ein Franzose nur das Geld, das er hergeben soll.

„Eine Minute, Schwester", sagte Durant. „Nehmen Sie Puls, Blutdruck und Temperatur."

„Das habe ich schon."

„Dann fangen Sie mit der Narkose an."

Die Schwester ging. „Also gut", sagte Durant mit einem Entschluß. „Ich werde Ihnen tausend geben."

„Zweitausend", korrigierte er.

Durant ging nicht darauf ein. Er fuhr über seinen weißen Knebelbart. „Hören Sie, Ravic", sagte er dann mit Wärme. „Als Refugié, der nicht praktizieren darf –"

„Dürfte ich auch bei Ihnen nicht operieren", sagte Ravic ruhig. Er wartete jetzt nur noch auf die traditionelle Erklärung, daß er dankbar zu sein hätte, im Lande geduldet zu werden.

Aber Durant verzichtete darauf. Er sah, daß er nicht weiterkam und die Zeit drängte. „Zweitausend", sagte er so bitter, als sei das Wort eine Banknote, die ihm aus der Kehle flatterte. „Ich werde es aus meiner eigenen Tasche zahlen müssen. Ich dachte, Sie würden sich erinnern, was ich für Sie getan habe."

Er wartete. Sonderbar, dachte Ravic, daß Blutsauger so gern moralisch werden. Dieser alte Gauner mit der Rosette der Ehrenlegion im Knopfloch wirft mir vor, daß ich ihn ausnütze, anstatt sich zu schämen. Und er glaubt es sogar noch.

„Also zweitausend", sagte Durant endlich. „Zweitausend", wiederholte er. Es war, als sagte er Heimat, lieber Gott, grüne Spargel, junge Rebhühner, alter St. Emilion. Dahin! „Können wir jetzt anfangen?"

Der Mann hatte einen fetten Spitzbauch und dünne Arme und Beine. Ravic wußte zufällig, wer er war. Er hieß Leval und war ein Beamter, zu dessen Ressort die Angelegenheiten der Emigranten gehörten. Veber hatte es ihm erzählt, als besonderen Witz. Leval war ein Name, den jeder Refugié im International kannte.

Ravic machte rasch den ersten Schnitt. Die Haut öffnete sich wie ein Buch. Er klammerte sie fest und sah auf das gelbliche Fett, das ihm entgegenquoll. „Wir werden ihn als Gratiszugabe ein paar Pfund leichter machen. Er kann sie sich dann wieder anfressen", sagte er zu Durant.

Durant antwortete nicht. Ravic entfernte die Fettlager, um zu dem Muskel vorzudringen. Da liegt er nun, der kleine Gott der Refugiés, dachte er. Der Mann, der Hunderte von Schicksalen in seiner Hand hält, in dieser weißen Patschhand, die jetzt leblos daliegt. Der Mann, der den alten Professor Meyer ausgewiesen hat, Meyer, der nicht mehr die Kraft hatte, noch einmal den Kreuzweg zu beginnen und der sich am Tage vor seiner Ausweisung schlicht in seinem Schrank im Hotel International erhängte. In seinem Schrank, weil nirgends sonst ein Haken war. Er konnte es; er war so leicht vom Hungern, daß der Haken, der für Kleider bestimmt war, hielt. Es war auch nicht mehr als ein Bündel Kleider mit etwas erwürgtem Leben darin, was das Mädchen morgens fand. Hätte dieser Spitzbauch hier Erbarmen gehabt, würde Meyer noch leben. „Klammer", sagte er. „Tupfer."

Er schnitt weiter. Die Präzision des scharfen Messers. Die Sensation eines klaren Schnittes. Die Bauchgrube. Die weißen Ringwürmer der Eingeweide. Der da lag, mit offenem Bauch, hatte auch seine moralischen Prinzipien. Er hatte menschliches Bedauern für Meyer, aber er hatte auch etwas, das er seine nationale Pflicht nannte. Immer war ein Schirm da, sich dahinter zu verstecken; ein Vorgesetzter, der wieder einen Vorgesetzten hatte; Orders, Anweisungen, Pflichten, Befehle – und schließlich das vielköpfige Monster Moral, Notwendigkeit, harte

Wirklichkeit, Verantwortung und sonstwie genannt – immer war ein
Schirm da, die einfachen Gesetze der Menschlichkeit zu umgehen.

Da war die Gallenblase, verrottet und krank. Hunderte von Tour-
nedos Rossini, von Tripes à la mode de Caën, canards pressés und
fetten Saucen, zusammen mit schlechter Laune und einigen Litern von
gutem Bordeaux hatten das geschafft. Der alte Meyer hatte solche Sorgen nicht gehabt. Wenn man jetzt schlecht schnitt, zu weit schnitt, zu
tief schnitt – würde dann in einer Woche ein besserer Mann in dem
muffig nach Akten und Motten riechenden Zimmer sitzen, wo zitternde
Emigranten die Entscheidung über Tod und Leben erwarteten? Ein
besserer – vielleicht auch ein schlechterer. Dieser besinnungslose, sechzig
Jahre alte Körper hier auf dem Tisch unter den grellen Lampen, hielt
sich zweifellos für human. Er war bestimmt ein freundlicher Vater,
ein guter Gatte – aber im Moment, wo er sein Büro betrat, verwandelte
er sich in einen Tyrannen, der sich hinter den Phrasen: Wir können
doch nicht – und: Wo sollte es hinführen, wenn – versteckte. Frankreich wäre nicht zugrunde gegangen, wenn Meyer eine bescheidene
Mahlzeit am Tage weiter verzehrt hätte – wenn die Witwe Rosenthal
weiter auf ihren erschlagenen Sohn hätte warten dürfen in einer Dienst-
botenkammer des International – wenn der lungenkranke Weißwaren-
händler Stallmann nicht sechs Monate im Gefängnis wegen illegalen
Grenzübertritts gesessen hätte und nur herauskam, um zu sterben, bevor er zur Grenze abgeschoben werden konnte.

Gut. Der Schnitt war gut. Nicht zu tief, nicht zu weit. Catgut. Der
Knoten. Die Gallenblase. Er zeigte sie Durant. Sie glänzte speckig im
weißen Licht. Er warf sie in den Eimer. Weiter. Warum nähte man in
Frankreich mit Reverdins? Raus mit der Klemme! Der warme Bauch
eines Durchschnittsbeamten mit einem Gehalt von 30 000 bis 40 000
Franc jährlich. Wie konnte er da zehntausend für die Operation bezahlen? Wo verdiente er den Rest? Dieser Spitzbauch hatte auch einmal mit Murmeln gespielt. Das war eine gute Naht. Stich bei Stich.
Zweitausend Franc steht immer noch auf dem Gesicht Durants, ob-
schon man seinen Spitzbart nicht mehr sieht. Es steht in den Augen.
Jedes Auge tausend Franc. Liebe verdirbt den Charakter. Hätte ich
sonst diesen Rentier ausgepreßt und seinen Glauben an die göttliche
Weltordnung der Ausbeutung erschüttert? Morgen wird er salbungs-
voll am Bette des Spitzbauchs sitzen und Dankessprüche für seine
Arbeit entgegennehmen. Vorsichtig, da war noch eine Klammer! Der
Spitzbauch ist eine Woche in Antibes für Joan und mich. Eine Woche
Licht im Aschenregen der Zeit. Ein blaues Stück Himmel, bevor das
Gewitter kommt. Nun den Saum der Bauchdecke. Extra fein, für die
zweitausend Franc. Ich sollte eine Schere mit einnähen als Andenken

an Meyer. Das sausende, weiße Licht. Warum denkt man nur soviel durcheinander? Zeitungen, wahrscheinlich. Radio. Das endlose Geplärr der Lügner und Feiglinge. Dekonzentration durch Wortlawinen. Konfuse Gehirne. Offen für jeden demagogischen Dreck. Nicht mehr gewöhnt, das harte Brot der Erkenntnis zu kauen. Zahnlose Gehirne. Blödsinn. So, das ist auch fertig. Jetzt noch die Schlabberhaut. In ein paar Wochen kann er dann wieder zitternde Refugiés ausweisen. Vielleicht wird er auch milder ohne Gallenblase. Wenn er nicht stirbt. Sowas stirbt mit achtzig, geehrt, mit Selbstrespekt und stolzen Enkeln. Fertig. Weg mit ihm!

Ravic zog die Handschuhe von den Händen und die Maske vom Gesicht. Der hohe Beamte glitt auf lautlosen Rädern aus dem Operationsraum. Ravic blickte ihm nach. Wenn du das wüßtest, Leval! dachte er. Daß deine hochlegale Galle mir illegalem Flüchtling ein paar äußerst illegale Tage an der Riviera bescheren wird!

Er begann sich zu waschen. Neben ihm wusch Durant sich langsam und methodisch die Hände. Die Hände eines alten Mannes mit hohem Blutdruck. Während er sich die Finger sorgfältig rieb, kaute er im Rhythmus mit dem Unterkiefer langsam und mahlend, als zerriebe er Korn. Wenn er aufhörte zu reiben, hörte er auch auf zu kauen. Wenn er wieder begann, setzte das Kauen ebenfalls wieder ein. Er wusch sich diesmal besonders langsam und lange. Er will die zweitausend Franc noch ein paar Minuten länger behalten, dachte Ravic.

„Worauf warten Sie noch?" fragte Durant nach einer Weile.

„Auf Ihren Scheck."

„Ich werde Ihnen das Geld schicken, wenn der Patient bezahlt. Das wird einige Wochen sein, nachdem er aus der Klinik entlassen ist."

Durant begann sich die Hände abzutrocknen. Dann griff er nach einer Flasche Eau de Cologne d'Orsay und rieb sich damit ein. „Sie trauen mir doch wohl soviel – wie?" fragte er.

Gauner, dachte Ravic. Will noch ein bißchen Demütigung herausquetschen. „Sie sagten doch, daß der Patient ein Freund von Ihnen sei, der Ihnen nur die Unkosten bezahle."

„Ja –" erwiderte Durant unverbindlich.

„Nun – die Unkosten sind ein paar Francs für Material und die Schwestern. Die Klinik gehört Ihnen. Wenn Sie hundert Franc für alles rechnen – die können Sie abziehen und mir später geben."

„Die Unkosten, Doktor Ravic", erklärte Durant und richtete sich auf, „sind leider bedeutend höher, als ich dachte. Die zweitausend Franc für Sie gehören mit dazu. Infolgedessen muß ich sie dem Patienten auch rechnen." Er schnupperte an seinen Händen nach dem Eau de Cologne. „Sie sehen –"

Er lächelte. Seine gelben Zähne bildeten einen lebendigen Kontrast zu seinem schneeweißen Bart. Als hätte jemand im Schnee gepißt, dachte Ravic. Immerhin, zahlen wird er. Veber wird mir das Geld daraufhin geben. Ich werde diesem alten Bock den Gefallen nicht tun, ihn jetzt noch darum zu bitten.

„Schön", sagte er. „Wenn es so schwierig für Sie ist, dann schicken Sie es mir später."

„Es ist nicht schwierig für mich. Obschon Ihre Forderung plötzlich und überraschend war. Es ist der Ordnung halber."

„Gut, dann machen wir es der Ordnung halber; es ist dasselbe."

„Es ist absolut nicht dasselbe."

„Der Effekt ist derselbe", sagte Ravic. „Und nun entschuldigen Sie mich. Ich möchte einen Schnaps trinken, adieu."

„Adieu", sagte Durant überrascht.

Kate Hegström lächelte. „Warum kommen Sie nicht mit, Ravic?"

Sie stand vor ihm, schlank, sicher, auf hohen Beinen, die Hände in den Taschen ihres Mantels. „Die Forsythien müssen jetzt schon blühen in Fiesole. Gelbes Feuer der Gartenmauer entlang. Ein Kamin, Bücher, Frieden."

Ein Lastwagen donnerte draußen über das Pflaster. Die Glasrahmen der Bilder in dem kleinen Empfangsraum der Klinik klirrten. Es waren Photographien der Kathedrale von Chartres.

„Die Stille nachts. Weit weg von allem", sagte Kate Hegström. „Würden Sie das nicht lieben?"

„Ja. Aber ich würde es vielleicht nicht aushalten."

„Warum nicht."

„Stille ist nur gut, wenn man selbst still ist."

„Ich bin nicht still."

„Sie wissen, was Sie wollen. Das ist fast dasselbe."

„Wissen Sie das nicht?"

„Ich will nichts."

Kate Hegström knöpfte ihren Mantel langsam zu. „Was ist das nun, Ravic? Glück oder Verzweiflung?"

Er lächelte ungeduldig. „Beides, wahrscheinlich. Beides, wie fast immer. Man soll nicht zuviel darüber nachdenken."

„Was soll man denn?"

„Sich freuen."

Sie sah ihn an. „Dazu braucht man niemand anders", sagte sie.

„Dazu braucht man immer jemand anders."

Er schwieg. Was rede ich da, dachte er. Reisegerede. Abschieds-verlegenheit, sanftes Pastorengeschwätz. „Nicht für die kleinen Glücke, von denen Sie einmal sprachen", sagte er. „Die blühen überall, wie Veilchen um ein niedergebranntes Haus. Wer nichts erwartet, wird nicht enttäuscht – das ist eine gute Basis. Alles, was dann kommt, ist schon ein bißchen dazu."

„Es ist gar nichts", erwiderte Kate Hegström. „Es ist nur so, wenn man im Bett liegt und vorsichtig denkt. Nicht mehr, wenn man herumgehen kann. Man verliert es dann wieder. Man will mehr."

Ein schräger Strahl Licht vom Fenster fiel quer über ihr Gesicht. Es ließ ihre Augen im Schatten; nur ihr Mund blühte einsam darin auf.

„Haben Sie einen Arzt in Florenz?" fragte Ravic.

„Nein. Brauche ich einen?"

„Es kann immer noch eine Kleinigkeit vorkommen. Irgend etwas. Es ist beruhigender für mich, wenn ich weiß, daß Sie einen Arzt drüben haben."

„Ich fühle mich sehr wohl. Und wenn etwas passieren sollte, kann ich ja zurückkommen."

„Natürlich. Es ist auch nur eine Vorsicht. Es gibt in Florenz einen guten Arzt: Professor Fiola. Wollen Sie das behalten? Fiola."

„Ich werde es vergessen. Es ist doch nicht wichtig, Ravic."

„Ich werde ihm schreiben. Er wird sich um Sie kümmern."

„Aber warum? Mir fehlt ja nichts."

„Professionelle Vorsicht, Kate. Weiter nichts. Ich werde ihm schreiben, er möchte Sie anrufen."

„Meinetwegen." Sie nahm ihre Handtasche. „Adieu, Ravic. Ich gehe. Vielleicht fahre ich von Florenz gleich nach Cannes und von da mit der ‚Conte di Savoya' nach New York. Sollten Sie einmal in Amerika sein, dann werden Sie eine Frau in einem Landhaus mit einem Mann und Kindern und Pferden und Hunden finden. Die Kate Hegström, die Sie kannten, lasse ich hier. Sie hat ein kleines Grab in der Scheherazade. Trinken Sie ab und zu hinüber, wenn Sie hingehen."

„Gut. Mit Wodka."

„Ja. Mit Wodka." Sie stand unschlüssig in der Dämmerung des Zimmers. Der Streifen Licht fiel jetzt hinter sie auf eine der Photographien von Chartres. Den Hochaltar mit dem Kreuz. „Sonderbar", sagte sie. „Ich sollte froh sein. Ich bin es nicht –"

„Das ist so mit jedem Abschied, Kate. Sogar mit dem von der Verzweiflung."

Sie stand vor ihm, zaudernd, voll sanften Lebens, entschlossen und etwas traurig. „Das einfachste bei einem Abschied ist immer, zu gehen", sagte Ravic. „Kommen Sie, ich bringe Sie hinaus."

„Ja."

Die Luft war milde und feucht. Wie angeglühtes Eisen hing der Himmel tief zwischen den Dächern. „Ich werde Ihnen ein Taxi holen, Kate."

„Nein. Ich will bis zur Ecke gehen. Ich finde da eines. Es ist fast das erstemal, daß ich wieder draußen bin."

„Wie ist es?"

„Wie Wein."

„Soll ich Ihnen nicht doch ein Taxi holen?"

„Nein. Ich will gehen."

Sie blickte die nasse Straße entlang. Dann lachte sie. „In irgendeinem Winkel ist immer noch ein bißchen Angst. Gehört das auch dazu?"

„Ja. Das gehört dazu."

„Adieu, Ravic."

„Adieu, Kate."

Sie stand noch eine Sekunde, als wolle sie etwas sagen. Dann ging sie die Stufen hinab, mit vorsichtigen Schritten, schmal, noch geschmeidig, die Straße entlang, in den veilchenfarbenen Abend und ihren Untergang. Sie sah sich nicht mehr um.

Ravic ging zurück. Als er an dem Zimmer vorbeikam, in dem Kate Hegström gelegen hatte, hört er Musik. Erstaunt blieb er stehen. Er wußte, daß noch kein neuer Patient da war.

Vorsichtig öffnete er die Tür und sah die Schwester, die vor einem Grammophon kniete. Sie fuhr zusammen, als sie Ravic hörte und sprang auf. Das Grammophon spielte eine alte Platte: „Le dernier valse."

Das Mädchen strich sich das Kleid glatt. „Miß Hegström hat mir das Grammophon geschenkt", sagte sie. „Es ist ein amerikanischer Apparat. Man kann ihn hier nicht kaufen. Nirgendwo in Paris. Es ist der einzige hier. Ich habe ihn rasch einmal probiert. Er spielt fünf Platten automatisch."

Sie glühte vor Stolz. „Er ist mindestens dreitausend Franc wert. Und all die Platten dazu. Es sind sechsundfünfzig. Außerdem ist noch ein Radio darin. Das nennt man Glück."

Glück, dachte Ravic. Schon wieder. Hier war es ein Grammophon. Er blieb stehen und hörte zu. Die Geige flog wie eine Taube über dem Orchester auf, klagend und sentimental. Es war einer der Schmachtfetzen, die manchmal mehr ans Herz griffen als alle Nocturnes von Chopin. Ravic sah sich um. Das Bett abgedeckt und die Matratze hochgestellt. Die Wäsche lag in einem Haufen neben der Tür. Die Fenster standen offen. Der Abend starrte ironisch herein. Ein verwehter Ge-

ruch von Parfüm und die ausklingenden Akkorde eines Salonwalzers
waren das, was von Kate Hegström zurückgeblieben war.

„Ich kann nicht alles auf einmal mitnehmen", sagte die Schwester.
„Es ist zu schwer. Ich werde erst den Apparat mitnehmen und dann
noch zweimal gehen und die Platten holen. Vielleicht auch dreimal. Es
ist wunderbar. Man könnte ein Café damit aufmachen."

„Gute Idee", sagte Ravic. „Seien Sie vorsichtig, damit Sie nichts
zerbrechen."

15

Ravic erwachte sehr langsam. Er lag noch eine Zeitlang in dem sonderbaren Zwielicht von Traum und Wirklichkeit; – der Traum war
noch da, blasser und fetzenhafter – und gleichzeitig wußte er schon,
daß er träumte. Er war im Schwarzwald, in der Nähe der deutschen
Grenze, auf einer kleinen Bahnstation. Ein Wasserfall lärmte in der
Nähe. Der Geruch der Tannen kam von den Bergen. Es war Sommer
und das Tal war voll vom Geruch von Harz und Wiesen. Die Schienen
der Bahn blinkten rot in der Abendsonne; – als wäre ein Zug, aus dem
Blut tropfte, über sie gefahren. Was mache ich hier? dachte Ravic. Was
mache ich hier in Deutschland? Ich bin doch in Frankreich. Ich bin doch
in Paris. Er glitt über eine weiche, schillernde Woge, die ihn mehr mit
Schlaf überschüttete. Paris – da zerfloß es schon, war nur noch im
Nebel, versank. Er war nicht in Paris. Er war in Deutschland. Weshalb
war er nur noch einmal hierhergekommen?

Er ging über den kleinen Bahnhof. Der Schaffner stand neben dem
Zeitungsstand. Er las den „Völkischen Beobachter" und war ein Mann
mittleren Alters mit einem dicken Gesicht und sehr blonden Augenbrauen. „Wann geht der nächste Zug?" fragte Ravic.

Der Schaffner sah ihn träge an. „Wohin wollen Sie denn?"

Ravic spürte plötzlich eine Welle heißen Schreckens. Wo war er?
Wie hieß der Ort? Wie hieß die Station? Sollte er Freiburg sagen? Verflucht, weshalb wußte er nicht, wo er war? Er blickte den Bahnsteig
entlang. Kein Ortsschild. Nirgendwo ein Name. Er lächelte. „Ich bin
auf Urlaub", sagte er.

„Wohin wollen Sie denn?" fragte der Schaffner.

„Ich fahre so umher. Ich bin hier aufs Geratewohl ausgestiegen. Es
gefiel mir vom Fenster her. Jetzt gefällt es mir nicht mehr. Ich kann
keine Wasserfälle leiden. Jetzt will ich weiter."

„Wohin wollen Sie denn? Sie müssen doch wissen, wohin Sie
wollen?"

„Ich muß übermorgen in Freiburg sein. Bis dahin habe ich Zeit. Es
macht mir Spaß, so herumzufahren, ohne Ziel."

„Diese Linie führt nicht nach Freiburg", sagte der Schaffner und sah ihn an.

Was mache ich da für Unsinn? dachte Ravic. Weshalb frage ich überhaupt. Weshalb warte ich nicht einfach? Wie komme ich hierher? „Ich weiß", sagte er. „Ich habe ja noch Zeit genug. Gibt es hier irgendwo einen Kirsch? Echten Schwarzwälder Kirsch?"

„Drüben in der Stationswirtschaft", sagte der Schaffner und sah ihn noch immer an.

Ravic ging langsam über den Perron. Seine Schritte hallten auf dem Zement unter dem offenen Dach der Station. Im Warteraum erster und zweiter Klasse sah er zwei Männer sitzen. Er fühlte ihre Blicke in seinem Rücken. Ein paar Schwalben flogen unter dem Bahnhofsdach entlang. Er tat, als ob er sie beobachtete, und sah aus den Augenwinkeln nach dem Schaffner. Der faltete die Zeitung zusammen. Dann folgte er Ravic. Ravic ging in die Wirtschaft. Der Raum roch nach Bier. Niemand war da. Er verließ die Kneipe wieder. Der Schaffner stand draußen. Er sah Ravic herauskommen und ging in den Warteraum. Ravic ging rascher. Er hatte sich verdächtig gemacht, das wußte er plötzlich. An der Ecke des Gebäudes sah er sich um. Niemand war auf dem Bahnsteig. Eilig ging er zwischen der Gepäckabfertigung und dem leeren Gepäckschalter durch. Er duckte sich unter der Gepäckrampe vorbei, auf der ein paar Milchkannen standen und kroch unter dem Fenster entlang, hinter dem ein Telegraph tickte, bis er die andere Seite des Gebäudes erreichte. Vorsichtig sah er sich um. Dann überschritt er schnell die Schienen und lief über eine blühende Wiese dem Tannenwalde zu. Die staubigen Kronen des Löwenzahns flogen auf, während er durch die Wiese lief. Als er bei den Tannen anlangte, sah er den Schaffner und die beiden Männer auf dem Perron stehen. Der Schaffner deutete auf ihn, und die beiden Männer fingen an zu laufen. Er sprang zurück und drückte sich durch die Tannen. Die nadligen Zweige schlugen ihm ins Gesicht. Er machte einen großen Bogen und stand still, um nicht zu verraten, wo er war. Er hörte die Männer durch die Tannen brechen und lief weiter. Alle Augenblicke lauschte er. Manchmal hörte er nichts; dann war alles nur Warten. Dann wieder knackte es, und er kroch auch weiter, auf der Erde jetzt, um weniger Lärm zu machen. Er ballte die Fäuste und hielt den Atem an, wenn er lauschte. Er spürte wie einen Krampf den Wunsch, aufzuspringen und davonzustürmen; – aber damit hätte er verraten, wo er war. Er konnte sich nur bewegen, wenn die andern es auch taten. Er lag in einem Dickicht zwischen blauen Leberblümchen. Hepatica triloba, dachte er. Hepatica triloba, das Leberblümchen. Der Wald schien ohne Ende zu sein. Es knackte jetzt überall. Er spürte, wie ihm der Schweiß aus allen Poren brach, als regne sein Körper. Und plötzlich gaben seine Beine in den Knien nach, als wären die Gelenke weich geworden. Er versuchte aufzustehen, aber er sank ein. Der Boden war wie Morast. Er blickte unter sich. Der Boden war hart. Es waren die Beine. Sie waren aus Gummi. Jetzt hörte er die Verfolger dichter. Sie kamen direkt auf ihn zu. Er riß sich hoch, aber er sank wieder in den Gummiknien ein. Er zerrte an den Beinen, er watete weiter, mühselig, und hörte näher und näher das Knacken hinter sich, dann schien der Himmel auf einmal blau durch das Geäst, eine Lichtung tat sich auf, er wußte, er war verloren, wenn er nicht schnell hinüberlaufen konnte, er zerrte und zerrte und drehte sich um und sah hinter sich ein Gesicht, hämisch lächelnd, Haakes Gesicht, er sank und sank, wehrlos, hilflos, er erstickte, er riß an der einsinkenden Brust mit den Händen, er stöhnte –

Stöhnte er? Wo war er? Er spürte seine Hände an seinem Hals. Sie waren naß. Sein Hals war naß. Seine Brust war naß. Sein Gesicht war naß. Er öffnete die Augen. Er wußte immer noch nicht ganz, wo er war, im Morast des Tannendickichts oder sonstwo. Er wußte noch nichts von Paris. Ein weißer Mond hing an einem Kreuz über einer unbekannten Welt. Ein bleiches Licht hing wie ein gemordeter Heiligenschein hinter einem dunklen Kreuz. Ein weißes, totes Licht schrie lautlos an einem fahlen, eisenfarbenen Himmel. Der volle Mond hinter dem Holzkreuz des Fensters in einem Zimmer im Hotel International in Paris. Ravic richtete sich auf. Was war das nur gewesen? Ein Eisenbahnzug voll Blut, triefend von Blut, rasend durch einen Sommerabend, über blutige Schienen; – der hundertmal geträumte Traum, wieder in Deutschland zu sein, umstellt, verfolgt, gehetzt von den Schergen eines blutigen Regimes, das den Mord legalisiert hatte; – wie oft war das schon so gewesen! Er starrte in den Mond, der der Welt die Farben aussaugte mit seinem geborgten Licht. Die Träume, voll vom Grauen der Konzentrationslager, voll von starren Gesichtern erschlagener Freunde, voll vom tränenlosen, versteinerten Schmerz der Überlebenden, voll vom schweren Abschied und einem Alleinsein, das schon jenseits aller Klage war; – am Tage gelang es, die Barriere zu bilden, den Wall, der höher war als die Augen – in schweren, langen Jahren hatte man ihn langsam gebaut, die Wünsche mit Zynismus erwürgt, die Erinnerungen mit Härte begraben und eingestampft, alles von sich heruntergerissen bis zum Namen, die Gefühle zementiert –, und, wenn irgendwann trotzdem einmal das blasse Gesicht der Vergangenheit in einer unbewachten Stunde süß, geisterhaft und rufend aufstieg, hatte man es in Alkohol bis zur Besinnungslosigkeit ersäuft.

Am Tage; – aber in den Nächten war man immer noch ausgeliefert, die Bremsen der Disziplin lösten sich, und der Karren begann zu rutschen, hinter dem Horizont des Bewußtseins stieg es wieder auf, aus Gräbern brach es hervor, der gefrorene Krampf löste sich, die Schatten kamen, das Blut dampfte, die Wunden tropften, und der schwarze Sturm fegte über alle Bollwerke und Barrikaden! Vergessen – das war leicht, solange die Laterne des Willens die Welt beleuchtete; aber wenn sie erlosch und das Geräusch der Würmer hörbar wurde, wenn eine zerstörte Welt wie ein untergegangenes Vineta aus den Fluten emporstieg und wieder lebte –, das war etwas anderes. Man konnte sich den schweren, bleiernen Rausch antrinken. Abend für Abend, der auch das alles niederschlug – man konnte die Nächte zu Tagen machen und die Tage zu Nächten; – man träumte anders am Tage, nicht in dieser Verlorenheit, hinausgeworfen aus allem, wie nachts. Hatte er es nicht getan? Wie oft war er erst, wenn das Morgengrauen durch die Straßen kroch, ins Hotel zurückgegangen? Oder hatte gewartet, in den Katakomben, mit jedem, der mit ihm trinken wollte, bis dann Morosow kam, aus der Scheherazade, und der mit ihm weitertrank unter den künstlichen Palmen, wo nur die Uhr in dem fensterlosen Raum zeigte, wie weit das Licht draußen war? Saufen im Unterseeboot war das gewesen. Es war einfach, den Kopf zu schütteln und zu finden, man solle vernünftig sein. Aber verdammt, es war nicht einfach! Ein Leben war ein Leben; es war nichts wert und alles; man konnte es wegwerfen, das war auch einfach. Aber warf man damit nicht auch die Rache weg, und warf man damit nicht auch das weg, was verhöhnt, bespuckt und lächerlich gemacht täglich und stündlich ungefähr so hieß wie Glaube an Menschlichkeit und Menschheit, trotz allem? Ein leeres Leben – das warf man nicht weg wie eine leere Patrone! Es war immer noch gut genug, um zu kämpfen, wenn die Zeit dafür kam und wenn es gebraucht werden konnte. Nicht aus persönlichen Gründen, nicht einmal aus Rache, so bluttief Rache auch war, noch aus Egoismus und auch nicht aus altruistischen Gründen, so wichtig es auch sein würde, diese Welt um eine Raddrehung aus Blut und Schutt vorwärts schieben zu helfen – aus nichts anderm zum Schluß, als daß man kämpfte, einfach kämpfte und wartete auf seine Chance zum Kämpfen, solange man noch atmete. Aber das Warten fraß und vielleicht war es hoffnungslos, und dazu kam noch die geheime Furcht, daß man, wenn es endlich soweit war, schon zu zermürbt sein konnte, zu zerfressen, zu faul vom Warten, zu müde in den Zellen, um noch mitmarschieren zu können! Zerstampfte man darum nicht alles in Vergessenheit, was an den Nerven fressen konnte, löschte man es nicht aus, wirksam und hart, mit Sarkasmus und Ironie, sogar mit Gegensentimentalität, mit der Flucht in einen anderen Menschen, in ein fremdes Ich? Bis dann doch wieder einmal die brutale Ohnmacht kam, wenn man dem Schlaf ausgeliefert war und den Gespenstern. –

Der Mond kroch feist unter das Fensterkreuz. Es war kein angenagelter Heiligenschein mehr; – er war ein fetter, obszöner Voyeur, der in Kammern und Betten stierte. Ravic war jetzt ganz wach. Es war noch ein ziemlich harmloser Traum gewesen. Er kannte andre. Aber es war lange her, daß er überhaupt geträumt hatte. Er dachte nach – es war fast die ganze Zeit her, seit er nicht mehr alleine schlief.

Er fühlte neben das Bett. Die Flasche stand nicht da. Sie stand seit einiger Zeit nicht mehr da. Sie stand auf dem Tisch in der Ecke des Zimmers. Er zögerte einen Moment. Es war nicht nötig, zu trinken. Er wußte das. Es war auch nicht nötig, nicht zu trinken. Er stand auf und ging auf nackten Füßen zum Tisch. Er fand ein Glas, entkorkte die Flasche und trank. Es war der Rest des alten Calvados. Er hielt das Glas gegen das Fenster. Der Mond machte es zu einem Opal. Schnaps sollte nicht im Licht stehen, dachte er. Weder in der Sonne noch im Mond. Verwundete Soldaten, die eine Nacht im Vollmond draußen gelegen hatten, waren schwächer als nach anderen Nächten. Er schüttelte den Kopf und trank das Glas aus. Dann goß er sich ein neues ein. Als er aufblickte, bemerkte er, daß Joan die Augen geöffnet hatte und ihn ansah. Er hielt inne. Er wußte nicht, ob sie wach war und ihn wirklich sah.

„Ravic", sagte sie.

„Ja –"

Sie zuckte, als erwache sie erst jetzt. „Ravic", sagte sie mit einer anderen Stimme. „Ravic – was machst du da?"

„Ich trinke etwas."

„Aber warum –" Sie richtete sich auf. „Was ist los?" fragte sie verwirrt. „Was ist passiert?"

„Nichts."

Sie strich sich die Haare zurück. „Mein Gott", sagte sie, „habe ich mich erschreckt!"

„Das wollte ich nicht. Ich dachte, du würdest weiterschlafen."

„Du standest plötzlich so da – in der Ecke – ganz anders."

„Das tut mir leid, Joan. Ich glaubte nicht, daß du aufwachen würdest."

„Ich spürte, daß du nicht mehr da warst. Es war kalt. Wie ein Wind. Ein kaltes Erschrecken. Und dann standest du plötzlich da. Ist etwas passiert?"

„Nein, nichts. Gar nichts, Joan. Ich bin aufgewacht und wollte etwas trinken."

„Gib mir auch einen Schluck."

Ravic füllte das Glas und ging zum Bett hinüber. „Du siehst jetzt aus wie ein Kind", sagte er.

Sie nahm das Glas mit beiden Händen und trank. Sie trank langsam und sah ihn über das Glas hinweg an. „Weshalb bist du aufgewacht?" fragte sie.

„Ich weiß nicht. Ich glaube, es war der Mond."

„Ich hasse den Mond."

„Du wirst ihn nicht hassen in Antibes."

Sie setzte das Glas ab. „Fahren wir wirklich?"

„Ja, wir fahren."

„Fort aus diesem Nebel und Regen?"

„Ja – fort aus diesem verdammten Nebel und Regen."

„Gib mir noch ein Glas."

„Willst du nicht schlafen?"

„Nein. Es ist zu schade, zu schlafen. Man versäumt zuviel Leben durch Schlafen. Gib mir ein Glas. Ist es der gute? Wir wollten ihn doch mitnehmen."

„Man soll nichts mitnehmen."

Sie sah ihn an. „Nie?"

„Nie."

Ravic ging zum Fenster und zog die Vorhänge zu. Sie schlossen nur halb. Das Mondlicht fiel durch die Öffnung wie in einen Lichtschacht und teilte das Zimmer in zwei Hälften diffuser Dunkelheit. „Warum kommst du nicht ins Bett?" fragte Joan.

Ravic stand neben dem Sofa auf der anderen Seite der Mondhelle. Er sah Joan undeutlich im Bett sitzen. Ihr Haar hing mattglänzend über ihren Nacken. Sie war nackt. Zwischen ihr und ihm strömte das kalte, nicht irgendwohin strömende, nur in sich selbst strömende Licht wie zwischen zwei dunklen Ufern. In das Viereck des Zimmers, voll vom warmen Geruch des Schlafes, strömte es hinein, einen endlosen Weg durch schwarzen, luftlosen Äther, gebrochenes Licht, aufgeprallt auf einen fernen, toten Stern und magisch verwandelt aus warmem Sonnenglanz in das bleierne, kalte Strömen – es strömte und strömte und stand doch still und füllte das Zimmer nie.

„Warum kommst du nicht?" fragte Joan.

Ravic ging durch das Zimmer, durch das Dunkel und das Licht und wieder durch das Dunkel – es waren wenige Schritte, aber es schien ihm weit.

„Hast du die Flasche mitgebracht?"

„Ja."

„Willst du das Glas? Wie spät ist es?"

Ravic sah auf das kleine Zifferblatt der Uhr mit den phosphoreszierenden Zahlen. „Ungefähr fünf Uhr."

„Fünf. Es könnte auch drei sein. Oder sieben. Nachts steht die Zeit still. Nur die Uhren gehen."

„Ja. Und trotzdem geschieht alles nachts. Oder deshalb."

„Was?"

„Das, was am Tage dann sichtbar wird."

„Mach mir keine Angst. Du meinst, eigentlich schon vorher, wenn man schläft?"

„Ja."

Sie nahm ihm das Glas aus der Hand und trank. Sie war sehr schön, und er fühlte, daß er sie liebte. Sie war nicht schön wie eine Statue oder wie ein Bild; sie war schön wie eine Wiese, über die der Wind wehte.

Es war das Leben, das in ihr klopfte und das sie geheimnisvoll aus dem Zusammenprall zweier Zellen, aus einem Nichts in einem Schoß, so geformt hatte, wie sie war. Es war dasselbe, unbegreifliche Rätsel, daß in einem winzigen Samenkorn schon der ganze Baum war, versteinert, mikroskopisch, aber da, vorher bestimmt, Wipfel schon und Frucht und schon der Blütenschauer aller Aprilmorgen in ihm – und daß aus einer Liebesnacht und einem bißchen Schleim, der sich traf, ein Gesicht wurde, Schultern und Augen, gerade diese Augen und Schultern, und daß sie da waren, irgendwo verstreut, unter Millionen von Menschen, irgendwo auf der Welt, und dann stand man in einer Novembernacht am Pont de l'Alma in Paris, und sie kamen auf einen zu –

„Warum nachts?" fragte Joan.

„Weil", sagte Ravic, „– komm nahe zu mir, Geliebte, wiedergeschenkt aus den Abgründen des Schlafes, zurückgekommen von den Mondwiesen des Ungefährs –, weil die Nacht und der Schlaf Verräter sind. Weißt du noch, wie wir einschliefen, in dieser Nacht, einer dicht neben dem andern, wir waren uns so nahe, wie Menschen sich nur nahe sein können. Unsere Stirnen, unsere Haut, unsere Gedanken, unser Atem berührten sich, vermischten sich – und dann langsam begann der Schlaf zwischen uns zu sickern, grau, farblos, ein paar Flecken erst, dann mehr, wie Aussatz fiel es auf unsere Gedanken, in unser Blut, es tropfte und tropfte aus dem Unbewußten Blindheit in uns hinein –, und dann plötzlich war jeder von uns allein, wir trieben einsam irgendwo herum auf dunklen Kanälen, ausgeliefert an unbekannte Mächte und jede gestaltlose Drohung. Als ich aufwachte, sah ich dich. Du schliefst. Du warst immer noch weit fort. Du warst mir gänzlich entglitten. Du wußtest nichts mehr von mir. Du warst irgendwo, wohin ich dir nicht folgen kann." Er küßte ihre Hand. „Wie kann Liebe vollkommen sein, wenn ich dich jede Nacht schon an den Schlaf verliere?"

„Ich lag dicht bei dir. Neben dir. In deinem Arm."

„Du warst in einem unbekannten Land. Du warst neben mir, aber du warst weiter fort, als wenn du auf dem Sirius gewesen wärest. Wenn du am Tage fort bist, so ist das nichts; – ich weiß alles über den Tag. Aber wer weiß etwas über die Nacht?"

„Ich war bei dir."

„Du warst nicht bei mir. Du lagst nur neben mir. Wer weiß je, wie er zurückkommt, aus dem Land ohne Kontrolle? Verwandelt, ohne es zu wissen."

„Du auch."

„Ja, ich auch", sagte Ravic. „Und nun gib mir das Glas wieder. Während ich Unsinn rede, trinkst du."

Sie reichte ihm das Glas hinüber. „Gut, daß du aufgewacht bist, Ravic. Gesegnet sei der Mond. Ohne ihn hätten wir geschlafen und nichts voneinander gewußt. Oder in einen von uns wäre der Keim des Abschieds geworfen worden, während wir wehrlos waren. Und er wäre langsam und unsichtbar gewachsen und gewachsen, bis er eines Tages durchgebrochen wäre."

Sie lachte leise. Ravic sah sie an. „Du nimmst das nicht besonders ernst, wie?"

„Nein. Du?"

„Nein. Aber es ist etwas daran. Deshalb nehmen wir es nicht ernst. Darin ist der Mensch groß."

Sie lachte wieder. „Ich habe keine Angst davor. Ich vertraue auf unsere Körper. Die wissen besser, was sie wollen, als das, was in unserem Kopf nachts herumspukt."

Ravic trank sein Glas aus. „Gut", sagte er. „Auch richtig."

„Wie wäre es, wenn wir diese Nacht nicht mehr schliefen?"

Ravic hob die Flasche gegen den Silberschacht des Mondlichts. Sie war noch ein Drittel voll. „Nicht mehr viel", sagte er. „Aber wir können es versuchen."

Er stellte sie auf den Tisch neben dem Bett. Dann drehte er sich um und sah Joan an. „Du siehst aus, wie alle Wünsche eines Mannes und noch einer mehr, den er nicht gewußt hat."

„Gut", sagte sie. „Wir wollen jede Nacht aufwachen, Ravic. Nachts bist du anders als am Tage."

„Besser?"

„Anders. Nachts bist du überraschend. Du kommst immer irgendwoher, von wo man nichts weiß."

„Tagsüber nicht?"

„Nicht immer. Manchmal."

„Schönes Bekenntnis", sagte Ravic. „Vor ein paar Wochen hättest du mir das nicht gesagt."

„Nein. Damals kannte ich dich auch noch weniger."

Er blickte auf. Es war nicht der Schatten von Doppeldeutigkeit in ihrem Gesicht. Sie meinte es einfach so und fand es ganz natürlich. Sie wollte ihn weder verletzen noch etwas Besonderes sagen. „Das kann gut werden", sagte er.

„Warum?"

„In ein paar weiteren Wochen wirst du mich noch besser kennen, und ich werde noch weniger überraschend sein."

„Genau wie ich", sagte Joan und lachte.

„Du nicht."

„Warum nicht?"

„Das hat seinen Grund in fünfzigtausend Jahren Biologie. Die Liebe macht die Frau scharfsinnig und den Mann konfus."

„Liebst du mich?"

„Ja."

„Du sagst das viel zuwenig." Sie dehnte sich. Wie eine satte Katze, dachte Ravic. Wie eine satte Katze, die ihres Opfers sicher ist.

„Manchmal könnte ich dich aus dem Fenster werfen", sagte er.

„Warum tust du es nicht?"

Er sah sie an.

„Könntest du es?" fragte sie.

Er antwortete nicht. Sie legte sich in die Kissen zurück. „Jemand zerstören, weil man ihn liebt? Ihn töten, weil man ihn zu sehr liebt?"

Ravic griff nach der Flasche. „Mein Gott", sagte er. „Womit habe ich das verdient? Nachts aufzuwachen, um so was anhören zu müssen?"

„Ist es nicht wahr?"

„Ja. Für drittklassige Poeten und Frauen, denen es nicht passiert."

„Für die, die es tun, auch."

„Meinetwegen."

„Könntest du es?"

„Joan", sagte Ravic. „Laß dieses Geschwätz. Ich tauge nicht für solche Spekulationen. Ich habe schon zu viele Menschen getötet. Als Amateur und als Professionalist. Als Soldat und als Arzt. Das gibt einem Verachtung, Gleichgültigkeit und Respekt für das Leben. Mit Töten löscht man nicht viel aus. Wer oft getötet hat, tötet nicht mehr aus Liebe. Man macht den Tod dadurch lächerlich und klein. Und Tod ist nie klein und lächerlich. Er geht Frauen auch nichts an; er ist eine Sache unter Männern." Er schwieg eine Zeitlang. „Was reden wir da?" sagte er dann und beugte sich über sie. „Bist du nicht mein Glück ohne

Wurzel? Mein Wolken- und Scheinwerferglück? Komm, laß dich küssen! Nie war das Leben so kostbar wie heute – wo es so wenig gilt."

16

Das Licht. Es war immer wieder das Licht. Es kam wie ein weißer Schaum vom Horizont hereingeflogen, zwischen dem tiefen Blau des Meeres und dem helleren des Himmels; es kam herangeflogen, atemlos und tiefster Atem zugleich, Leuchten und Reflex in einem, einfaches uraltes Glück so hell zu sein, so zu schimmern, so ohne alle Substanz zu schweben –

Wie es hinter ihrem Kopf steht, dachte Ravic. Wie eine Glorie ohne Farbe! Weite ohne Perspektive. Wie es über die Schultern fließt! Milch aus Kanaan, Seide aus Strahlen gesponnen! Niemand ist nackt in diesem Licht. Die Haut fängt es, strahlt es zurück, wie die Felsen das Meer draußen. Lichtschaum, durchsichtige Verwirrung, dünnstes Kleid aus hellstem Nebel –

"Wie lange sind wir jetzt hier?" fragte Joan.

"Acht Tage."

"Es ist wie acht Jahre, findest du nicht?"

"Nein", sagte Ravic. "Es ist wie acht Stunden. Acht Stunden und dreitausend Jahre. Da, wo du jetzt stehst, stand genauso, vor dreitausend Jahren, eine junge Etruskerin; – und der Wind kam ebenso von Afrika herüber und jagte das Licht vor sich her über das Meer."

Joan hockte sich neben ihn auf den Felsen. "Wann müssen wir wieder zurück nach Paris?"

"Das wird sich heute abend im Kasino zeigen."

"Haben wir gewonnen?"

"Nicht genug."

"Du spielst, als wenn du immer gespielt hättest. Vielleicht hast du. Ich weiß ja nichts von dir. Wie kam es, daß der Croupier dich begrüßte wie einen reichen Munitionsfabrikanten?"

"Er verwechselte mich mit einem Munitionsfabrikanten."

"Das ist nicht wahr. Du kanntest ihn doch auch wieder."

"Es war höflicher, so zu tun."

"Wann warst du das letztemal hier?"

"Ich weiß es nicht. Irgendwann vor vielen Jahren. Wie braun du schon bist! Du solltest immer braun sein."

"Dann müßte ich immer hier leben."

"Möchtest du das?"

"Nicht immer. Aber ich möchte immer so leben, wie ich hier lebe."

Sie warf ihr Haar zurück über die Schultern. „Du findest das sicher sehr oberflächlich – wie?"

„Nein", sagte Ravic.

Sie lächelte und drehte sich zu ihm herum. „Ich weiß, daß es oberflächlich ist, Liebster, aber, mein Gott, wir haben viel zuwenig Oberflächlichkeit in unserem verdammten Leben gehabt! Krieg, Hunger und Umsturz haben wir genug gehabt, und Revolutionen und Inflationen – aber nie ein bißchen Sicherheit und Leichtigkeit und Ruhe und Zeit. Und nun sagst du noch, daß wieder ein Krieg kommen wird. Unsere Eltern haben es wahrhaftig einfacher gehabt als wir, Ravic."

„Ja."

„Man hat nur das eine, kurze Leben, und es geht dahin –" Sie legte die Hände auf den warmen Felsen. „Ich bin nicht viel wert, Ravic. Ich mache mir nichts daraus, in einer historischen Zeit zu leben. Ich will glücklich sein, und es soll nicht alles so schwer und schwierig sein. Weiter nichts."

„Wer möchte das nicht, Joan?"

„Du auch?"

„Natürlich."

Dieses Blau, dachte Ravic. Dieses fast farblose Blau am Horizont, wo der Himmel in die See taucht, und dann dieser Sturm, tiefer und tiefer das Meer und den Zenit hinauf, bis in diese Augen, die hier blauer sind als je in Paris.

„Ich wollte, wir könnten es", sagte Joan.

„Wir tun es ja – im Augenblick."

„Ja, im Augenblick; für ein paar Tage; aber dann gehen wir wieder nach Paris zurück; in diesen Nachtklub, in dem sich nichts ändert; in dieses Leben in diesem schmutzigen Hotel –"

„Du übertreibst. Dein Hotel ist nicht schmutzig. Meines ist ziemlich schmutzig, bis auf mein Zimmer."

Sie stützte die Arme auf. Der Wind flog durch ihr Haar. „Morosow sagt, du wärest ein wunderbarer Arzt. Schade, daß das mit dir so ist. Du könntest sonst viel Geld verdienen. Gerade als Chirurg. Professor Durant –"

„Wie kommst du denn zu dem?"

„Er kommt manchmal in die Scheherazade. René, der Oberkellner, sagt, unter zehntausend Franc rührt der keinen Finger."

„René ist gut informiert."

„Und er macht manchmal zwei, drei Operationen an einem Tage. Er hat ein herrliches Haus, einen Packard –"

Sonderbar, dachte Ravic. Das Gesicht verändert sich nicht. Es ist eher noch hinreißender als vorher, während sie diesen Jahrtausende alten

Weiberunsinn daherredet. Sie sieht aus wie eine seeäugige Amazone, während sie mit dem Brutinstinkt Bankiersideale predigt. Aber hat sie nicht recht? Hat so viel Schönheit nicht immer recht. Und alle Entschuldigungen der Welt?

Er sah das Motorboot in einer Welle Gischt herankommen; er rührte sich nicht; er wußte, weshalb es kam. „Da kommen deine Freunde", sagte er.

„Wozu?" Joan hatte das Boot längst gesehen. – „Wieso meine Freunde?" fragte sie. „Es sind doch viel eher deine Freunde. Sie haben dich früher gekannt als mich."

„Zehn Minuten früher."

„Jedenfalls früher."

Ravic lachte. „Gut, Joan."

„Ich brauche nicht zu gehen. Das ist ganz einfach. Ich werde nicht gehen."

„Natürlich nicht."

Ravic streckte sich auf dem Felsen aus und schloß die Augen. Die Sonne wurde sofort eine warme, goldene Decke. Er wußte, was kommen würde.

„Wir sind nicht besonders höflich", sagte Joan nach einer Weile.

„Das sind Verliebte nie."

„Die beiden sind unseretwegen gekommen. Sie wollen uns abholen. Wenn wir nicht fahren wollen, könntest du wenigstens hinuntergehen und es ihnen sagen."

„Gut." Ravic öffnete halb die Augen. „Machen wir es kürzer. Geh du hinunter und sage, ich muß arbeiten, und fahre mit. Genau wie gestern."

„Arbeiten – das klingt doch merkwürdig. Wer arbeitet hier? Warum fährst du nicht einfach mit? Die beiden mögen dich sehr gern. Sie waren gestern schon enttäuscht, daß du nicht kamst."

„O Gott." Ravic öffnete die Augen ganz. „Wozu lieben alle Frauen diese idiotischen Konversationen? Du möchtest fahren, ich habe kein Boot, das Leben ist kurz, wir sind nur ein paar Tage hier, wozu soll ich mit dir Generosität spielen und dich zwingen zu tun, was du ohnehin tun wirst, nur damit du dich besser fühlst?"

„Du brauchst mich nicht zu zwingen. Ich kann es selbst tun."

Sie sah ihn an. Ihre Augen waren von derselben strahlenden Intensität; nur ihr Mund war eine Sekunde verzogen – es war ein Ausdruck, der so rasch das Gesicht überflog, daß Ravic glauben konnte, sich geirrt zu haben. Aber er wußte, er hatte sich nicht geirrt.

Das Meer schlug klatschend gegen die Felsen am Landungssteg. Es spritzte hoch, und der Wind trug einen Schwall glitzernden Wassers herüber. Ravic spürte ihn auf der Haut wie ein kurzes Frösteln. „Das war deine Welle", sagte Joan. „Wie in der Geschichte, die du mir in Paris erzählt hast."

„Hast du dir das gemerkt?"

„Ja. Aber du bist kein Felsen. Du bist ein Betonblock."

Sie ging zum Bootshafen hinunter, und auf ihren schönen Schultern lag der ganze Himmel. Es schien, als trüge sie ihn. Sie hatte ihre Entschuldigung. Sie würde in dem weißen Boot sitzen, ihr Haar würde in dem Wind fliegen, und ich bin ein Idiot, daß ich nicht mitfahre, dachte Ravic. Aber ich tauge noch nicht für diese Rolle. Auch das, ein törichter Hochmut aus vergessenen Zeiten, eine Don Quichoterie; doch was bleibt uns als das? Blühende Feigenbäume in den Mondnächten, die Philosophie Senecas und Sokrates', ein Violinkonzert Schumanns und das frühere Wissen als andere um den Verlust.

Er hörte die Stimme Joans von unten. Dann hörte er das dumpfe Donnern des Motors. Er richtete sich auf. Sie würde im Heck sitzen. Irgendwo draußen im Meer lag eine Insel mit einem Kloster. Manchmal krähten Hähne von dort herüber. – Wie rot die Sonne durch die Augenlider schien! Die sanften Wiesen der Kindheit, rot von den Blumen erwartungsvollen Blutes. Das alte Wiegenlied des Meeres. Die Glocken von Vineta. Das zauberhafte Glück des Nichtdenkens. Er schlief rasch ein.

Nachmittags holte er den Wagen aus der Garage. Es war ein Talbot, den Morosow in Paris für ihn gemietet hatte. Er war mit Joan darin hergekommen.

Ravic fuhr die Küste entlang. Der Tag war sehr klar und fast überhell. Er fuhr die mittlere Corniche nach Nizza und Monte Carlo und dann nach Ville-Franche. Er liebte den alten, kleinen Hafen und saß eine Zeitlang vor einem der Bistros am Quai. Er schlenderte durch die Anlagen vor dem Casino in Monte Carlo und über den Selbstmörderfriedhof hoch über dem Meer; er suchte ein Grab und stand lange davor und lächelte. Er fuhr durch die engen Straßen des alten Nizza und über die Plätze mit den Monumenten in der neuen Stadt; dann fuhr er zurück nach Cannes und über Cannes hinaus bis dahin, wo die Felsen rot wurden und die Fischerdörfer biblische Namen bekamen.

Er vergaß Joan. Er vergaß sich selbst. Er öffnete sich einfach dem klaren Tage, diesem Dreiklang aus Sonne, Meer und Land, der eine Küste blühen machte, während die Bergwege darüber noch voll Schnee lagen. Über Frankreich hing der Regen, über Europa brauste der Sturm – aber diese schmale Küste schien von all dem nichts zu wissen. Sie schien vergessen zu sein; das Leben hatte noch einen anderen Puls hier;

und während das Land hinter ihr schon grau war vom Nebel der Not, der Vorahnung und der Gefahr, schien hier die Sonne, und sie war heiter und in ihrem Leuchten sammelte sich der letzte Schaum einer sterbenden Welt.

Ein bißchen Motten- und Mückentanz um das letzte Licht – belanglos wie jeder Mückentanz; töricht wie die leichte Musik von den Cafés her – eine überflüssig gewordene Welt, wie Schmetterlinge im Oktober, den Frost schon in den kleinen Sommerherzen, so tanzte, schwätzte, flirtete, liebte, betrog und gaukelte das noch ein wenig, bevor die Sensen und die großen Winde kamen.

Ravic wendete den Wagen in St. Raphael. Der kleine, viereckige Hafen war voll von Segeln und Motorbooten. Die Cafés am Quai hatten bunte Sonnenschirme herausgestellt. Braun gebrannte Frauen hockten an den Tischen. Wie man das wieder kannte, dachte Ravic. Das leichte zärtliche Bild des Lebens. Die heitere Versuchung, das Loslassen, das Spiel – wie man das wieder kannte, mochte es auch noch so lange her sein. Man hatte es auch einmal gelebt, das Falterdasein, und geglaubt, es sei genug. Der Wagen schoß aus der Kehre heraus über die Straße, in den glühenden Sonnenuntergang hinein.

Er kam zum Hotel und fand eine Nachricht von Joan. Sie hatte angerufen und hinterlassen, sie käme nicht zum Essen zurück. Er ging zum Eden Roc hinunter. Es waren wenige Leute zum Diner da. Die meisten waren in Juan les Pins und Cannes. Er setzte sich an die Brüstung der Terrasse, die wie ein Schiffsdeck auf die Felsen gebaut war. Unten schäumte die Brandung. Die Wogen kamen dunkelrot und grünblau aus dem Sonnenuntergang, wechselten zu hellerem Goldrot und Orange und nahmen dann die Dämmerung auf ihren schlanken Rücken und zerschellten sie zu farbigem Zwielichtschaum an den Felsen.

Ravic saß lange auf der Terrasse. Er fühlte sich kühl und tief allein. Er war klar und sah ohne jede Emotion, was kommen würde. Er wußte, daß er es noch für eine Weile verhindern konnte; es gab Tricks und Schachzüge. Er kannte sie und er wußte, daß er sie nicht gebrauchen würde. Es war schon zu weit dafür. Tricks waren etwas für kleine Affären; hier gab es nur eines: es zu bestehen, es ehrlich zu bestehen, ohne sich zu belügen und ohne sich zu drücken.

Ravic hob das Glas mit dem klaren, leichten Wein der Provence gegen das Licht. Eine kühle Nacht, eine meerumrauschte Terrasse, der Himmel voll von dem Gelächter des Sonnenabschieds und den Glocken der fernen Sterne – und kühl in mir ein Scheinwerfer, dachte er, der hineingreift in die stummen Monate der Zukunft und über sie gleitet und sie wieder im Dunkel läßt, und ich weiß es, schmerzlos noch, aber ich weiß auch, es wird nicht schmerzlos bleiben, und mein Leben ist wieder einmal wie ein Glas in meiner Hand, durchsichtig, voll vom fremden Wein, der nicht darin bleiben kann, weil er abgestanden werden würde, abgestandener Essig verdorbener Lust.

Es würde nicht bleiben. Es war viel zuviel Anfang in diesem anderen Leben, als daß es schon bleiben konnte. Unschuldig und ohne Rücksicht, wie eine Pflanze zum Licht, wendete es sich der Versuchung und der bunten Vielfalt eines leichteren Daseins zu. Es wollte Zukunft – und alles, was er ihm geben konnte, war etwas schäbige Gegenwart. Noch war nichts geschehen. Das war auch nicht nötig. Alles entschied sich immer lange vorher. Man wußte es nur nicht und hielt nur das spektakulöse Ende für die Entscheidung, die längst, Monate vorher, lautlos gefallen war.

Ravic trank sein Glas aus. Der leichte Wein schien ihm anders zu schmecken als vorher. Er füllte das Glas noch einmal und trank wieder. Der Wein hatte wieder den alten, flockig hellen Geschmack.

Er stand auf und fuhr nach Cannes zum Casino.

Er spielte ruhig und mit kleinen Einsätzen. Er spürte immer noch die Kühle in sich und wußte, daß er gewinnen konnte, solange sie anhielt. Er spielte die letzten Zwölf, das Quadrat der Siebenundzwanzig und die Siebenundzwanzig. Nach einer Stunde hatte er dreitausend Franc gewonnen. Er verdoppelte die Einsätze auf das Quadrat und spielte die Vier dazu.

Er sah Joan, als sie hereinkam. Sie war umgezogen und mußte gleich, nachdem er das Hotel verlassen hatte, zurückgekommen sein. Sie war mit den beiden Männern, die sie im Motorboot abgeholt hatten. Er kannte sie als Le Clerq, einen Belgier, und Nugent, einen Amerikaner. Joan sah sehr schön aus. Sie trug ein weißes Abendkleid mit großen grauen Blumen. Er hatte es für sie am Tage vor der Abreise gekauft. Sie hatte einen Schrei ausgestoßen und sich darauf gestürzt. „Woher weißt du soviel von Abendkleidern?" hatte sie gefragt. „Es ist viel besser als meines." Und mit einem zweiten Blick: „Auch teurer." Vogel, dachte er, noch auf meinen Ästen, aber die Flügel schon bereit zum Fliegen.

Der Croupier schob ihm eine Anzahl Chips zu. Das Quadrat hatte gewonnen. Er zog den Gewinn ein und ließ den Einsatz stehen. Joan ging zu den Bakkarat-Tischen. Er wußte nicht, ob sie ihn gesehen hatte. Einige Leute, die nicht spielten, sahen ihr nach. Sie ging immer, als ginge sie gegen einen leichten Wind und als wäre nichts da, wohin sie wollte. Sie wandte den Kopf und sagte etwas zu Nugent – und Ravic fühlte plötzlich in seinen Händen den Drang, die Chips wegzustoßen, sich selbst wegzustoßen von dem grünen Tisch, aufzustehen, Joan mitzunehmen, rasch durch die Leute, Türen, fort auf eine Insel, diese Insel am Horizont von Antibes vielleicht, fort von allem, um sie abzuschließen und zu behalten.

Er setzte neu. Die sieben war herausgekommen. Inseln isolieren nicht. Und die Unruhe des Herzens war nicht zu begrenzen; man verlor am leichtesten, was man im Arme hielt – nie, was man verließ. Die Kugel rollte langsam. Die Zwölf. Er setzte wieder.

Als er aufblickte, blickte er gerade in Joans Augen. Sie stand an der anderen Seite des Tisches und sah ihn an. Er nickte ihr zu und lächelte. Sie starrte ihn an. Er deutete auf das Roulette und zuckte die Achseln. Die Neunzehn kam heraus.

Er machte seine Einsätze und sah wieder auf. Joan war nicht mehr da. Er bezwang sich und blieb sitzen. Er nahm eine Zigarette aus dem Pack, das neben ihm lag. Einer der Diener gab ihm Feuer. Es war ein kahlköpfiger Mann mit einem Bauch, in Uniform. „Andere Zeiten heute", sagte er.

„Ja", sagte Ravic. Er kannte den Mann nicht.

„War anders neunundzwanzig –"

„Ja –"

Ravic wußte nicht mehr, ob er 1929 in Cannes gewesen war, oder ob der Mann nur so daherredete. Er sah, daß die Vier herausgekommen war, ohne daß er es gesehen hatte, und versuchte, sich mehr zu konzentrieren. Aber es erschien ihm plötzlich albern, daß er spielte mit ein paar Francs, um einige Tage länger bleiben zu können. Wozu das schon? Wozu war er überhaupt hierhergekommen? Es war eine verdammte Schwäche, weiter nichts. Das fraß langsam, lautlos sich ein, und man merkte es erst, wenn man sich anspannen wollte und zerbrach. Morosow hatte recht gehabt. Der beste Weg, eine Frau zu verlieren, war, ihr ein Leben zu zeigen, das man ihr nur ein paar Tage bieten konnte. Sie würde versuchen, es wiederzubekommen – aber mit jemand anderem, der dazu fähig war, es ihr dauernd zu verschaffen. Ich werde ihr sagen, daß es aufhören muß, dachte er. Ich werde mich in Paris von ihr trennen, bevor es zu spät ist.

Er überlegte, ob er an einem anderen Tisch weiterspielen sollte. Aber er hatte plötzlich keine Lust mehr. Man sollte nicht etwas im Kleinen tun, was man einmal im Großen getan hatte. Er sah sich um. Joan war nicht zu sehen. Er ging in die Bar und trank einen Kognak. Dann ging er zum Parkplatz, um den Wagen zu holen und eine Stunde herumzufahren.

Als er den Wagen anließ, sah er Joan kommen. Er stieg aus. Sie kam rasch heran. „Wolltest du ohne mich nach Hause fahren?" fragte sie.

„Ich wollte eine Stunde durch die Berge fahren und zurückkommen."

„Du lügst! Du wolltest nicht wiederkommen! Du wolltest mich hierlassen mit diesen Idioten!"

„Joan", sagte Ravic. „Du wirst gleich behaupten, daß ich schuld bin,
daß du mit diesen Idioten zusammen bist."

„Das bist du auch! Ich bin doch nur aus Ärger ins Boot gegangen.
Weshalb warst du nicht im Hotel, als ich zurückkam?"

„Du warst doch mit deinen Idioten zum Essen verabredet."

Sie stutzte eine Sekunde. „Das habe ich nur getan, weil du nicht da
warst, als ich zurückkam."

„Gut, Joan", sagte Ravic. „Wir wollen nicht weiter darüber reden.
Hast du Spaß gehabt?"

„Nein."

Sie stand vor ihm, atmend, erregt, heftig, im blauen Dunkel der
weichen Nacht; der Mond war in ihrem Haar, und ihre Lippen waren
so dunkelrot in dem bleichen, kühnen Gesicht, als wären sie fast
schwarz. Es war Februar 1939, und in Paris würde das Unabwendbare
beginnen, langsam, kriechend, mit all den kleinen Lügen und Demütigungen und Zwisten; er wollte sie verlassen, bevor es kam, und noch
waren sie hier und es waren nicht mehr viele Tage.

„Wo willst du hinfahren?" fragte sie.

„Nirgendwohin. Nur so herum."

„Ich fahre mit dir."

„Was werden deine Idioten denken?"

„Nichts. Ich habe mich schon verabschiedet. Habe gesagt, daß du auf
mich wartest."

„Nicht schlecht", sagte Ravic. „Du bist ein Kind mit Überlegung.
Warte, bis ich das Verdeck zugemacht habe."

„Laß es offen. Mein Mantel ist warm genug. Und laß uns langsam
fahren. Vorbei an all den Cafés, in denen Leute sitzen, die nichts zu
tun haben, als glücklich zu sein und keine Argumente zu haben."

Sie glitt in den Sitz neben ihn und küßte ihn. „Ich bin zum erstenmal
an der Riviera, Ravic", sagte sie. „Habe Erbarmen! Ich bin zum
erstenmal mit dir wirklich zusammen, und die Nächte sind nicht mehr
kalt, und ich bin glücklich."

Er fuhr den Wagen aus dem dichten Verkehr heraus, am Carlton
Hotel vorbei und in die Richtung nach Juan les Pins. „Zum ersten
Male", wiederholte sie. „Zum ersten Male, Ravic. Und ich weiß alles,
was du antworten könntest, und es hat nichts damit zu tun." Sie lehnte
sich an ihn und legte den Kopf an seine Schulter. „Vergiß, was heute
war! Denk nicht einmal mehr darüber nach! Du fährst wunderbar

Auto, weißt du das? Was du da eben gemacht hast, war großartig. Die Idioten haben es auch gesagt. Sie haben gestern gesehen, was du mit dem Wagen anstellen kannst. Du bist unheimlich. Du hast keine Vergangenheit. Man weiß nichts von dir. Ich weiß schon hundertmal mehr aus dem Leben der Idioten als aus deinem. Glaubst du, daß ich irgendwo einen Calvados bekommen kann? Nach all den Aufregungen heute nacht brauche ich einen. Es ist schwer, mit dir zu leben."

Der Wagen fuhr die Straße entlang wie ein niedrig fliegender Vogel. „Ist das zu schnell?" fragte Ravic.

„Nein. Fahr schneller. So, daß es durch und durch geht wie der Wind durch einen Baum. Wie die Nacht saust. Ich bin durchlöchert von Liebe. Ich kann durch mich hindurchsehen vor Liebe. Ich liebe dich so, daß mein Herz sich ausbreitet wie eine Frau in einem Kornfeld vor einem Mann, der sie ansieht. Mein Herz will sich auf die Erde legen. Auf eine Wiese. Es will liegen und fliegen. Es ist verrückt. Es liebt dich, wenn du Auto fährst. Laß uns nie zurückgehen nach Paris. Laß uns einen Juwelenkoffer stehlen oder ein Bankdepot und diesen Wagen und nie wiederkommen."

Ravic hielt vor einer kleinen Bar. Das Grollen des Motors schwieg, und weich und sehr weit her kam plötzlich das tiefe Atemholen des Meeres. „Komm", sagte er. „Hier gibt es deinen Calvados. Wieviel hast du schon gehabt?"

„Zu viel. Deinetwegen. Außerdem konnte ich auf einmal das Gerede der Idioten nicht mehr anhören."

„Warum bist du dann nicht zu mir gekommen?"

„Ich bin zu dir gekommen."

„Ja, als du dachtest, ich ginge fort. Hast du etwas zu essen gehabt?"

„Nicht viel. Ich bin hungrig. Hast du gewonnen?"

„Ja."

„Dann laß uns ins teuerste Restaurant fahren und Kaviar essen und Champagner trinken und so sein wie unsere Eltern vor all diesen Kriegen, sorglos und sentimental und ohne Angst, hemmungslos und voll schlechten Geschmacks, mit Tränen, Mond, Oleander, Geigen, Meer und Liebe! Ich will glauben, daß wir Kinder haben werden und einen Park und ein Haus und du einen Paß und eine Zukunft, und ich habe eine große Karriere deinetwegen aufgegeben, und wir lieben uns noch nach zwanzig Jahren und sind eifersüchtig, und du findest immer noch, daß ich schön bin, und ich kann nicht schlafen, wenn du eine Nacht nicht im Hause bist und –"

Er sah die Tränen über ihr Gesicht strömen. Sie lächelte. „Das gehört alles dazu, Liebster – alles zu dem schlechten Geschmack."

„Komm", sagte er. „Wir fahren zum Château Madrid. Das liegt in den Bergen, und da sind russische Zigeuner, und du sollst alles haben, was du willst."

Es war früher Morgen. Das Meer tief unten war grau und ohne Wellen. Der Himmel hatte keine Wolken und keine Farbe. Am Horizont hob sich ein schmaler Silberstreifen aus dem Wasser. Es war so still, daß sie sich atmen hörten. Sie waren die letzten Gäste gewesen. Die Zigeuner waren vor ihnen in einem alten Ford die Serpentinen heruntergefahren. Die Kellner in Citroëns. Der Koch zum Einkaufen in einem sechssitzigen Delahaye aus dem Jahre 1929.

„Da ist schon der Tag", sagte Ravic. „Irgendwo auf der anderen Seite ist es jetzt immer noch Nacht. Einmal wird es Flugzeuge geben, mit denen man sie einholen kann. Sie werden so schnell sein, wie die Erde sich dreht. Wenn du mich dann um vier Uhr nachts liebst, können wir es für immer vier Uhr sein lassen; wir fliegen einfach mit der Zeit um die Erde, und die Stunde steht still."

Joan lehnte sich an ihn. „Ich kann mir nicht helfen. Es ist schön! Es ist herzzerreißend schön. Du kannst lachen –"

„Es ist schön, Joan."

Sie sah ihn an. „Wo ist das Flugzeug, von dem du sprachst? Wir werden alt sein, Liebster, wenn es erfunden wird. Und ich will nicht alt werden. Du?"

„Ja."

„Wirklich?"

„So alt wie möglich."

„Warum?"

„Ich will sehen, was aus diesem Planeten noch wird."

„Ich will nicht alt werden."

„Du wirst nicht alt werden. Das Leben wird über dein Gesicht hingehen, das wird alles sein, und es wird schöner werden. Alt ist man nur, wenn man nicht mehr fühlt."

„Nein, wenn man nicht mehr liebt."

Ravic antwortete nicht. Verlassen, dachte er. Dich verlassen! Was habe ich da vor ein paar Stunden in Cannes nur gedacht?

Sie rührte sich in seinem Arm. „Jetzt ist das Fest vorbei, und ich gehe nach Hause mit dir und wir schlafen zusammen. Wie schön das alles ist! Wie schön ist es, wenn man ganz lebt und nicht nur mit einem Stück von sich. Wenn man voll ist bis zum Rande und still, weil es nichts mehr gibt, das hineinkann. Komm, laß uns nach Hause fahren, in unser geborgtes Zuhause, in dieses weiße Hotel, das aussieht wie ein Gartenhaus."

Der Wagen glitt fast ohne Gas die Serpentinen hinunter. Es wurde langsam heller. Die Erde roch nach Tau. Ravic löschte die Scheinwerfer aus. Als sie Corniche passierten, kamen ihnen Wagen mit Blumen und Gemüse entgegen. Sie waren auf dem Wege nach Nizza. Später überholten sie eine der Kompanie Saphis. Sie hörten die Pferde trappeln durch das Summen des Motors. Es klang hell und beinahe künstlich auf der Makadamstraße. Die Gesichter der Reiter waren dunkel unter den Burnussen.

Ravic sah Joan an. Sie lächelte ihm zu. Ihr Gesicht war blaß und verwacht und fragiler als sonst. Es schien ihm schöner als jemals vorher in seiner zärtlichen Müdigkeit, an diesem zauberhaften, dunkelstillen Morgen, vor dem das Gestern weit versunken war, und der noch keine Stunde hatte; er schwebte und war noch ohne Zeit, voll Gelassenheit und ohne Furcht und Frage.

Die Bucht von Antibes kam in großem Bogen auf sie zu. Es wurde immer heller. Vor dem aufblauenden Tage standen die eisengrauen Schatten von vier Kriegsschiffen: drei Zerstörer und ein Kreuzer. Sie mußten über Nacht eingelaufen sein. Niedrig und drohend und lautlos standen sie vor dem zurückweichenden Himmel. Ravic sah auf Joan. Sie war an seiner Schulter eingeschlafen.

17

Ravic ging zur Klinik. Er war seit einer Woche zurück von der Riviera. Plötzlich blieb er stehen. Was er sah, wirkte wie eine Kinderspielerei. Der Neubau glänzte in der Sonne, als wäre er aus einem Modellkasten aufgebaut; die Gerüste standen wie Filigran vor dem hellen Himmel – und als eines sich davon löste und ein Balken mit einer Figur langsam zu kippen begann, sah es aus, als fiele ein Streichholz mit einer Fliege daran herunter. Es fiel und fiel und schien endlos zu fallen – die Figur löste sich und war jetzt eine kleine Puppe, die die Arme ausstreckte und ungeschickt durch den Raum segelte. Es war, als sei die Welt einen Augenblick eingefroren und totenstill. Nichts regte sich, kein Wind, kein Atem, kein Ton – nur die kleine Figur und der starre Balken fielen und fielen –

Dann war plötzlich alles Lärm und Bewegung. Ravic fühlte, daß er den Atem angehalten hatte. Er lief.

Der Verunglückte lag auf dem Pflaster. Die Straße war eine Sekunde vorher fast leer gewesen. Jetzt schwärmte sie von Menschen. Sie kamen von allen Seiten, als hätte eine Alarmglocke geläutet. Ravic drängte sich durch. Er sah, daß zwei Arbeiter den Verunglückten hochzuheben versuchten. „Nicht heben! Liegen lassen!" rief er.

Die Leute um ihn und vor ihm machten Platz. Die beiden Arbeiter hielten den Verunglückten halb schwebend. „Langsam herunterlassen! Vorsichtig! Langsam!"

„Was sind Sie?" fragte einer der Arbeiter. „Ein Arzt?"

„Ja."

„Gut."

Die Arbeiter legten den Verunglückten auf das Pflaster. Ravic kniete neben ihm nieder und horchte. Er öffnete vorsichtig die schweißige Bluse und fühlte den Körper ab. Dann stand er auf. – „Was?" fragte der Arbeiter, der ihn vorher gefragt hatte. „Bewußtlos, was?"

Ravic schüttelte den Kopf. „Was?" fragte der Arbeiter.

„Tot", sagte Ravic.

„Tot?"

„Ja."

„Aber", sagte der Mann verständnislos, „wir haben doch gerade noch zusammen Mittag gegessen."

„Ist da ein Arzt?" fragte jemand hinter dem Ring von starrenden Menschen.

„Was ist los?" fragte Ravic.

„Ist da ein Arzt? Schnell!"

„Was ist los?"

„Die Frau –"

„Was für eine Frau?"

„Der Balken hat sie getroffen. Sie blutet."

Ravic drängte sich durch. Eine kleine Frau in einer großen blauen Schürze lag auf einem Haufen Sand neben einer Kalkgrube. Ihr Gesicht war faltig, sehr blaß, und ihre Augen standen regungslos wie Kohlen darin. Unter dem Hals spritzte das Blut wie eine kleine Fontäne hervor. Es spritzte in einem puckernden, schiefen Strahl seitlich heraus und das wirkte sonderbar unordentlich. Unter dem Kopf fraß sich eine schwarze Lache rasch durch den Sand.

Ravic drückte die Arterie ab. Er riß eine Bandage aus der schmalen Notfalltasche, die er automatisch bei sich trug. „Halten Sie das!" sagte er zu dem Nächsten neben ihm.

Vier Hände griffen gleichzeitig nach der Tasche. Sie fiel in den Sand und öffnete sich. Er riß eine Schere und einen Knebel heraus und riß die Bandage auf.

Die Frau sagte nichts. Nicht einmal ihre Augen bewegten sich. Sie war starr, und jeder Muskel ihres Körpers war gespannt. „Alles in Ordnung, Mutter", sagte Ravic. „Alles in Ordnung."

Der Balken hatte Schulter und Hals getroffen. Die Schulter war zerschmettert; das Schlüsselbein gebrochen und das Gelenk zerschlagen.

Es würde steif bleiben. „Es ist der linke Arm", sagte Ravic und fühlte langsam den Nacken ab. Die Haut war eingerissen, aber alles andere war heil. Der Fuß war verdreht; er betastete den Knochen und das Bein. Graue Strümpfe, oft gestopft, aber heil, mit einem schwarzen Band unter dem Knie gehalten – wie genau man das immer wieder alles sah! Schwarze Schnürschuhe, geflickt, die Schnürriemen geknotet mit einem doppelten Knoten, die Schuhe an den Spitzen repariert.

„Hat jemand nach der Ambulanz telephoniert?" fragte er.

Niemand anwortete. „Ich glaube, der Polizist", sagte jemand nach einer Weile.

Ravic hob den Kopf. „Polizist? Wo ist er?"

„Drüben – bei dem andern –"

Ravic stand auf. „Dann ist alles in Ordnung."

Er wollte gehen. In diesem Augenblick schob sich der Polizist durch die Menge. Es war ein junger Mann mit einem Notizblock in der Hand. Er leckte aufgeregt an einem kurzen, stumpfen Bleistift.

„Einen Augenblick", sagte er und begann zu schreiben.

„Hier ist alles in Ordnung", sagte Ravic.

„Einen Augenblick, mein Herr."

„Ich bin sehr eilig. Ich muß zu einem dringenden Fall."

„Einen Augenblick, mein Herr. Sie sind der Arzt?"

„Ich habe die Ader abgebunden, das ist alles. Jetzt brauchen Sie nur noch auf die Ambulanz zu warten."

„Einen Moment, mein Herr! Ich muß Ihren Namen aufschreiben. Es ist wichtig, daß Sie Zeuge sind. Die Frau kann sterben."

„Sie wird nicht sterben."

„Das weiß niemand. Da ist noch die Frage des Schadenersatzes."

„Haben Sie einer Ambulanz telephoniert?"

„Mein Kollege tut das. Stören Sie mich jetzt nicht, sonst dauert es noch länger."

„Die Frau ist halbtot, und Sie wollen weg", sagte einer der Arbeiter vorwurfsvoll zu Ravic.

„Sie wäre tot, wenn ich nicht dagewesen wäre."

„Na also", sagte der Arbeiter ohne sichtbare Logik. „Da müssen Sie doch bleiben."

Ein Kameraverschluß tickte. Ein Mann, der einen Hut trug, der vorne aufgeschlagen war, lächelte. „Würden Sie noch einmal so tun, als machten Sie den Verband fest?" fragte er Ravic.

„Nein."

„Es ist die Presse", sagte der Mann. „Sie kommen mit hinein, mit Adresse und Text: daß Sie die Frau gerettet haben. Gute Reklame. Bitte hier, so – das Licht ist so besser."

„Gehen Sie zum Teufel!" sagte Ravic. „Die Frau braucht dringend eine Ambulanz. Der Verband kann nicht lange so bleiben. Sehen Sie zu, daß eine Ambulanz kommt."

„Alles nacheinander, mein Herr", erklärte der Polizist. „Ich muß erst einmal das Protokoll fertig haben."

„Hat der Tote dir schon gesagt, wie er heißt?" fragte ein halbwüchsiger Junge.

„Ta gueule!" Der Polizist spuckte ihm vor die Füße.

„Fotografieren Sie es noch einmal von hier", sagte jemand zu dem Fotografen.

„Warum?"

„Damit man sieht, daß die Frau auf dem abgesperrten Trottoir war. Die Straße war gesperrt. Sehen Sie dort –", er zeigte auf eine schrägstehende Latte mit der Aufschrift: Attention! Danger! „Nehmen Sie das so auf, daß man es sieht. Wir brauchen das. Schadenersatz kommt hier nicht in Frage."

„Ich bin Pressefotograf", sagte der Mann mit dem Hut ablehnend. „Ich fotografiere nur, was ich für interessant halte."

„Aber das ist doch interessant! Was ist denn sonst interessant? Mit dem Schild im Hintergrund."

„Ein Schild ist nicht interessant. Aktion ist interessant."

„Dann nehmen Sie es ins Protokoll." Der Mann tippte dem Polizisten auf die Schulter.

„Wer sind Sie denn?" fragte der ärgerlich.

„Ich bin der Vertreter der Baufirma."

„Schön", sagte der Polizist. „Bleiben Sie auch mal hier. Wie heißen Sie? Das müssen Sie doch wissen!" fragte er die Frau.

Die Frau bewegte die Lippen. Die Augenlider begannen zu flattern. Wie Schmetterlinge, wie todmüde, graue Motten, dachte Ravic, und im gleichen Moment: ich Idiot! Ich muß sehen, daß ich verschwinde!

„Verdammt", sagte der Polizist. „Vielleicht ist sie verrückt geworden. Das gibt Arbeit! Und mein Dienst ist um drei zu Ende."

„Marcel", sagte die Frau.

„Was? Augenblick mal. Was?" Der Polizist beugte sich wieder hinunter.

Die Frau schwieg. „Was?" der Polizist wartete. „Noch einmal! Sagen Sie das noch einmal!"

Die Frau schwieg. „Sie mit Ihrem gottverdammten Gerede", sagte der Polizist zu dem Vertreter der Baufirma. „Wie soll man dabei sein Protokoll kriegen?"

In diesem Augenblick klickte wieder der Verschluß der Kamera. „Danke", sagte der Fotograf. „Sehr lebendig."

„Haben Sie unser Zeichen mit drauf?" fragte der Vertreter der Baufirma, ohne auf den Polizisten zu hören. „Ich bestelle sofort ein halbes Dutzend."

„Nein", erklärte der Fotograf. „Ich bin Sozialist. Zahlen Sie nur die Versicherung, Sie jammervoller Jagdhund der Millionäre."

Eine Sirene schrillte. Die Ambulanz. Dies ist der Augenblick, dachte Ravic. Er machte vorsichtig einen Schritt. Aber der Polizist hielt ihn fest. „Sie müssen mit zur Wache gehen, mein Herr. Es tut mir leid, aber es muß alles aufgenommen werden."

Der zweite Polizist stand jetzt neben ihm. Es war nichts zu machen. Hoffentlich geht es gut, dachte Ravic und ging mit.

Der zuständige Beamte im Polizeirevier hatte schweigend dem Gendarmen und dem Polizisten, der das Protokoll neu aufnahm, zugehört. Jetzt wandte er sich an Ravic. „Sie sind kein Franzose", sagte er. Er fragte nicht; er stellte es fest.

„Nein", sagte Ravic.

„Was sind Sie?"

„Tscheche."

„Wie kommt es, daß Sie hier Arzt sind? Als Ausländer können Sie doch nicht praktizieren, wenn Sie nicht naturalisiert sind."

Ravic lächelte. „Ich praktiziere hier nicht. Ich bin hier als Tourist. Zu meinem Vergnügen."

„Haben Sie Ihren Paß bei sich?"

„Brauchen wir das, Fernand?" fragte der andere Beamte. „Der Herr hat der Frau geholfen, und wir haben seine Adresse. Das ist doch genug. Da sind ja noch mehr Zeugen."

„Es interessiert mich. Haben Sie Ihren Paß bei sich? Oder Ihre Carte d'Identité?"

„Natürlich nicht", sagte Ravic. „Wer hat schon immer seinen Paß bei sich?"

„Wo haben Sie ihn?"

„Im Konsulat. Habe ihn vor einer Woche hingebracht. Er muß verlängert werden."

Ravic wußte, wenn er sagte, der Paß sei im Hotel, konnte mit einem Polizisten geschickt und der Schwindel sofort entdeckt werden. Außerdem hatte er zur Vorsicht ein falsches Hotel angegeben. Mit dem Konsulat hatte er eine bessere Chance.

„Bei welchem Konsulat?" fragte Fernand.

„Beim tschechischen. Wo sonst?"

„Wir können da anrufen und anfragen." Fernand sah Ravic an.

„Natürlich."

Fernand wartete eine Weile. „Schön", sagte er dann. „Werden wir mal anfragen."

Er stand auf und ging in einen Nebenraum. Der andere Beamte war sehr verlegen. „Entschuldigen Sie, mein Herr", sagte er zu Ravic. „Es ist natürlich gar nicht nötig. Wird sofort aufgeklärt sein! Wir sind Ihnen sehr dankbar für Ihre Hilfe."

Aufgeklärt, dachte Ravic. Er sah sich ruhig um, während er eine Zigarette hervorholte. Der Gendarm stand neben der Tür. Das war zufällig. Niemand verdächtigte ihn bis jetzt ernstlich. Er konnte ihn beiseite stoßen – aber da waren noch der Mann von der Baufirma und zwei Arbeiter. Er gab es auf. Es war zu schwierig, durchzukommen; draußen vor der Tür standen auch gewöhnlich immer noch ein paar Polizisten herum.

Fernand kam zurück. „Auf dem Konsulat ist kein Paß mit Ihrem Namen."

„Möglich", sagte Ravic.

„Wieso möglich?"

„Ein einzelner Beamter weiß doch nicht gleich alles am Telephon. Da sind ein halbes Dutzend Leute mit diesen Dingen beschäftigt."

„Dieser wußte Bescheid."

Ravic erwiderte nichts. „Sie sind kein Tscheche", sagte Fernand.

„Hör mal, Fernand", begann der zweite Beamte.

„Sie haben keinen tschechischen Akzent", sagte Fernand.

„Meinetwegen nicht."

„Sie sind ein Deutscher", erklärte Fernand triumphierend. „Und Sie haben keinen Paß."

„Nein", erwiderte Ravic. „Ich bin ein Marokkaner und ich habe jeden französischen Paß der Welt."

„Mein Herr!" brüllte Fernand. „Was erlauben Sie sich? Sie beleidigen das französische Kolonialreich."

„Merde", sagte einer der Arbeiter. Der Vertreter der Baufirma machte ein Gesicht, als wollte er salutieren!

„Fernand, nun laß doch –"

„Sie lügen! Sie sind kein Tscheche! Haben Sie einen Paß oder nicht? Antworten Sie!"

Die Ratte im Menschen, dachte Ravic. Die Ratte im Menschen, die man nie ersäufen kann. Was geht es diesen Idioten an, ob ich einen Paß habe? Aber die Ratte riecht etwas, und schon kriecht sie aus dem Loch.

„Antworten Sie!" schnauzte Fernand.

Ein Stück Papier! Ob man es besaß oder nicht. Diese Kreatur würde sich entschuldigen und verbeugen, wenn man diesen Fetzen Papier hätte. Es würde gleichgültig sein, ob man eine Familie ermordet oder eine Bank beraubt hätte – der Mann würde salutieren. Aber selbst Christus ohne Paß – heute würde er im Gefängnis verkommen. Er würde ohnehin lange vor seinem dreiunddreißigsten Jahre erschlagen worden sein.

„Sie bleiben hier, bis sich das geklärt hat", sagte Fernand. „Ich werde dafür sorgen."

„Schön", sagte Ravic.

Fernand stampfte hinaus. Der zweite Beamte kramte in seinen Papieren. „Mein Herr", sagte er dann, „es tut mir leid. Er ist verrückt mit diesen Sachen."

„Macht nichts."

„Sind wir fertig?" fragte einer der Arbeiter.

„Ja."

„Gut." Er wandte sich an Ravic. „Wenn die Weltrevolution kommt, brauchen Sie keinen Paß mehr."

„Sie müssen verstehen, mein Herr", sagte der Beamte. „Fernands Vater ist im Weltkrieg gefallen. Daher haßt er die Deutschen und macht solche Sachen." Er sah Ravic einen Augenblick verlegen an. Er ahnte anscheinend, was los war. „Tut mir furchtbar leid, mein Herr. Wenn ich allein wäre –"

„Macht nichts." Ravic sah sich um. „Kann ich einmal telephonieren, bevor dieser Fernand zurückkommt?"

„Natürlich. Drüben am Tisch. Tun Sie es rasch."

Ravic telephonierte mit Morosow. Er erklärte ihm auf deutsch, was geschehen war. Er möchte Veber Bescheid sagen.

„Joan auch?" fragte Morosow.

Ravic zögerte. „Nein. Noch nicht. Sag ihr, ich sei zurückgehalten worden, aber in zwei, drei Tagen sei alles in Ordnung. Kümmere dich um sie."

„Schön", erwiderte Morosow nicht allzu enthusiastisch. „Schön, Wozzek."

Ravic legte das Telefon nieder, als Fernand hereinkam. „Was sprachen Sie da gerade?" fragte er grinsend. „Tschechisch?"

„Esperanto", erwiderte Ravic.

•

Veber kam am nächsten Vormittag. „Eine verdammte Bude", sagte er und sah sich um.

„Französische Gefängnisse sind noch richtige Gefängnisse", erwiderte Ravic. „Nicht angefault von Humanitätsduselei. Gutes, stinkendes, achtzehntes Jahrhundert."

„Zum Kotzen", sagte Veber. „Zum Kotzen, daß Sie da 'reingeraten sind."

„Man soll keine guten Taten ausüben. Rächt sich sofort. Ich hätte die Frau verbluten lassen sollen. Wir leben in einem eisernen Zeitalter, Veber."

„In einem gußeisernen. Haben die Brüder 'rausgekriegt, daß Sie illegal hier sind?"

„Natürlich."

„Die Adresse auch?"

„Natürlich nicht. Ich werde das alte ‚International' doch nicht bloßstellen. Die Wirtin würde eine Strafe bekommen, weil sie unangemeldete Gäste hat. Und eine Razzia würde erfolgen, bei der man ein Dutzend Refugiés schnappen würde. Als Adresse habe ich diesmal das Hotel Lancaster angegeben. Teures, feines, kleines Hotel. Habe da in meinem früheren Leben mal gewohnt."

„Und ihr neuer Name ist Wozzek?"

„Wladimir Wozzek." Ravic grinste. „Mein vierter."

„Scheiße", sagte Veber. „Was können wir tun, Ravic?"

„Nicht viel. Die Hauptsache ist, daß die Brüder nicht rauskriegen, daß ich schon ein paarmal hier war. Das gibt sonst sechs Monate Gefängnis."

„Verdammt."

„Ja, die Welt wird täglich humaner. Lebe gefährlich, sagte Nietzsche. Die Emigranten tun es – wider Willen."

„Und wenn man es nicht herausfindet?"

„Vierzehn Tage, denke ich. Und die bekannte Ausweisung."

„Und dann?"

„Dann komme ich wieder."

„Bis Sie wieder geschnappt werden."

„Genauso. Diesmal hat es lange gedauert. Zwei Jahre. Ein Menschenleben."

„Wir müssen da etwas machen. Das geht nicht mehr so weiter."

„Doch, es geht. Was wollen Sie schon machen?"

Veber dachte nach. „Durant", sagte er dann plötzlich. „Natürlich, Durant kennt einen Haufen Leute und hat Einfluß –" Er unterbrach sich. „Mein Gott, Sie haben ja einen der Oberbonzen selbst operiert! Den mit der Gallenblase!"

„Ich nicht. Durant –"

Veber lachte. „Ich kann es dem Alten natürlich nicht sagen. Aber er kann irgendwas tun. Ich werde ihm auf der Seele knien."

„Sie werden wenig erreichen. Ich habe Durant vor einiger Zeit um zweitausend Franc gebracht. Das vergißt der Typ nicht leicht."

„Er wird", sagte Veber ziemlich vergnügt, „er wird nämlich Angst haben, daß Sie etwas über schwarze Operationen erzählen. Sie haben ja Dutzende für ihn gemacht. Außerdem braucht er Sie!"

„Er kann leicht jemand anders finden. Binot oder einen Refugié-chirurgen. Es gibt genug."

Veber strich sich seinen Schnurrbart. „Nicht mit Ihrer Hand. Wir werden das auf jeden Fall versuchen. Ich werde es noch heute machen. Kann ich hier was für Sie tun? Wie ist das Essen?"

„Schauderhaft. Aber ich kann mir was besorgen lassen."

„Zigaretten?"

„Genug. Was ich brauche, können Sie mir nicht besorgen: ein Bad."

Ravic lebte zwei Wochen mit einem jüdischen Installateur, einem halbjüdischen Schriftsteller und einem Polen zusammen. Der Installateur hatte Heimweh nach Berlin; der Schriftsteller haßte es; dem Polen war alles egal. Ravic sorgte für Zigaretten. Der Schriftsteller erzählte jüdische Witze. Der Installateur war unersetzlich als Fachmann gegen den Gestank.

Nach zwei Wochen wurde Ravic abgeholt. Man brachte ihn zunächst zu einem Inspektor, der ihn fragte, ob er Geld hätte.

„Ja."

„Gut. Dann können Sie ein Taxi nehmen."

Ein Beamter ging mit ihm. Die Straße war hell genug und sonnig. Es war gut, einmal wieder draußen zu sein. Ein alter Mann am Eingang verkaufte Luftballons. Ravic konnte sich nicht denken, weshalb er das gerade vor dem Gefängnis tat. Der Beamte winkte ein Taxi heran. „Wohin fahren wir?" fragte Ravic.

„Zum Chef."

Ravic wußte nicht, was für ein Chef das war. Es war ihm auch ziemlich gleich, solange es nicht der Chef eines deutschen Konzentrationslagers war. Es gab nur einen wirklichen Schrecken in der Welt; völlig hilflos brutalem Terror ausgeliefert zu sein. Dies hier war harmlos.

Das Taxi hatte ein Radio. Ravic stellte es an. Er bekam die Nachrichten über den Gemüsemarkt; dann politische Neuigkeiten. Der Beamte gähnte. Ravic drehte weiter. Musik. Ein Schlager. Der Beamte hellte sich auf. „Charles Trenet", sagte er. „Menilmontant. Klasse."

Das Taxi hielt. Ravic zahlte. Man brachte ihn in einen Warteraum, der wie alle Warteräume der Welt, nach Erwartung, Schweiß und Staub roch.

Er saß eine halbe Stunde und las eine alte Nummer von „La Vie Parisienne", die ein Besucher liegengelassen hatte. Sie war wie klassische Literatur nach zwei Wochen ohne Bücher. Dann wurde er zum Chef geführt.

Es dauerte eine Weile, ehe er den kleinen fetten Mann erkannte. Er kümmerte sich gewöhnlich nicht um Gesichter, wenn er operierte. Sie waren ihm so gleichgültig wie Nummern. Ihn interessierte nur die kranke Stelle. Aber dieses Gesicht hatte er sich mit Neugier angesehen. Da saß er, gesund, den Spitzbauch schon wieder angefressen, ohne Gallenblase, Leval. Ravic hatte schon vergessen, daß Veber Durant mobilisieren wollte, und er hatte nicht erwartet, zu Leval selbst geführt zu werden.

Leval sah ihn von oben bis unten an. Er ließ sich dabei Zeit. „Sie heißen natürlich nicht Wozzek", knurrte er dann.

„Nein."

„Wie heißen Sie?"

„Neumann." Ravic hatte das mit Veber arrangiert. Der hatte es Durant erklärt. Wozzek war zu exzentrisch.

„Sind Deutscher, was?"

„Ja."

„Refugié?"

„Ja."

„Weiß man nie. Sehen nicht so aus."

„Nicht alle Refugiés sind Juden", erklärte Ravic.

„Weshalb haben Sie gelogen? Mit Ihrem Namen?"

Ravic zuckte die Achseln. „Was soll man machen? Wir lügen, so wenig wir können. Wir müssen – aber wir tun es nicht aus Spaß."

Leval schwoll auf. „Glauben Sie, es macht uns Spaß, daß wir uns mit Ihnen abgeben müssen?"

Grau, dachte Ravic. Der Kopf war weiß-grau, die Tränensäcke schmutzig-blau, der Mund stand halb offen. Damals redete er nicht; damals war er ein Haufen quabbeliges Fleisch mit einer faulenden Gallenblase darin.

„Wo wohnen Sie? Die Adresse war auch falsch."

„Ich habe irgendwo gewohnt. Einmal hier, einmal da."

„Wie lange?"

„Drei Wochen. Ich bin vor drei Wochen aus der Schweiz gekommen. Wurde dort über die Grenze geschoben. Sie wissen ja, daß wir illegal, ohne Papiere, nirgendwo das Recht haben zu leben – und daß die meisten von uns sich noch nicht entschließen können, Selbstmord zu begehen. Das ist der Grund, weshalb wir Ihnen Scherereien machen."

„Sollten in Deutschland geblieben sein", knurrte Leval. „Es ist alles gar nicht so schlimm da. Wird viel übertrieben."

Eine Spur anders geschnitten, dachte Ravic, und du wärest nicht hier, um diesen Unsinn zu reden. Die Würmer hätten ohne Papiere deine Grenzen überschritten – oder du wärest eine Handvoll Staub in einer geschmacklosen Urne.

„Wo haben Sie hier gewohnt?" fragte Leval.

Das möchtest du gerne wissen, dachte Ravic, um andere da zu fangen. „In guten Hotels", sagte er. „Unter verschiedenen Namen. Immer für ein paar Tage."

„Das ist nicht wahr."

„Weshalb fragen Sie mich, wenn Sie es besser wissen", sagte Ravic, der langsam genug hatte.

Leval schlug mit der flachen Hand ärgerlich auf den Tisch. „Seien Sie nicht unverschämt!" Er besah sich gleich darauf seine Hand genau.

„Sie haben auf die Schere geschlagen", sagte Ravic.

Leval steckte die Hand in die Tasche. „Finden Sie nicht, daß Sie ziemlich frech sind?" fragte er plötzlich mit der Ruhe eines Mannes, der es sich leisten kann, sich zu beherrschen, weil der andere völlig auf ihn angewiesen ist.

„Frech?" Ravic blickte ihn erstaunt an. „Frech nennen Sie das? Wir sind hier doch weder in der Schule noch im Stift für reuige Verbrecher! Ich handle in Notwehr – und Sie möchten, daß ich mich wie ein Gauner fühle, der um ein mildes Urteil bittet? Nur, weil ich kein Nazi bin und deshalb keine Papiere habe? Daß wir uns noch immer nicht für Verbrecher halten, obschon wir Gefängnisse, Polizei, Demütigungen jeder Art kennen, nur weil wir am Leben bleiben wollen – das ist das einzige, was uns noch aufrechterhält, verstehen Sie das nicht? Das ist weiß Gott etwas anderes als Frechheit."

Leval antwortete nicht darauf. „Haben Sie hier praktiziert?" fragte er.

„Nein."

Die Narbe muß jetzt kleiner sein, dachte Ravic. Ich habe damals gut genäht. Es war eine mächtige Arbeit mit all dem Fett. Inzwischen hat er sich wieder angefressen. Angefressen und angesoffen.

„Das ist die größte Gefahr", erklärte Leval. „Ohne Examen, ohne Kontrolle treiben Sie sich hier herum! Wer weiß, wie lange schon! Denken Sie nicht, daß ich Ihnen die drei Wochen glaube. Wer weiß, wo Sie schon überall Ihre Finger drin gehabt haben, in wieviel dunklen Sachen."

In deinem Balg mit den harten Arterien, der dicken Leber und der gärenden Galle, dachte Ravic. Und wenn ich sie nicht drin gehabt hätte, dann hätte dein Freund Durant dich human und idiotisch getötet und wäre dadurch wieder berühmter als Operateur geworden und hätte seine Preise erhöht.

„Die größte Gefahr", wiederholte Leval. „Sie dürfen nicht praktizieren. Also nehmen Sie alles, was Ihnen in den Weg kommt, das ist
doch klar. Ich habe mit einer unserer Autoritäten darüber gesprochen:
Er ist vollkommen derselben Meinung. Wenn Sie etwas von ärztlicher
Wissenschaft verstehen, sollten Sie seinen Namen kennen –"

Nein, dachte Ravic. Das ist nicht wahr. Er wird jetzt nicht Durant
sagen. Das Leben macht solche Witze nicht.

„Professor Durant", sagte Leval mit Würde. „Er hat es mir erklärt.
Heildiener, ausgelernte Studenten, Masseure, Assistenten, das alles
gibt sich hier für große Ärzte aus Deutschland aus. Wer kann das kontrollieren? Unerlaubte Eingriffe, Abtreibungen, Zusammenarbeit mit
Hebammen, Pfuschereien, weiß der Himmel, was da noch alles vor
sich geht! Wir können gar nicht scharf genug sein!"

Durant, dachte Ravic. Das ist die Rache für die zweitausend Franc.
Aber wer macht ihm jetzt seine Operationen? Binot, wahrscheinlich.
Haben sich doch wohl wieder vertragen.

Er merkte, daß er nicht mehr zugehört hatte. Erst, als Vebers Name
fiel, wurde er wieder aufmerksam. „Ein Doktor Veber hat sich für Sie
verwendet. Kennen Sie ihn?"

„Flüchtig."

„Er war hier." Leval starrte einen Moment glotzäugig vor sich hin.
Dann nieste er mächtig, holte ein Taschentuch hervor, schneuzte sich
umständlich, besah, was er geschneuzt hatte, faltete das Taschentuch
zusammen und steckte es wieder ein. „Ich kann nichts für Sie tun. Wir
müssen strikt sein. Sie werden ausgewiesen."

„Das weiß ich."

„Waren Sie schon einmal in Frankreich?"

„Nein."

„Sechs Monate Gefängnis, wenn Sie wiederkommen. Wissen Sie das?"

„Ja."

„Ich werde dafür sorgen, daß Sie so bald wie möglich ausgewiesen
werden. Das ist alles, was ich für Sie tun kann. Haben Sie Geld?"

„Ja."

„Gut. Dann müssen Sie die Reise für den begleitenden Polizisten
und für sich bis zur Grenze bezahlen." Er nickte. „Sie können gehen."

„Irgendeine bestimmte Zeit, wann wir zurück sein müssen?" fragte
Ravic den Beamten, der ihn zurückbrachte.

„Nicht genau. Je nachdem. Warum?"

„Ich möchte einen Apéritif trinken."

Der Beamte sah ihn an. „Ich laufe nicht weg", sagte Ravic, holte
einen Zwanzigfrancschein hervor und spielte damit.

„Schön. Ein paar Minuten können nichts ausmachen."

Sie ließen das Taxi am nächsten Bistro halten. Ein paar Tische standen bereits draußen. Es war kühl, aber die Sonne schien. „Was nehmen Sie?" fragte Ravic.

„Amèr Picon. Nichts anderes um diese Zeit."

„Mir einen großen Fine. Ohne Wasser."

Ravic saß ruhig da und atmete tief. Luft – was das sein konnte! Die Zweige auf den Bäumen auf dem Trottoir hatten braun glänzende Knospen. Es roch nach frischem Brot und jungem Wein. Der Kellner brachte die Gläser. „Wo ist das Telephon?" fragte Ravic.

„Drinnen, rechts, neben der Toilette."

„Aber –" sagte der Beamte.

Ravic steckte ihm den Zwanzigfrancschein in die Hand. „Sie können sich wohl denken, an wen ich telephoniere. Ich verschwinde nicht. Sie können ja mitgehen. Kommen Sie."

Der Beamte zögerte nicht lange. „Schön", sagte er und stand auf. „Mensch ist schließlich bloß Mensch."

„Joan –"

„Ravic! Mein Gott! Wo bist du? Haben sie dich herausgelassen? Sag mir, wo du bist –"

„In einem Bistro –"

„Laß das. Sag mir, wo du wirklich bist."

„Ich bin in einem Bistro."

„Wo? Bist du nicht mehr im Gefängnis? Wo bist du die ganze Zeit gewesen? Dieser Morosow –"

„Er hat dir genau das gesagt, was los war."

„Er hat mir nicht einmal gesagt, wohin sie dich gebracht haben. Ich hätte dich sofort –"

„Deshalb hat er es dir nicht gesagt, Joan. Besser so."

„Weshalb telephonierst du von einem Bistro? Weshalb kommst du nicht hierher?"

„Ich kann nicht kommen. Ich habe nur wenige Minuten Zeit. Konnte den Beamten überreden, hier einen Augenblick zu halten. Joan, ich werde in den nächsten Tagen zur Schweiz gebracht und –" Ravic spähte durch das Glasfenster. Der Beamte lehnte an der Theke und redete. „Und ich komme gleich wieder." Er wartete. „Joan –"

„Ich komme. Ich komme sofort. Wo bist du?"

„Du kannst nicht kommen. Ich bin eine halbe Stunde weit von dir. Ich habe nur noch ein paar Minuten."

„Halte den Beamten fest! Gib ihm Geld! Ich kann Geld mitbringen!"

„Joan", sagte Ravic. „Es geht nicht. Es ist einfacher so. Es ist besser."
Er hörte sie atmen. „Du willst mich nicht sehen?" fragte sie dann.

Es war schwer. Er hätte nicht telephonieren sollen, dachte er. Wie soll
man etwas erklären, ohne den andern dabei ansehen zu können. „Ich
möchte nichts weiter, als dich sehen, Joan."

„Dann komm! Der Mann kann mitkommen!"

„Es geht nicht. Ich muß aufhören. Sag mir rasch noch, was du jetzt
tust."

„Was? Wie meinst du das?"

„Was hast du an? Wo bist du?"

„In meinem Zimmer. Im Bett. Es war spät gestern nacht. Ich kann
in einer Minute etwas anziehen und sofort kommen."

Spät, gestern nacht. Richtig! Das ging ja alles weiter, auch wenn
man eingesperrt war. Man vergaß das. Im Bett, halb verschlafen, die
Mähne wirr auf den Kissen, auf Stühle verstreut Strümpfe, Wäsche,
ein Abendkleid – wie das schwankte: die vor Atem halb angelaufene
Scheibe der heißen Telephonbox; der endlos weit entfernte Kopf des
Beamten, der darin schwamm wie in einem Aquarium – er riß sich
zusammen. „Ich muß jetzt aufhören, Joan."

Er hörte ihre fassungslose Stimme. „Aber das ist doch unmöglich!
Du kannst nicht einfach so weggehen, und ich weiß nichts, nicht wohin
und was –" Aufgestützt, die Kissen fortgestoßen, das Telephon wie
eine Waffe und wie einen Feind in der Hand, die Schultern, die Augen,
tief und dunkel vor Erregung –

„Ich gehe nicht in den Krieg. Ich muß nur einfach einmal in die
Schweiz reisen. Ich werde bald zurück sein. Denk, ich sei ein Ge-
schäftsmann, der beim Völkerbund eine Ladung Maschinengewehre
verkaufen will."

„Wenn du zurückkommst, wird es dann wieder dasselbe sein. Ich
werde nicht leben können vor Angst."

„Sag das letzte noch einmal."

„Es ist doch wahr!" Ihre Stimme war zornig. „Ich bin die letzte, die
irgend etwas weiß! Veber kann dich besuchen, ich nicht! Morosow hast
du telephoniert, mir nicht! Und jetzt gehst du fort –"

„Mein Gott", sagte Ravic. „Wir wollen uns nicht streiten, Joan."

„Ich streite nicht. Ich sage nur, was los ist."

„Gut. Ich muß jetzt aufhören. Adieu, Joan."

„Ravic", rief sie, „Ravic!"

„Ja –"

„Komm wieder! Komm wieder! Ich bin verloren ohne dich!"

„Ich komme wieder."

„Ja – ja –"

„Adieu, Joan. Ich bin bald zurück."

Er stand einen Augenblick in der heißen, dunstigen Box. Dann sah er, daß seine Hand den Hörer nicht losgelassen hatte. Er öffnete die Tür. Der Beamte sah auf, er lächelte, gutmütig. „Fertig?"

„Ja."

Sie gingen zurück nach draußen an den Tisch. Ravic trank sein Glas aus. Ich hätte nicht anrufen sollen, dachte er. Vorher war ich ruhig. Jetzt bin ich durcheinander. Ich hätte wissen sollen, daß ein Telephongespräch nichts anderes bringen konnte. Für mich nicht und für Joan nicht. Er spürte die Versuchung, zurückzugehen und noch einmal anzurufen und ihr alles zu sagen, was er eigentlich hatte sagen wollen. Ihr zu erklären, warum er sie nicht sehen konnte. Daß er nicht wollte, daß sie ihn so sah, dreckig, gefangen. Aber er würde herauskommen, und es würde auch wieder so sein.

„Ich glaube, wir müssen aufbrechen", sagte der Beamte.

„Ja –"

Ravic winkte dem Kellner. „Geben Sie mir zwei kleine Flaschen Kognak, alle Zeitungen und ein Dutzend Päckchen ‚Caporal‘. Und die Rechnung." Er sah den Beamten an. „In Ordnung, was?"

„Mensch ist Mensch", sagte der Beamte.

Der Kellner brachte die Flaschen und die Zigaretten. „Ziehen Sie mir die Pfropfen", sagte Ravic, während er die Zigaretten sorgfältig in seine Taschen verteilte. Er korkte die Flaschen wieder so zu, daß er sie bequem ohne Korkenzieher wieder öffnen konnte, und steckte sie in die Innentasche seines Mantels.

„Sie machen das gut", sagte der Beamte.

„Übung. Leider. Hätte als Junge auch nicht geglaubt, daß ich im Alter noch einmal Indianer spielen müßte."

Der Pole und der Schriftsteller waren begeistert über den Kognak. Der Installateur trank keinen Schnaps. Er war Biertrinker und erklärte, wieviel besser das Bier in Berlin sei. Ravic lag auf einer Pritsche und las die Zeitungen. Der Pole las nicht; er verstand kein Französisch. Er rauchte und war glücklich. Nachts begann der Installateur zu weinen. Ravic war wach. Er horchte auf das unterdrückte Schluchzen und starrte auf das kleine Fenster, hinter dem der bleiche Himmel schimmerte. Er konnte nicht schlafen. Auch später nicht, als der Installateur ruhig war. Zu gut gelebt, dachte er. Zu vieles schon, das schmerzt, wenn man es nicht mehr hat.

18

Ravic kam vom Bahnhof. Er war müde und schmutzig. Er hatte dreizehn Stunden in einem heißen Zug hinter sich mit Leuten, die nach Knoblauch stanken, Jägern mit Hunden, Frauen mit Hühner- und Taubenkörben auf dem Schoß. Und vorher drei Monate an der Grenze –

Es blinkte in der Dämmerung. Er sah auf. Es blinkte, als ständen Spiegelpyramiden rund um den Rond Point und würfen sich das graue, letzte Mailicht zu.

Er blieb stehen und sah schärfer hin. Es waren Spiegelpyramiden. Sie standen überall hinter den Tulpenbeeten in gespenstischer Wiederholung. „Was ist denn das?" fragte er den Gärtner, der neben ihm ein Beet ausgeworfener Erde glättete.

„Spiegel", antwortete der Gärtner, ohne aufzublicken.

„Das sehe ich. Das letztemal, als ich hier war, war das noch nicht da."

„Lange nicht hier gewesen?"

„Drei Monate."

„Ah, drei Monate! Das hier haben sie in den letzten zwei Wochen gemacht. Für den König von England. Kommt zu Besuch. Kann er sein Gesicht dann drin abspiegeln."

„Schauderhaft", sagte Ravic.

„Natürlich", sagte der Gärtner, ohne erstaunt zu sein.

Ravic ging weiter. Drei Monate – drei Jahre – drei Tage – was war Zeit? Nichts und alles. Daß die Kastanien jetzt blühten – und damals hatten sie noch keine Blätter gehabt, daß Deutschland wieder einmal seine Verträge gebrochen und die gesamte Tschechoslowakei besetzt hatte, daß in Genf der Emigrant Josef Blumenthal sich in einem Anfall hysterischen Gelächters vor dem Palast des Völkerbundes erschossen hatte, daß irgendwo in seiner Brust noch der Rest einer Lungenentzündung stach, die er in Belfort unter dem Namen Günther überstanden hatte, und daß er jetzt wieder hier war, an einem Abend, weich wie eine Frauenbrust – es war alles fast ohne Überraschung. Man nahm, wie man vieles nahm, mit der fatalistischen Gelassenheit, die die einzige Waffe der Hilflosigkeit war. Der Himmel blieb überall derselbe, immer derselbe, über Mord und Haß und Opfer und Liebe – die Bäume blühten ahnungslos in jedem Jahre wieder, die pflaumenblaue Dämmerung wechselte und kam und ging, unbekümmert um Pässe, Verrat, Trostlosigkeit und Hoffnung. Es war gut, wieder in Paris zu sein. Es war gut, zu gehen, langsam zu gehen, diese Straße entlang im silbergrauen Licht, ohne zu denken; es war gut, diese Stunde zu haben, noch voll Aufschub, voll sanften Verschwimmens, an der Grenze, wo fernste Trauer und zartestes Immer-wieder-Glück, einfach noch am Leben zu sein, sich horizonthaft mischten – diese Stunde ersten Ankommens, bevor man wieder getroffen wurde von Messern und Pfeilen – dieses seltene Kreaturgefühl, diesen Atem, der weit ging und von weit herkam, dieses Wehen, noch ohne Fühlen, die Straße des Herzens entlang, vorüber an den trüben Feuern der Tatsachen, an den Nagelkreuzen des Gewesenen und an den Stachelhaken des Kommenden, die Zäsur, das Schweigen im Schwingen, der Augenblick Pause, offenstes und geschlossenstes Sein, milder Takt Ewigkeit im Vergänglichsten der Welt –

Morosow saß im Palmenraum des „International". Er hatte eine Karaffe offenen Wein vor sich. „Hallo, Boris, alter Knabe", sagte Ravic. „Ich scheine im richtigen Augenblick wiederzukommen. Ist das Vouvray?"

„Immer noch. Vierunddreißiger, dieses Mal. Etwas süßer und voller. Gut, daß du wieder da bist. Drei Monate, was?"

„Ja. Länger als sonst."

Morosow setzte eine altmodische Tischklingel in Bewegung. Sie läutete wie eine Ministrantenglocke in einer Dorfkirche. Die Katakombe hatte nur elektrisches Licht, keine elektrischen Klingeln. Es lohnte sich nicht; die Emigranten trauten sich selten zu klingeln. „Wie heißt du jetzt?" fragte Morosow.

„Immer noch Ravic. Ich habe den Namen bei der Polizei nicht benutzt. Hieß da Wozzek, Neumann, Günther. Eine Caprice. Wollte Ravic nicht aufgeben. Gefällt mir als Name."

„Sie haben nicht herausgekriegt, daß du hier wohnst, was?"

„Natürlich nicht."

„Klar. Hätten sonst bestimmt eine Razzia gemacht. Dann kannst du ja wieder hier wohnen. Dein Zimmer ist frei."

„Weiß die Alte, was los war?"

„Nein, niemand. Ich habe gesagt, du wärest nach Rouen gefahren. Deine Sachen sind in meiner Bude."

Das Mädchen kam mit dem Tablett. „Clarisse, bringen Sie Herrn Ravic ein Glas", sagte Morosow.

„Ach, Herr Ravic!" Das Mädchen zeigte seine Zähne. „Wieder zurück? Sie waren über ein halbes Jahr weg, Monsieur."

„Drei Monate, Clarisse."

„Nicht möglich. Ich dachte, es wäre ein halbes Jahr."

Sie schlürfte davon. Gleich darauf kam der speckige Kellner der Katakombe mit einem Weinglas in der Hand. Er trug kein Tablett; er war schon zu lange da und konnte sich Bequemlichkeiten leisten.

Morosow sah seinem Gesicht an, was kommen würde, und kam ihm zuvor. „Gut, Jean, sag gleich, wie lang Herr Ravic weg war. Weißt du es genau?"

„Aber Herr Morosow! Natürlich weiß ich das genau! Auf den Tag sogar. Es sind genau –" Er machte eine Kunstpause, lächelte und sagte: „Viereinhalb Wochen genau."

„Stimmt", sagte Ravic, bevor Morosow antworten konnte.

„Stimmt", erwiderte Morosow ebenfalls.

„Selbstverständlich. Ich irre mich nie." Jean verschwand.

„Ich wollte ihn nicht enttäuschen, Boris."

„Ich auch nicht. Ich wollte dir nur die Hinfälligkeit der Zeit demonstrieren, wenn sie Vergangenheit geworden ist. Tröstet, erschreckt und macht gleichgültig. Ich verlor den Oberleutnant Bielski vom Neobraschensker Garderegiment im Jahre 1917 in Moskau aus den Augen. Wir waren Freunde. Er ging nach Norden über Finnland. Ich machte den Weg über die Mandschurei und Japan. Als wir uns dann hier acht Jahre später wieder trafen, glaubte ich ihn das letzte Mal 1919 in Harbin gesehen zu haben; er mich 1921 in Helsinki. Eine Differenz von zwei Jahren – und von einigen tausend Kilometern." Morosow nahm die Karaffe und schenkte ein. „Du siehst, sie kennen dich hier immerhin noch wieder. Gibt einem schon eine Art Heimatgefühl, wie?"

Ravic trank. Der Wein war leicht und kühl. „Ich war inzwischen einmal dicht an der deutschen Grenze", sagte er. „Sehr dicht, unten in Basel. Die eine Seite der Straße war schweizerisch, die andere deutsch. Ich stand auf der Schweizer Seite und aß Kirschen. Die Kerne konnte ich nach Deutschland hinüberspucken."

„Gab dir das auch ein Heimatgefühl?"

„Nein. Ich war nie weiter weg."

Morosow grinste. „Kann ich verstehen. Wie war's unterwegs?"

„Wie immer. Es wird schwieriger, das ist alles. Sie bewachen die Grenzen schärfer. Schnappten mich einmal in der Schweiz und einmal in Frankreich."

„Warum hast du nie etwas von dir hören lassen?"

„Ich wußte nicht, wie weit die Polizei hier gekommen war. Sie haben ja manchmal Anfälle von Energie. Besser, keinen zu gefährden. Unsere Alibis sind schließlich alle nicht so ganz hervorragend. Alte Kriegsregel: still liegen und verschwinden. Hast du etwas anderes erwartet?"

„Ich nicht."

Ravic sah ihn an. „Briefe", sagte er dann. „Was sind Briefe? Briefe helfen nie etwas."

„Nein."

Ravic zog ein Päckchen Zigaretten aus der Tasche. „Sonderbar, wie das alles wird, wenn man weg ist."

„Mach dir nichts vor", erwiderte Morosow.

„Das tue ich auch nicht."

„Wenn man wegbleibt, ist es gut. Wenn man wiederkommt, ist es anders. Dann geht es wieder los."

„Vielleicht. Vielleicht auch nicht."

„Du bist ziemlich kryptisch. Gut, daß du es so nimmst. Wollen wir eine Partie Schach spielen? Der Professor ist gestorben. War der einzige würdige Gegner. Lewy ist nach Brasilien gegangen. Stellung als Kellner. Das Leben geht verdammt rasch heutzutage. Man soll sich an nichts gewöhnen."

„Das soll man nicht."

Morosow blickte Ravic aufmerksam an. „So meinte ich das nicht."

„Ich auch nicht. Aber können wir nicht dieses muffige Palmengrab verlassen? Ich war drei Monate nicht hier; trotzdem stinkt es wie immer – nach Küche, Staub und Angst. Wann mußt du los?"

„Heute überhaupt nicht. Habe meinen freien Abend."

„Richtig." Ravic lächelte flüchtig. „Der Abend der Eleganz, des alten Rußlands und der großen Gläser."

„Willst du mit?"

„Nein. Heute nicht. Ich bin müde. Habe ein paar Nächte kaum geschlafen. Nicht sehr ruhig, jedenfalls. Laß uns noch eine Stunde rausgehen und irgendwo herumsitzen. Habe das lange nicht getan."

„Vouvray?" fragte Morosow. Sie saßen vor dem Café Colisée.

„Warum? Es ist früher Abend, Alter. Die Stunde des Wodkas."

„Ja. Trotzdem Vouvray. Das ist genug für mich."

„Was ist los? Keinen Fine wenigstens?"

Ravic schüttelte den Kopf. „Wenn man irgendwo ankommt, soll man sich am ersten Abend blau saufen, Bruder", erklärte Morosow. „Unnötiger Heroismus, den Schatten der Vergangenheit nüchtern in die traurigen Gesichter zu starren."

„Ich starre nicht, Boris. Ich freue mich behutsam meines Lebens."

Ravic sah, daß Morosow ihm nicht glaubte. Er machte keinen Versuch, ihn zu überzeugen. Er saß ruhig am Tisch, in der ersten Reihe zur Straße hin, trank seinen Wein und blickte in das abendliche Gedränge der Spaziergänger. Solange er von Paris fortgewesen war, war alles klar und scharf in ihm gewesen. Jetzt war es wolkig, fahl und farbig, angenehm gleitend, aber so wie bei jemand, der von einem Berge zu rasch abgestiegen ist und der den Lärm unten im Tal nur wie durch Watte hört.

„Warst du irgendwo, bevor du ins Hotel kamst?" fragte Morosow.

„Nein."

„Veber hat ein paarmal nach dir gefragt."

„Ich werde ihn anrufen."

„Du gefällst mir nicht. Erzähle, was los war."

„Nichts Besonderes. Die Grenze in Genf war zu gut bewacht. Versuchte es da zuerst, dann in Basel. Auch schwierig. Kam schließlich doch hinüber. Erkältete mich. Regen und Schnee nachts auf den Feldern. Konnte wenig machen. Es wurde eine Lungenentzündung. Ein Arzt in Belfort brachte mich in ein Krankenhaus. Schmuggelte mich rein und raus. Hielt mich noch zehn Tage in seinem Haus. Muß ihm das Geld zurückschicken."

„Bist du wieder in Ordnung?"

„Ziemlich."

„Trinkst du deshalb keinen Schnaps?"

Ravic lächelte. „Wozu reden wir herum? Ich bin etwas müde und will mich erst gewöhnen. Das ist wahr. Merkwürdig, wie viel man denkt, wenn man unterwegs ist. Und wie wenig, wenn man ankommt."

Morosow winkte ab. „Ravic", sagte er väterlich. „Du sprichst mit deinem Vater Boris, dem Kenner des menschlichen Herzens. Mach keine Umwege und frage schon, damit wir es hinter uns kriegen."

„Schön. Wo ist Joan?"

„Das weiß ich nicht. Ich weiß seit einigen Wochen nichts mehr von ihr. Habe sie auch nicht mehr gesehen."

„Und vorher?"

„Vorher hat sie eine Zeitlang nach dir gefragt. Dann nicht mehr."

„Ist sie nicht mehr in der Scheherazade?"

„Nein. Sie hat aufgehört vor ungefähr fünf Wochen. Dann war sie noch zwei-, dreimal da. Später nicht mehr."

„Ist sie nicht mehr in Paris?"

„Ich glaube nicht. Scheint wenigstens nicht so. Sonst hätte ich sie ja weiter ab und zu in der Scheherazade gesehen."

„Weißt du, was sie macht?"

„Irgendwas mit Film, glaube ich. Das hat sie wenigstens der Garderobenfrau gesagt. Du weißt ja, wie so etwas ist. Irgendein verdammter Vorwand."

„Vorwand?"

„Ja, Vorwand", sagte Morosow grimmig. „Was sonst, Ravic? Hast du etwas anderes erwartet?"

„Ja."

Morosow schwieg. „Erwarten und wissen ist zweierlei", sagte Ravic.

„Nur für gottverdammte Romantiker. Trink was Vernünftiges –
nicht die Limonade da. Einen anständigen Calvados –"

„Calvados nicht gerade. Kognak, wenn es dich beruhigt. Oder meinetwegen auch Calvados."

„Endlich", sagte Morosow.

Die Fenster. Die blaue Silhouette der Dächer. Das verschossene rote
Sofa. Das Bett. Ravic wußte, daß er es durchzustehen hatte. Er saß
auf dem Sofa und rauchte. Morosow hatte ihm seine Sachen herüber-
gebracht und ihm gesagt, wo er ihn finden könne, wenn er wolle.

Er hatte den alten Anzug weggeworfen. Er hatte gebadet, heiß und
lange, mit viel Seife. Er hatte drei Monate weggeschwemmt und von
seiner Haut geschrubbt. Er hatte reine Wäsche angezogen, einen anderen Anzug, sich rasiert; und er wäre am liebsten noch in ein tür-
kisches Bad gegangen, wenn es nicht zu spät gewesen wäre. Er hatte
alles das getan und sich gut dabei gefühlt. Er hätte gern noch mehr
getan, denn jetzt plötzlich, während er am Fenster saß, begann die
Leere aus den Winkeln an ihn heranzukriechen.

Er schenkte sich ein Glas Calvados ein. Unter seinen Sachen war
noch eine Flasche mit einem kleinen Rest darin gewesen. Er erinnerte
sich an die Nacht, als er sie mit Joan getrunken hatte, aber er empfand
wenig dabei. Es war zu lange her. Er merkte nur, daß es guter, alter
Calvados war.

Der Mond stieg langsam über die Dächer. Der dreckige Hof gegenüber wurde ein Palast aus Schatten und Silber. Alles konnte aus Dreck
zu Silber werden mit einem bißchen Phantasie. Ein Geruch von Blumen kam durch das Fenster. Der herbe Geruch von Nelken in der
Nacht. Ravic lehnte sich über die Brüstung und sah hinunter. Auf dem
Fensterbrett unter ihm stand ein Holzkasten mit Blumen. Sie gehörten dem Emigranten Wiesenhoff, wenn er noch da wohnte. Ravic hatte
ihm einmal den Magen ausgepumpt. Weihnachten vor einem Jahr.

Die Flasche war leer. Er warf sie auf das Bett. Da lag sie wie ein
schwarzer Embryo. Er stand auf. Wozu starrte er auf das Bett? Wenn
man keine Frau hatte, mußte man sich eine holen. Das war einfach in
Paris.

Er ging durch die schmalen Straßen dem Etoile zu. Das warme
Leben der nächtigen Stadt schlug ihm von den Champs-Elysées ent-
gegen. Er ging zurück, rasch, dann immer langsamer, bis er zum Hotel
Milan kam.

„Wie geht's?" fragte er den Portier.

„Ah, Monsieur!" Der Portier stand auf. „Monsieur war lange nicht
hier."

„Ja, eine Zeitlang nicht. Ich war nicht in Paris."

Der Portier musterte ihn mit flinken, kleinen Augen. „Madame ist nicht mehr hier."

„Ich weiß. Schon längst nicht mehr."

Der Portier war ein guter Portier. Er wußte, was man von ihm wollte, ohne gefragt zu werden. „Vier Wochen jetzt", sagte er. „Vor vier Wochen ist sie ausgezogen."

Ravic nahm eine Zigarette aus seinem Päckchen. „Ist Madame nicht mehr in Paris?" fragte der Portier.

„Sie ist in Cannes."

„Cannes!" Der Portier fuhr sich mit der großen Hand über das Gesicht. „Sie würden nicht glauben, mein Herr, daß ich vor achtzehn Jahren Portier im Hotel Ruhl in Nizza war, wie?"

„Doch."

„Die Zeiten! Das Trinkgeld! Die herrliche Zeit nach dem Krieg! Heute –"

Ravic war ein guter Gast. Er verstand das Hotelpersonal, ohne daß es allzu deutlich zu werden brauchte. Er holte einen Fünffrancschein hervor und legte ihn auf den Tisch.

„Danke, mein Herr. Viel Vergnügen noch! Sie sehen jünger aus, mein Herr!"

„Fühle mich auch so. Guten Abend."

Ravic stand auf der Straße. Wozu war er in das Hotel gegangen? Jetzt fehlte nur noch, daß er in die Scheherazade ging und sich da besoff.

Er starrte in den Himmel, der voller Sterne hing. Er sollte froh sein, daß es so gekommen war. Er sparte eine Menge unnötiger Auseinandersetzungen. Er hatte es gewußt, und Joan hatte es auch gewußt. Zum Schluß wenigstens. Sie hatte getan, was das einzig Richtige war. Keine Erklärungen. Erklärungen waren zweitklassig. Im Gefühl gab es keine Erklärungen. Nur Handlungen. Gottlob, daß die Wagenschmiere der Moral nicht dabei war. Gottlob, daß Joan davon nichts wußte. Sie hatte gehandelt. Fertig. Aus. Kein Hin- und Hergezerre. Er hatte auch gehandelt. Was stand er also jetzt noch hier? Es mußte die Luft sein. Dieses weiche Gewebe aus Mai und Abend in Paris. Und die Nacht natürlich. Nachts war man immer anders als am Tage.

Er ging zurück in das Hotel. „Kann ich einmal telephonieren?"

„Gewiß, mein Herr. Wir haben aber keine Telephonzelle. Nur den Apparat hier."

„Das genügt."

Ravic sah auf seine Uhr. Es konnte sein, daß Veber in der Klinik war. Es war die Stunde der letzten Nachtvisite. „Ist Doktor Veber da?" fragte er die Schwester. Er kannte ihre Stimme nicht. Sie mußte neu sein.

„Doktor Veber ist nicht zu sprechen."

„Ist er nicht da?"

„Er ist da. Aber er ist jetzt nicht zu sprechen."

„Hören Sie", sagte Ravic. „Gehen Sie und sagen Sie ihm, Ravic sei am Telephon. Gehen Sie sofort. Es ist wichtig. Ich warte am Apparat."

„Gut", sagte die Schwester zögernd. „Ich werde ihn fragen, aber er wird nicht kommen."

„Wir werden sehen. Fragen Sie ihn. Ravic."

Veber war einen Moment später am Apparat. „Ravic! Wo sind Sie?"

„In Paris. Heute angekommen. Operieren Sie etwa noch?"

„Ja. In zwanzig Minuten. Ein eiliger Blinddarm. Wollen wir uns später treffen?"

„Ich kann rüberkommen."

„Großartig. Wann?"

„Gleich."

„Gut. Ich warte dann auf Sie."

„Hier ist guter Schnaps", sagte Veber. „Da sind Zeitungen und Fachblätter. Machen Sie sich's bequem."

„Einen Schnaps. Und einen Kittel und Handschuhe."

Veber sah Ravic an. „Einfacher Blinddarm. Unter Ihrer Würde. Ich kann das rasch mit den Schwestern machen. Sie sind doch sicher müde genug."

„Veber, tun Sie mir den Gefallen und lassen Sie mich die Operation machen. Ich bin nicht müde und ich bin in Ordnung."

Veber lachte. „Sie haben es verflucht eilig, wieder ins Handwerk zu kommen. Schön. Wie Sie wollen. Kann es eigentlich verstehen."

Ravic wusch sich und ließ sich den Kittel und die Handschuhe überstreifen. Der Operationsraum. Er atmete den Geruch des Äthers tief ein. Eugenie stand am Kopfende des Tisches und machte die Narkose. Eine zweite, sehr schöne junge Schwester ordnete die Instrumente. „Guten Abend, Schwester Eugenie", sagte Ravic.

Sie ließ fast den Tropfer fallen. „Guten Abend, Doktor Ravic", erwiderte sie.

Veber schmunzelte. Es war das erstemal, daß sie Ravic so angeredet hatte. Ravic beugte sich über den Patienten. Das starke Operationslicht brannte weiß und intensiv. Es schloß die Welt ringsum ab. Es schloß die Gedanken ab. Es war sachlich und kalt und unbarmherzig und gut. Ravic nahm das Messer, das die schöne Schwester ihm reichte. Er fühlte den Stahl kühl durch die dünnen Handschuhe. Es war gut, ihn zu fühlen. Es war gut, aus schwankender Ungewißheit wieder zu klarer Präzision zu kommen. Er machte den Schnitt. Schmal und rot lief das Blut dem Messer nach. Alles wurde plötzlich einfach. Er fühlte zum erstenmal, seit er zurück war, sich selbst wieder. Das sausende lautlose Licht. Zu Hause, dachte er. Endlich!

19

Sie ist da", sagte Morosow.

„Wer?"

Morosow strich seine Uniform glatt. „Tu nicht so, als wenn du es nicht wüßtest. Ärgere deinen Vater Boris nicht auf offener Straße. Meinst du, ich weiß nicht, weshalb du in zwei Wochen dreimal in der Scheherazade warst? Einmal mit einem Wunder von blauen Augen und schwarzem Haar, aber zweimal allein? Der Mensch ist schwach – wo wäre sonst sein Reiz?"

„Geh zum Teufel", sagte Ravic. „Demütige mich nicht, gerade wenn ich meine Kraft nötig habe – du geschwätziger Türöffner."

„Wäre es dir lieber gewesen, ich hätte es dir nicht gesagt?"

„Natürlich."

Morosow trat zur Seite und ließ zwei Amerikaner ein. „Dann geh zurück und komm an einem andern Abend wieder", sagte er.

„Ist sie allein hier?"

„Allein lassen wir nicht einmal regierende Fürstinnen rein, das müßtest du wissen. Sigmund Freud würde an deiner Frage Gefallen haben."

„Was weißt du von Sigmund Freud. Du bist betrunken, und ich werde mich über dich bei deinem Manager, dem Captain Tschedschenedse, beschweren."

„Captain Tschedschenedse war einer der Leutnants in dem Regiment, in dem ich Oberstleutnant war, Knabe. Er weiß das noch immer. Versuch's mal."

„Schön. Laß mich vorbei."

„Ravic!" Morosow legte ihm seine schweren Hände auf die Schultern. „Sei kein Esel! Geh, telephoniere dem Wunder mit den blauen Augen und komm mit ihr wieder, wenn du schon mußt. Einfacher Ratschlag eines erfahrenen alten Mannes. Äußerst billig, aber dafür immer wirksam."

„Nein, Boris." Ravic sah ihn an. „Tricks haben hier keinen Zweck. Ich will auch keine."

„Dann geh nach Hause", sagte Morosow.

„In den muffigen Palmenraum? Oder in meine Bude?"

Morosow ließ Ravic los und schritt einem Paar voraus, das ein Taxi wollte. Ravic blieb stehen, bis er zurückkam. „Du bist vernünftiger, als ich dachte", sagte Morosow. „Sonst wärst du schon drin."

Er schob seine goldbetreßte Kappe zurück. Bevor er weitersprechen konnte, erschien ein angetrunkener, junger Mann in einem weißen Smoking in der Tür. „Herr Oberst! Einen Rennwagen!"

Morosow winkte dem nächsten Taxi in der Reihe und geleitete den leicht Schwankenden hinein. „Sie lachen nicht", sagte der Betrunkene. „Oberst war doch ein guter Witz – oder nicht?"

„Sehr gut. Rennwagen war fast noch besser."

„Ich habe mir die Sache überlegt", sagte Morosow, als er zurückkam. „Geh rein. Pfeif auf das andere. Ich würde es auch so machen. Irgendwann passiert es doch; warum dann nicht sofort? Bring es zu Ende, so oder so. Wenn wir nicht mehr kindisch sind, sind wir alt."

„Ich habe es mir auch überlegt. Ich gehe anderswohin."

Morosow blickte Ravic amüsiert an. „Schön", sagte er schließlich. „Ich sehe dich dann in einer halben Stunde wieder."

„Oder auch nicht."

„Dann in einer Stunde."

Zwei Stunden später saß Ravic in der Cloche d'Or. Das Lokal war noch ziemlich leer. An der langen Bar unten hockten die Huren wie Papageien auf der Stange und schwatzten. Dazwischen standen ein paar Händler mit Gipskokain, die auf Touristen warteten. Oben saßen einige Paare und aßen Zwiebelsuppe. Auf einem Sofa in der Ecke gegenüber von Ravic flüsterten zwei Lesbierinnen, die Sherry Brandy tranken. Eine, in einem Tailormade mit Krawatte, trug ein Monokel; die andere war eine rothaarige, volle Person in einem tief ausgeschnittenen, glitzernden Abendkleid.

Idiotisch, dachte Ravic. Warum bin ich nicht in die Scheherazade gegangen? Wovor fürchte ich mich? Und weshalb laufe ich weg? Es ist gewachsen, ich weiß es. Diese drei Monate haben es nicht zerbrochen; sie haben es stärker gemacht. Es ist zwecklos, mir etwas vorzuspielen. Es ist fast das einzige gewesen, das mit mir geblieben ist in all dem Schleichen über Gassen, in all dem Warten in versteckten Zimmern, in der tropfenden Einsamkeit fremder, sternloser Nächte. Die Abwesenheit hat es stärker genährt, als sie selbst es jemals gekonnt hätte, und jetzt –

Ein unterdrückter Schrei weckte ihn aus seinem Brüten. Ein paar Frauen waren inzwischen hereingekommen. Eine von ihnen, die aussah wie eine sehr helle Negerin, ziemlich betrunken, einen Hut mit Blumen hinten auf den Kopf geschoben, warf ein Tischmesser weg und ging langsam die Treppe hinunter. Niemand hielt sie auf. Ein Kellner kam die Treppe herauf. Eine zweite Frau stand oben und blockierte ihm den Weg. „Nichts passiert", sagte sie. „Nichts passiert."

Der Kellner zuckte die Achseln und kehrte um. Ravic sah, wie die rothaarige Frau in der Ecke aufstand. Gleichzeitig ging die Frau, die den Kellner abgewehrt hatte, rasch zur Bar hinunter. Die Rothaarige stand still, die Hand an der vollen Brust. Vorsichtig öffnete sie zwei Finger der Hand und blickte hinunter. Das Kleid war einige Zentimeter weit zerschnitten und darunter sah man die offene Wunde. Man sah keine Haut, nur die offene Wunde in dem grünen, irisierenden Abendkleid. Die rothaarige Frau starrte darauf, als könne sie es nicht glauben.

Ravic hatte eine unwillkürliche Bewegung gemacht. Dann ließ er sich zurücksinken. Eine Ausweisung war genug. Er sah, daß die Frau in dem Tailormade die Rothaarige zurückriß auf das Kanapee. Im selben Augenblick kam die zweite mit einem Glas Schnaps zurück von der Bar die Treppe herauf. Die Frau im Tailormade kniete auf das Bankett, hielt der Rothaarigen mit einer Hand den Mund zu und zog ihr rasch die Hand von der Wunde. Die zweite Frau goß das Glas Schnaps hinein. Primitive Art von Desinfektion, dachte Ravic. Die Rothaarige stöhnte, zuckte, aber die andere hielt sie eisern fest. Zwei andere Frauen deckten den Tisch ab gegen die übrigen Gäste. Das Ganze ging äußerst rasch und geschickt vor sich. Kaum jemand sah etwas. Eine Minute später, als wären sie herbeigezaubert, strömte eine Anzahl Lesbierinnen und Homosexueller in das Lokal. Sie umringten den Tisch in der Ecke, hoben die Rothaarige an, stützten sie, die anderen deckten die Gruppe lachend und schwatzend, und alle verließen das Lokal, als wäre nichts geschehen. Die meisten Gäste hatten fast nichts gemerkt.

„Gut, was?" fragte jemand hinter Ravic. Es war der Kellner.

Ravic nickte. „Was war los?"

„Eifersucht. Diese Perversen sind eine aufgeregte Bande."

„Wo kamen eigentlich die andern alle so rasch her? Das war ja die reine Telepathie."

„Die riechen das, mein Herr", sagte der Kellner.

„Wahrscheinlich hat eine telephoniert. Aber es ging prompt."

„Die riechen es. Und sie halten zusammen wie Tod und Teufel. Zeigen sich nicht gegenseitig an. Nur keine Polizei – das ist alles, was sie wollen. Erledigen das schon untereinander." Der Kellner nahm Ravics Glas vom Tisch. „Noch einen? Was war es?"

„Calvados."

„Gut. Noch einen Calvados."

Er schuffelte davon. Ravic sah auf und sah Joan ein paar Tische entfernt sitzen. Sie war hereingekommen, während er mit dem Kellner sprach. Er hatte sie nicht kommen sehen. Sie saß mit zwei Männern zusammen. Im Augenblick, als er sie sah, sah sie ihn auch. Sie erblaßte unter ihrer sonnenbraunen Haut. Eine Sekunde saß sie still, ohne die Augen von ihm zu lassen. Dann schob sie mit einer brüsken Bewegung den Tisch zur Seite, stand auf und kam zu ihm herüber. Während sie ging, veränderte sich ihr Gesicht. Es zerschmolz und wurde verwischt; nur die Augen blieben starr und durchsichtig wie Kristalle. Sie erschienen Ravic heller als jemals zuvor. Sie waren von einer beinahe zornigen Kraft.

„Du bist zurück", sagte sie leise fast atemlos.

Sie stand dicht vor ihm. Einen Augenblick machte sie eine Bewegung, als wolle sie ihn umarmen. Aber sie tat es nicht. Sie gab ihm auch nicht die Hand. „Du bist zurück", wiederholte sie.

Ravic antwortete nicht.

„Seit wann bist du zurück?" fragte sie dann ebenso leise wie vorher.

„Seit zwei Wochen."

„Seit zwei – und ich habe es nicht – du hast nicht einmal –"

„Niemand wußte, wo du warst. Dein Hotel nicht – und die Scheherazade auch nicht."

„Die Scheherazade – ich war doch –" Sie brach ab. „Warum hast du mir nie geschrieben?"

„Ich konnte nicht."

„Du lügst."

„Gut. Ich wollte nicht. Ich wußte nicht, ob ich wiederkommen würde."

„Du lügst wieder. Das ist kein Grund."

„Doch. Ich könnte wiederkommen oder nicht. Verstehst du das nicht."

„Nein, aber ich verstehe, daß du zwei Wochen hier bist und nicht das geringste getan hast, um mich –"

„Joan", sagte Ravic ruhig. „Du hast diese braunen Schultern nicht in Paris bekommen."

Der Kellner strich schnuppernd vorbei. Er warf einen Blick auf Joan und Ravic. Die Szene von vorher saß ihm wohl noch in den Knochen. Er nahm wie zufällig mit einem Teller zwei Messer und zwei Gabeln von der rotweiß gewürfelten Tischdecke fort. Ravic bemerkte es. „Alles in Ordnung", sagte er.

„Was ist in Ordnung?" fragte Joan.

„Nichts. Da war irgend etwas vorher."

Sie starrte ihn an. „Wartest du hier auf eine Frau?"

„Mein Gott, nein. Irgendwelche Leute hatten eine Szene. Jemand blutete. Ich habe mich diesmal nicht eingemischt."

„Eingemischt?" Sie verstand plötzlich. Ihr Ausdruck veränderte sich. „Was machst du hier? Sie werden dich wieder verhaften. Ich weiß jetzt alles. Ein halbes Jahr Gefängnis ist das nächste. Du mußt fort! Ich wußte nicht, daß du in Paris bist! Ich dachte, du kämest nie wieder."

Ravic antwortete nicht.

„Ich dachte, du kämest nie wieder", wiederholte sie.

Ravic sah sie an. „Joan –"

„Nein! Es ist alles nicht wahr! Nichts ist wahr! Nichts!"

„Joan", sagte Ravic behutsam. „Geh zu deinem Tisch zurück." Ihre Augen waren plötzlich feucht. „Geh zu deinem Tisch zurück", sagte er.

„Du bist schuld!" stieß sie hervor. „Du! Du allein!"

Sie drehte sich abrupt um und ging zurück. Ravic schob seinen Tisch beiseite und setzte sich. Er sah das Glas Calvados und machte eine Bewegung, es zu trinken. Er tat es nicht. Er war ruhig gewesen, während er mit Joan sprach. Jetzt plötzlich fühlte er die Erregung. Sonderbar, dachte er. Die Brustmuskeln unter der Haut vibrierten. Warum gerade die? Er nahm das Glas und betrachtete seine Hand. Sie war ruhig. Er trank nicht zu ihr hinüber. Der Kellner kam vorbei. "Zigaretten", sagte Ravic. „Caporal."

Er zündete eine an und trank die zweite Hälfte seines Glases. Wieder spürte er Joans Blick. Was erwartete sie? dachte er. Daß ich mich vor ihren Augen aus Unglück betrinke? Er winkte dem Kellner und zahlte. Im Augenblick, als er aufstand, begann Joan lebhaft zu einem ihrer Begleiter zu sprechen. Sie blickte nicht auf, als er an ihrem Tisch vorbeiging. Ihr Gesicht war hart und kalt und ohne Ausdruck, während sie angestrengt lächelte.

Ravic ging durch die Straßen und fand sich, ohne es überlegt zu haben, wieder vor der Scheherazade. Morosows Gesicht lächelte auf. „Gute Haltung, Soldat! Gab dich schon fast verloren. Freut einen immer, wenn eine Prophezeiung eintrifft."

„Freu dich nicht zu früh."

„Du dich auch nicht. Du kommst zu spät."

„Das weiß ich. Ich habe sie schon getroffen."

„Was?"

„In der Cloche d'Or."

„Da soll doch –" sagte Morosow verblüfft. „Mutter Leben hat immer neue Drehs auf Lager."

„Wann bist du hier fertig, Boris?"

„In ein paar Minuten. Niemand mehr da. Muß mich umziehen. Komm solang rein. Trink einen Wodka auf Kosten des Hauses."

„Nein. Ich warte hier."

Morosow sah ihn an. „Wie fühlst du dich?"

„Zum Kotzen."

„Hast du etwas anderes erwartet?"

„Ja. Man erwartet immer was anderes. Geh und zieh dich um."

Ravic lehnte sich an die Wand. Neben ihm packte die alte Blumenverkäuferin ihre Blumen zusammen. Sie bot ihm nicht an, welche zu kaufen. Er kam sich albern vor, aber er hätte gerne gehabt, wenn sie ihn gefragt hätte. So war es, als erwarte sie nicht, daß er welche brauchen könne. Er blickte die Häuserreihe entlang. Ein paar Fenster waren noch hell. Taxis streiften langsam vorbei. Was hatte er erwartet? Er wußte es genau. Was er nicht erwartet hatte, war, daß Joan die Initiative ergreifen würde. Aber warum eigentlich nicht? Wie recht jemand schon hatte, wenn er nur attackierte!

Die Kellner kamen heraus. Sie waren die Nacht über Kaukasier und Tscherkessen gewesen, in roten Röcken und hohen Stiefeln. Jetzt waren sie müde Zivilisten. In sonderbar auf ihn wirkenden Alltagsanzügen schlichen sie nach Hause. Der letzte war Morosow. „Wohin?" fragte er.

„Ich war heute schon überall."

„Dann laß uns ins Hotel gehen und Schach spielen."

„Was?"

„Schach. Ein Spiel mit Holzfiguren, das gleichzeitig ablenkt und konzentriert."

„Gut", sagte Ravic. „Warum nicht?"

Er erwachte und wußte sofort, daß Joan im Zimmer war. Es war noch dunkel, und er konnte sie nicht sehen, aber er wußte, daß sie da war. Das Zimmer war anders, das Fenster war anders, die Luft war anders und er selbst war anders. „Laß den Unsinn!" sagte er. „Mach das Licht an und komm her."

Sie rührte sich nicht. Er hörte sie nicht einmal atmen. „Joan", sagte er, „wir wollen nicht Versteck spielen."

„Nein", sagte sie leise.

„Dann komm her."

„Wußtest du, daß ich kommen würde?"

„Nein."

„Deine Tür war offen."

„Meine Tür ist fast immer offen."

Sie schwieg einen Augenblick. „Ich dachte, du wärest noch nicht hier", sagte sie dann. „Ich wollte nur – ich dachte – du würdest noch irgendwo sitzen und trinken."

„Das dachte ich auch. Ich habe statt dessen Schach gespielt."

„Was?"

„Schach. Morosow. Unten in der Bude, die aussieht wie ein Aquarium ohne Wasser."

„Schach!" Sie kam aus ihrer Ecke hervor. „Schach! Das ist doch – jemand, der Schach spielen kann, wenn –"

„Ich hätte es auch nicht geglaubt, aber es ging. Gut sogar. Ich konnte eine Partie gewinnen."

„Du bist das kälteste, herzloseste –"

„Joan", sagte Ravic. „Keine Szenen. Ich bin für gute Szenen. Nur nicht heute."

„Ich mache keine Szenen. Ich bin todunglücklich."

„Schön. Dann wollen wir das alles lassen. Szenen sind richtig, wenn man mittelmäßig unglücklich ist. Ich habe einen Mann gekannt, der vom Augenblick, als seine Frau starb, bis zu ihrem Begräbnis sich in sein Zimmer einschloß und Schachprobleme löste. Man hielt ihn für herzlos, aber ich weiß, daß er seine Frau geliebt hatte wie nichts auf der Welt. Er wußte einfach nichts anderes. Er löste Tag und Nacht Schachaufgaben, um nicht daran zu denken."

Joan stand jetzt in der Mitte des Zimmers. „Hast du es deshalb getan, Ravic?"

„Nein. Ich sagte dir doch, es war ein anderer Mann. Ich habe geschlafen, als du kamst."

„Ja, du hast geschlafen! Du kannst schlafen!"

Ravic stützte sich auf. „Ich habe einen andern Mann gekannt, der auch seine Frau verloren hatte. Er legte sich zu Bett und schlief zwei Tage durch. Die Mutter seiner Frau war außer sich darüber. Sie verstand nicht, daß man viele widersprechende Dinge tun und gleichzeitig völlig trostlos sein kann. Es ist merkwürdig, was für eine Etikette sich gerade für das Unglück herausgebildet hat! Hättest du mich sinnlos betrunken gefunden, wäre alles stilgemäß gewesen. Daß ich Schach gespielt und geschlafen habe, ist kein Beweis, daß ich roh und gefühllos bin. Einfach, was?"

Es krachte und splitterte. Joan hatte eine Vase ergriffen und sie zu Boden geschleudert. „Gut", sagte Ravic. „Ich konnte das Ding ohnehin nicht leiden. Paß nur auf, daß du dir keine Scherben eintrittst."

Sie stieß die Scherben beiseite. „Ravic", sagte sie. „Warum tust du das?"

„Ja", erwiderte er. „Warum? Ich mache mir selbst Mut. Merkst du das nicht, Joan?"

Sie wandte ihm rasch ihr Gesicht zu. „Es sieht so aus. Aber bei dir weiß man nie, was los ist."

Sie trat vorsichtig über die umhergestreuten Scherben hinweg und setzte sich auf das Bett. Er konnte ihr Gesicht jetzt deutlich in der frühen Dämmerung sehen. Er war überrascht, daß es nicht müde war. Es war jung und klar gespannt. Sie trug einen leichten Mantel, den er nicht kannte, und ein anderes Kleid, als sie in der Cloche d'Or getragen hatte.

„Ich dachte, du kämest nie wieder, Ravic", sagte sie.

„Es hat lange gedauert. Ich konnte nicht früher kommen."

„Warum hast du nie geschrieben?"

„Hätte es etwas genützt?"

Sie sah zur Seite. „Es wäre besser gewesen."

„Es wäre besser gewesen, ich wäre nie zurückgekommen. Aber es gibt kein anderes Land und keine andere Stadt mehr für mich. Die Schweiz ist zu klein; überall sonst sind Faschisten."

„Aber hier – die Polizei –"

„Die Polizei hat hier ebensoviel und ebensowenig Chance, mich zu erwischen, wie vorher. Das damals war ein unglücklicher Zufall. Man braucht darüber nicht mehr nachzudenken."

Er griff nach einem Pack Zigaretten. Sie lagen auf dem Tisch neben dem Bett. Es war ein bequemer, mittelgroßer Tisch mit Büchern, Zigaretten und ein paar Sachen. Ravic haßte das, was als Nachttisch und Konsole mit falschem Marmor gewöhnlich neben Betten stand.

„Gib mir auch eine Zigarette", sagte Joan.

„Willst du etwas trinken?" fragte er.

„Ja. Bleib liegen. Ich hole es schon."

Sie holte die Flasche und füllte zwei Gläser. Sie gab ihm eines, nahm das andere und trank es aus. Während sie trank, fiel ihr der Mantel von den Schultern. Ravic erkannte in der heller werdenden Dämmerung jetzt das Kleid, das sie trug. Es war das, das er ihr für Antibes geschenkt hatte. Weshalb hatte sie es angezogen? Es war das einzige Kleid, das er ihr je gegeben hatte. Er hatte nie an so etwas gedacht. Er wollte auch nie an so etwas denken.

„Als ich dich sah, Ravic – plötzlich –", sagte sie, „ich konnte nichts denken. Nichts. Und als du weggingst – ich dachte, ich würde dich nie wiedersehen. Ich dachte es nicht gleich. Ich wartete erst, daß du in die Cloche d'Or zurückkommen würdest. Ich glaubte, du müßtest zurückkommen. Warum bist du nicht zurückgekommen?"

„Warum sollte ich zurückkommen?"

„Ich wäre mit dir gegangen."

Er wußte, daß es nicht wahr war. Aber er wollte nicht darüber nachdenken. Er wollte plötzlich über nichts mehr nachdenken. Er hatte nicht geglaubt, daß es genug sein würde. Er wußte nicht, weshalb sie gekommen war und was sie wirklich wollte – aber es war auf eine sonderbare und tiefe und beruhigende Weise plötzlich genug, daß sie da war. Was ist das? dachte er. Ist es da schon? Jenseits der Kontrolle? Da, wo die Dunkelheit, der Aufruhr des Blutes, der Zwang der Phantasie und die Drohung beginnt?

„Ich dachte, du wolltest mich verlassen", sagte Joan. „Du wolltest es auch! Sag die Wahrheit!"

Ravic antwortete nicht.

Sie sah ihn an. „Ich wußte es! Ich wußte es!" wiederholte sie mit tiefer Überzeugung.

„Gib mir noch einen Calvados."

„Ist es Calvados?"

„Ja. Hast du es nicht gemerkt?"

„Nein." Sie goß ein. Sie legte dabei einen Arm gegen seine Brust, während sie die Flasche hielt. Er spürte es bis in die Rippen. Sie nahm ihr Glas und trank. „Ja, es war Calvados." Dann sah sie ihn wieder an. „Gut, daß ich gekommen bin. Ich wußte es. Gut, daß ich gekommen bin."

Es wurde heller. Die Fensterläden begannen leise zu knarren. Der Morgenwind kam auf. „Ist es gut, daß ich gekommen bin?" fragte sie.

„Ich weiß es nicht, Joan."

Sie beugte sich über ihn. „Du weißt es, du mußt es wissen."

Ihr Gesicht war so dicht über ihm, daß ihr Haar über seine Schultern fiel. Er blickte es an. Es war eine Landschaft, die er kannte, sehr fremd und sehr vertraut, immer dieselbe und nie gleich. Er sah, daß die Haut auf ihrer Stirn sich schälte. Er sah, daß das Rot des Lippenstiftes bröcklig auf der Oberlippe lag, er sah, daß sie nicht ganz ordentlich geschminkt war – er sah das alles in dem Gesicht, das jetzt so dicht über dem seinen war, daß es die ganze übrige Welt für ihn verdeckte – er sah es und wußte, daß nur seine Phantasie es war, die es trotzdem geheimnisvoll machte; er wußte, daß es schönere Gesichter gab, klügere, reinere – aber er wußte auch, daß dieses eine Gesicht eine Gewalt über ihn besaß wie kein anderes. Und diese Gewalt hatte er ihm selbst gegeben.

„Ja", sagte er. „Es ist gut. So oder so."

„Ich hätte es nicht ertragen, Ravic."

„Was?"

„Daß du fort gewesen wärest. Ganz fort."

„Du sagtest doch, du hättest geglaubt, ich käme nie wieder?"

„Das ist nicht dasselbe. Wenn du in einem andern Lande gelebt hättest, das wäre anders gewesen. Wir wären nur getrennt gewesen. Ich hätte zu dir kommen können, irgendwann. Oder ich hätte es immer glauben können. Aber hier, in derselben Stadt – verstehst du das nicht?"

„Doch."

Sie richtete sich auf und strich ihr Haar zurück. „Du kannst mich nicht allein lassen. Du bist verantwortlich für mich."

„Bist du allein?"

„Du bist verantwortlich für mich", sagte sie und lächelte.

Er haßte sie eine Sekunde – für das Lächeln und dafür, wie sie es sagte. „Rede keinen Unsinn, Joan."

„Doch, du bist es. Von damals her. Ohne dich –"

„Schön. Ich bin auch verantwortlich für die Besetzung der Tschechoslowakei. Und nun hör auf damit. Es wird hell. Du mußt bald gehen."

„Was?" Sie starrte ihn an. „Du willst nicht, daß ich hierbleibe?"

„Nein."

„So –" sagte sie leise und plötzlich sehr böse. „So ist das also! Du liebst mich nicht mehr!"

„Großer Gott", sagte Ravic. „Auch das noch. Mit was für Idioten bist du in den letzten Monaten zusammen gewesen?"

„Das waren keine Idioten. Was sollte ich denn tun? Im Hotel Milan sitzen und die Wände anstarren und verrückt werden?"

Ravic richtete sich halb auf. „Nur keine Bekenntnisse", sagte er. „Ich wollte keine Bekenntnisse. Ich hatte nur die Absicht, das Gesprächsniveau etwas zu heben."

Sie starrte ihn an. Ihr Mund und ihre Augen waren flach. „Warum kritisierst du mich immer? Andere Menschen kritisieren mich nicht. Bei dir wird immer gleich alles zum Problem."

„Richtig." Ravic nahm einen Schluck Calvados und legte sich zurück.

„Es ist wahr", sagte sie. „Man weiß nie, woran man mit dir ist. Du machst einen Dinge sagen, die man nicht sagen will. Und dann fällst du über einen her."

Ravic holte tief Atem. Was hatte er da vorher nur gedacht? Dunkelheit der Liebe, Gewalt der Phantasie, wie rasch sich das korrigieren konnte! Sie taten es selbst, unaufhörlich selbst. Sie waren die eifrigsten Zerstörer der Träume. Aber was konnten sie schon dafür? Was konnten sie wirklich schon dafür – schöne, verlorene Getriebene – ein Riesenmagnet, irgendwo, tief unter der Erde – und darüber die bunten Figuren, die glaubten, einen eigenen Willen und ein eigenes Schicksal zu haben – was konnten sie schon dafür. War er selbst nicht einer davon? Mißtrauisch noch, sich festhaltend an einem bißchen mühsamer

Vorsicht und etwas billigem Sarkasmus – und im Grund schon wissend, was unvermeidlich geschehen würde?

Joan hockte am Fußende des Bettes. Sie sah aus wie eine ärgerliche, schöne Waschfrau und gleichzeitig wie etwas, das vom Mond hergeflogen war und sich nicht zurechtfinden konnte. Die Dämmerung war in Frührot übergegangen und strahlte sie an. Der junge Tag hauchte von weit her seinen reinen Atem über die dreckigen Höfe und die rauchigen Dächer in das Fenster, und es war immer noch Wald und Leben darin.

„Joan", sagte Ravic. „Weshalb bist du gekommen?"

„Weshalb fragst du?"

„Ja – weshalb frage ich?"

„Weshalb fragst du immer? Ich bin da. Ist das nicht genug?"

„Ja, Joan, du hast recht. Es ist genug."

Sie hob den Kopf. „Endlich! Aber erst mußt du einem die ganze Freude nehmen."

Freude! Freude nannte sie das! Getrieben sein von vielen schwarzen Propellern, in einer Luftschraube von atemlosen Wiederhabenwollen – Freude? Da draußen, das war ein Augenblick der Freude, der Tau vor den Fenstern, die zehn Minuten Stille, bevor der Tag seine Klauen ausstreckte. Aber zum Teufel, was sollte das alles? Hatte sie nicht recht? Hatte sie nicht recht wie der Tau und die Sperlinge und der Wind und das Blut? Wozu fragte er? Was wollte er wissen? Sie war da, herangeflogen, bedenkenlos, ein Nachtschmetterling, ein Ligusterschwärmer, ein Pfauenauge, rasch – und nun lag er da und zählte die Punkte und die schmalen Risse an seinen Flügeln und starrte auf den etwas verwischten Schmelz. Sie war gekommen, und ich bin nur so albern überlegen, weil sie gekommen ist, dachte er. Wäre sie nicht gekommen, dann würde ich hier liegen und grübeln und versuchen, mich heroisch zu beschwindeln und dabei heimlich nichts anderes wünschen, als daß sie käme.

Er warf die Decken beiseite, schwang die Füße über den Bettrand und fuhr in seine Slippers. „Was willst du?" fragte Joan überrascht. „Willst du mich hinauswerfen?"

„Nein. Ich will dich küssen. Ich hätte es längst tun sollen. Ich bin ein Idiot, Joan. Ich habe Unsinn geredet. Es ist wunderbar, daß du da bist!"

Ein Schein ging durch ihre Augen. „Du brauchst nicht aufzustehen, um mich zu küssen", sagte sie.

*

Das Morgenrot stand hoch hinter den Häusern. Der Himmel darüber war schwach und blau. Ein paar Wolken schwammen darin wie
schlafende Flamingos. „Sieh dir das an, Joan! Welch ein Tag! Weißt
du noch, wie es regnete?"

„Ja. Es regnete immer, Liebster. Es war grau und es regnete."

„Es regnete noch, als ich abfuhr. Du verzweifeltest unter all dem
Regen. Und jetzt –"

„Ja", sagte sie. „Und jetzt –"

Sie lag dicht neben ihm. „Jetzt ist alles da", sagte er. „Sogar ein
Garten. Die Nelken unten vor dem Fenster des Emigranten Wiesenhoff. Und Vögel im Hofe in der Kastanie."

Er sah, daß sie weinte. „Warum fragst du mich nicht, Ravic?"
sagte sie.

„Ich fragte dich schon zuviel. Hast du das vorhin nicht selbst
gesagt?"

„Dies ist anders."

„Es ist nichts zu fragen."

„Was inzwischen gewesen ist."

„Es ist nichts gewesen."

Sie schüttelte den Kopf.

„Wofür hältst du mich, Joan?" sagte er. „Sieh dir das da draußen an.
Das Rot und Gold und Blau. Fragt das, ob es gestern geregnet hat?
Ob Krieg in China oder Spanien war? Ob in diesem Augenblick tau-
send Menschen sterben oder tausend Menschen geboren werden? Es ist
da, es steigt auf, das ist alles. Und du willst, daß ich frage? Deine
Schultern sind Bronze unter diesem Licht, und ich soll dich fragen?
Deine Augen sind in diesem roten Widerschein wie das Meer der Grie-
chen, violett und weinfarben, und ich soll etwas wissen wollen, was
vorbei ist? Du bist da, und ich soll ein Narr sein und im abgewelkten
Laub der Vergangenheit herumsuchen wollen? Wofür hältst du mich,
Joan?"

Ihre Tränen hatten aufgehört. „Ich habe das lange nicht mehr gehört", sagte sie.

„Dann warst du unter Holzköpfen. Frauen soll man anbeten oder
verlassen. Nichts dazwischen."

Sie schlief, dicht an ihn geklammert, als wollte sie ihn nie mehr loslassen. Sie schlief tief, und er fühlte ihren leichten, regelmäßigen Atem
auf seiner Brust. Er lag noch eine Zeitlang wach. Die Geräusche des
Morgens begannen im Hotel. Wasserleitungen rauschten, Türen klappten, und unten hustete der Emigrant Wiesenhoff sein Erwachen aus
dem Fenster. Er fühlte Joans Schultern an seinem Arm, er fühlte ihre
warme, schlummernde Haut, und wenn er den Kopf wendete, konnte

er ihr völlig gelöstes, hingebendes Gesicht sehen, das rein war wie die Unschuld selbst. Anbeten oder verlassen, dachte er. Große Worte. Wer das könnte! Aber wer wollte es auch schon?

20

Er erwachte. Joan lag nicht mehr neben ihm. Er hörte das Wasser im Badezimmer rauschen und richtete sich auf. Er war sofort ganz wach. Die letzten Monate hatten ihn das wieder gelehrt. Wer sofort wach war, konnte manchmal noch entkommen. Er sah auf die Uhr. Es war zehn Uhr früh. Joans Abendkleid lag mit ihrem Mantel auf dem Boden. Ihre Brokatschuhe standen vor dem Fenster. Einer war umgefallen.

„Joan", rief er. „Was machst du unter der Brause mitten in der Nacht?"

Sie öffnete die Tür. „Ich wollte dich nicht wecken."

„Das ist gleichgültig. Ich kann immer schlafen. Aber wozu bist du schon auf?"

Sie hatte eine Badekappe übergezogen und tropfte vor Wasser. Ihre Schultern schimmerten hellbraun. Sie sah aus wie eine Amazone mit einem eng anliegenden Helm. „Ich bin keine Nachteule mehr, Ravic. Ich bin nicht mehr in der Scheherazade."

„Das weiß ich."

„Von wem?"

„Von Morosow."

Sie sah ihn eine Sekunde forschend an. „Morosow", sagte sie. „Der alte Schwätzer. Was hat er dir sonst erzählt?"

„Nichts. Gibt es sonst noch etwas zu erzählen?"

„Nichts, was ein Nachtportier erzählen könnte. Die sind wie Garderobefrauen. Gewerbsmäßige Klatschvermittler."

„Laß Morosow in Frieden. Nachtportiers und Ärzte sind gewerbsmäßige Pessimisten. Sie leben von den Schattenseiten des Lebens. Aber sie klatschen nicht. Sie sind verpflichtet zur Diskretion."

„Schattenseite des Lebens", sagte Joan. „Wer will das schon?"

„Keiner. Aber die meisten leben darin. Morosow hat dir übrigens damals die Stelle in der Scheherazade besorgt."

„Dafür kann ich ihm nicht ewig unter Tränen dankbar sein. Ich war keine Enttäuschung. Ich war mein Geld wert, sonst hätten sie mich nicht behalten. Er hat es außerdem für dich getan. Nicht für mich."

Ravic griff nach einer Zigarette. „Was hast du eigentlich gegen ihn?"

„Nichts. Ich mag ihn nicht. Er sieht einen immer so an. Ich würde ihm nicht trauen. Du solltest es auch nicht."

„Was?"

„Du sollst ihm nicht trauen. Du weißt, Portiers in Frankreich sind alle Polizeispitzel."

„Sonst noch was?" fragte Ravic ruhig.

„Du glaubst mir natürlich nicht. Jeder in der Scheherazade wußte es. Wer weiß, ob –"

„Joan!" Er warf die Decke zurück und stand auf. „Rede keinen Unsinn! Was ist los mit dir?"

„Nichts. Was soll mit mir los sein? Ich kann ihn nicht leiden, das ist alles. Er hat einen schlechten Einfluß. Und du steckst dauernd mit ihm zusammen."

„Ach so", sagte Ravic. „Deshalb."

Sie lächelte plötzlich. „Ja, deshalb."

Ravic spürte, daß es nicht allein deshalb war. Da war noch etwas anderes. „Was willst du zum Frühstück haben?" fragte er.

„Bist du ärgerlich?" fragte sie zurück.

„Nein."

Sie kam aus dem Badezimmer heraus und legte die Arme um seinen Nacken. Er fühlte die Feuchtigkeit ihrer Haut durch den dünnen Stoff seines Pyjamas. Er fühlte den Körper und er fühlte sein Blut. „Bist du ärgerlich, weil ich eifersüchtig auf deine Freunde bin?" fragte sie.

Er schüttelte den Kopf. Ein Helm. Eine Amazone. Eine Najade, dem Ozean entstiegen, den Geruch von Wasser und Jugend noch auf der glatten Haut. „Laß mich los", sagte er.

Sie antwortete nicht. Die Linie von den hohen Wangenknochen zum Kinn. Der Mund. Die zu schweren Augenlider. Die Brüste, die sich gegen seine nackte Haut unter der offenen Pyjamajacke drängten. „Laß mich los, oder –"

„Oder was?" fragte sie.

Eine Biene summte vor dem offenen Fenster. Ravic folgte ihr mit den Augen. Wahrscheinlich war sie von den Nelken des Emigranten Wiesenhoff angelockt worden und suchte nun nach andern Blumen. Sie flog herein und ließ sich auf einem gebrauchten Calvadosglas nieder, das auf dem Fensterbrett stand.

„Hast du mich vermißt?" fragte Joan.

„Ja."

„Sehr?"

„Ja."

Die Biene flog auf. Sie zirkelte einige Male um das Glas. Dann summte sie durch das Fenster zurück in die Sonne und zu den Nelken des Emigranten Wiesenhoff.

Ravic lag neben Joan. Sommer, dachte er. Sommer, Wiesen am Morgen, das Haar mit dem Geruch nach Heu und die Haut wie Klee – das dankbare Blut, das lautlos strömte wie ein Bach und sich hob und wunschlos die sandigen Stellen überflutete, eine glatte Fläche, in der sich hoch ein Gesicht spiegelte, in dem es lächelte. Nichts war mehr trocken und tot, einen hellen Augenblick lang, Birken und Pappeln, Stille und das leise Murmeln, das wie ein Echo aus fernen verlorenen Himmeln kam und in den Adern klopfte.

„Ich möchte hierbleiben", sagte Joan an seiner Schulter.

„Bleib hier. Laß uns schlafen. Wir haben wenig geschlafen."

„Ich kann nicht. Ich muß fort."

„Du kannst in deinem Abendkleid jetzt nirgendwo hingehen."

„Ich habe ein anderes Kleid mitgebracht."

„Wo?"

„Ich hatte es unter meinem Mantel. Schuhe auch. Es muß unter meinen Sachen liegen. Ich habe alles bei mir."

Sie sagte nicht, wohin sie gehen mußte. Auch nicht warum. Und Ravic fragte nicht.

Die Biene erschien wieder. Sie summte nicht mehr ziellos umher. Sie flog gerade auf das Glas zu und setzte sich auf den Rand. Sie schien etwas von Calvados zu verstehen. Oder von Obstzucker.

„Warst du so sicher, daß du hierbleiben würdest?"

„Ja", sagte Joan, ohne sich zu rühren.

Rolande brachte ein Tablett mit Flaschen und Gläsern. „Keinen Schnaps", sagte Ravic.

„Du willst keinen Wodka? Es ist Subrowka."

„Heute nicht. Du kannst mir Kaffee geben. Starken Kaffee."

„Gut."

Er packte das Mikroskop beiseite. Dann zündete er sich eine Zigarette an und trat ans Fenster. Die Platanen draußen hatten frisches, volles Laub. Das letztemal, als er hier war, waren sie noch kahl gewesen.

Rolande brachte den Kaffee. „Ihr habt mehr Mädchen als früher", sagte Ravic.

„Zwanzig mehr."

„Ist das Geschäft so gut? Jetzt, im Juni?"

Rolande setzte sich zu ihm. „Das Geschäft ist so gut, daß wir es nicht verstehen. Die Leute scheinen verrückt geworden zu sein. Es geht schon nachmittags los. Aber abends erst –"

„Vielleicht ist es das Wetter.“

„Es ist nicht das Wetter. Ich weiß, wie es sonst im Mai und Juni ist. Dies hier ist eine Art von Verrücktheit. Du glaubst nicht, wie die Bar geht. Kannst du dir vorstellen, daß Franzosen bei uns Champagner bestellen?“

„Nein.“

„Ausländer, gut. Dafür haben wir sie ja. Aber Franzosen! Sogar Pariser! Champagner! Und zahlen ihn! Statt Dubonnet oder Bier oder Fine. Kannst du das glauben?“

„Nur, wenn ich es sehe.“

Rolande schenkte ihm Kaffee ein. „Und der Betrieb“, sagte sie. „Zum Taubwerden. Du wirst es ja sehen, wenn du herunterkommst. Um diese Zeit schon! Nicht mehr die vorsichtigen Fachleute, die auf deine Visiten warten. Eine ganze Bande hockt da schon! Was ist nur in die Leute gefahren, Ravic?“

Ravic hob die Schultern. „Es gibt da eine Geschichte von einem sinkenden Ozeandampfer.“

„Aber bei uns sinkt doch nichts! Das Geschäft ist glänzend.“

Die Tür öffnete sich. Ninette, einundzwanzig Jahre alt, schmal wie ein Knabe, in ihren kurzen rosa Seidenhosen, trat ein. Sie hatte das Gesicht einer Heiligen und war eine der besten Huren des Etablissements. Im Augenblick trug sie ein Tablett mit Brot, Butter und zwei Töpfen Marmelade vor sich her. „Madame hat gehört, daß der Doktor Kaffee trinkt“, erklärte sie mit heiserer Baßstimme. „Sie schickt hier Marmelade zum Probieren. Selbstgemacht!“ Ninette grinste plötzlich. Das Engelsgesicht barst in eine Gaminfratze. Sie schubste das Tablett auf den Tisch und entschwand tänzelnd.

„Da siehst du es“, seufzte Rolande. „Sofort frech! Wissen, daß wir sie brauchen.“

„Richtig“, sagte Ravic. „Wann sonst sollen sie es sein? Was bedeutet diese Marmelade?“

„Madames Stolz. Sie macht sie selbst. Auf ihrem Besitz an der Riviera. Ist wirklich gut. Willst du sie probieren?“

„Ich hasse Marmelade. Besonders, wenn Millionärinnen sie gekocht haben.“

Rolande schraubte die Glasdeckel ab, nahm ein paar Löffel voll Marmelade heraus, strich sie in ein dickes Stück Papier, tat ein Stück Butter und ein paar Scheiben Toast dazu, wickelte alles fest ein und gab es Ravic. „Wirf es nachher weg“, sagte sie. „Tue es ihr zuliebe. Sie kontrolliert nachher, ob du gegessen hast. Letzter Stolz einer alternden Frau ohne Illusionen. Tue es aus Höflichkeit.“

„Gut.“ Ravic stand auf und öffnete die Tür. „Ziemlicher Radau“, sagte er. Er hörte von unten Stimmen, Musik, Gelächter und Rufen. „Sind das alles schon Franzosen?"

„Das nicht. Das sind meistens Ausländer."

„Amerikaner?"

„Nein, das ist das merkwürdige. Es sind meistens Deutsche. Wir haben noch nie so viele Deutsche hier gehabt."

„Das ist nicht merkwürdig."

„Die meisten sprechen sehr gut französisch. Gar nicht wie Deutsche vor ein paar Jahren."

„Das habe ich mir gedacht. Sind nicht auch viele Poilus hier? Rekruten und Kolonialsoldaten?"

„Die sind ja immer hier."

Ravic nickte. „Und die Deutschen geben viel Geld aus, wie?"

Rolande lachte. „Das tun sie. Laden jeden ein, der was trinken will."

„Speziell Soldaten, denke ich. Dabei hat Deutschland eine Sperrmark, und die Grenzen sind geschlossen. Man kann nur hinaus mit Erlaubnis der Behörden. Und man darf nicht mehr als zehn Mark mitnehmen. Sonderbar, diese lustigen Deutschen mit dem vielen Geld, die so gut französisch sprechen, wie?"

Rolande zuckte die Achseln. „Von mir aus – solange ihr Geld echt ist –"

Er kam nach acht Uhr nach Hause. „Hat jemand für mich angerufen?" fragte er den Portier.

„Nein."

„Auch nachmittags nicht?"

„Nein. Den ganzen Tag nicht."

„War jemand hier und hat nach mir gefragt?"

Der Portier schüttelte den Kopf. „Kein Mensch."

Ravic ging die Treppen hinauf. Im ersten Stock hörte er das Ehepaar Goldberg miteinander streiten. Im zweiten Stock schrie ein Kind. Es war der französische Staatsbürger Lucien Silbermann. Ein Jahr und zwei Monate alt. Für seine Eltern, den Kaffeehändler Siegfried Silbermann und seine Frau Nelly geborene Levy aus Frankfurt am Main, war er ein Heiligtum und ein Spekulationsobjekt. Er war in Frankreich geboren, und sie hofften, durch ihn zwei Jahre früher französische Pässe zu bekommen. Lucien hatte mit der Intelligenz der Einjährigen sich daraufhin zum Familientyrann entwickelt. Im dritten Stock dudelte ein Grammophon. Es gehörte dem Refugié Wohlmeier, früher Konzentrationslager Oranienburg, und spielte deutsche Volkslieder. Der Korridor roch nach Kohl und Dämmerung.

Ravic ging in sein Zimmer, um zu lesen. Er hatte irgendwann einige

Bände Weltgeschichte gekauft und suchte sie hervor. Es war nicht besonders erheiternd, sie zu lesen. Das einzige, was herauskam, war eine sonderbar deprimierende Genugtuung, daß nichts neu war, was heute passierte. Alles war dutzendmal dagewesen. Die Lügen, die Treubrüche, die Morde, die Bartholomäusnächte, die Korruption durch den Willen zur Macht, die unablässige Kette der Kriege – die Geschichte der Menschheit war mit Blut und Tränen geschrieben, und unter tausend blutbefleckten Statuen der Vergangenheit glänzte nur selten eine, über der das Silber der Güte lag. Die Demagogen, die Betrüger, die Vater- und Freundesmörder, die nachttrunkenen Egoisten, die fanatischen Propheten, die die Liebe mit dem Schwerte predigten; es war immer dasselbe, und immer wieder waren geduldige Völker da, gegeneinander getrieben in sinnlosem Töten für Kaiser, Religionen und Wahnsinnige – es hatte kein Ende.

Er stellte die Bücher beiseite. Durch das offene Fenster unter ihm kamen Stimmen. Er erkannte sie – es waren Wiesenhoff und Frau Goldberg. „Jetzt nicht", sagte Ruth Goldberg. „Er kommt bald zurück. In einer Stunde."

„Eine Stunde ist eine Stunde."

„Vielleicht kommt er auch früher."

„Wo ist er hingegangen?"

„Zur Amerikanischen Botschaft. Er macht das jeden Abend. Steht draußen und sieht sie an. Weiter nichts. Dann kommt er zurück."

Wiesenhoff sagte etwas, das Ravic nicht verstand. „Natürlich", erwiderte Ruth Goldberg zänkisch. „Wer ist nicht verrückt? Daß er alt ist, weiß ich auch."

„Laß das", sagte sie nach einer Weile. „Ich habe keine Lust jetzt. Bin nicht in Stimmung."

Wiesenhoff erwiderte etwas.

„Du hast gut reden", sagte sie. „Er hat doch das Geld. Ich habe keinen Centime. Und du –"

Ravic stand auf. Er blickte auf das Telephon und zögerte. Es war beinahe zehn Uhr. Er hatte von Joan nichts mehr gehört, seit sie morgens gegangen war. Er hatte sie nicht gefragt, ob sie abends kommen würde. Er war sicher gewesen, daß sie kommen würde. Jetzt war er es nicht mehr.

„Für dich ist das einfach! Du willst nur dein Vergnügen haben, sonst nichts", sagte Frau Goldberg.

Ravic ging zu Morosow. Sein Zimmer war verschlossen. Er stieg die Treppen hinunter zur Katakombe. „Wenn jemand anruft, ich bin da unten", sagte er zu dem Concierge.

Morosow war da. Er spielte Schach mit einem rothaarigen Mann.

Ein paar Frauen saßen in den Ecken herum. Sie strickten oder lasen mit sorgenvollen Gesichtern.

Ravic sah eine Zeitlang dem Schachspiel zu. Der rothaarige Mann war gut. Er spielte rasch und völlig unbeteiligt, und Morosow war am Verlieren. „Allerhand, was mir hier passiert, was?" fragte er.

Ravic zuckte die Achseln. Der rothaarige Mann sah auf. „Das ist Herr Finkenstein", sagte Morosow. „Frisch aus Deutschland."

Ravic nickte. „Wie ist es da jetzt?" fragte er ohne Interesse, nur um etwas zu sagen.

Der rothaarige Mann hob die Schultern und sagte nichts. Ravic hatte es auch nicht erwartet. Das hatte es nur in den ersten Jahren gegeben: das eilige Fragen, die Erwartung, das fieberhafte Horchen auf einen Zusammenbruch. Jetzt wußte jeder längst, daß nur ein Krieg das bringen konnte. Und jeder Mensch mit etwas Verstand wußte ebenso, daß eine Regierung, die ihr Arbeitslosenproblem durch die Rüstungsindustrie löste, nur zwei Möglichkeiten hatte: Krieg oder eine interne Katastrophe. Also Krieg.

„Matt", sagte Finkenstein ohne Enthusiasmus und stand auf. Er sah Ravic an. „Was macht man nur, damit man schläft? Ich kann hier nicht schlafen. Ich schlafe ein und wache sofort wieder auf."

„Trinken", sagte Morosow. „Burgunder, viel Burgunder oder Bier."

„Ich trinke nicht. Ich bin schon stundenlang durch die Straßen gegangen, bis ich dachte, ich wäre todmüde. Es nützt nichts. Ich kann nicht schlafen."

„Ich werde Ihnen ein paar Tabletten geben", sagte Ravic. „Kommen Sie mit mir herauf."

„Komm zurück, Ravic", rief Morosow ihm nach. „Laß mich nicht hier allein, Bruder!"

Ein paar Frauen blickten auf. Dann strickten oder lasen sie weiter, als hinge ihr Leben davon ab. Ravic ging mit Finkenstein zu seinem Zimmer. Als er die Tür öffnete, kam ihm die Nachtluft durch das Fenster entgegen wie eine dunkle, kühle Welle. Er atmete tief, drehte das Licht an und blickte rasch durch den Raum. Niemand war da. Er gab Finkenstein einige Tabletten.

„Danke", sagte Finkenstein, ohne sein Gesicht zu bewegen, und ging wie ein Schatten hinaus.

Ravic wußte plötzlich, daß Joan nicht kommen würde. Er wußte auch, daß er es schon morgens getan hatte. Er hatte es nur nicht wahr haben wollen. Er blickte sich um, als hätte jemand hinter ihm etwas gesagt. Es war auf einmal alles ganz klar und einfach. Sie hatte erreicht mit ihm, was sie wollte, und jetzt ließ sie sich Zeit. Was hatte er denn erwartet? Daß sie alles hinwerfen würde, seinetwegen? Daß sie zurückkommen würde, wie früher? Welch eine Narrheit! Natürlich war da ein anderer und nicht nur ein anderer, sondern auch ein ganz anderes Leben, das sie nicht aufgeben wollte!

Er ging wieder hinunter. Er fühlte sich ziemlich elend. „Jemand angerufen?" fragte er.

Der Nachtconcierge, der gerade gekommen war, schüttelte den Kopf, den Mund voll Knoblauchwurst.

„Ich warte auf einen Anruf. Bin einstweilen unten."

Er ging zu Morosow zurück.

Sie spielten eine Partie Schach. Morosow gewann und sah sich zufrieden um. Die Frauen waren inzwischen lautlos verschwunden. Er läutete mit der Ministrantenglocke. „Clarisse! Eine Karaffe Rosé."

„Dieser Finkenstein spielt wie eine Nähmaschine", erklärte er. „Zum Speien! Ein Mathematiker. Ich hasse Perfektion. Es ist nicht menschlich." Er sah Ravic an. „Wozu bist du hier an einem solchen Abend?"

„Ich warte auf einen Anruf."

„Bist du wieder einmal dabei, jemand auf eine wissenschaftliche Weise umzubringen?"

„Ich habe gestern jemand den Magen herausgeschnitten."

Morosow schenkte die Gläser voll. „Da sitzest du und trinkst", sagte er. „Und drüben liegt dein Opfer und deliriert. Auch darin ist etwas Unmenschliches. Du solltest zum wenigsten Magenschmerzen haben."

„Richtig", erwiderte Ravic. „Darin liegt das Elend der Welt, Boris, wir spüren nie, was wir anrichten. Aber warum willst du gerade bei den Ärzten mit deiner Reform beginnen? Politiker und Generäle wären besser dafür. Wir würden dann Weltfrieden haben."

Morosow lehnte sich zurück und betrachtete Ravic. „Ärzte soll man nie persönlich kennen", erklärte er. „Es nimmt etwas vom Vertrauen. Ich bin mit dir betrunken gewesen — wie kann ich mich da von dir operieren lassen? Ich könnte wissen, daß du ein besserer Operateur bist als ein anderer, den ich nicht kenne — ich würde trotzdem den anderen nehmen. Vertrauen zum Unbekannten — eine tiefe, menschliche Eigenschaft, alter Knabe! Ärzte sollten in Hospitälern wohnen und nie rausgelassen werden ins Profane. Eure Vorgänger, die Hexen und Zauberdoktoren wußten das. Wenn ich operiert werde, will ich an Übermenschliches glauben."

„Ich würde dich auch nicht operieren, Boris."

„Warum nicht?"

„Kein Arzt operiert gerne seinen Bruder."

„Ich werde dir den Gefallen ohnehin nicht tun. Ich sterbe an Herzschlag im Schlaf. Arbeite munter darauf hin." Morosow starrte Ravic an wie ein fröhliches Kind. Dann stand er auf. „Ich muß los. Türen-öffnen im Kulturzentrum Montmartre. Wozu lebt der Mensch eigentlich?"

„Um darüber nachzudenken. Sonst noch irgendwelche Fragen?"

„Ja. Wozu, wenn er das getan hat und etwas Vernünftiges geworden ist, stirbt er dann gerade?"

„Manche Menschen sterben, auch ohne vernünftiger geworden zu sein."

„Weiche mir nicht aus. Und komm mir nicht mit Seelenwanderung."

„Ich will dich vorher etwas anderes fragen. Löwen töten Antilopen; Spinnen Fliegen; Füchse Hühner – welches ist die einzige Rasse der Welt, die sich immerfort selbst bekriegt, bekämpft und tötet?"

„Das sind Fragen für Kinder. Die Krone der Schöpfung, natürlich, der Mensch, der die Worte Liebe, Güte und Barmherzigkeit erfunden hat."

„Gut. Wer ist das einzige Wesen in der Natur, das Selbstmord begehen kann und begeht?"

„Der Mensch wiederum – der die Ewigkeit, Gott und die Auferstehung erfunden hat."

„Vortrefflich", sagte Ravic. „Du siehst, aus wie vielen Widersprüchen wir bestehen. Und du willst wissen, warum wir sterben?"

Morosow blickte überrascht auf. Dann nahm er einen großen Schluck. „Du Sophist", erklärte er. „Du Drückeberger."

Ravic sah ihn an. Joan, dachte etwas in ihm. Wenn sie jetzt hereinkäme durch die schmutzige Glastür drüben! „Der Fehler war, Boris", sagte er, „daß wir zu denken anfingen. Wären wir bei der Seligkeit der Brunst und des Fressens geblieben, wäre das alles nicht passiert. Irgend jemand experimentiert mit uns – aber er scheint die Lösung noch nicht gefunden zu haben. Wir wollen uns nicht beklagen. Auch Versuchstiere sollten professionellen Stolz haben."

„Sagen die Schlächter. Nicht die Ochsen. Sagen die Wissenschaftler. Nie die Meerschweinchen. Sagen die Ärzte, nie die weißen Mäuse."

„Richtig. – Es lebe das Gesetz vom zureichenden Grunde. Komm, Boris, laß uns ein Glas trinken auf die Schönheit – die holde Ewigkeit der Sekunde. Weißt du, was der Mensch auch als einziger kann? Lachen und weinen."

„Und sich betrinken. Mit Schnaps, Wein, Philosophie und Weibern und Hoffnung und Verzweiflung. Weißt du, was er auch als einziger weiß? Daß er sterben muß. Als Gegengift bekam er die Phantasie. Der Stein ist real. Die Pflanze auch. Das Tier ebenfalls. Sie sind zweckmäßig. Sie wissen nicht, daß sie sterben müssen. Der Mensch weiß es.

Hebe dich, Seele! Fliege! Schluchze nicht, du legaler Mörder! Haben wir nicht soeben das Hohelied der Menschheit gesungen?"

Morosow schüttelte die graue Palme, daß der Staub flog. „Braves Symbol rührend südlicher Hoffnung, Traumpflanze einer französischen Hotelwirtin, lebe wohl! Und du auch, Mann ohne Heimat, Schlinggewächs ohne Erde, Taschendieb des Todes, lebe wohl! Sei stolz, daß du ein Romantiker bist!"

Er grinste Ravic an.

Ravic grinste nicht zurück. Er sah zur Tür. Sie hatte sich geöffnet. Der Nachtportier kam herein. Er kam auf den Tisch zu. Telephon, dachte Ravic. Endlich! Doch! Er stand nicht auf. Er wartete. Er fühlte, wie seine Arme sich spannten.

„Ihre Zigaretten, Herr Morosow", sagte der Portier. „Der Junge hat sie gerade gebracht."

„Danke." Morosow steckte die Schachtel mit den russischen Zigaretten ein. „Servus, Ravic. Sehe ich dich später?"

„Vielleicht. Servus, Boris."

Der Mann ohne Magen starrte Ravic an. Ihm war schlecht, aber er konnte nicht erbrechen. Er hatte nichts mehr, womit er erbrechen konnte. Ihm war wie einem Mann ohne Beine, den die Füße schmerzten. Er war sehr unruhig. Ravic gab ihm eine Spritze. Der Mann hatte nicht viel Chancen, am Leben zu bleiben. Das Herz war nicht besonders, und eine der Lungen war voll von verkapselten Kavernen. Für fünfunddreißig Jahre hatte er nicht viel Gesundheit in seinem Leben gehabt. Magenulcer seit Jahren, eine verheilte Tuberkulose und jetzt Krebs. Die Krankengeschichte zeigte, daß er vier Jahre verheiratet gewesen war; die Frau war im Kindbett gestorben; das Kind drei Jahre später an Tuberkulose. Keine andern Angehörigen. Da lag das nun und starrte ihn an und wollte nicht sterben und war geduldig und mutig und wußte nicht, daß er durch den Darm ernährt werden mußte und nicht mehr eine der wenigen Freuden seines Daseins, Senfgurken und gekochtes Rindfleisch essen durfte. Er lag da und roch und war zerschnitten und hatte irgend etwas, das seine Augen bewegte und das man Seele nannte. Sei stolz, daß du ein Romantiker bist! Das Hohelied der Menschheit.

Ravic hängte die Tafel mit der Fieberziffer und der Pulsangabe zurück. Die Schwester stand auf und wartete. Sie hatte einen angefangenen Sweater neben sich auf dem Stuhl liegen. Die Stricknadeln steckten darin, und ein Knäuel Wolle lag auf dem Boden. Der dünne Faden Wolle, der herunterhing, war wie ein dünner Faden Blut; als blute der Sweater herunter.

Der liegt da, dachte Ravic, und selbst mit der Spritze wird er eine scheußliche Nacht haben, mit Schmerzen, Unbeweglichkeit, Atemnot und Schreckensträumen, und ich warte auf eine Frau und glaube, daß es eine schwierige Nacht für mich werden wird, wenn sie nicht kommt. Ich weiß, wie lächerlich das ist, verglichen mit diesem Sterbenden hier, verglichen mit Gaston Perrier nebenan, dessen Arm zerschmettert ist, verglichen mit tausend andern, verglichen mit all dem, was in der Welt heute nacht passiert, und es nützt mir trotzdem nichts. Es nützt nichts, es hilft nichts, es ändert nichts, es bleibt dasselbe. Was hatte Morosow gesagt? Warum hast du keine Magenschmerzen? Ja, warum nicht?

„Rufen Sie mich an, wenn irgend etwas passiert", sagte er zu der Schwester. Es war dieselbe, die von Kate Hegström das Grammophon geschenkt bekommen hatte.

„Der Herr ist sehr ergeben", sagte sie.

„Was ist er?" fragte Ravic erstaunt.

„Sehr ergeben. Ein guter Patient."

Ravic sah umher. Da war nichts, was die Nurse als Geschenk erwarten konnte. Sehr ergeben – was für Ausdrücke die Krankenschwestern manchmal hatten! Der arme Teufel da kämpfte mit allen Armeen seiner Blutkörper und seiner Nervenzellen gegen den Tod – er war nicht die Spur ergeben.

Er ging zum Hotel zurück. Vor der Tür traf er Goldberg. Ein alter Mann mit einem grauen Bart und einer dicken, goldenen Uhrkette auf der Weste. „Schöner Abend", sagte Goldberg.

„Ja." Ravic dachte an die Frau in Wiesenhoffs Zimmer. „Wollen Sie nicht noch etwas spazieren gehen?" fragte er.

„Ich war schon. Bis zum Concorde und zurück."

Bis zum Concorde. Da lag die Amerikanische Botschaft. Weiß unter den Sternen, still und leer, eine Arche Noah, in der es Stempel für Visa gab, unerreichbar. Goldberg hatte davor gestanden, draußen, neben dem Crillon und auf den Eingang und die dunklen Fenster gestarrt wie auf einen Rembrandt oder den Koh-i-noor-Diamanten.

„Wollen wir nicht noch etwas gehen? Zum Arc zurück?" fragte Ravic und dachte: Wenn ich die zwei da oben rette, wird Joan in meinem Zimmer sein, oder sie wird inzwischen kommen.

Goldberg schüttelte den Kopf. „Ich muß rauf. Meine Frau wartet sicher schon. Ich war über zwei Stunden fort."

Ravic sah auf die Uhr. Es ging auf halb eins. Da war nichts zu retten. Die Frau war längst wieder zurück in ihrem Zimmer. Er sah Goldberg nach, der langsam die Treppe hinaufstieg. Dann ging er zum Portier. „Hat jemand für mich angerufen?"

„Nein."

Das Zimmer war hell erleuchtet. Er erinnerte sich, es so verlassen zu haben. Das Blatt schimmerte, als hätte es überraschend geschneit. Er nahm den Zettel, den er auf den Tisch gelegt hatte, bevor er ging und auf dem stand, daß er in einer halben Stunde zurück sein werde, und zerriß ihn. Er suchte nach etwas zu trinken. Es war nichts da. Er ging wieder nach unten. Der Portier hatte keinen Calvados. Er hatte nur Kognak. Er nahm eine Flasche Hennessy und eine Flasche Vouvray mit. Er redete eine Zeitlang mit dem Portier, der ihm bewies, daß Loulou II die besten Chancen beim nächsten Rennen der Zweijährigen in St. Cloud habe. Der Spanier Alvarez kam vorbei. Ravic sah, daß er eine Spur hinkte. Er kaufte eine Zeitung und ging auf sein Zimmer zurück. Wie lang so ein Abend sein konnte. Wer in der Liebe nicht an Wunder glaubt, ist verloren, hatte Rechtsanwalt Arensen 1933 in Berlin gesagt. Drei Wochen später hatte man ihn in ein Konzentrationslager gesteckt, weil seine Geliebte ihn denunziert hatte. Ravic öffnete seine Flasche Vouvray und holte einen Band Plato vom Tisch. Er legte ihn ein paar Minuten später weg und setzte sich ans Fenster.

Er starrte auf das Telephon. Dieser verdammte schwarze Apparat. Er konnte Joan nicht anrufen. Er wußte ihre neue Nummer nicht. Er wußte nicht einmal, wo sie wohnte. Er hatte nicht gefragt, und sie hatte es ihm nicht gesagt. Wahrscheinlich hatte sie absichtlich nichts gesagt. Sie hatte dann immer noch eine Entschuldigung.

Er trank ein Glas von dem leichten Wein. Albern, dachte er. Ich warte auf eine Frau, die noch heute morgen hier war. Ich habe sie dreieinhalb Monate nicht gesehen und sie nicht so entbehrt, wie jetzt, wo sie einen Tag nicht dagewesen war. Es wäre einfacher gewesen, wenn ich sie nie wieder gesehen hätte. Ich war darauf eingestellt. Jetzt –

Er stand auf. Das war es auch nicht. Es war die Unsicherheit, die in ihm fraß. Es war das Mißtrauen, das sich Stunde um Stunde in ihn eingeschlichen hatte.

Er ging zur Tür. Er wußte, daß sie nicht abgeschlossen war; aber er sah noch einmal nach. Er begann, die Zeitung zu lesen; aber er las sie wie durch einen Schleier. Zwischenfälle in Polen. Die unvermeidlichen Zusammenstöße. Der Anspruch auf den Korridor. Das Bündnis Englands und Frankreichs mit Polen. Der Krieg, der näher kam. Er ließ die Zeitung auf den Boden gleiten und löschte das Licht. Er lag im Dunkeln und wartete. Er konnte nicht schlafen. Er knipste das Licht wieder an. Die Flasche Hennessy stand auf dem Tisch. Er öffnete sie nicht. Er stand auf und setzte sich ans Fenster. Die Nacht war kühl und hoch und voller Sterne. Ein paar Katzen schrien von den Höfen her. Ein Mann in Unterhosen stand auf dem Balkon gegenüber und kratzte sich. Er gähnte laut und ging in sein erleuchtetes Zimmer zurück. Ravic sah auf das Bett. Er wußte, er würde nicht schlafen können. Lesen hatte auch keinen Zweck. Er erinnerte sich kaum, was er vorher gelesen hatte. Weggehen – das wäre das beste. Aber wohin? Es war alles gleich. Er wollte auch nicht weggehen. Er wollte etwas wissen. Verdammt – er hielt die Flasche Kognak in der Hand und stellte sie zurück. Dann ging er zu seiner Tasche und holte ein paar Schlaftabletten heraus. Dieselben Tabletten, die er dem rothaarigen Finkenstein gegeben hatte. Der schlief jetzt. Ravic schluckte sie. Zweifelhaft, ob er selber schlafen würde. Er nahm noch eine. Wenn Joan käme, würde er schon aufwachen.

Sie kam nicht. Auch nicht in der nächsten Nacht.

21

Eugenie steckte ihren Kopf in das Zimmer, in dem der Mann ohne Magen lag. „Telephon, Herr Ravic."

„Wer ist dran?"

„Ich weiß es nicht. Ich habe nicht gefragt. Die Telephonistin sagte es mir draußen."

Ravic kannte Joans Stimme im Augenblick nicht. Sie war verschleiert und sehr weit. „Joan", sagte er. „Wo bist du?"

Sie klang, als wäre sie außerhalb von Paris. Er erwartete fast, daß sie irgendeinen Ort an der Riviera sagen würde. Sie hatte ihn früher nie in der Klinik angerufen. „Ich bin in meiner Wohnung", sagte sie.

„Hier in Paris?"

„Natürlich. Wo sonst?"

„Bist du krank?"

„Nein. Warum?"

„Weil du in der Klinik anrufst."

„Ich habe schon im Hotel angerufen. Du warst nicht mehr da. Da habe ich in der Klinik angerufen."

„Ist etwas los?"

„Nein. Was soll los sein? Ich wollte wissen, wie es dir geht."

Ihre Stimme war jetzt klarer. Ravic zog eine Zigarette und einen Karton mit Streichhölzern hervor. Er klemmte den Oberteil unter seinen Ellbogen, riß ein Streichholz ab und zündete es an.

„Es ist die Klinik, Joan", sagte er. „Man erwartet da immer Unglücksfälle und Krankheiten."

„Ich bin nicht krank. Ich bin im Bett, aber ich bin nicht krank."

„Gut." Ravic schob die Streichhölzer auf dem weißen Wachstuch des Tisches hin und her. Er wartete auf das, was kommen würde.

Joan wartete auch. Er hörte sie atmen. Sie wollte, daß er beginnen sollte. Es war einfacher für sie.

„Joan", sagte er. „Ich kann nicht lange am Telephon bleiben. Ich habe einen Verband offen und muß zurück."

Sie schwieg einen Augenblick. „Warum höre ich nichts von dir", sagte sie dann.

„Du hörst nichts von mir, weil ich weder deine Telephonnummer habe, noch weiß, wo du wohnst."

„Aber das habe ich dir doch gesagt."

„Nein, Joan."

„Doch. Ich habe es dir gesagt." Sie war jetzt auf sicherem Boden. „Bestimmt. Ich weiß es. Du hast es nur wieder vergessen."

„Gut. Ich habe es vergessen. Sage es mir noch einmal. Ich habe einen Bleistift hier."

Sie gab ihm ihre Adresse und Telephonnummer. „Ich bin überzeugt, daß ich es dir gesagt habe, Ravic. Ganz bestimmt."

„Schön, Joan. Ich muß zurück. Wollen wir heute abend zusammen essen?"

Sie schwieg einen Moment. „Warum kommst du mich nicht einmal besuchen?" fragte sie dann.

„Gut. Das kann ich auch. Heute abend. Um acht?"

„Warum kommst du nicht jetzt?"

„Jetzt muß ich arbeiten."

„Wie lange?"

„Ungefähr noch eine Stunde."

„Komm dann."

Ach so, abends hast du keine Zeit, dachte er und fragte: „Warum nicht abends?"

„Ravic", sagte sie. „Manchmal weißt du die einfachsten Sachen nicht. Weil ich gerne möchte, daß du jetzt kommst. Ich will nicht warten bis abends. Weshalb würde ich sonst wohl um diese Zeit in der Klinik anrufen?"

„Gut. Ich komme wenn ich hier fertig bin."

Er faltete nachdenklich den Zettel zusammen und ging zurück.

Es war ein Haus an der Ecke der Rue Pascal. Joan wohnte im obersten Stock. Sie öffnete die Tür. „Komm", sagte sie. „Gut, daß du da bist! Komm rein."

Sie trug ein einfaches, schwarzes Dressinggown, das so geschnitten war, wie das eines Mannes. Es war eine ihrer Eigenschaften, die Ravic gern an ihr hatte: – Sie trug nie irgendwelche wolkigen Tüll- oder Seidenangelegenheiten. Ihr Gesicht war blasser als gewöhnlich und etwas erregt. „Komm", sagte sie. „Ich habe auf dich gewartet. Du sollst doch sehen, wie ich wohne."

Sie ging ihm voran. Ravic lächelte. Sie war geschickt. Sie brach im voraus jede Frage ab. Er blickte auf die schönen, geraden Schultern. Das Licht fiel auf ihr Haar. Er liebte sie einen atemlosen Augenblick sehr.

Sie führte ihn in einen großen Raum. Es war ein Studio, das voll im Mittagslicht lag. Ein hohes, breites Fenster ging zu den Gärten zwischen der Avenue Raphael und der Avenue Proudhon hinaus. Nach rechts konnte man bis zur Porte de la Muette sehen. Dahinter schimmerte golden und grün ein Stück des Bois.

Der Raum war im halbmodernen Geschmack eingerichtet. Eine große Couch mit zu blauem Bezug; ein paar Sessel, die bequemer aussahen, als sie waren; zu niedrige Tische; ein Gummibaum; ein amerikanisches Grammophon und einer von Joans Koffern in der Ecke. Es störte nichts; aber Ravic hatte trotzdem nicht viel dafür übrig. Entweder ganz gut oder ganz scheußlich – halbe Sachen sagten ihm nichts. Und Gummibäume konnte er nicht ausstehen.

Er merkte, daß Joan ihn beobachtete. Sie war nicht ganz sicher, wie er es nehmen würde; aber sie war sicher genug gewesen, es zu riskieren.

„Schön", sagte er. „Groß und schön."

Er hob den Deckel des Grammophons auf. Es war ein guter Truhenapparat, mit einem Mechanismus, der automatisch die Platten wechselte. Auf einem Tisch daneben lag ein Haufen Platten. Joan nahm einige und legte sie auf. „Weißt du, wie er funktioniert?"

Er wußte es. „Nein", sagte er.

Sie drehte einen Knopf. „Er ist wunderbar. Spielt für Stunden. Man braucht nicht aufzustehen und Platten zu wechseln und umzuschalten. Man kann daliegen und zuhören und sehen, wie es draußen dunkler wird und träumen."

Der Apparat war ausgezeichnet. Ravic kannte die Marke und wußte, daß er ungefähr zwanzigtausend Franc kostete. Er füllte den Raum mit weicher, schwebender Musik – mit den sentimentalen Liedern von Paris. „J'attendrai" –

Joan stand vorgebeugt und lauschte. „Gefällt es dir?" fragte sie.

Ravic nickte. Er sah nicht auf den Apparat. Er sah auf Joan. Er sah auf ihr Gesicht, das entzückt war und hingegeben an die Musik. Wie leicht das bei ihr war – und wie er sie geliebt hatte, wegen dieser Leichtigkeit, die er nicht hatte! Vorbei, dachte er, ohne Schmerz, mit einem Gefühl, wie jemand, der Italien verläßt und zurückgeht in den nebligen Norden.

Sie richtete sich auf und lächelte. „Komm – du hast das Schlafzimmer noch nicht gesehen."

„Muß ich es sehen?"

Sie sah ihn eine Sekunde forschend an. „Willst du es nicht sehen? Warum nicht?"

„Ja, warum nicht?" sagte er. „Natürlich."

Sie streifte sein Gesicht und küßte ihn, und er wußte, weshalb. „Komm", sagte sie und nahm seinen Arm.

Das Schlafzimmer war französisch eingerichtet. Das Bett groß, im Stil Louis XVI. und künstlich antiquiert; – ein nierenförmiger Toilettentisch der gleichen Art; – ein falscher Barockspiegel; – ein moderner Aubussonteppich; – Stühle, Sessel, alles im Stile eines billigeren Filmsets. Dazwischen eine sehr schöne, gemalte florentinische Truhe aus dem sechzehnten Jahrhundert, die überhaupt nicht hineinpaßte und wirkte wie eine Prinzessin unter reich gewordenen Portierskindern. Sie war achtlos in die Ecke geschoben. Ein Hut mit Veilchen und ein Paar silberne Schuhe lagen auf ihrem kostbaren Deckel.

Das Bett war offen und nicht gemacht. Ravic konnte sehen, wo Joan gelegen hatte. Eine Anzahl Parfümflaschen standen auf dem Toilettentisch. Einer der eingebauten Schränke war geöffnet. Eine Anzahl Kleider hingen darin. Mehr, als sie früher gehabt hatte. Joan hatte Ravics Arm nicht losgelassen. Sie lehnte sich an ihn. „Gefällt es dir?"

„Gut. Paßt sehr gut zu dir."

Sie nickte. Er fühlte ihren Arm und ihre Brust, und ohne zu denken, zog er sie näher an sich. Sie ließ es geschehen und gab nach. Ihre Schultern berührten seine Schultern. Ihr Gesicht war ruhig; es war nichts mehr von der leichten Erregung des Anfangs darin. Es war sicher und klar, und es schien Ravic, als wäre mehr als unterdrückte Befriedigung darin – ein fast unsichtbarer, ferner Schatten von Triumph.

Sonderbar, wie gut ihnen Niederträchtigkeiten bekommen, dachte er. Ich soll hier zu einer Art von zweiter Klasse Gigolo gemacht werden und bekomme mit naiver Unverschämtheit sogar die Bude gezeigt, die ihr Liebhaber ihr eingerichtet hat – und dabei sieht sie gerade jetzt aus wie die Nike von Samothrake.

„Schade, daß du so etwas nicht haben kannst", sagte sie. „Eine Wohnung. Man fühlt sich ganz anders darin. Anders als in diesen traurigen Hotelzimmern."

„Du hast recht. Es war gut, dies hier noch gesehen zu haben. Ich gehe jetzt, Joan –"

„Du willst gehen? Schon? Du bist gerade jetzt erst gekommen."

Er nahm ihre Hände. „Ich gehe, Joan. Für immer. Du lebst mit jemand anderem. Und ich teile Frauen, die ich liebe, nicht mit anderen Männern."

Sie riß ihre Hände los. „Was? Was sagst du da? Ich – wer hat dir denn das erzählt? So etwas!" Sie starrte ihn an. „Ich kann mir schon denken! Morosow natürlich, dieser –"

„Kein Morosow! Mir braucht niemand etwas zu erzählen. Es erzählt sich von selbst."

Ihr Gesicht war plötzlich voll bleicher Wut. Sie war schon sicher gewesen, und jetzt kam es doch. „Ich weiß schon! Weil ich diese Wohnung habe und nicht mehr in der Scheherazade bin! Da muß natürlich gleich einer dasein, der mich aushält! Natürlich! Anders geht es ja nicht!"

„Ich habe nicht gesagt, daß dich jemand aushält."

„Es ist dasselbe! Ich verstehe das schon! Erst bringst du einen in diese Nachtklubbude hinein, dann läßt du mich allein, und wenn man dann einmal mit jemand redet, oder jemand kümmert sich um einen, dann heißt es gleich, man wird ausgehalten! So ein Portier hat ja nichts anderes als eine schmutzige Phantasie! Daß man selber etwas ist und selber arbeiten und etwas werden kann, geht natürlich nicht in diese Trinkgeldseele hinein! Und du, du, ausgerechnet du kommst damit an! Daß du dich nicht schämst!"

Ravic drehte sie um, packte sie an den Armen, hob sie hoch und warf sie über das Fußende hinüber auf das Bett. „So!" sagte er. „Und nun hör auf mit diesem Unsinn!"

Sie war so überrascht, daß sie liegenblieb. „Willst du mich nicht auch schlagen?" fragte sie dann.

„Nein. Ich will nur, daß dieses Geschwätz aufhört."

„Es sollte mich nicht wundern", sagte sie leise und gepreßt. „Es sollte mich nicht wundern."

Sie lag still da. Ihr Gesicht war leer und weiß, der Mund war blaß, und ihre Augen glänzten leblos wie Glas. Ihre Brust war halb offen und ein Bein hing nackt über die Ecke des Bettes. „Ich rufe dich an", sagte sie, „ahnungslos, ich freue mich, ich will mit dir zusammen sein – und dann kommt so etwas! So etwas!" wiederholte sie verächtlich. „Und ich dachte, du wärest anders!"

Ravic stand an der Tür des Schlafzimmers. Er sah den Raum mit seiner falschen Einrichtung, er sah Joan auf dem Bett liegen, und er sah, wie gut das alles zusammenpaßte. Er ärgerte sich, daß er etwas gesagt hatte. Er hätte gehen sollen, ohne etwas zu sagen, und damit Schluß. Aber dann wäre sie zu ihm gekommen, und es wäre dasselbe gewesen.

„Du", wiederholte sie. „Von dir hätte ich das nicht erwartet. Ich dachte, du wärest anders."

Er antwortete nicht. Es war alles so billig, daß es fast unerträglich war. Er begriff plötzlich nicht mehr, daß er drei Tage lang geglaubt hatte, wenn sie nicht wiederkäme, könne er nie mehr schlafen. Was ging ihn das alles noch an? Er zog eine Zigarette hervor und zündete sie an. Sein Mund war trocken. Er hörte, daß das Grammophon immer noch spielte. Es wiederholte die Platte, die es am Anfang gespielt hatte: J'attendrai. – Er ging in das Nebenzimmer und stellte es ab.

Sie lag unbeweglich da, als er zurückkam. Es schien, als hätte sie sich nicht bewegt. Aber das Dressinggown war weiter offen als vorher. „Joan", sagte er, „je weniger wir darüber reden, desto besser –"

„Ich habe nicht angefangen."

Er hätte ihr am liebsten eine Flasche Parfüm an den Kopf geworfen. „Das weiß ich", sagte er. „Ich habe angefangen und ich höre jetzt auf."

Er drehte sich um und ging. Aber bevor er an der Tür des Studios war, stand sie vor ihm. Sie schlug die Tür zu und stellte sich davor, die Arme und die Hände gegen das Holz gepreßt. „So!" sagte sie. „Du hörst auf! Du hörst auf und gehst! Das ist einfach, was? Aber ich habe noch etwas zu sagen! Ich habe noch viel zu sagen! Du, du selbst hast mich gesehen in der Cloche d'Or, du hast gesehen, mit wem ich war, und als ich nachts zu dir kam, da war alles egal, du schliefst mit mir, und morgens war es immer noch egal, du hattest noch nicht genug und schliefst wieder mit mir, und ich liebte dich, und du warst wunderbar und wolltest nichts wissen, und ich liebte dich dafür wie nie vorher, ich wußte, du mußtest so sein und nicht anders, ich habe geweint, als du schliefst und dich geküßt und war glücklich und ging nach Hause und betete dich an – und jetzt! Jetzt kommst du und wirfst mir vor, was du damals, als du mit mir schlafen wolltest, so großartig mit einer Handbewegung beiseite geschoben und vergessen hattest, jetzt holst du es heraus und hältst es mir hin und stehst da, ein beleidigter Tugendwächter, und machst eine Szene wie ein eifersüchtiger Ehemann! Was willst du denn von mir? Was für ein Recht hast du dazu?"

„Keines", sagte Ravic.

„So! Gut, daß du das wenigstens einsiehst. Wozu kommst du her und wirfst mir das heute ins Gesicht? Warum hast du es nicht getan, als ich nachts zu dir kam? Natürlich, da –"

„Joan –" sagte Ravic.

Sie verstummte. Ihr Atem ging rasch, und sie starrte ihn an.

„Joan", sagte er. „In der Nacht, als du zu mir kamst, glaubte ich, du kämst zurück. Das war genug. Ich habe mich geirrt. Du bist nicht zurückgekommen."

„Ich bin nicht zu dir zurückgekommen? Was denn sonst? War das ein Geist, der zu dir gekommen ist?"

„Du bist zu mir gekommen. Aber du bist nicht zurückgekommen."

„Das ist mir zu hoch. Ich möchte wissen, was da für ein Unterschied ist?"

„Du weißt es. Ich wußte es damals nicht. Heute weiß ich es. Du lebst mit jemand anderem."

„So, ich lebe mit jemand anderem. Da ist es wieder! Wenn ich ein paar Freunde habe, lebe ich mit jemand anderem! Soll ich vielleicht den ganzen Tag eingeschlossen bleiben und mit niemandem reden, nur damit es nicht heißt, ich lebe mit jemand anderem?"

„Joan", sagte Ravic. „Sei nicht lächerlich."

„Lächerlich? Wer ist lächerlich? Du bist lächerlich."

„Meinetwegen. Soll ich dich mit Gewalt von der Tür wegtreiben, Joan?"

Sie rührte sich nicht. „Wenn ich mit jemand war, was geht es dich an? Du hast selbst gesagt, du willst es nicht wissen."

„Gut. Ich wollte es auch nicht wissen. Ich glaubte, es wäre zu Ende. Was gewesen war, ging mich nichts an. Es war ein Irrtum. Ich hätte es besser wissen sollen. Möglich, daß ich mich selbst belügen wollte. Schwäche, aber das ändert nichts."

„Wieso ändert das nichts? Wenn du einsiehst, daß du unrecht hast —"

„Hier geht es nicht um Recht und Unrecht. Du warst nicht nur mit jemand, du bist es noch. Und willst es auch weiter bleiben. Das wußte ich damals nicht."

„Lüg nicht!" unterbrach sie ihn plötzlich ruhig. „Du hast es immer gewußt. Damals auch."

Sie sah ihm gerade in die Augen. „Gut", sagte er. „Meinetwegen habe ich es gewußt. Ich wollte es dann nicht wissen. Ich wußte es und glaubte es nicht. Du verstehst das nicht. Einer Frau passiert sowas nicht. Das hat trotzdem nichts damit zu tun."

Ihr Gesicht war plötzlich überflogen von einer wilden, ausweglosen Angst. „Ich kann doch jemand nicht ohne weiteres hinauswerfen, der mir nichts getan hat, nur weil du plötzlich wieder auftauchst! Verstehst du das nicht?"

„Ja", sagte Ravic.

Sie stand da wie eine Katze, die in eine Ecke getrieben ist und springen will und der auf einmal der Boden weggezogen wird. „Ja?" sagte sie überrascht. Die Spannung wich aus ihren Augen. Sie ließ die Schul-

tern fallen. „Weshalb quälst du mich dann, wenn du es verstehst?"
sagte sie müde.

„Komm von der Tür weg." Ravic setzte sich in einen der Sessel, die
unbequemer waren, als sie aussahen. Joan zögerte. „Komm", sagte er.
„Ich laufe nicht mehr weg."

Sie kam langsam herüber und ließ sich auf die Couch fallen. Sie
wirkte erschöpft, aber Ravic sah, daß sie es nicht war. „Gib mir etwas
zu trinken", sagte sie.

Er sah, daß sie Zeit gewinnen wollte. Es war ihm gleich.

„Wo sind die Flaschen?" fragte er.

„Drüben in dem Schrank."

Ravic öffnete den niedrigen Schrank. Eine Anzahl Flaschen stand
darin. Die meisten davon waren weißer Crême de Menthe. Er betrachtete sie mit Abscheu und schob sie beiseite. In einer Ecke fand er eine
halbe Flasche Martell und eine Flasche Calvados. Die Flasche mit Calvados war nicht geöffnet. Er ließ sie stehen und nahm den Kognak.
„Trinkst du jetzt Pfefferminzschnaps?" fragte er über die Schulter.

„Nein", erwiderte sie von der Couch her.

„Gut. Dann bringe ich den Kognak."

„Es ist Calvados da", sagte sie. „Mach den Calvados auf."

„Der Kognak genügt."

„Mach den Calvados auf."

„Ein anderes Mal."

„Ich möchte keinen Kognak. Ich möchte Calvados. Bitte, mach die
Flasche auf."

Ravic sah wieder in den Schrank hinein. Da stand rechts der weiße
Pfefferminz für den anderen – und links der Calvados für ihn. Es war
alles so hausfrauenhaft ordentlich, daß es einen fast rühren konnte. Er
nahm die Flasche Calvados und zog sie auf. Warum schließlich nicht?
Brave Symbolik des Lieblingsschnapses, sentimental verschmiert in eine
alberne Abschiedsszene. Er ergriff zwei Gläser und ging zum Tisch
zurück. Joan beobachtete ihn, während er den Calvados einschenkte.

Der Nachmittag stand groß und golden vor dem Fenster. Das war
Licht, war farbiger, und der Himmel war heller geworden. Ravic sah
auf die Uhr. Es war etwas nach drei. Er sah auf den Sekundenzeiger;
er glaubte, sie sei stehengeblieben. Aber der Sekundenzeiger tickte wie
ein kleiner, goldener Schnabel die Punkte des Kreises weiter auf. Es
war Tatsache – er war erst eine halbe Stunde hier. Crême de Menthe,
dachte er. Was für ein Geschmack!

Joan hockte auf der blauen Couch. „Ravic", sagte sie weich, müde
und vorsichtig. „War das wieder einer deiner Tricks, oder ist es wahr,
daß du es verstehst?"

„Es ist kein Trick. Es ist wahr."

„Du verstehst es?"

„Ja."

„Ich wußte es." Sie lächelte ihn an. „Ich wußte es, Ravic."

„Es ist ziemlich einfach zu verstehen."

Sie nickte. „Ich brauche etwas Zeit. Ich kann es nicht sofort. Er hat mir nichts getan. Ich wußte doch nicht, ob du jemals wiederkommen würdest. Ich kann es ihm nicht sofort sagen."

Ravic schüttete sein Glas herunter. „Wozu brauchen wir Einzelheiten?"

„Du sollst es wissen. Du sollst es verstehen. Es ist – ich brauche etwas Zeit. Er würde – ich weiß nicht, was er tun würde. Er liebt mich. Und er braucht mich. Er kann doch nichts dafür."

„Natürlich nicht. Nimm dir alle Zeit der Welt, Joan."

„Nein. Nur etwas. Nicht gleich." Sie lehnte sich gegen die Kissen der Couch. „Und diese Wohnung hier, Ravic – das ist nicht so, wie du vielleicht denkst. Ich verdiene selbst Geld. Mehr als früher. Er hat mir geholfen. Er ist Schauspieler. Ich habe kleine Rollen im Film. Er hat mich·da hineingebracht."

„Das dachte ich mir."

Sie beachtete es nicht. „Ich habe nicht viel Talent", sagte sie. „Ich mache mir nichts vor. Aber ich wollte aus den Nachtklubs heraus. Man kann da nicht weiterkommen. Hier kann man es. Auch ohne Talent. Ich will unabhängig werden. Du magst das alles lächerlich finden –"

„Nein", sagte Ravic. „Es ist vernünftig."

Sie sah ihn an. „Bist du nicht deshalb nach Paris gekommen, damals?" fragte er. – „Ja."

Da sitzt sie, dachte er, eine leise klagende Unschuldige, der das Leben und ich hart zugesetzt haben. Sie ist ruhig, der erste Sturm ist abgeschlagen; sie wird verzeihen, und wenn ich nicht bald gehe, wird sie mir die Geschichte der letzten Monate noch mit allen Einzelheiten erzählen, diese stählerne Orchidee, zu der ich gekommen bin, um klar Schluß zu machen, und die es jetzt bereits so weit gebracht hat, daß ich ihr fast recht geben muß.

„Gut, Joan", sagte er. „Du bist jetzt soweit. Du wirst schon vorwärtskommen."

Sie beugte sich vor. „Glaubst du?"

„Bestimmt."

„Wirklich, Ravic?"

Er stand auf. Noch drei Minuten, und er würde in einem Fachgespräch über Film sein. Man darf mit ihnen nicht diskutieren, dachte er. Man kommt immer als Verlierer heraus. Logik ist Wachs in ihren Händen. Man soll handeln, fertig.

„So meinte ich das nicht", sagte er. „Da fragst du besser deinen Spezialisten."

„Willst du schon gehen?" fragte sie.

„Ich muß."

„Warum bleibst du nicht noch?"

„Ich muß zur Klinik zurück."

Sie nahm seine Hand und sah zu ihm auf. „Du sagtest vorhin, du wärest fertig in der Klinik, wenn du kämest."

Er überlegte, ob er ihr sagen sollte, er käme nicht wieder. Aber es war genug für heute. Es war genug für sie und ihn. Das hatte sie immerhin verhindert. Aber es würde von selbst kommen. „Bleib hier, Ravic", sagte sie.

„Ich kann nicht."

Sie stand auf und lehnte sich dicht an ihn. Das auch noch, dachte er. Das alte Spiel. Billig und erprobt. Sie läßt nichts aus. Aber wer will von einer Katze verlangen, daß sie Gras frißt. Er machte sich los. „Ich muß. In der Klinik liegt ein Mann und stirbt."

„Ärzte haben immer gute Gründe", sagte sie langsam und sah ihn an.

„Wie Frauen, Joan. Wir verwalten den Tod und ihr die Liebe. Darin sind alle Gründe und alles Recht der Welt."

Sie antwortete nicht.

„Wir haben auch gute Mägen", sagte Ravic. „Wir brauchen sie. Sonst könnten wir es nicht. Wo andere ohnmächtig werden, da fangen wir an, uns zu beleben. Adieu, Joan."

„Du kommst wieder, Ravic?"

„Denk nicht darüber nach. Nimm dir deine Zeit. Du wirst es selbst herausfinden."

Er ging rasch zur Tür und blickte sich nicht mehr um. Sie folgte ihm nicht. Aber er wußte, daß sie ihm nachsah. Er fühlte sich sonderbar taub – als ginge er unter Wasser.

22

Der Schrei kam aus dem Fenster der Familie Goldberg. Ravic horchte einen Augenblick. Es schien ihm ziemlich unmöglich, daß der alte Goldberg seiner Frau irgend etwas an den Kopf geworfen oder sie geschlagen hatte. Er hörte auch nichts weiter. Nur ein Rennen, dann ein aufgeregtes Gespräch im Zimmer des Emigranten Wiesenhoff und Türenklappen.

Gleich darauf klopfte es an seiner Tür, und die Proprietaire stürzte herein. „Rasch – rasch – Monsieur Goldberg –"

„Was?"

„Erhängt. Am Fenster. Rasch –"

Ravic warf sein Buch weg. „Ist Polizei da?"

„Natürlich nicht. Sonst hätte ich Sie nicht gerufen! Sie hat ihn gerade erst gefunden."

Ravic lief die Treppen mit ihr herunter. „Hat man ihn abgeschnitten?"

„Noch nicht. Sie halten ihn –"

In dem dämmerigen Zimmer stand eine dunkle Gruppe am Fenster. Ruth Goldberg, der Emigrant Wiesenhoff und noch jemand. Ravic drehte das Licht an. Wiesenhoff und Ruth Goldberg hatten den alten Goldberg in den Armen wie eine Puppe, und der dritte Mann versuchte nervös, den Knoten einer Krawatte zu lösen, die am Fenstergriff befestigt war.

„Schneiden Sie ihn ab –"

„Wir haben kein Messer hier", schrie Ruth Goldberg.

Ravic holte eine Schere aus seiner Tasche und schnitt. Die Krawatte war aus dicker, schwerer, glatter Seide, und es dauerte ein paar Sekunden, ehe sie durchschnitten war. Ravic hatte Goldbergs Gesicht dabei dicht vor sich. Die herausgequollenen Augen, den offenen Mund, den dünnen, grauen Bart, die offene Zunge, die dunkelgrüne Krawatte mit weißen Punkten, die tief in den schrumpelig geblähten Hals einschnitt. – Der Körper schwankte leicht in den Armen Wiesenhoffs und Ruth Goldbergs, als wiege er sich in einem schrecklichen, erstarrten Gelächter lautlos hin und her.

Ruth Goldbergs Gesicht war rot und tränenüberströmt, und neben ihr schwitzte Wiesenhoff unter der Last des Körpers, der schwerer war als je im Leben. Zwei nasse, entsetzte, stöhnende Gesichter und darüber, schweigend, der sanft rollende Kopf, ins Jenseits grinsend, der, als Ravic die Krawatte durchschnitt, gegen Ruth Goldberg fiel, so daß sie mit einem Schrei zurückfuhr, die Arme losließ, und der Körper mit schlenkernden Armen zur Seite rutschte und ihr mit einer grotesk clownhaften Bewegung zu folgen schien.

Ravic fing ihn auf und legte ihn mit Wiesenhoffs Hilfe auf den Fußboden. Er löste die Krawattenschlinge und begann die Untersuchung.

„Ins Kino", plapperte Ruth Goldberg. „Ins Kino hat er mich geschickt. Ruthchen, hat er gesagt, du hast so wenig Unterhaltung; warum gehst du nicht mal ins Theater Courcelles, sie spielen da einen Garbo-Film, die Königin Christine; warum siehst du ihn dir nicht mal an? Nimm einen guten Platz, nimm Fauteuil oder nimm Loge; sieh es dir an, zwei Stunden raus aus der Misere ist auch schon was; ruhig und freundlich hat er es gesagt und mir die Backen getätschelt, und nachher ißt du ein Schokoladen- und Vanilleeis vor der Konditorei am Parc Monceau, tu dir mal was zugute, Ruthchen, hat er gesagt, und ich bin gegangen, und als ich zurückgekommen bin, da –"

Ravic stand auf. Ruth Goldberg brach ab. „Er muß es gleich gemacht haben, nachdem Sie gegangen sind", sagte er.

Sie hielt die Fäuste vor den Mund. „Ist er –"

„Wir werden noch etwas versuchen. Künstliche Atmung zunächst. Verstehen Sie etwas davon?" fragte Ravic Wiesenhoff.

„Nein. Nicht viel. Etwas."

„Passen Sie auf."

Ravic nahm die Arme Goldbergs, zog sie zurück bis zum Boden, preßte sie dann vorwärts bis zur Brust und zurück und wieder vorwärts. Goldbergs Kehle begann zu rasseln. „Er lebt!" schrie die Frau.

„Nein. Das ist die zusammengedrückte Luftröhre."

Ravic machte die Bewegung noch ein paarmal vor. „So, probieren Sie es jetzt", sagte er zu Wiesenhoff.

Wiesenhoff kniete zögernd hinter Goldberg nieder. „Los", sagte Ravic ungeduldig. „Nehmen Sie die Handgelenke, oder besser die Unterarme."

Wiesenhoff schwitzte. „Stärker", sagte Ravic. „Pressen Sie alle Luft aus den Lungen."

Er wandte sich an die Wirtin. Inzwischen waren mehr Leute ins Zimmer gekommen. Er winkte der Wirtin, herauszukommen. „Er ist tot", sagte er auf dem Korridor. „Das drinnen ist Unsinn. Ein Rituell, das gemacht werden muß, sonst nichts. Es wäre ein Wunder, wenn es noch irgendwas nützte."

„Was sollen wir machen?"

„Das Übliche."

„Rettungsaktion? Erste Hilfe? Das heißt zehn Minuten später die Polizei."

„Die Polizei müssen Sie ohnehin anrufen. Haben die Goldbergs Papiere?"

„Ja. Gute. Paß und Carte d'Identité."

„Wiesenhoff?"

„Aufenthaltserlaubnis. Verlängertes Visum."

„Gut. Dann sind sie in Ordnung. Sagen Sie beiden, nicht zu erwähnen, daß ich da war. Sie ist nach Hause gekommen, hat ihn gefunden, geschrien, Wiesenhoff hat ihn abgeschnitten und hat künstliche Atmung versucht, bis die Ambulanz kam. Können Sie das?"

Die Wirtin sah ihn mit ihren Vogelaugen an. „Natürlich. Ich werde

ohnehin dabeibleiben, wenn die Polizei kommt. Ich werde schon aufpassen."

„Gut."

Sie gingen zurück. Wiesenhoff war über Goldberg gebeugt und
arbeitete. Es wirkte einen Moment, als machten beide Freiübungen
auf dem Boden. Die Wirtin blieb an der Tür stehen. „Mes dames et
messieurs", sagte sie. „Ich muß die Rettungsaktion anrufen. Der Sani-
täter oder Arzt, der von dort mitkommt, wird dann die Polizei sofort
benachrichtigen müssen. Sie wird spätestens in einer halben Stunde
hier sein. Wer von Ihnen keine Papiere hat, packt besser sofort seine
Sachen, zum wenigsten das, was offen herumliegt, bringt es in die
Katakombe und bleibt unten. Es ist möglich, daß die Polizei die Zimmer nachsieht oder nach Zeugen fragt."

Der Raum leerte sich sofort. Die Wirtin nickte Ravic zu, daß sie
Ruth Goldberg und Wiesenhoff instruieren würde. Er nahm seine
Tasche und die Schere, die neben der abgeschnittenen Krawatte am
Boden lagen. Die Krawatte lag so, daß er die Firmenmarke sehen
konnte. S. Förder, Berlin. Es war eine Krawatte, die mindestens zehn
Mark gekostet hatte. Noch aus Goldbergs guten Zeiten. Ravic kannte
die Firma. Er hatte selbst da gekauft. Er packte seine Sachen in ein
paar Koffer und brachte sie in Morosows Zimmer. Es war nur eine
Vorsicht. Die Polizei würde sich wahrscheinlich um nichts kümmern.
Aber es war besser – die Erinnerung an Fernand saß Ravic noch zu
sehr in den Knochen. Er ging zur Katakombe hinunter.

Eine Anzahl Leute rannte dort aufgeregt hin und her. Es waren die
Emigranten ohne Papiere. Die illegale Brigade. Clarisse, das Servier-
mädchen, und Jean, der Kellner, dirigierten die Koffer in einen keller-
haften Nebenraum der Katakombe. Die Katakombe selbst war bereits
für das Abendessen vorbereitet. Die Tische waren gedeckt, Körbe mit
Brot standen umher, und es roch von der Küche her nach Fett und Fisch.

„Zeit genug", sagte Jean zu den nervösen Emigranten. „Die Polizei
ist nicht so eilig."

Die Emigranten nahmen sich keine Zeit. Sie waren kein Glück
gewöhnt. Hastig drängten sie mit ihren paar Sachen in den Keller.
Unter ihnen war auch der Spanier Alvarez. Die Wirtin hatte im ganzen Hotel Nachricht herumgeschickt, daß die Polizei käme. Alvarez
lächelte fast entschuldigend zu Ravic hinüber. Ravic wußte nicht,
warum.

Ein dünner Mensch kam gelassen heran. Es war der Doktor der
Philologie und Philosophie Ernst Seidenbaum. „Manöver?", sagte er
zu Ravic. „Generalprobe. Bleiben Sie in der Katakombe?"

„Nein."

Seidenbaum, ein Veteran seit sechs Jahren, zuckte die Achseln. „Ich bleibe. Habe keine Lust wegzulaufen. Glaube nicht, daß mehr passiert als eine Tatbestandsaufnahme. Wer ist schon an einem alten, toten, deutschen Juden interessiert?"

„An dem nicht. Aber an lebendigen, illegalen Refugiés."

Seidenbaum setzte sein Pincenez zurecht. „Ist mir auch egal. Wissen Sie, was ich bei der letzten Razzia gemacht habe? Irgendein Sergeant kam damals sogar herunter in die Katakombe. Über zwei Jahre her. Ich habe eine von Jeans weißen Kellnerjacken angezogen und mitserviert. Schnäpse für die Polizei."

„Gute Idee."

Seidenbaum nickte. „Es kommt eine Zeit, da hat man auch vom Weglaufen genug." Er trollte ruhig zur Küche hinüber, um zu inspizieren, was es gab.

Ravic ging durch den Hinterausgang der Katakombe über den Hof. Eine Katze lief ihm über die Füße. Vor ihm gingen die andern. Sie verteilten sich rasch auf der Straße. Alvarez hinkte etwas. Vielleicht könnte man das noch durch Operation beseitigen, dachte Ravic abwesend.

Er saß an der Place de Ternes und hatte plötzlich das Gefühl, daß Joan in dieser Nacht kommen würde. Er konnte nicht sagen, warum – er wußte es nur einfach plötzlich.

Er zahlte sein Abendessen und ging langsam zum Hotel zurück. Es war warm, und die Schilder der Stundenhotels in den schmalen Straßen flammten rot durch die frühe Nacht. Hinter den Vorhängen schimmerten die Ritzen der erleuchteten Fenster. Eine Gruppe Matrosen folgte einigen Huren. Sie waren jung und laut und heiß von Wein und Sommer und verschwanden in einem der Hotels. Irgendwoher kam Handharmonikamusik. Ein Gedanke schoß wie eine Leuchtrakete hoch in Ravic, entfaltete sich, schwebte und hob eine magische Landschaft aus dem Dunkel: Joan, wartend auf ihn im Hotel, um ihm zu sagen, daß sie alles hinter sich geworfen hätte und zurückkäme, ihn überströmend, überstürzend –

Er blieb stehen. Was ist los mit mir? dachte er. Weshalb stehe ich da, und meine Hände fühlen die Luft, als wäre sie ein Nacken und eine Welle Haar? Zu spät. Man kann nichts zurückholen. Niemand kommt zurück. Ebensowenig wie je die gelebte Stunde zurückkommt.

Er ging weiter zum Hotel, über den Hof zum Hintereingang in die Katakombe. Er sah von der Tür aus eine Anzahl Leute herumsitzen. Seidenbaum war dabei. Nicht als Kellner, als Gast. Die Gefahr schien vorüber zu sein. Er trat ein.

Morosow war in seinem Zimmer. „Ich wollte gerade weg", sagte er.

„Dachte schon, du wärest wieder davon, zur Schweiz, als ich deine Koffer sah."

„Ist alles in Ordnung?"

„Ja. Die Polizei kommt nicht wieder. Hat sogar die Leiche schon wieder freigegeben. Klarer Fall. Liegt oben; wird bereits aufgebahrt."

„Schön. Dann kann ich ja wieder in meine Bude einziehen."

Morosow lachte. „Dieser Seidenbaum!" sagte er. „Er war bei der ganzen Sache dabei. Mit einer Aktentasche, irgendwelchen Papieren darin und seinem Pincenez. Er trat als Advokat und Vertreter der Versicherungsfirma auf. War ziemlich scharf mit der Polizei. Hat den Paß des alten Goldberg gerettet. Behauptete, er brauche ihn; die Polizei habe nur Recht auf die Carte d'Identité. Kam damit durch. Hat er selbst Papiere?"

„Nicht einen Fetzen."

„Gut", erklärte Morosow. „Der Paß ist Gold wert. Ist noch ein Jahr gültig. Irgend jemand kann darauf leben. Nicht gerade in Paris, wenn er nicht so frech wie Seidenbaum ist. Die Fotografie kann man leicht austauschen. Für die Änderung der Geburtsdaten gibt es billige Fachleute, wenn der neue Aaron Goldberg zu jung sein sollte. Moderne Art von Seelenwanderung – ein Paß und mehrere Leben darauf."

„Dann heißt Seidenbaum also von jetzt an Goldberg?"

„Seidenbaum nicht. Er hat abgelehnt. Ist unter seiner Würde. Er ist der Don Quichotte der Untergrund-Weltbürger. Zu fatalistisch neugierig, was mit seinem Typ passiert, als daß er ihn durch einen geborgten Paß verfälschen würde. Wie wäre es mit dir?"

Ravic schüttelte den Kopf. „Auch nicht. Ich bin auf Seidenbaums Seite."

Er nahm seine Koffer und stieg die Treppen hinauf. Auf dem Goldbergschen Flur wurde er von einem alten Juden in schwarzem Kaftan mit Bart und Peies, der das Gesicht eines biblischen Patriarchen hatte, überholt. Der Alte ging lautlos, auf Gummisohlen, und es war, als schwebe er dunkel und bleich durch den düsteren Korridor. Er öffnete die Goldbergsche Tür. Rötliches Licht, wie von Kerzen, fiel einen Augenblick heraus, und Ravic hörte ein seltsames, halb unterdrücktes, halb wildes, fast melancholisches, monotones Jammern. Klageweiber, dachte er. Sollte es so etwas noch geben? Oder war es nur Ruth Goldberg?

Er öffnete seine Tür und sah Joan am Fenster sitzen. Sie fuhr auf. „Da bist du! Was ist los? Wozu hast du die Koffer? Mußt du wieder weg?"

Ravic stellte die Koffer neben das Bett. „Nichts ist los. Es war nur

Vorsicht. Irgend jemand ist gestorben. Die Polizei hatte zu kommen. Es ist alles schon wieder vorbei."

„Ich habe dich angerufen. Jemand war am Apparat und sagte, du wohntest nicht mehr hier."

„Das war unsere Wirtin. Vorsichtig und klug wie immer."

„Ich bin hierhergelaufen. Das Zimmer war offen und leer. Deine Sachen waren nicht mehr da. Ich dachte – Ravic!" Ihre Stimme zitterte.

Ravic lächelte mit Mühe. „Du siehst – ich bin eine unzuverlässige Kreatur. Nichts, um viel darauf zu bauen."

Es klopfte. Morosow kam herein, ein paar Flaschen in der Hand. „Ravic, du hast deine Munition vergessen –"

Er sah Joan in der Dunkelheit stehen und tat, als bemerkte er sie nicht. Ravic wußte nicht, ob er sie überhaupt erkannt hatte. Er händigte die Flaschen aus und verabschiedete sich, ohne hereinzukommen.

Ravic stellte den Calvados und den Vouvray auf den Tisch. Durch das offene Fenster hörte er die Stimme, die er vom Korridor her gehört hatte. Totenklage. Sie schwoll an, verebbte und begann wieder. Wahrscheinlich standen bei Goldbergs die Fenster offen in der warmen Nacht, in der der steife Körper des alten Aaron in einem Zimmer mit Mahagonimöbeln jetzt langsam zu verwesen begann.

„Ravic", sagte Joan. „Ich bin traurig. Ich weiß nicht, warum. Den ganzen Tag schon. Laß mich hierbleiben."

Er antwortete nicht gleich. Er fühlte sich überrumpelt. Er hatte das anders erwartet. Nicht so direkt.

„Wie lange?" fragte er.

„Bis morgen."

„Das ist nicht lange genug."

Sie setzte sich auf das Bett. „Können wir das nicht einmal vergessen?"

„Nein, Joan."

„Ich will nichts. Ich will nur neben dir schlafen. Oder laß mich auf dem Sofa schlafen."

„Es geht nicht. Ich muß auch noch fort. Zur Klinik."

„Das macht nichts. Ich werde auf dich warten. Ich habe das ja schon oft getan."

Er antwortete nicht. Er wunderte sich, daß er so ruhig war. Die Wärme und die Erregung, die er auf der Straße gefühlt hatte, waren verschwunden.

„Du mußt auch nicht zur Klinik", sagte Joan.

Er schwieg einen Augenblick. Er wußte, wenn er mit ihr schlief, war er verloren. Es war wie einen Wechsel unterzeichnen, der durch nichts mehr gedeckt war. Sie würde wieder und wieder kommen und auf das pochen, was sie erreicht hatte, und jedesmal etwas verlangen, ohne selbst etwas aufzugeben, bis er völlig in ihren Händen war und sie ihn dann schließlich gelangweilt verließ, schwach, korrupt in sich, ein Opfer seiner Schwäche und seiner gebrochenen Begierde. Sie beabsichtigte das nicht; sie wußte nicht einmal etwas davon, aber es würde so kommen. Es war einfach zu denken, eine Nacht mache keinen Unterschied; aber jedesmal ging ein Stück Widerstand und ein Stück dessen, was man nie im Leben korrumpieren durfte, mit. Die Sünden gegen den Geist nannte das der katholische Katechismus mit sonderbarer, vorsichtiger Furcht und fügte, dunkel, im Widerspruch zur ganzen Lehre, hinzu, daß sie weder in diesem noch im anderen Leben vergeben würden.

„Es ist wahr", sagte Ravic. „Ich muß nicht zur Klinik. Aber ich will nicht, daß du hier bleibst."

Er erwartete einen Ausbruch. Aber sie sagte nur ruhig: „Warum nicht?"

Sollte er versuchen, es ihr zu erklären? Konnte er es überhaupt? „Du gehörst nicht mehr hierher", sagte er.

„Ich gehöre hierher."

„Nein."

„Warum nicht?"

Er schwieg. Wie geschickt sie war! dachte er. Durch einfaches Fragen brachte sie ihn zu Erklärungen. Und wer erklärte, verteidigte bereits.

„Du weißt es", sagte er. „Frag nicht so töricht."

„Du willst mich nicht mehr?"

„Nein", erwiderte er und fügte gegen seinen Willen hinzu: „Nicht so."

Durch das Fenster kam das eintönige Weinen aus dem Goldbergschen Zimmer. Die Klage um den Tod. Hirtentrauer von Libanon, in einer Pariser Seitenstraße.

„Ravic", sagte Joan. „Du mußt mir helfen."

„Ich helfe dir am besten, wenn ich dich allein lasse. Und du mich auch."

Sie beachtete es nicht. „Du mußt mir helfen. Ich könnte lügen; aber ich will es nicht mehr. Ja, da ist jemand. Aber es ist anders als mit dir. Wenn es dasselbe wäre, wäre ich nicht hier."

Ravic zog eine Zigarette aus seiner Tasche. Er fühlte das trockene Papier. Da war es also. Nun wußte er es. Es war wie ein kühles Messer, das nicht schmerzte. Gewißheit schmerzt nie. Nur das Vorher und Nachher.

„Es ist nie dasselbe", sagte er. „Und es ist immer dasselbe."

Was für ein billiges Zeug ich rede, dachte er. Zeitungsparadoxe. Wie schäbig Wahrheiten werden können, wenn man sie ausspricht.

Joan richtete sich auf. „Ravic", sagte sie. „Du weißt, daß es nicht wahr ist, daß man nur einen Menschen lieben kann. Es gibt Menschen, die können nur das. Sie sind glücklich. Und es gibt andere, die durcheinandergeworfen werden. Du weißt das."

Er zündete seine Zigarette an. Ohne hinzusehen, wußte er, wie Joan aussah. Blaß, die Augen dunkel, still, konzentriert, fast flehend fragil – und nie umzubringen. Sie hatte ebenso ausgesehen an dem Nachmittag in ihrer Wohnung – wie ein Engel der Verkündung, voll von Glauben und schwebender Überzeugung, der vorgab, einen retten zu wollen, während er einen langsam ans Kreuz zu schlagen versuchte, damit man ihm nicht entkam.

„Ja", sagte er. „Es ist eine unserer Ausreden."

„Es ist keine Ausrede. Man ist nicht glücklich dabei. Man wird hineingeworfen und kann sich nicht helfen. Es ist etwas Finsteres, ein Knäuel, ein Krampf – etwas, durch das man hindurch muß. Man kann nicht weglaufen. Es kommt einem nach. Es holt einen ein. Man will es nicht. Aber es ist stärker."

„Warum denkst du darüber nach? Folge ihm, wenn es stärker ist."

„Das tue ich. Ich weiß, es gibt nichts anderes. Aber –" Ihre Stimme wechselte. „Ravic, ich will dich nicht verlieren."

Ravic schwieg. Er rauchte und spürte den Rauch nicht. Du willst mich nicht verlieren, dachte er. Aber den anderen auch nicht. Das ist es. Daß du das kannst! Deshalb muß ich von dir weg. Es ist nicht der eine – das wäre rasch vergessen. Du hattest alle Entschuldigungen dafür. Aber daß es dich so gepackt hat, daß du nicht davon loskommen kannst, das ist es. Du wirst davon loskommen. Aber es wird wieder geschehen. Es wird immer wieder geschehen. Es ist in dir. Ich konnte das auch früher. Mit dir kann ich es nicht. Deshalb muß ich los von dir. Jetzt kann ich es noch. Das nächstemal –

„Du glaubst, es sei eine besondere Situation", sagte er. „Es ist die allertäglichste der Welt. Die vom Ehemann und vom Liebhaber."

„Das ist nicht wahr!"

„Doch. Sie hat viele Variationen. Eine davon ist deine."

„Wie kannst du so etwas sagen!" Sie fuhr auf. „Du bist alles andere als das und du warst es nie, und du wirst es nie sein. Der andere ist viel mehr –" Sie brach ab. „Nein, so ist es auch nicht. Ich kann es nicht erklären."

„Sagen wir: die Sicherheit und das Abenteuer. Das klingt besser. Es ist dasselbe. Man will das eine haben und das andere nicht loslassen."

Sie schüttelte den Kopf. „Ravic", sagte sie aus der Dunkelheit heraus, mit einer Stimme, die ihm das Herz bewegte. „Man kann gute Worte dafür haben und schlechte. Das ändert nichts daran. Ich liebe dich und ich werde dich lieben, bis ich aufhöre zu leben. Das weiß ich und das ist klar in mir. Du bist der Horizont, und alle Gedanken enden in dir. Es kann geschehen, was will, es ist trotzdem immer innerhalb von dir. Es ist kein Betrug. Es nimmt dir nichts. Das ist es, weshalb ich immer wieder hier bin, und das ist es, weshalb ich es nicht bedauern und mich nicht schuldig fühlen kann."

„Im Gefühl gibt es keine Schuld, Joan. Wie kommst du auf so etwas?"

„Ich habe nachgedacht. Ich habe so viel nachgedacht, Ravic. Über mich und über dich. Du hast mich nie ganz haben wollen. Du weißt es vielleicht selbst nicht. Da war immer etwas, das war zugesperrt für mich. Und ich konnte nie ganz hinein. Ich wollte! Wie ich es wollte! Es war immer so, daß du jeden Augenblick weggehen konntest. Ich war nie sicher. Daß die Polizei dich wegschickte, daß du fort mußtest – es hätte genauso auch anders sein können –, daß du eines Tages weg warst, von dir aus, daß du einfach nicht mehr da warst, weggegangen warst, irgendwohin –"

Ravic starrte auf das Gesicht im ungewissen Dunkel vor ihm. Da war etwas richtig in dem, was sie sagte.

„Es war immer so", fuhr sie fort. „Immer. Und dann kam jemand, der mich wollte, nichts, als mich wollte, ganz und für immer, einfach und ohne jede Komplikation. Ich lachte, ich wollte es nicht, ich spielte damit, es erschien so ungefährlich, so leicht, wieder beiseite zu schieben – und dann, plötzlich, war es mehr geworden, ein Zwang, etwas, das in mir auch wollte, ich wehrte mich, und es nützte nichts, ich gehörte nicht dahin, es war alles nicht in mir, was wollte, es war nur ein Stück, aber es schob mich, es war wie ein langsamer Erdrutsch, über den man anfangs lacht, und plötzlich ist nichts mehr da, um sich festzuhalten, und man kann sich nicht mehr wehren. Aber ich gehöre nicht dahin, Ravic. Ich gehöre zu dir."

Er warf seine Zigarette aus dem Fenster. Sie flog wie ein Leuchtkäfer zum Hof hinunter. „Was geschehen ist, ist geschehen, Joan", sagte er. „Wir können es nicht mehr ändern."

„Ich will nichts ändern. Es wird vorübergehen. Ich gehöre zu dir. Weshalb komme ich wieder? Weshalb stehe ich vor deiner Tür? Weshalb warte ich hier auf dich und du wirfst mich hinaus und ich werde wiederkommen? Ich weiß, du glaubst mir nicht und denkst, ich hätte andere Gründe. Was für Gründe denn? Wenn das andere mich ausfüllte, würde ich nicht wiederkommen. Ich würde dich vergessen haben. Du sagst, was ich bei dir suche, sei Sicherheit. Das ist nicht wahr. Es ist Liebe."

Worte, dachte Ravic. Süße Worte. Sanfter, trügerischer Balsam.

Hilfe, Liebe, Zusammengehören, Wiederkommen – Worte, süße Worte. Nichts als Worte. Wie viele Worte es gab für diese einfache, wilde, grausame Anziehung zweier Körper! Welch ein Regenbogen der Phantasie, Lüge, Gefühl und Selbstbetrug sich darüber wölbte! Da stand er, in dieser Nacht des Abschieds, da stand er, ruhig, im Dunkeln, und ließ ihn über sich hinträufeln, diesen Regen von süßen Worten, die nichts bedeuteten als Abschied, Abschied, Abschied. Wenn man darüber sprach, war es schon verloren. Der Gott der Liebe hatte eine blutbefleckte Stirn. Er wußte nichts von Worten.

„Du mußt jetzt gehen, Joan."

Sie stand auf. „Ich will hierbleiben. Laß mich hierbleiben. Nur eine Nacht."

Er schüttelte den Kopf. „Wofür hältst du mich? Ich bin kein Automat."

Sie lehnte sich an ihn. Er fühlte, daß sie zitterte.

„Es ist mir gleich. Laß mich hierbleiben."

Er schob sie behutsam von sich. „Du solltest nicht gerade mit mir anfangen, den anderen zu betrügen. Er wird noch genug zu leiden haben."

„Ich kann jetzt nicht allein nach Hause gehen."

„Du brauchst nicht lange allein zu bleiben."

„Doch, ich bin allein. Schon seit Tagen. Er ist fort. Nicht in Paris."

„So –" erwiderte Ravic ruhig. Er sah sie an. „Immerhin, du bist wenigstens offen. Man weiß, woran man mit dir ist."

„Ich bin nicht deshalb gekommen."

„Natürlich nicht."

„Ich hätte es ja auch nicht zu sagen brauchen."

„Richtig."

„Ravic, ich will nicht allein nach Hause gehen."

„Dann werde ich dich nach Hause bringen."

Sie trat langsam einen Schritt zurück. „Du liebst mich nicht mehr –" sagte sie leise und fast drohend.

„Bist du gekommen, um das zu erfahren?"

„Ja – das auch. Nicht allein – aber auch deshalb."

„Mein Gott, Joan", sagte Ravic ungeduldig, „dann hast du soeben eines der offensten Liebesbekenntnisse gehört."

Sie antwortete nicht. Sie sah ihn an. „Glaubst du, daß ich mir sonst etwas daraus machen würde, dich hierzubehalten, ganz gleich, mit wem du lebst?" sagte er.

Sie begann langsam zu lächeln. Es war kein eigentliches Lächeln – es war wie ein Schein von innen heraus, als hätte jemand in ihr eine Lampe angezündet und der Glanz stiege langsam höher bis in die

Augen. „Danke, Ravic", sagte sie. Und nach einer Weile vorsichtig, ihn immer noch ansehend: „Du wirst mich nicht verlassen?"

„Wozu fragst du das?"

„Du wirst warten? Du wirst mich nicht verlassen?"

„Ich glaube, da ist nicht viel Gefahr. Nach den Erfahrungen mit dir."

„Danke." Sie war verändert. Wie schnell sich das tröstet, dachte er. Aber warum sollte sie nicht? Sie glaubt erreicht zu haben, was sie wollte, auch ohne hierzubleiben. Sie küßte ihn. „Ich wußte, daß du so sein würdest, Ravic. Du mußtest so sein. Ich gehe jetzt. Bring mich nicht nach Hause. Ich kann jetzt allein gehen."

Sie stand an der Tür. „Komm nicht wieder", sagte er. „Und bedenke nichts. Du gehst nicht unter."

„Nein. Gute Nacht, Ravic."

„Gute Nacht, Joan."

Er ging zur Wand und machte Licht. Du mußt so sein, er schüttelte sich leicht. Aus Lehm und Gold sind sie gemacht, dachte er. Aus Lüge und Erschütterung. Aus Schwindel und schamloser Wahrheit. Er setzte sich ans Fenster. Von unten kam immer noch das leise, monotone Klagen. Eine Frau, die ihren Mann betrogen hatte und ihn bejammerte, weil er tot war. Vielleicht aber auch nur, weil ihre Religion es so vorschrieb. Ravic wunderte sich, daß er nicht unglücklicher war.

23

Ich bin zurück, Ravic, ja", sagte Kate Hegström.

Sie saß in ihrem Zimmer im Hotel Lancaster. Sie war schmaler geworden. Das Fleisch unter der Haut schien eingesunken, als wäre es von feinen Instrumenten von innen heraus ausgehöhlt worden. Die Linien traten mehr hervor; und die Haut war wie Seide, die leicht reißen konnte.

„Ich glaubte Sie noch in Florenz – oder in Cannes – oder schon in Amerika", sagte Ravic.

„Ich war die ganze Zeit in Florenz. In Fiesole. Bis ich es nicht mehr aushalten konnte. Erinnern Sie sich noch, wie ich Sie überreden wollte, mitzukommen? Bücher, ein Feuer, Abende, Frieden? Die Bücher waren da – das Feuer im Kamin auch –, aber Friede! Ravic, selbst die Stadt des Franziskus von Assisi ist laut geworden. Laut und unruhig, wie alles drüben. Da, wo er den Vögeln von der Liebe gepredigt hat, ziehen jetzt Kolonnen in Uniformen umher und berauschen sich an Großtuerei, Worten und grundlosem Haß."

„Das war doch schon immer so, Kate."

„Nicht so. Vor ein paar Jahren war mein Hausverwalter noch ein freundlicher Mann in Manchesterhosen und Bastschuhen. Jetzt ist er ein Held in hohen Stiefeln, einem schwarzen Hemd, gespickt mit goldenen Dolchen, und hält Vorträge – das Mittelmeer müsse italienisch werden, England vernichtet, und Nizza, Korsika und Savoyen zurück zu Italien. Ravic, diese liebenswürdige Nation, die seit Ewigkeiten keinen Krieg gewonnen hat, ist verrückt geworden, seit man sie in Abessinien und Spanien hat gewinnen lassen. Freunde von mir, die vor drei Jahren noch vernünftig waren, glauben heute ernsthaft, daß sie England in drei Monaten besiegen können. Das Land kocht. Was ist nur los? Ich bin aus Wien geflohen vor der Brutalität brauner Hemden – ich habe jetzt Italien verlassen vor dem Wahnsinn schwarzer; – anderswo soll es grüne geben; in Amerika natürlich silberne – ist die Erde in einem Hemdentaumel?"

„Scheinbar. Aber das wird sich wohl bald ändern. Die Einheitsfarbe wird rot werden."

„Rot?"

„Ja, rot wie Blut."

Kate Hegström sah hinunter in den Hof. Das späte Nachmittagslicht filterte dort sanft und grün durch das Laub der Kastanien. „Man kann das nicht glauben", sagte sie. „Zwei Kriege in zwanzig Jahren – das ist zuviel. Wir sind noch zu müde vom ersten."

„Nur die Sieger. Nicht die Besiegten. Siegen macht achtlos."

„Ja, vielleicht." Sie sah ihn an. „Da ist nicht mehr viel Zeit übrig, wie?"

„Nicht allzuviel mehr, fürchte ich."

„Glauben Sie, daß es genug für mich ist?"

„Warum nicht?" Ravic blickte auf. Sie wich seinen Augen nicht aus. „Haben Sie Fiola gesehen?" fragte er.

„Ja, ein-, zweimal. Er war einer der wenigen, die nicht angesteckt waren von der schwarzen Pest."

Ravic antwortete nicht. Er wartete.

Kate Hegström nahm eine Kette Perlen vom Tisch und ließ sie durch ihre Hände gleiten. Sie wirkten zwischen den langen, schmalen Fingern wie ein sehr kostbarer Rosenkranz. „Ich komme mir vor wie der ewige Jude", sagte sie, „auf der Suche nach Frieden. Aber es scheint, ich habe zur falschen Zeit angefangen. Er ist nirgendwo mehr. Nur hier noch – hier ist noch ein Rest."

Ravic blickte auf die Perlen. Formlose, graue Mollusken hatten sie gebildet, gereizt durch einen Fremdkörper, ein Sandkorn zwischen ihren Schalen. Aus zufälliger Irritation war so sanft schimmernde Schönheit geworden. Man sollte sich das merken, dachte er. „Sie wollten doch nach Amerika fahren, Kate", sagte er. „Wer Europa verlassen kann, soll es tun. Für alles andere ist es schon zu spät."

„Wollen Sie mich fortschicken?"

„Nein. Aber sagten Sie nicht das letztemal, Sie wollten Ihre Sachen regeln und nach Amerika zurückgehen?"

„Ja. Aber jetzt will ich es nicht mehr. Noch nicht. Ich will noch hier bleiben."

„Paris ist heiß und unangenehm im Sommer."

Sie legte die Perlen beiseite. „Nicht, wenn es der letzte Sommer ist, Ravic."

„Der letzte?"

„Ja. Der letzte, bevor ich zurückfahre."

Ravic schwieg. Was weiß sie? dachte er. Was hat Fiola ihr gesagt?

„Was macht die Scheherazade?" fragte sie.

„Ich war lange nicht da. Morosow sagt, sie sei jeden Abend über-füllt. Wie alle anderen Nachtklubs auch."

„Im Sommer?"

„Ja, im Sommer, wo die meisten Häuser geschlossen waren. Wun-dert Sie das?"

„Nein. Jeder will noch mitnehmen, was er kann, bevor das Ende kommt."

„Ja", sagte Ravic.

„Werden Sie mich einmal hinnehmen?"

„Natürlich, Kate. Immer, wenn Sie wollen. Ich dachte, Sie wollten nicht mehr hingehen."

„Das dachte ich auch. Ich habe meine Meinung gewechselt. Ich will auch noch mitnehmen, was ich kann."

Er sah sie wieder an. „Gut, Kate", sagte er dann. „Wann immer Sie wollen."

Er stand auf. Sie ging mit ihm zur Tür. Sie lehnte in der Türöff-nung, schmal, mit der trockenen, seidenen Haut, die aussah, als werde sie rascheln, wenn man sie berührte. Die Augen waren sehr klar und größer als früher. Sie gab ihm die Hand. Sie war heiß und trocken. „Warum haben Sie mir nicht gesagt, was mir fehlt?" fragte sie leicht-hin, als frage sie nach dem Wetter.

Er starrte sie an und antwortete nicht.

„Ich hätte es ausgehalten", sagte sie, und etwas wie der Widerschein eines ironischen Lächelns ohne jeden Vorwurf huschte über ihr Gesicht. „Adieu, Ravic."

*

Der Mann ohne Magen war tot. Er hatte drei Tage lang gestöhnt, und Morphium hatte wenig mehr genützt. Ravic und Veber hatten gewußt, daß er sterben würde. Sie hätten ihm diese drei Tage ersparen können. Sie hatten es nicht getan, weil es eine Religion gab, die die Liebe zum Nächsten predigte und verbot, ihm seine Qualen zu verkürzen. Und es gab ein Gesetz, das sie schützte.

„Haben Sie den Verwandten telegraphiert?" fragte Ravic.

„Er hat keine", sagte Veber.

„Oder irgendwelchen Angehörigen?"

„Er hat niemand."

„Niemand?"

„Niemand. Die Concierge seiner Wohnung war hier. Er bekam nie Briefe – abgesehen von Warenhauskatalogen und Traktaten gegen die Trunksucht, Tuberkulose, Geschlechtskrankheiten und sowas. Er hatte nie Besucher. Die Operation und vier Wochen Klinik hat er vorausbezahlt. Zwei Wochen Klinik zuviel. Die Concierge behauptet, er habe ihr alles versprochen, was er besitze, weil sie für ihn gesorgt habe. Sie wollte das Geld für die zwei Wochen unbedingt zurückhaben. Sie sei wie eine Mutter zu ihm gewesen. Sie hätten die Mutter sehen müssen. Sagte, sie hätte allerlei Ausgaben für ihn gehabt. Die Wohnungsmiete für ihn ausgelegt. Ich sagte ihr, er habe hier vorausbezahlt; es gäbe keinen Grund, warum er das mit seiner Wohnung nicht auch gemacht hätte. Im übrigen sei das alles eine Sache der Polizei. Darauf verfluchte sie mich."

„Geld", sagte Ravic. „Wie erfinderisch das macht."

Veber lachte. „Wir werden die Behörden benachrichtigen. Die können sich darum kümmern. Auch um das Begräbnis."

Ravic warf noch einen Blick auf den Mann ohne Verwandte und ohne Magen. Er lag da, und sein Gesicht veränderte sich in dieser Stunde, wie es sich nie in den fünfunddreißig Jahren seines Lebens verändert hatte. Aus dem erstarrten Krampf des letzten Atemzuges wuchs langsam das strenge Antlitz des Todes hervor. Das Zufällige zerschmolz, die Zeichen des Sterbens verwischten sich, und abwesend, schweigend, formte sich aus dem schiefen Durchschnittsgesicht die ewige Maske. In einer Stunde würde sie allein noch dasein.

Ravic ging. Im Korridor traf er die Nachtschwester. Sie war gerade gekommen. „Der Herr in Zwölf ist tot", sagte er. „Er ist vor einer halben Stunde gestorben. Sie brauchen nicht mehr zu wachen." Und als er ihr Gesicht sah: „Hat er Ihnen etwas hinterlassen?"

Sie zögerte. „Nein. Er war ein sehr kühler Herr. Und in den letzten Tagen sprach er fast nicht mehr."

„Nein, das tat er nicht."

Die Schwester blickte Ravic hausfraulich an. „Er hatte ein wunderschönes Toiletten-Necessaire; alles Silber. Eigentlich etwas zu zierlich für einen Herrn. Mehr für eine Dame."

„Haben Sie ihm das gesagt?"

„Wir haben einmal darüber gesprochen. Dienstag nacht; da war er ruhiger. Aber er sagte, Silber wäre auch richtig für einen Mann. Und die Bürsten wären so gut. Das gäbe es heute nicht mehr. Sonst sprach er wenig."

„Das Silber geht jetzt zur Behörde. Der Mann hatte keinen Verwandten."

Die Schwester nickte verständig. „Schade! Es wird schwarz werden. Und Bürsten verderben, wenn sie nicht neu sind und nicht gebraucht werden. Man sollte sie vorher auswaschen."

„Ja, schade", sagte Ravic. „Besser, Sie hätten sie bekommen. Dann hätte wenigstens jemand Freude daran gehabt."

Die Schwester lächelte dankbar. „Es macht nichts. Ich habe nichts erwartet. Sterbende verschenken selten etwas. Nur Genesende. Sterbende wollen nicht glauben, daß sie sterben. Deshalb tun sie es nicht. Manche tun es auch nicht aus Bosheit. Sie glauben nicht, Herr Doktor, wie schrecklich Sterbende sein können! Was die einem manchmal sagen, bevor sie tot sind!"

Ihr rotbackiges Kindergesicht war offen und klar. Sie machte sich nichts aus dem, was rund um sie vorging, wenn es nicht in ihre kleine Welt paßte. Sterbende waren unartige Kinder oder hilflose Kinder. Man achtete auf sie, bis sie tot waren, und dann kamen neue; manche wurden gesund und waren dankbar, andere nicht, und andere starben eben. Das war so. Nichts, um sich zu beunruhigen. Es war viel wichtiger, ob beim Ausverkauf im „Bonmarché" die Preise um 25 Prozent herabgesetzt wurden – oder ob Cousin Jean die Anne Couturier heiraten würde.

Es war auch wichtiger, dachte Ravic. Der kleine Zirkel, der vor dem Chaos schützte. Wohin käme man sonst?

Er saß vor dem Café Triomphe. Die Nacht war blaß und wolkig. Es war warm, und irgendwo zuckten lautlose Blitze. Das Leben kroch dichter auf den Bürgersteigen dahin. Eine Frau mit einem atlasblauen Hut setzte sich zu ihm an den Tisch.

„Zahlst du mir einen Vermouth?" fragte sie.

„Ja. Aber laß mich allein. Ich warte auf jemand."

„Wir können zusammen warten."

„Besser nicht. Ich warte auf eine Ringkämpferin vom Palace du Sport."

Die Frau lächelte. Sie war so dick bemalt, daß man das Lächeln nur in den Lippen sah. Alles andere war wie eine weiße Maske. „Komm mit mir", sagte sie. „Ich habe eine süße Wohnung. Und ich bin gut."

Ravic schüttelte den Kopf. Er legte einen Fünffrancschein auf den Tisch. „Hier. Adieu. Und alles Gute."

Die Frau nahm den Schein, faltete ihn und schob ihn unter ihr Strumpfband. „Cafard?" fragte sie.

„Nein."

„Ich bin gut gegen Cafard. Habe eine sehr nette Freundin. Jung", fügte sie nach einer Pause hinzu. „Brüste wie der Eiffelturm."

„Ein anderes Mal."

„Schön." Die Frau stand auf und setzte sich ein paar Tische weiter. Sie sah noch einige Male herüber, dann kaufte sie eine Sportzeitung und begann, die Sportresultate zu lesen.

Ravic starrte in den Wirbel, der sich unablässig an den Tischen vorbeischob. Die Kapelle im Innenraum spielte Wiener Walzer. Die Blitze wurden stärker. Eine Gruppe von jungen Homosexuellen nahm wie ein Papageienschwarm am Nebentisch kokett lärmend Platz. Sie trugen Backenbärte, die neueste Mode, und ihre Jacken hatten zu breite Schultern und zu enge Taillen.

Ein Mädchen blieb an Ravics Tisch stehen und sah ihn an. Sie kam ihm vage bekannt vor; – aber er kannte so viele. Sie sah aus wie eine der zarteren Huren mit dem Hilflosigkeitsappell.

„Kennen Sie mich nicht wieder?" fragte sie.

„Natürlich", sagte Ravic. Er hatte keine Ahnung. „Wie geht es?"

„Gut. Aber Sie kennen mich wirklich nicht mehr?"

„Ich vergesse Namen. Aber ich kenne Sie natürlich. Es ist lange her, seit wir uns zuletzt gesehen haben."

„Ja. Sie haben Bobo damals einen guten Schrecken eingejagt." Sie lächelte. „Sie haben mir das Leben gerettet und jetzt kennen Sie mich nicht wieder."

Bobo. Leben gerettet. Die Hebamme. Ravic erinnerte sich jetzt. „Sie sind Lucienne", sagte er. „Natürlich. Damals waren Sie krank. Heute sind Sie gesund. Das ist es. Deshalb habe ich Sie nicht gleich erkannt."

Lucienne strahlte. „Wirklich! Sie erinnern sich tatsächlich! Vielen Dank für die hundert Franc, die Sie von der Hebamme zurückbekommen haben."

„Das – ach ja –" Er hatte ihr damals nach seinem Mißerfolg bei der Madame Boucher von sich aus etwas geschickt. „Es war leider nicht alles."

„Es war genug. Ich hatte schon das Ganze verlorengegeben."

„Gut. Wollen Sie etwas mit mir trinken, Lucienne?"

Sie nickte und setzte sich behutsam neben ihn. „Einen Cinzano mit Selters."

„Was machen Sie, Lucienne?"

„Mir geht es sehr gut."

„Sind Sie noch mit Bobo?"

„Ja, natürlich. Aber er ist jetzt anders, besser."

„Gut."

Es war nicht viel zu fragen. Die kleine Näherin war eine kleine Hure geworden. Dafür hatte er sie zusammengeflickt. Bobo hatte den Rest besorgt. Angst vor Kindern brauchte sie nicht mehr zu haben. Ein Grund mehr. Sie war noch im Anfang; das bißchen Kindlichkeit gab ihr noch den Anreiz für ältere Routiniers – ein Stückchen Porzellan, das noch nicht abgeschabt war durch zu vielen Gebrauch. Sie trank vorsichtig wie ein Vogel, aber die Augen wanderten schon umher. Es war nichts gerade Erheiterndes. Auch nichts für großes Bedauern. Just ein bißchen Leben, das rutschte. „Bist du zufrieden?" fragte er.

Sie nickte. Er sah, daß sie wirklich zufrieden war. Sie fand alles ganz richtig. Es gab nichts zu dramatisieren. „Sind Sie allein?" fragte sie.

„Ja, Lucienne."

„An solch einem Abend?"

„Ja."

Sie blickte ihn scheu an und lächelte. „Ich habe Zeit", sagte sie.

Was ist los mit dir? dachte Ravic. Sehe ich so hungrig aus, daß mir bereits jede Hure ein Stück käuflicher Liebe anträgt? „Es ist zu weit, zu dir zu fahren, Lucienne. Ich habe nicht so viel Zeit."

„Wir können nicht zu mir fahren. Bobo darf nichts davon wissen."

Ravic sah sie an. „Weiß Bobo nie etwas davon?"

„Doch. Von den andern weiß er es. Er paßt ja auf." Sie lächelte. „Er ist noch so jung. Er glaubt, daß ich ihm sonst das Geld nicht gebe. Von Ihnen will ich kein Geld."

„Darf Bobo deshalb nichts wissen?"

„Nicht deshalb. Aber er würde eifersüchtig werden. Und dann wird er wild."

„Wird er bei allen eifersüchtig?"

Lucienne blickte erstaunt auf. „Natürlich nicht. Das andere ist doch Geschäft."

„Nur dann also, wenn es kein Geld kostet?"

Lucienne zögerte. Dann errötete sie langsam. „Nicht deshalb. Nur, wenn er denkt, daß noch etwas anderes dabei ist." Sie zögerte wieder. „Daß ich etwas fühle."

Sie blickte nicht auf. Ravic nahm ihre Hand, die verloren auf dem

Tisch lag. „Lucienne", sagte er. „Es ist hübsch, daß du dich erinnert hast. Und daß du mit mir gehen willst. Du bist reizend, und ich würde dich mitnehmen. Aber ich kann mit niemand schlafen, den ich einmal operiert habe. Verstehst du das?"

Sie hob die langen, dunklen Wimpern und nickte rasch. „Ja." Sie stand auf. „Dann will ich jetzt gehen."

„Adieu, Lucienne. Alles Gute. Nimm dich in acht, daß du nicht krank wirst."

„Ja."

Ravic schrieb etwas auf einen Zettel. „Besorge dir dies, wenn du es noch nicht hast. Es ist das Beste. Und gib nicht alles Geld an Bobo."

Sie lächelte und schüttelte den Kopf. Sie wußte und er wußte auch, daß sie es trotzdem tun würde. Ravic blickte ihr nach, bis sie in der Menge verschwand. Dann winkte er dem Kellner.

Die Frau mit dem blauen Hut kam vorbei. Sie hatte die Szene beobachtet. Sie fächelte sich mit ihrer zusammengefalteten Zeitung und zeigte einen Mund voll falscher Zähne. „Entweder du bist impotent oder schwul, mein Süßer", sagte sie freundlich im Vorbeigehen. „Viel Glück und herzlichen Dank."

Ravic ging durch die warme Nacht. Die Blitze wehten über die Dächer. Die Luft war still. Am Louvre fand er den Eingang erleuchtet. Die Türen standen offen. Er ging hinein.

Es war eine der Nachtausstellungen. Ein Teil der Säle war erleuchtet. Er ging durch die ägyptische Ausstellung, die aussah wie ein riesiges, erhelltes Grab. Versteinert hockten und standen die Könige von vor dreitausend Jahren und starrten die Gruppen von umherwandernden Studenten, Frauen in vorjährigen Hüten und älteren, gelangweilten Männern reglos aus granitenen Augen an. Es roch nach Staub, toter Luft und Unsterblichkeit.

In der griechischen Abteilung flüsterten vor der Venus von Milo einige Mädchen, die ihr in nichts glichen. Ravic blieb stehen. Nach dem Granit und dem grünen Syenit der Ägypter war der Marmor dekadent und weich. Die sanft füllige Venus hatte etwas von einer zufriedenen, badenden Hausfrau; schön und ohne Gedanken. Apollo, der Eidechsentöter, war ein Homosexueller, der mehr turnen sollte. Aber sie standen in Sälen, das tötete sie. Es tötete die Ägypter nicht; sie waren für Gräber und Tempel gemacht. Die Griechen brauchten Sonne, Luft und Säulen, durch die das goldene Licht Athens schien.

Ravic ging weiter. Die große Halle mit den Treppen kam ihm kühl entgegen. Und plötzlich, hoch über allem, schwebte die Nike von Samothrake.

Es war lange her, daß er sie gesehen hatte. Das letztemal war es an einem grauen Tage gewesen, der Marmor war unansehnlich erschienen, und im schmutzigen Winterlicht des Museums hatte die Prinzessin des Sieges gezögert und gefroren. Jetzt aber stand sie hoch über den Treppen, auf dem Vorbau des Marmorschiff-Bruchstücks, angeleuchtet von Scheinwerfern, strahlend, die Flügel weit gebreitet, die Kleider vom Wind eng an den schreitenden Körper gepreßt, hell und bereit, abzufliegen. Hinter ihr schien das weinfarbene Meer von Salamis zu rauschen, und der Himmel war dunkel vor dem Samt der Erwartung.

Sie wußte nichts von Moral. Sie wußte nichts von Problemen. Sie kannte nicht die Stürme und die schwarzen Hintergründe des Blutes. Sie kannte den Sieg und die Niederlage, und beides war fast gleich. Sie war nicht Verführung; sie war Fliegen. Sie war nicht Lockung; sie war Unbekümmertheit. Sie hatte kein Geheimnis – und doch war sie erregender als die Venus, die ihr Geschlecht verbarg und damit auf es deutete. Sie war den Vögeln verwandt und den Schiffen – dem Wind, den Wellen und dem Horizont. Sie hatte keine Heimat.

Sie hatte keine Heimat, dachte Ravic. Aber sie brauchte auch keine. Sie war auf allen Schiffen zu Hause. Sie war zu Hause, wo Mut und Kampf, und sogar in der Niederlage, wenn sie ohne Verzweiflung war. Sie war nicht nur die Göttin des Sieges – sie war auch die Göttin aller Abenteuer und die Göttin der Emigranten – solange sie nicht aufgaben.

Er sah sich um. Niemand war mehr in der Halle. Die Studenten und die Leute mit den Baedekern waren nach Hause gegangen. Nach Hause – was für ein anderes Zuhause gab es für den, der nirgendwohin gehörte, als das stürmische im Herzen eines andern für eine kurze Zeit? War das nicht der Grund, daß die Liebe, wenn sie in das Herz der Heimatlosen einschlug, sie so schüttelte und sie so ganz besaß – weil sie nichts anderes hatten? Hatte er nicht deshalb versucht, ihr aus dem Wege zu gehen? Und war sie ihm nicht nachgekommen und hatte ihn erreicht und niedergeschlagen? Es war schwerer, sich auf dem schlüpfrigen Eis der Fremde wieder aufzurichten als auf der vertrauten Erde des Gewohnten.

Etwas fing sein Auge. Etwas Kleines, Flatterndes, Weißes. Es war ein Schmetterling, der durch die offene Eingangstür hereingeflogen sein mußte. Er war irgendwo hergekommen, von den warmen Rosenbeeten der Tuilerien, aufgeschreckt vielleicht von zwei Liebenden aus seinem Duftschlaf, geblendet dann durch die Lichter, die unbekannte Sonnen waren, viele, verwirrende – er hatte sich geflüchtet in den Eingang, in das schützende Dunkel, das die großen Türen bargen – und jetzt taumelte er verloren und mutig in der großen Halle umher, in der er sterben würde – müde werden, schlafen auf einem Mauersims, einem

Fenstervorsprung oder auf der Schulter der strahlenden Göttin hoch oben, am Morgen würde er nach Blumen suchen und Leben und dem hellen Honig der Blüten und sie nicht finden und irgendwann wieder einschlafen auf tausendjährigem Marmor, schwächer schon, bis der Griff der zarten, zuverlässigen Füße sich lösen und er herabfallen würde, ein schmales Blatt vorzeitigen Herbstes.

Sentimentalität, dachte Ravic. Die Göttin des Sieges und der Refugié Schmetterling. Billiges Symbol. Aber was rührte anders als die billigen Dinge, die billigen Symbole, die billigen Gefühle, die billige Sentimentalität? Was hatte sie denn so billig gemacht? Ihre überdeutliche Wahrheit? Der Snobismus verflog, wenn es einem an die Kehle ging. Der Schmetterling war im Halbdunkel der Kuppel verschwunden. Ravic ging hinaus. Die warme Luft draußen kam ihm entgegen, lau wie ein Bad. Er blieb stehen. Billige Gefühle! War er selbst nicht ausgeliefert dem billigsten von allen? Er starrte in den weiten Hof, in dem die Schatten der Jahrhunderte hockten, und er spürte, wie es plötzlich mit Fäusten auf ihn einschlug. Er taumelte fast unter dem Ansturm. Die weiße, auffliegende Nike geisterte noch vor seinen Augen – aber dahinter tauchte aus dem Schatten ein anderes Gesicht auf, ein billiges Gesicht, ein kostbares Gesicht, in dem seine Phantasie sich gefangen hatte wie ein indischer Schleier in einem Rosenbusch voll Dornen. Er zerrte daran, aber die Dornen hielten fest, sie hielten die seidenen und goldenen Fäden fest, sie waren so verknüpft schon damit, daß das Auge nicht mehr ganz unterscheiden konnte, was dorniges Gezweig war und was schimmerndes Gewebe.

Gesicht! Gesicht! Wer fragte, ob es billig oder kostbar war. Einmalig oder tausendmalig? Man konnte vorher Fragen stellen – aber wenn man einmal eingefangen war, wußte man es nicht mehr. Man war in der Liebe gefangen – nicht in dem einzelnen Menschen, der zufällig ihren Namen trug. Wer konnte noch urteilen, geblendet von den Feuern der Phantasie? Liebe kannte keinen Wert.

Der Himmel war niedriger geworden. Die lautlosen Blitze rissen für Augenblicke schwefliges Gewölk aus der Nacht. Die Schwüle lag mit tausend blinden Augen gestaltlos auf den Dächern, Ravic ging die Rue Rivoli entlang. Unter den Bogengängen leuchteten die Schaufenster. Ein Strom von Menschen schob sich daran entlang. Die Automobile waren eine Kette von blinkenden Reflexen. Da gehe ich, dachte er, einer unter tausenden, langsam an diesen Auslagen von funkelndem Schund und köstlichen Dingen entlang, die Hände in den Taschen, ein Spaziergänger am Abend – und in mir bebt mein Blut, und in den grauen und weißen, pulsenden Windungen von zwei Handvoll molluskenhafter Masse, Gehirn genannt, tobte eine unsichtbare Schlacht, die

die Wirklichkeit unwirklich und die Unwirklichkeit wirklich erscheinen läßt. Ich fühle Arme mich anstoßen, Körper mich streifen, Augen mich mustern, ich höre die Autos, die Stimmen, das Brodeln handfester Wirklichkeit, ich bin mitten drin und doch weiter entfernt davon als der Mond – auf einem Planeten, jenseits der Logik und der Tatsachen, schreit etwas in mir einen Namen und weiß, es ist nicht der Name, und schreit trotzdem, es schreit ihn in ein Schweigen, das immer war und in dem viele Schreie schon verhallten und aus dem nie eine Antwort war, und es weiß ihn und schreit ihn trotzdem, den Schrei der Liebesnacht und der Todesnacht, den Schrei der Ekstase und des zusammenstürzenden Bewußtseins, des Dschungels und der Wüste, und ich kann tausend Antworten wissen, diese eine ist außer mir, und ich kann sie nie erreichen.

Liebe! Wieviel dieser Name decken mußte! Von der sanftesten Zärtlichkeit der Haut bis zum fernsten Aufruhr des Geistes, vom einfachsten Familienwunsch bis zur Todeserschütterung, von der besinnungslosen Brunst bis zum Kampf Jakobs mit dem Engel. Da gehe ich, sagte Ravic, ein Mann von mehr als vierzig Jahren, geschult in vielen Schulen, zusammengeschlagen und wieder aufgestanden, mit Erfahrung und Wissen, gesiebt durch den Filter der Jahre, härter geworden, kritischer geworden, kälter geworden – ich wollte es nicht und ich glaubte es nicht, ich dachte nicht, daß es noch einmal kommen würde – und da ist es nun, und alle Erfahrung nützt nichts, alles Wissen macht es nur noch brennender – und was brennt besser auf den Feuern des Gefühls als trockener Zynismus und das aufgespeicherte Holz kritischer Jahre?

Er ging und ging, und die Nacht war weit und hallte; er ging achtlos weiter und wußte nicht, ob es Stunden waren oder Minuten, und er war nur wenig verwundert, als er sich wiederfand in den Gärten hinter der Avenue Raphael.

Das Haus an der Rue Pascal. Die Etagen, bleich hinauf – hoch die Studios, einige erleuchtet. Er fand die Fenster von Joans Studio. Sie waren hell. Sie war zu Hause. Aber vielleicht war sie auch nicht zu Hause, und nur die Lichter brannten. Sie haßte es, in dunkle Räume zu kommen. Genau wie er. Ravic ging zur Straße hinüber. Ein paar Wagen standen vor dem Hause. Ein gelber Roadster darunter, eine normale Maschine, wie ein Rennwagen aufgemacht. Das konnte der Wagen des andern sein. Ein Wagen für einen Schauspieler. Rote Ledersitze, ein Armaturenbrett wie für ein Flugzeug, mit einer Fülle unnötiger Instrumente – natürlich, das mußte er sein. Bin ich eifersüchtig? dachte er erstaunt. Eifersüchtig auf das zufällige Objekt, an dem sie sich festgehakt hat? Eifersüchtig auf etwas, das mich nichts angeht? Man kann eifersüchtig sein auf eine Liebe, die sich abgewendet hat – aber nicht auf das, wohin sie sich gewendet hat.

Er ging zurück zu den Anlagen. Blüten rochen aus dem Dunkel, süß, vermischt mit dem Geruch von Erde und abgekühltem Grün. Sie rochen stark, wie vor Gewitter. Er fand eine Bank und setzte sich. Das bin ich nicht, dachte er, dieser verspätete Liebhaber, der hier auf einer Bank vor dem Hause der Frau sitzt, die ihn verlassen hat, und ihr Fenster beobachtet! Das bin ich nicht, geschüttelt von einem Verlangen, das er genau sezieren kann und doch nicht Herr darüber ist! Das bin ich nicht, dieser Narr hier, der Jahre geben würde, wenn er die Zeit zurückdrehen und ein blondes Nichts zurückhaben könnte, das selbigen Unsinn in sein Ohr schwatzte! Das bin nicht ich, der – zum Teufel mit allen Ausreden – hier sitzt und eifersüchtig ist und zerbrochen und elend und der am liebsten den Wagen dort anzünden würde!

Er suchte nach einer Zigarette. Das leise Glühen. Der unsichtbare Rauch. Die kurze Kometenbahn des Streichholzes. Warum ging er nicht hinauf in das Studio? Was konnte schon sein? Es war noch nicht zu spät. Das Licht brannte noch. Er würde die Situation schon meistern können. Warum holte er sie nicht heraus? Jetzt, wo er alles wußte? Holte sie heraus und nahm sie mit sich und ließ sie nie mehr los?

Er starrte in das Dunkel. Was würde es nützen? Was würde schon geschehen? Er konnte den andern nicht hinauswerfen. Man konnte nichts und niemand aus dem Herzen eines andern hinauswerfen. Hätte er sie nicht nehmen können, als sie zu ihm gekommen war? Weshalb hatte er es nicht getan?

Er warf die Zigarette fort. Weil es nicht genug war. Das war es. Er wollte mehr. Es würde nicht genug sein, selbst wenn sie käme, selbst wenn sie wiederkäme, und alles wäre vergessen und versunken, es würde nie mehr genug sein, auf eine sonderbare und schreckliche Weise nie mehr genug. Irgend etwas war fehlgegangen, der Strahl der Phantasie hatte irgendwann den Spiegel nicht mehr getroffen, der ihn auffing und glühender in sich selbst zurückwarf, und nun war er darüber hinausgeschossen in blinde Unerfüllbarkeit, und nichts konnte ihn mehr zurückbringen, kein Spiegel mehr und keine tausend Spiegel. Sie konnten nur noch einen Teil auffangen, aber nie mehr zurückholen; er geisterte längst verloren an den leeren Himmeln der Liebe entlang und füllte sie nur noch mit leuchtendem Nebel, der keine Form mehr hatte und nie mehr ein Regenbogen um ein geliebtes Haupt haben würde. Der magische Kreis war gesprengt, die Klage blieb, aber die Hoffnung lag in Scherben.

Jemand kam aus dem Haus. Ein Mann. Ravic richtete sich auf. Eine

Frau folgte. Sie lachten. Sie waren es nicht. Einer der Wagen startete und fuhr ab. Er nahm eine andere Zigarette. Hätte er sie halten können? Hätte er sie halten können, wenn es anders gewesen wäre? Doch was konnte man halten? Nur eine Illusion, wenig mehr. Aber war eine Illusion nicht genug? Konnte man je mehr erreichen? Wer wußte denn etwas von dem schwarzen Strudel des Lebens, der namenlos unterhalb der Sinne flutete, die ihn aus dem hohlen Sausen der Dinge machten, zu Tisch und Lampe und Heimat und Du und Liebe? Da war nur eine Ahnung und ein schauriges Zwielicht. War es nicht genug?

Es war nicht genug. Es war nur genug, wenn man daran glaubte. Wenn der Kristall einmal zersprungen war unter dem Hammer des Zweifels, konnte man ihn nur kitten, aber nichts mehr. Kitten, lügen und das zerbrochene Licht betrachten, das einmal weißer Glanz war! Nichts kam wieder. Nichts formte sich zurück. Nichts. Selbst wenn Joan zurückkäme, es würde nicht mehr dasselbe sein. Der gekittete Kristall. Die Stunde war versäumt. Nichts brachte sie zurück.

Er spürte einen scharfen, unerträglichen Schmerz. Etwas riß in ihm, zerriß. Mein Gott, mein Gott, dachte er, daß ich so leiden kann. Daran so leiden kann. Ich sehe mir selbst über die Schulter, aber es ändert nichts. Ich weiß, wenn ich es bekäme, würde ich es wieder loslassen, aber das löscht mein Verlangen nicht. Ich seziere es wie einen toten Körper auf dem Tisch in der Morgue – aber er wird noch tausendmal lebendiger. Ich weiß, daß es irgendwann vorbeigehen wird – aber es hilft mir nichts. Er starrte mit geblendeten Augen zu dem Fenster hinauf, und er fühlte sich entsetzlich lächerlich – und auch das änderte nichts.

Ein schwerer Donner rollte plötzlich über die Stadt. Regentropfen klatschten ins Gebüsch. Ravic stand auf. Er sah, wie die Straße sich mit schwarzem Silber sprenkelte. Der Regen begann zu singen. Die dicken Tropfen schlugen ihm warm ins Gesicht. Und plötzlich wußte er nicht mehr, ob er lächerlich war oder elend, ob er litt oder nicht – er wußte nur noch, daß er lebte. Er lebte! Er war da, es hatte ihn wieder, es schüttelte ihn, er war kein Zuschauer mehr, kein Außenstehender mehr, der große Glanz des unkontrollierbaren Gefühls schoß wieder durch seine Adern wie Feuer durch Hochofenröhren, es war fast gleichgültig, ob er glücklich oder unglücklich war, er lebte und er spürte voll, daß er lebte, und das war genug!

Er stand im Regen, der auf ihn niederstürzte wie ein himmlisches Maschinengewehrfeuer. Er stand da und er war Regen und Sturm und Wasser und Erde, die Blitze von den Horizonten kreuzten sich in ihm; er war Kreatur, Element; nichts hatte mehr Namen und wurde einsam dadurch, alles war dasselbe, die Liebe, das stürzende Wasser, die fahlen

Feuer über den Dächern, die Erde, die sich aufzuwölben schien, keine Grenzen waren mehr da, und er gehörte dazu, und Glück und Unglück waren nur noch leere Hülsen, weggeschleudert von dem mächtigen Gefühl, zu leben und sich leben zu fühlen. „Du da oben", sagte er gegen das erleuchtete Fenster und lachte und wußte nicht, daß er lachte. „Du kleines Licht, du Fata Morgana, du Gesicht, das eine sonderbare Macht über mich hat, auf diesem Planeten, auf dem es hunderttausend andere gibt, bessere, schönere, klügere, gütigere, treuere, verständigere – du Zufall, mir nachts über den Weg geworfen, in mein Leben gefallen, du angeschwemmtes, gedankenloses, besitzergreifendes Gefühl, unter meine Haut gekrochen im Schlaf, du, die von mir fast nichts anderes weiß, als daß ich widerstand, und die sich mir deshalb entgegenwarf, bis ich nicht mehr widerstand, und die dann weiter wollte, sei gegrüßt! Hier stehe ich und glaubte nie wieder einmal so zu stehen. Der Regen rinnt durch mein Hemd und ist wärmer und kühler und weicher als deine Hände und deine Haut; hier stehe ich, elend und mit den Krallen der Eifersucht im Magen, dich verlangend, dich verachtend, dich bewundernd, dich anbetend, weil du den Blitz geworfen hast, der gezündet hat, den Blitz, der in jedem Schoße ruht, den Funken Leben, das schwarze Feuer; hier stehe ich, nicht mehr wie ein Toter auf Urlaub mit kleinem Zynismus, Sarkasmus und etwas Mut, nicht mehr kalt; lebendig wieder, leidend meinetwegen, aber offen wieder den Gewittern des Lebens, zurückgeboren in seine schlichte Gewalt! Sei gebenedeit, Madonna mit dem flüchtigen Herzen, Nike mit dem rumänischen Akzent. Traum und Betrug, zerbrochener Spiegel eines dunklen Gottes, Ahnungslose – sei bedankt! Nie werde ich es dir sagen, denn du würdest unbarmherzig Kapital daraus schlagen, aber du hast mir wiedergegeben, was weder Plato noch Sternchrysanthemen, weder Flucht noch Freiheit, weder alle Poesie noch alles Erbarmen, weder Verzweiflung noch höchste und geduldigste Hoffnung mir geben konnte: das einfache, starke, direkte Leben, das mir wie ein Verbrechen erschien in dieser Zeit zwischen Katastrophe und Katastrophe! Sei gegrüßt! Sei bedankt! Ich mußte dich verlieren, um es zu wissen! Sei gegrüßt!"

Der Regen war zu einem silbernen, flimmernden Vorhang geworden. Die Büsche begannen zu duften. Die Erde roch stark und dankbar. Jemand stürzte aus dem Hause gegenüber und riß das Verdeck über den gelben Roadster. Es war gleich. Alles war gleich. Die Nacht war da, sie schüttete den Regen von den Sternen, mystisch befruchtend stürzte er auf die steinerne Stadt mit ihren Alleen und Gärten, Millionen Blüten hielten ihm ihr buntes Geschlecht hin und empfingen ihn, und er warf sich in Millionen ausgebreitete, gefiederte Astarme und wühlte sich in die Erde zu dunkler Vermählung mit Millionen wartender Wurzeln;

der Regen, die Nacht, die Natur, das Wachsen, sie waren da, unbekümmert um Zerstörung, Tod, Verbrecher, falsche Heilige, Sieg oder Niederlage; sie waren da wie in jedem Jahr, und in dieser Nacht gehörte er
dazu, aufgebrochene Schale, sich reckendes Leben, Leben, Leben, gegrüßt und gebenedeit!

Er ging rasch durch die Gärten und Straßen. Er sah nicht zurück; er
ging und ging, und die Kronen des Bois empfingen ihn wie ein riesiger,
summender Bienenkorb; der Regen trommelte auf sie, sie schwankten
und antworteten, und es war ihm, als wäre er wieder jung und ginge
das erstemal zu einer Frau.

24

Was soll es sein?" fragte der Kellner Ravic.

„Bringen Sie mir einen –"

„Was?"

Ravic antwortete nicht.

„Ich habe Sie nicht verstanden, mein Herr", sagte der Kellner.

„Irgend etwas. Bringen Sie mir irgend etwas."

„Einen Pernod?"

„Ja –"

Ravic schloß die Augen. Er öffnete sie langsam wieder. Der Mann
saß noch immer da. Dieses Mal war kein Irrtum mehr möglich.

Haake saß am Tisch neben der Tür. Er war allein und aß. Auf dem
Tisch stand eine Silberplatte mit zwei halben Langusten und eine
Flasche Champagne nature in einem Kühler. Ein Kellner stand am
Tisch und mischte einen grünen Salat mit Tomaten. Ravic sah das alles
überdeutlich, als präge es sich wie ein Relief hinter seinen Augen in
Wachs. Er sah einen Siegelring mit einem Wappen in rotem Stein,
als Haake die Flasche aus dem Kühler nahm. Er kannte diesen Ring
und die weiße, fleischige Hand wieder. Er hatte sie im Wirbel metho-
dischen Wahnsinns gesehen, als er zusammengebrochen neben dem
Prügeltisch, aus einer Ohnmacht in grelles Licht zurückgeworfen war
– Haake vor ihm, vorsichtig zurücktretend, um seine tadellose Uniform zu schützen vor dem Wasser, das über Ravic geschüttet wurde –,
die fleischige, zu weiße Hand ausgestreckt, auf ihn zeigend und mit
sanfter Stimme erklärend: „Das war nur der Anfang. Es war noch
nichts. Wollen Sie uns jetzt die Namen nennen? Oder sollen wir fort-
fahren? Wir haben noch viele Möglichkeiten. Ihre Fingernägel sind
noch heil, wie ich sehe."

Haake blickte auf. Er sah Ravic direkt in die Augen. Ravic brauchte alle Kraft, sitzen zu bleiben. Er nahm das Glas Pernod, trank einen Schluck und zwang sich, langsam auf die Salatschüssel zu blicken, als interessiere ihn die Zubereitung. Er wußte nicht, ob Haake ihn erkannt hatte. Er spürte, wie sein Rücken in einer Sekunde vollkommen naß geworden war.

Nach einer Weile streifte er den Tisch wieder mit einem Blick. Haake aß die Languste. Er sah auf seinen Teller. Das Licht spiegelte sich auf seiner Glatze. Ravic blickte sich um. Das Lokal war voll besetzt. Es war unmöglich, etwas zu tun. Er hatte keine Waffe bei sich, und wenn er sich auf Haake gestürzt hätte, wären im nächsten Augenblick zehn Leute dagewesen, um ihn zurückzureißen. Zwei Minuten später die Polizei. Es gab nichts anderes, als zu warten und Haake zu folgen. Herauszufinden, wo er wohnte.

Er zwang sich, eine Zigarette zu rauchen und erst wieder zu Haake hinüberzusehen, als sie zu Ende war. Langsam, als suche er jemand, blickte er um sich. Haake war gerade fertig mit seiner Languste. Er hatte die Serviette in den Händen und wischte sich die Lippen. Er tat es nicht mit einer Hand; er tat es mit beiden. Er hielt die Serviette etwas gespannt und tupfte damit die Lippen ab; – erst die eine, dann die andere, wie eine Frau, die Lippenrouge abnimmt. Er sah Ravic dabei voll an.

Ravic ließ seinen Blick weiterwandern. Er spürte, daß Haake ihn weiter ansah. Er winkte dem Kellner und ließ sich einen zweiten Pernod geben. Ein anderer Kellner verdeckte jetzt Haakes Tisch. Er räumte den Rest der Languste weg, schenkte das leere Glas nach und brachte eine Platte mit Käse. Haake deutete auf einen fließenden Brie, der auf einer Strohunterlage lag.

Ravic rauchte eine neue Zigarette. Nach einer Weile, aus schrägen Augenwinkeln, spürte er wieder Haakes Blick. Das war nicht mehr zufällig. Er spürte, wie seine Haut sich zusammenzog. Wenn Haake ihn erkannt hatte – er hielt den Kellner an, als er vorbeikam. „Können Sie mir den Pernod rausbringen? Ich möchte auf der Terrasse sitzen. Kühler da."

Der Kellner zögerte. „Es wäre bequemer, wenn Sie hier bezahlen. Draußen ist ein anderer Kellner. Ich kann Ihnen dann das Glas herausbringen."

Ravic schüttelte den Kopf und holte einen Geldschein heraus. „Kann es hier trinken und draußen ein anderes bestellen. Dann gibt es keine Konfusion."

„Sehr wohl, mein Herr. Danke, mein Herr."

Ravic trank sein Glas ohne Hast aus. Haake hatte zugehört, das wußte er. Er hatte aufgehört zu essen, während Ravic sprach. Jetzt aß

265

er weiter. Ravic hielt sich noch eine Weile ruhig. Wenn Haake ihn erkannt hatte, gab es nur eins: so zu tun, als ob er selbst Haake nicht erkannt hatte und ihn aus seinem Versteck weiter zu beobachten.

Er stand nach ein paar Minuten auf und schlenderte hinaus. Draußen waren fast alle Tische besetzt. Ravic blieb stehen, bis er einen Platz fand, von dem aus er ein Stück von Haakes Tisch im Restaurant im Auge hatte. Haake selbst konnte er nicht sehen; aber er mußte ihn sehen, wenn er aufstand um fortzugehen. Er bestellte einen Pernod und zahlte gleich. Er wollte bereit sein, um sofort zu folgen.

„Ravic –" sagte jemand neben ihm.

Er fuhr zusammen, als habe ihn jemand geschlagen. Joan stand neben ihm. Er starrte sie an. „Ravic –" wiederholte sie. „Kennst du mich nicht mehr?"

„Ja, natürlich." Seine Augen waren an Haakes Tisch. Der Kellner stand dort und brachte Kaffee. Er holte Atem. Es war noch Zeit.

„Joan", sagte er mit Mühe. „Wie kommst du hierher?"

„Was für eine Frage! Jeder Mensch kommt doch jeden Tag zu Fouquet's."

„Bist du allein?"

„Ja."

Er sah, daß sie immer noch stand, und daß er saß. Er stand auf, so daß er den Tisch Haakes schräg vor sich hatte. „Ich habe hier etwas zu tun, Joan", sagte er eilig, ohne sie anzusehen. „Ich kann dir nicht erklären, was. Aber ich kann dich nicht dabei brauchen. Du mußt mich allein lassen."

„Ich werde warten." Joan setzte sich. „Ich will sehen, wie die Frau aussieht."

„Was für eine Frau?" fragte Ravic verständnislos.

„Die Frau, auf die du wartest."

„Es ist keine Frau."

„Was sonst?"

Er sah sie an. „Du erkennst mich nicht", sagte sie. „Du willst mich wegschicken, du bist aufgeregt – ich weiß, daß da jemand ist. Und ich will sehen, wer das ist."

Fünf Minuten, dachte Ravic. Vielleicht auch zehn oder fünfzehn für den Kaffee. Haake würde noch eine Zigarette rauchen. Eine Zigarette wahrscheinlich. Er mußte sehen, daß er Joan bis dahin los wurde.

„Gut", sagte er. „Ich kann dich nicht hindern. Aber setz dich anderswohin."

Sie antwortete nicht. Ihre Augen wurden heller, und ihr Gesicht wurde gespannt. „Es ist keine Frau", sagte er. „Und zum Teufel, wenn es eine wäre, was ginge es dich an? Mach dich nicht lächerlich mit deiner Eifersucht, während du dich mit deinem Schauspieler herumtreibst."

Joan antwortete nicht. Sie drehte sich nach der Richtung seiner Augen und versuchte zu erkennen, nach wem er sah. „Laß das", sagte er.

„Ist sie mit einem andern Mann?"

Ravic setzte sich plötzlich. Haake hatte vorher gehört, daß er auf der Terrasse sitzen wolle. Wenn er ihn erkannt hätte, würde er mißtrauisch sein und nachsehen, wo er geblieben war. Es war dann natürlicher und harmloser, mit einer Frau draußen zu sitzen.

„Gut", sagte er. „Bleib hier. Was du denkst, ist Unsinn. Ich werde irgendwann aufstehen und weggehen. Du wirst mit mir gehen bis zu einem Taxi und nicht mitkommen. Willst du das tun?"

„Weshalb bist du so geheimnisvoll?"

„Ich bin nicht geheimnisvoll. Da ist ein Mann, den ich lange nicht gesehen habe. Ich will wissen, wo er wohnt. Das ist alles."

„Es ist keine Frau?"

„Nein. Es ist ein Mann, und ich kann dir nichts weiter darüber sagen."

Der Kellner stand neben dem Tisch. „Was willst du trinken?" fragte Ravic.

„Calvados."

„Einen Calvados." Der Kellner schlurfte davon.

„Trinkst du keinen?"

„Nein, ich trinke das hier "

Joan betrachtete ihn. „Du weißt nicht, wie ich dich manchmal hasse."

„Das kommt vor." Ravic streifte Haakes Tisch. Glas, dachte er. Zitterndes, fließendes, schimmerndes Glas. Die Straße, die Tische, die Leute – getaucht alles in ein Gelee von schwankendem Glas.

„Du bist kalt, egoistisch –"

„Joan", sagte Ravic. „Wir werden das ein anderes Mal besprechen."

Sie schwieg, während der Kellner das Glas vor sie setzte. Ravic zahlte sofort.

„Du hast mich in all das hineingebracht –" sagte sie dann herausfordernd.

„Ich weiß –" Er sah einen Augenblick Haakes Hand über dem Tisch, weiß, fleischig, nach Zucker greifend.

„Du! Niemand als du! Du hast mich nie geliebt und mit mir herumgespielt, und du hast gesehen, daß ich dich geliebt habe, und du hast dir nichts daraus gemacht."

„Das ist wahr."

„Was?"

„Es ist wahr", sagte Ravic, ohne sie anzusehen. „Später war es anders."

„Ja, später! Später! Da war alles durcheinander. Da war es zu spät. Du bist schuld."

„Ich weiß."

„Sprich nicht so mit mir!" Ihr Gesicht war weiß und zornig. „Du hörst nicht einmal zu."

„Doch!" Er sah sie an. Reden, irgend etwas reden, ganz gleich, was.

„Hast du Krach gehabt mit deinem Schauspieler?"

„Ja."

„Das wird vorbeigehen."

Blauer Rauch aus der Ecke. Der Kellner schenkte wieder Kaffee ein. Haake schien sich Zeit zu lassen. „Ich hätte nein sagen können", sagte Joan. „Ich könnte sagen, ich wäre zufällig vorbeigekommen. Ich bin es nicht. Ich habe dich gesucht. Ich will weg von ihm."

„Das will man immer. Das gehört dazu."

„Ich habe Angst vor ihm. Er droht mir. Er will mich erschießen."

„Was?" Ravic sah plötzlich auf. „Was war das?"

„Er sagt, er will mich erschießen."

„Wer?" Er hatte nur halb zugehört. Dann verstand er. „Ach so! Du glaubst das doch nicht?"

„Er ist furchtbar jähzornig."

„Unsinn! Wer so etwas sagt, tut es nicht. Ein Schauspieler schon gar nicht."

Was rede ich da? dachte er. Was ist das alles? Was will ich hier? Irgendeine Stimme, irgendein Gesicht über dem Rauschen in den Ohren. Was geht mich das an? „Wozu erzählst du mir das alles?" fragte er.

„Ich will weg von ihm. Ich will zurück zu dir."

Wenn er ein Taxi nimmt, wird es mindestens ein paar Sekunden dauern, bis ich eines anhalte, dachte Ravic. Bis es anfährt, kann es dann zu spät sein. Er stand auf. „Warte hier. Ich bin sofort zurück."

„Was willst du –"

Er antwortete nicht. Rasch kreuzte er den Bürgersteig und hielt ein Taxi an. „Hier sind zehn Franc. Können Sie ein paar Minuten auf mich warten? Ich habe drinnen noch zu tun."

Der Chauffeur sah den Geldschein an. Dann Ravic. Ravic zwinkerte. Der Chauffeur zwinkerte zurück. Er bewegte den Schein langsam hin und her. „Das ist extra", sagte Ravic. „Sie verstehen schon, weshalb –"

„Verstehe." Der Chauffeur grinste. „Gut, ich werde hier warten."

„Parken Sie so, daß Sie gleich herausfahren können."

„Schön, Chef."

Ravic drängte sich eilig durch das Menschengewühl zurück. Seine

Kehle verengte sich jäh. Er sah Haake unter der Tür stehen. Er hörte nicht, was Joan sagte. „Warte!" sagte er. „Warte! Gleich! Eine Sekunde!"

„Nein!"

Sie stand auf. „Du wirst es bereuen!" Sie schluchzte fast.

Er zwang sich zu einem Lächeln. Er hielt ihre Hand fest. Haake stand noch immer da. „Setz dich", sagte Ravic. „Eine Sekunde!"

„Nein!"

Ihre Hand zerrte unter seinem Griff. Er ließ los. Er wollte kein Aufsehen. Sie ging rasch davon, zwischen den Tischen durch, dicht an der Tür vorbei. Haake sah ihr nach. Dann blickte er langsam zurück, zu Ravic hinüber, dann wieder in die Richtung, in die Joan gegangen war. Ravic setzte sich. Das Blut donnerte plötzlich in seinen Schläfen. Er zog seine Brieftasche und tat, als suche er etwas. Er bemerkte, daß Haake zwischen den Tischen entlangschlenderte. Gleichgültig blickte er in die entgegengesetzte Richtung. Haake mußte dort seinen Blick kreuzen.

Er wartete. Es schien endlos lange zu dauern. Plötzlich packte ihn eine rasende Angst. Wie, wenn Haake umgekehrt war? Er wendete rasch den Kopf. Haake war nicht mehr da. Nicht mehr da. Alles drehte sich einen Moment. „Erlauben Sie?" fragte jemand neben ihm.

Ravic hörte es nicht. Er sah zur Tür. Haake war nicht ins Restaurant zurückgegangen. Aufspringen, dachte er. Nachlaufen, versuchen, ihn noch zu erwischen. Hinter ihm war die Stimme wieder. Er drehte sich um und starrte. Haake war hinter seinem Rücken herumgekommen und stand jetzt neben ihm. Er deutete auf den Stuhl, auf dem Joan gesessen hatte. „Erlauben Sie? Es ist sonst kein Tisch mehr frei."

Ravic nickte. Er war unfähig, etwas zu sagen. Sein Blut strömte zurück. Strömte, strömte, als flösse es unter den Stuhl und ließ den Körper zurück wie einen leeren Sack. Er preßte den Rücken fest gegen die Lehne. Da stand noch das Glas. Die milchige Flüssigkeit. Er hob es und trank. Es war schwer. Er blickte auf das Glas. Es war ruhig in seiner Hand. Das Zittern war in seinen Adern.

Haake bestellte einen Fine Champagne. Einen alten Fine Champagne. Er sprach französisch mit schwerem, deutschem Akzent. Ravic winkte einem Zeitungsjungen. „Paris Soir."

Der Zeitungsjunge blickte nach dem Eingang. Er wußte, dort stand die alte Zeitungsfrau. Er reichte Ravic die Zeitung, gefaltet, wie zufällig, griff nach der Münze und verschwand rasch.

Er muß mich erkannt haben, dachte Ravic. Weshalb ist er sonst gekommen? Er hatte nicht damit gerechnet. Jetzt konnte er nur bleiben und sehen, was Haake wollte und danach handeln.

Er griff nach der Zeitung, las die Überschriften und legte sie wieder auf den Tisch. Haake sah ihn an. „Schöner Abend", sagte er auf deutsch.

Ravic nickte.

Haake lächelte. „Gutes Auge, wie?"

„Scheint so."

„Ich sah Sie bereits drinnen."

Ravic nickte aufmerksam und gleichgültig. Er war aufs äußerste gespannt. Er konnte sich nicht denken, was Haake vorhatte. Daß Ravic illegal in Frankreich war, konnte er nicht wissen. Aber vielleicht wußte die Gestapo auch das. Doch dafür war noch Zeit.

„Habe Sie gleich erkannt", sagte Haake.

Ravic sah ihn an. „Der Schmiß", sagte Haake und deutete auf Ravics Stirn. „Korpsstudent. Sie mußten also Deutscher sein. Oder in Deutschland studiert haben."

Er lachte. Ravic sah ihn noch immer an. Das war unmöglich! Es war zu lächerlich! Er atmete tief auf in plötzlicher Entspannung. Haake hatte keine Ahnung, wer er war. Seine Narbe an der Stirn hatte er für eine Mensurnarbe gehalten. Ravic lachte. Er lachte zusammen mit Haake. Er mußte sich die Nägel in die Handballen krallen, um aufhören zu lachen.

„Stimmt?" fragte Haake mit einem gemütlichen Stolz.

„Ja, genau."

Die Narbe an seiner Stirn. Sie war ihm vor den Augen Haakes im Gestapokeller geschlagen worden. Das Blut war ihm in die Augen und in den Mund geflossen. Und Haake saß da und hielt sie für eine Mensurnarbe und war stolz auf sich deshalb.

Der Kellner brachte Haakes Fine. Haake schnupperte genießerisch daran herum. „Das haben sie hier", erklärte er. „Guten Kognak! Sonst –" Er blinzelte zu Ravic hinüber. „Alles faul. Ein Volk von Rentnern. Wollen nichts als Sicherheit und gutes Leben. Verloren gegen uns."

Ravic dachte, er könne nicht sprechen. Er glaubte, wenn er sprechen würde, würde er sein Glas hochreißen, es gegen den Tisch kippen, daß es am Rande brach und die spitzen Scherben Haake in die Augen schlagen. Er nahm vorsichtig und mit Mühe das Glas, trank es aus und stellte es ruhig wieder nieder.

„Was ist das?" fragte Haake.

„Pernod. Ersatz für Absinth."

„Ah, Absinth. Das Zeug, das die Franzosen impotent macht, was?" Haake schmunzelte. „Entschuldigen Sie! War nicht persönlich gemeint."

„Absinth ist verboten", sagte Ravic. „Dies hier ist harmloser Ersatz.

Absinth soll steril machen, nicht impotent. Deshalb ist er verboten. Das hier ist Anis. Schmeckt wie Lakritzenwasser."

Es ging, dachte er. Es ging, ohne viel Erregung sogar. Er konnte antworten, leicht und glatt. Da war ein Wirbel, tief in ihm, sausend und schwarz – aber die Oberfläche war ruhig. „Leben Sie hier?" fragte Haake.

„Ja."

„Lange?"

„Immer."

„Verstehe", sagte Haake. „Auslandsdeutscher. Hier geboren, wie?" Ravic nickte.

Haake trank seinen Fine. „Einige unserer Besten sind Auslandsdeutsche. Der Vertreter des Führers – in Ägypten geboren. Rosenberg in Rußland. Darré kommt aus Argentinien. Die Gesinnung macht es, wie?"

„Nur", erwiderte Ravic.

„Dachte ich mir." Haakes Gesicht atmete Zufriedenheit. Dann machte er eine leichte Verbeugung über den Tisch, und es schien, als klappte er dabei unter dem Tisch die Hacken zusammen. „Übrigens – gestatten – von Haake."

Ravic wiederholte die Zeremonie. „Horn". Es war eines seiner früheren Pseudonyme.

„Von Horn?" fragte Haake.

„Ja."

Haake nickte. Er wurde vertraulicher. Er hatte einen Mann seiner eigenen Klasse getroffen. „Sie kennen Paris sicher gut, wie?"

„Ziemlich."

„Ich meine: nicht die Museen." Haake grinste weltmännisch.

„Ich weiß, was Sie meinen."

Der arische Herrenmensch möchte wahrscheinlich sumpfen gehen und kennt sich nicht aus, dachte Ravic. Wenn er ihn irgendwo hinkriegen könnte, in eine abgelegene Ecke, eine einsame Kneipe, eine verlorene Hurenbude – er überlegte rasch. Irgendwohin, wo er nicht gestört und gehindert werden könnte.

„Hier gibt es allerlei, wie?" fragte Haake.

„Sind Sie noch nicht lange in Paris?"

„Ich komme alle zwei Wochen für zwei oder drei Tage herüber. Art von Kontrolle. Ziemlich wichtig. Wir haben im letzten Jahr hier allerlei aufgebaut. Klappt fabelhaft. Kann nicht darüber reden, aber –" Haake lachte – „hier kann man fast alles kaufen. Eine korrupte Bande. Wir wissen beinahe alles, was wir wollen. Brauchen nicht einmal danach suchen. Sie bringen es selbst. Vaterlandsverrat als eine Art von

Patriotismus. Folge des Parteisystems. Jede Partei verrät die andere und das Land, um für sich zu profitieren. Unser Vorteil. Wir haben hier eine Menge Gesinnungsgenossen. In den einflußreichen Kreisen." Er hob sein Glas, examinierte es, fand es leer und stellte es wieder zurück. „Sie rüsten hier nicht einmal. Glauben, daß wir nichts von ihnen verlangen werden, wenn sie nicht gerüstet sind. Wenn Sie die Ziffern ihrer Flugzeuge und Tanks wüßten – Sie würden sich totlachen über diese Selbstmordkandidaten."

Ravic hörte ihm zu. Er war äußerst konzentriert, und trotzdem schwamm alles um ihn herum, wie ein Traum gerade vor dem Erwachen. Die Tische, die Kellner, der süße, abendliche Aufruhr des Lebens, die gleitenden Autoreihen, der Mond über den Häusern, die bunten Lichtreklamen an den Häuserfronten – und der redselige, vielfache Mörder ihm gegenüber, der sein Leben zerstört hatte.

Zwei Frauen in knappen Tailormade-Kostümen kamen vorüber. Sie lächelten Ravic zu. Es waren Yvette und Marthe aus dem Osiris. Sie hatten ihren freien Tag.

„Schick, Donnerwetter", sagte Haake.

Eine Seitenstraße, dachte Ravic. Eine schmale, leere Seitenstraße – wenn ich ihn dahin bekommen könnte. Oder ins Bois. „Das sind zwei Damen, die von der Liebe leben", sagte er.

Haake sah ihnen nach. „Sehen gut aus. Sie wissen sicher ziemlich gut darüber Bescheid hier, wie?" Er bestellte einen zweiten Fine. „Darf ich Sie zu einem einladen?"

„Danke, ich will lieber bei diesem bleiben."

„Es soll hier ja fabelhafte Buden geben. Tolle Plätze mit Vorführungen und sowas." Haakes Augen glitzerten. Sie glitzerten wie damals, vor Jahren, im kahlen Licht des Gestapokellers.

Ich darf nicht daran denken, dachte Ravic. Nicht jetzt. „Waren Sie nie in einer?" fragte er.

„Ich war in einigen. Studienhalber, natürlich. Mal sehen, wie weit ein Volk sinken kann. Aber sicher nicht in den richtigen. Ich muß natürlich vorsichtig sein. Könnte falsch ausgelegt werden."

Ravic nickte. „Davor brauchen Sie keine Sorge zu haben. Es gibt Plätze, wohin nie ein Tourist kommt."

„Kennen Sie sich da aus?"

„Natürlich. Gut sogar."

Haake trank seinen zweiten Fine. Er wurde vertraulicher. Die Hemmungen, die er in Deutschland gehabt hätte, fielen fort. Ravic spürte, daß er vollkommen ahnungslos war. „Ich hatte gerade vor, heute ein bißchen herumzugehen", sagte er zu Haake.

„Wirklich?"

„Ja. Ich mache das ab und zu. Man soll alles kennen, was man kennenlernen kann."

„Richtig! Durchaus richtig!"

Haake sah ihn einen Augenblick starr an. Betrunken machen, dachte Ravic. Wenn es nicht anders geht, betrunken machen und irgendwo hinschleppen.

Haakes Ausdruck hatte sich geändert. Er war nicht angetrunken; er hatte nur nachgedacht. „Schade", sagte er schließlich. „Ich hätte gerne mitgemacht."

Ravic erwiderte nichts. Er wollte alles vermeiden, was Haake mißtrauisch machen konnte.

„Ich muß heute nacht zurück nach Berlin." Haake sah auf die Uhr. „In anderthalb Stunden."

Ravic saß völlig ruhig Ich muß mitgehen, dachte er. Sicher wohnt er in einem Hotel. Nicht privat. Ich muß mitgehen in sein Zimmer und ihn da erwischen.

„Ich warte hier auf zwei Bekannte", sagte Haake. „Müssen gleich kommen. Sie fahren mit mir. Meine Sachen sind schon am Bahnhof. Wir gehen gleich von hier aus zum Zug."

Aus, dachte Ravic. Warum habe ich keinen Revolver bei mir? Warum habe ich Idiot in den letzten Monaten geglaubt, damals das hier sei doch eine Täuschung gewesen? Ich könnte ihn auf der Straße erschießen und versuchen, durch den Untergrundeingang zu entkommen.

„Schade", sagte Haake. „Aber vielleicht können wir es das nächstemal machen. Ich bin in zwei Wochen wieder hier."

Ravic atmete wieder. „Gut", sagte er.

„Wo wohnen Sie? Ich könnte Sie dann ja mal anrufen."

„Im ‚Prince de Galles'. Gleich drüben an der Straße."

Haake zog sein Notizbuch hervor und schrieb die Adresse ein. Ravic sah auf den zierlichen Band, in rotem, biegsamen Juchtenleder. Der Bleistift war schmal und aus Gold. Was mag darin stehen? dachte er. Informationen, wahrscheinlich, die zu Tortur und Tod führen.

Haake steckte das Notizbuch ein. „Schicke Frau, mit der Sie vorhin sprachen", sagte er.

Ravic besann sich eine Sekunde. „Ach so – ja, sehr."

„Film?"

„So was ähnliches."

„Gute Bekannte?"

„Gerade das."

Haake sah versonnen vor sich hin. „Das ist das Schwierige hier –

jemand Nettes kennenzulernen. Man hat zuwenig Zeit und kennt nicht die richtigen Gelegenheiten –"

„Das läßt sich machen", sagte Ravic.

„Wirklich? Sie sind nicht interessiert?"

„Woran?"

Haake lachte verlegen. „Zum Beispiel an der Dame, mit der Sie sprachen."

„Nicht im geringsten."

„Donnerwetter, das wäre nicht schlecht! Ist sie Französin?"

„Italienerin, glaube ich. Und noch ein paar andere Rassen dazwischengemischt."

Haake grinste. „Nicht schlecht. Zu Hause gibt's das natürlich nicht. Aber hier ist man ja inkognito, gewissermaßen."

„Sind Sie?" fragte Ravic.

Haake stutzte, eine Sekunde. Dann lächelte er. „Verstehe! Für die Eingeweihten natürlich nicht – aber sonst, streng. Übrigens, da fällt mir ein – haben Sie irgendwelche Beziehungen zu Refugiés?"

„Wenig", sagte Ravic achtsam.

„Schade! Wir würden gerne so gewisse – Sie verstehen, Informationen –, wir zahlen sogar dafür –" Haake hob die Hand – „kommt bei Ihnen selbstverständlich nicht in Frage! Trotzdem, die kleinste Nachricht –"

Ravic bemerkte, daß Haake ihn weiter ansah. „Möglich", sagte er. „Man weiß ja nie – kann immer mal was vorkommen."

Haake rückte seinen Stuhl näher. „Eine meiner Aufgaben, wissen Sie. Verbindungen von drinnen nach draußen. Schwer, manchmal ranzukommen. Wir haben gute Leute hier." Er hob verständnisvoll die Augenbrauen. „Unter uns ist das natürlich anders. Ehrensache. Vaterland, schließlich."

„Selbstverständlich."

Haake blickte auf. „Da kommen meine Bekannten." Er legte ein paar Scheine auf den Porzellanteller, nachdem er die Summe addiert hatte. „Bequem, daß immer gleich die Preise auf den Tellern stehen. Könnte man bei uns auch einführen." Er stand auf und streckte die Hand aus. „Auf Wiedersehen, Herr von Horn. Hat mich sehr gefreut. Ich rufe Sie in vierzehn Tagen an." Er lächelte. „Natürlich Diskretion."

„Ohne Frage. Vergessen Sie es nicht."

„Ich vergesse nichts. Kein Gesicht und keine Verabredung. Kann ich mir nicht leisten. Mein Beruf."

Ravic stand vor ihm. Er hatte das Gefühl, als müsse er seinen Arm durch eine Betonwand durchstoßen. Dann fühlte er die Hand Haakes in seiner. Sie war klein und überraschend weich.

Er stand noch einen Augenblick unentschlossen und sah Haake nach. Dann setzte er sich wieder. Er spürte, daß er plötzlich zitterte. Nach einer Weile zahlte er und ging. Er folgte der Richtung, in der Haake gegangen war. Dann erinnerte er sich, daß er ihn mit zwei andern in ein Taxi hatte steigen sehen. Es hätte keinen Zweck gehabt, ihm zu folgen. Haake hatte sein Hotel schon aufgegeben. Wenn er ihn zufällig irgendwo wiedergesehen hätte, wäre er höchstens mißtrauisch geworden. Ravic kehrte um und ging zum „International".

„Du bist vernünftig gewesen", sagte Morosow. Sie saßen vor einem Café am Rond Point.

Ravic sah auf seine rechte Hand. Er hatte sie ein paarmal in Alkohol gewaschen. Er hatte sich albern dabei gefunden, aber er hatte es nicht lassen können. Die Haut war jetzt trocken wie Pergament.

„Du wärest verrückt gewesen, wenn du irgend etwas getan hättest", sagte Morosow. „Gut, daß du nichts bei dir hattest."

„Ja", erwiderte Ravic ohne Überzeugung.

Morosow sah ihn an. „Du bist doch kein solcher Idiot, daß du wegen Mord oder Mordversuch vor Gericht kommen willst."

Ravic antwortete nicht.

„Ravic –" Morosow setzte die Flasche hart auf den Tisch. „Sei kein Phantast."

„Das bin ich nicht. Aber verstehst du mich, daß es mir in den Knochen sitzt, die Gelegenheit versäumt zu haben? Zwei Stunden früher hätte ich ihn irgendwo hinschleppen können – oder sonst etwas tun –"

Morosow schenkte zwei Gläser ein. „Trink das! Wodka. Du wirst ihn wieder kriegen."

„Oder nicht."

„Du wirst ihn kriegen. Er wird kommen. Die Sorte kommt, du hast einen guten Haken ausgehängt. Prost!"

Ravic trank das Glas aus.

„Ich kann immer noch zur Gare du Nord gehen. Sehen, ob er abfährt."

„Natürlich. Du kannst auch versuchen, ihn da zu erschießen. – Zwanzig Jahre Zuchthaus mindestens. Hast du noch mehr solcher Ideen?"

„Ja. Ich könnte beobachten, ob er abfährt."

„Und gesehen werden von ihm und alles verderben."

„Ich hätte ihn fragen sollen, in welchem Hotel er absteigt."

„Und ihn mißtrauisch machen." Morosow goß die Gläser wieder voll. „Hör zu, Ravic. Ich weiß, du sitzt jetzt da und glaubst, alles falsch gemacht zu haben. Werde das los! Hau was kaputt, wenn du das willst. Irgend etwas Großes und nicht zu Teures. Den Palmengarten im ‚International' meinetwegen."

„Zwecklos."

„Dann rede. Rede darüber, bis du schlapp wirst. Rede es aus dir heraus. Rede dich ruhig. Du bist kein Russe, sonst würdest du das verstehn."

Ravic richtete sich auf. „Boris", sagte er. „Ich weiß, Ratten muß man vernichten und sich nicht auf eine Beißerei mit ihnen einlassen. Aber ich kann nicht darüber reden. Ich werde dafür nachdenken. Nachdenken, wie ich es machen kann. Ich werde es präparieren wie eine Operation. Soweit man etwas präparieren kann. Ich werde mich gewöhnen. Ich habe vierzehn Tage Zeit. Das ist gut. Das ist verdammt gut. Ich kann mich daran gewöhnen, ruhig zu sein. Du hast recht. Man kann etwas zerreden, um ruhig und überlegt zu werden. Man kann aber auch etwas zerdenken und dasselbe erreichen. Den Haß. Kalt zerdenken in Zweck. Ich werde so oft töten in meinen Gedanken, daß es schon wie eine Gewohnheit sein wird, wenn er wiederkommt. Das tausendste Mal ist man überlegter und ruhiger als das erste Mal. Und jetzt laß uns reden. Aber von was anderem. Von den weißen Rosen drüben meinetwegen! Sieh sie dir an! Sie sind wie Schnee in dieser schwülen Nacht. Wie Gischt auf der unruhigen Brandung der Nacht. Bist du nun zufrieden?"

„Nein", sagte Morosow.

„Gut. Sieh dir diesen Sommer an. Den Sommer 1939. Er riecht nach Schwefel. Die Rosen sehen bereits aus wie Schnee auf einem Massengrab im nächsten Winter. Eine fröhliche Gesellschaft sind wir dafür, wie? Es lebe das Jahrhundert der Nichteinmischung! Der moralischen Gefühlsversteinerung! Es wird viel getötet in dieser Nacht, Boris. In jeder Nacht! Viel getötet. Städte brennen, Juden heulen irgendwo, Tschechen verrecken in Wäldern, Chinesen brennen unter japanischem Gasolin, durch Konzentrationslager kriecht der Peitschentod – sollten wir da sentimentale Weiber sein, wenn ein Mörder eliminiert wird? Wir werden ihn kriegen und ihn auslöschen, fertig – wie wir es oft genug haben tun müssen mit unschuldigen Leuten, die sich nur durch eine Uniform von uns unterschieden –"

„Gut", sagte Morosow. „Oder wenigstens besser. Hast du je gelernt, was man mit einem Messer machen kann? Ein Messer knallt nicht."

„Laß mich damit heute in Ruhe. Ich muß schlafen, irgendwann. Weiß der Teufel, ob ich's kann, obwohl ich so ruhig tue. Verstehst du das?"

„Ja."

„In dieser Nacht werde ich töten und töten. In vierzehn Tagen muß ich ein Automat sein. Es kommt darauf an, die Zeit herumzukriegen. Die Zeit, bis ich zum erstenmal schlafen kann. Saufen nützt nichts. Eine Spritze auch nicht. Ich muß vor Erschöpfung einschlafen. Dann ist es am nächsten Tag richtig. Verstehst du?"

Morosow saß eine Zeitlang still da. „Hol dir eine Frau", sagte er dann.

„Was soll das nützen?"

„Irgend etwas. Mit einer Frau schlafen ist immer gut. Ruf Joan an. Sie wird kommen."

Joan. Richtig. Die war vorhin dagewesen. Hatte irgendwas geredet. Er hatte es schon vergessen „Ich bin kein Russe", sagte Ravic. „Sonst noch Vorschläge? Einfache. Nur die einfachsten."

„Guter Gott! Sei nicht kompliziert! Das einfachste, von einer Frau loszukommen, ist gelegentlich wieder mit ihr zu schlafen. Keine Phantasie ansetzen zu lassen. Wer will einen Naturakt dramatisieren?"

„Ja", sagte Ravic. „Wer will?"

„Dann laß mich telephonieren gehen. Ich telephoniere dir etwas heran. Ich bin nicht umsonst Portier."

„Bleib hier. Ist schon alles richtig. Laß uns trinken und die Rosen ansehen. Tote Gesichter können so weiß aussehen im Mond, nach Maschinengewehrfeuer. Sah das einmal in Spanien. Der Himmel war eine Erfindung der Faschisten, sagte der Metallarbeiter Pablo Nonas damals. Hatte nur noch ein Bein. War etwas bitter gegen mich, weil ich ihm das andere nicht in Spiritus konservieren konnte. Kam sich vor, als wäre er schon ein Viertel begraben. Wußte nicht, daß die Hunde es gestohlen und gefressen hatten –"

25

Veber kam in den Verbandsraum. Er winkte Ravic. Sie gingen hinaus. „Durant ist am Telephon. Er möchte, daß Sie sofort rüberkommen. Redet was von Spezialfall und besonderen Umständen."

Ravic sah ihn an. „Das heißt, er hat eine Operation verpfuscht und will sie jetzt mir anhängen, wie?"

„Das glaube ich nicht. Er ist aufgeregt. Weiß vermutlich nicht, was er machen soll."

Ravic schüttelte den Kopf. Veber schwieg. „Woher weiß er überhaupt, daß ich zurück bin?" fragte Ravic.

Veber zuckte die Achseln. „Keine Ahnung. Durch irgendeine Schwester wahrscheinlich."

„Warum ruft er Binot nicht an? Binot ist sehr tüchtig."

„Das habe ich ihm schon gesagt. Er hat mir erklärt, dies sei eine besonders komplizierte Sache. Gerade Ihr Spezialgebiet."

„Unsinn. Es gibt für jedes Spezialgebiet sehr tüchtige Ärzte in Paris. Warum ruft er Martel nicht an? Das ist einer der besten Chirurgen der Welt."

„Können Sie sich das nicht denken?"

„Natürlich. Er will sich vor seinen Kollegen nicht blamieren. Bei einem schwarzen Refugié-Arzt ist das anders. Der muß die Schnauze halten."

Veber sah ihn an. „Es ist dringend. Wollen Sie gehen?"

Ravic riß die Bänder seines Kittels los. „Natürlich", sagte er wütend. „Was soll ich anders machen? Aber nur, wenn Sie mitkommen."

„Gut. Wir können meinen Wagen nehmen."

Sie gingen die Treppe hinunter. Der Wagen Vebers glänzte vor der Klinik in der Sonne. Sie stiegen ein. „Ich arbeite nur, wenn Sie dabeibleiben", sagte Ravic. „Weiß Gott, ob der Bruder einen sonst nicht reinlegt."

„Ich glaube nicht, daß er daran im Augenblick denkt."

Der Wagen fuhr an. „Ich habe andere Sachen gesehen", sagte Ravic. „Ich habe in Berlin einen jungen Assistenten gekannt, der alles hatte, um ein guter Chirurg zu werden. Sein Professor operierte halb besoffen, verschnitt sich, sagte nichts, ließ den Assistenten weiterarbeiten; der merkte nichts – eine halbe Stunde später machte der Professor Radau, hängte dem Jungen den falschen Schnitt an. Der Patient starb in der Operation. Der Junge einen Tag später. Selbstmord. Der Professor operierte und soff weiter."

Sie stoppten an der Avenue Marceau; eine Kolonne Lastwagen rasselte die Rue Galilée entlang. Die Sonne schien heiß durch die Fenster. Veber drückte auf einen Knopf am Armaturenbrett. Das Verdeck des Wagens glitt langsam zurück. Er blickte Ravic stolz an. „Habe mir das kürzlich einbauen lassen. Elektrisch. Großartig! Was die Leute alles erfinden, wie?"

Der Wind kam durch das offene Dach. Ravic nickte. „Ja, großartig. Das Neueste sind magnetische Minen und Torpedos. Las das gestern irgendwo. Wenn sie ihr Ziel missen, machen sie in einem Bogen kehrt, bis sie es doch treffen. Fabelhaft konstruktive Rasse sind wir."

Veber wandte ihm sein rotes Gesicht zu. Er strahlte von Gutmütigkeit. „Sie mit Ihrem Krieg, Ravic! Wir sind weiter davon entfernt als vom Mond. Alles Gerede darüber ist nur ein politisches Druckmittel, weiter nichts, glauben Sie mir!"

*

Die Haut war blaues Perlmutter. Das Gesicht war Asche. Darum flammte, im weißen Licht der Operationslampen, eine Fülle goldenen Haares. Es flammte um das aschenfarbene Gesicht mit einer Intensität, die fast unanständig wirkte. Es war das einzige, das lebte, funkelnd lebte, schrie, als wäre das Leben bereits aus dem Körper entwichen und hinge nur noch in den Haaren.

Die junge Frau, die da lag, war sehr schön. Schmal, lang, mit einem Gesicht, dem selbst die Schatten tiefster Ohnmacht nichts anhaben konnten – eine Frau, gemacht für Luxus und Liebe.

Die Frau blutete nur wenig. Zu wenig. „Sie haben die Gebärmutter geöffnet?" sagte Ravic zu Durant. „Ja."

„Und?"

Durant antwortete nicht. Ravic sah auf. Durant starrte ihn an.

„Gut", sagte Ravic. „Wir brauchen die Schwestern im Augenblick nicht. Wir sind drei Ärzte, das genügt."

Durant machte eine Bewegung und nickte. Die Schwestern und der Assistent zogen sich zurück.

„Und?" fragte Ravic noch einmal, als sie fort waren.

„Das sehen Sie doch selbst."

„Nein."

Ravic sah es, aber er wollte, daß Durant es vor Veber aussprach. Es war sicherer.

„Eine Schwangerschaft im dritten Monat. Blutungen. Notwendigkeit zu curettieren. Curettage. Scheinbare Verletzung der Innenwand."

„Und?" fragte Ravic weiter.

Er sah in das Gesicht Durants. Es war voll ohnmächtiger Wut. Der wird mich für imer hassen, dachte er. Schon, weil Veber es mit anhört.

„Perforation", sagte Durant.

„Mit dem Löffel?"

„Natürlich", sagte Durant nach einer Weile. „Womit sonst?"

Die Blutung hatte völlig aufgehört. Ravic untersuchte schweigend weiter. Dann richtete er sich auf. „Sie haben perforiert. Es nicht gemerkt. Eine Darmschlinge dabei durch die Öffnung hereingezogen. Nicht erkannt, was geschehen war. Sie wahrscheinlich für eine Fötus-Membrane gehalten. Sie angekratzt. Verletzt. Ist das richtig?"

Die Stirn Durants war plötzlich voller Schweiß. Der Bart unter der Gesichtsmaske arbeitete, als kaue er einen zu großen Bissen.

„Könnte sein."

„Wie lange arbeiten Sie schon?"

„Insgesamt, bis Sie kamen, dreiviertel Stunden."

„Blutung nach innen. Verletzter Dünndarm. Äußerste Sepsisgefahr. Darm muß genäht, Gebärmutter entfernt werden. Sofort."

„Was?" fragte Durant.

„Sie wissen das selbst", sagte Ravic.

Durants Augen flatterten. „Ja, ich weiß es. Dafür habe ich Sie nicht kommen lassen."

„Es ist alles, was ich Ihnen sagen kann. Rufen Sie Ihre Leute wieder herein und arbeiten Sie weiter. Ich rate Ihnen – schnell."

Durant kaute. „Ich bin zu aufgeregt. Wollen Sie die Operation für mich machen?"

„Nein. Ich bin, wie Sie wissen, illegal in Frankreich und habe kein Recht, zu operieren."

„Sie –" begann Durant und verstummte.

Heilgehilfen, halb ausgelernte Studenten, Masseure, Assistenten, das gibt sich für Ärzte aus Deutschland aus – Ravic hatte nicht vergessen, was Durant zu Leval gesagt hatte. „Monsieur Leval erklärte mir einiges darüber", sagte er. „Vor meiner Ausweisung."

Er sah, daß Veber den Kopf hob. Durant erwiderte nichts. „Doktor Veber kann die Operation für Sie machen", sagte Ravic.

„Sie haben doch oft genug für mich operiert. Wenn der Preis –"

„Der Preis spielt keine Rolle. Ich operiere nicht mehr, seit ich zurück bin. Besonders nicht an Patienten, die keine Erlaubnis für diese Art von Operation gegeben haben."

Durant starrte ihn an. „Man kann die Patientin doch jetzt nicht aus der Narkose holen, um sie zu fragen."

„Doch, man kann. Aber Sie riskieren die Sepsis."

Durants Gesicht war naß. Veber sah Ravic an. Ravic nickte. „Sind Ihre Schwestern zuverlässig?" fragte Veber Durant.

„Ja –"

„Den Assistenten brauchen wir nicht", sagte Veber zu Ravic. „Wir sind drei Ärzte und zwei Schwestern."

„Ravic –" Durant verstummte.

„Sie hätten Binot rufen sollen", erklärte Ravic. „Oder Mallon, oder Martel. Erstklassige Chirurgen."

Durant antwortete nicht.

„Wollen Sie hier vor Veber erklären, daß Sie eine Perforation des Uterus gemacht und eine Darmschlinge, die Sie für eine Fötus-Membrane hielten, verletzt haben."

Es dauerte eine Zeitlang. „Ja", sagte Durant dann heiser.

„Wollen Sie weiter erklären, daß Sie Veber bitten, mit mir als zufällig anwesendem Assistenten eine Hysterectomy, eine Darmresektion und eine Anastomose zu machen?"

„Ja."

„Wollen Sie die volle Verantwortung für die Operation und ihren

Ausgang und die Tatsache übernehmen, daß der Patient nicht informiert ist und keine Zustimmung gegeben hat?"

„Ja, natürlich doch", krächzte Durant.

„Gut. Rufen Sie die Schwestern. Den Assistenten brauchen wir nicht. Erklären Sie ihm, daß Sie Veber und mir erlaubt haben, Ihnen bei einem komplizierten Spezialfall zu assistieren. Altes Versprechen oder so was. Die Anästhesie können Sie selbst weiter übernehmen. Müssen die Schwestern sich neu sterilisieren?"

„Nicht nötig, sie sind zuverlässig. Haben nichts angerührt."

„Um so besser."

Der Bauch war offen. Ravic zog die Darmschlinge mit äußerster Vorsicht aus dem Loch in der Gebärmutter und wickelte sie Stück um Stück in sterile Tücher, um die Sepsis zu verhüten, bis die verletzte Stelle heraus war. Dann deckte er die Gebärmutter völlig mit Tüchern ab. „Extra-uterine Schwangerschaft", murmelte er zu Veber hinüber. „Sehen Sie hier – halb in der Gebärmutter, halb in der Tube. Man kann ihm nicht einmal allzu große Vorwürfe machen. Ziemlich seltener Fall. Trotzdem –"

„Was?" fragte Durant hinter dem Schirm vom Kopfende des Tisches her. „Was sagten Sie?" „Nichts."

Ravic klemmte den Darm ab und machte die Resektion. Dann begann er rasch die offenen Enden zu schließen und machte eine seitliche Anastomose.

Er spürte die Intensität der Operation. Er vergaß Durant. Er unterband die Tube und die zuführenden Blutgefäße und schnitt das Ende der Tube ab. Dann begann er, den Uterus herauszuschneiden. Warum blutet das nicht viel mehr? dachte er. Warum blutet so etwas nicht mehr als das Herz? Wenn man das Wunder des Lebens und die Fähigkeit, es weiterzugeben, herausschneidet?

Der schöne Mensch, der hier lag, war tot. Er konnte weiterleben, aber er war tot. Ein toter Zweig am Baum der Generationen. Blühend, aber ohne das Geheimnis der Frucht. Aus Kohlenwäldern hatten riesige Affenmenschen sich heraufgekämpft durch Tausende von Generationen, Ägypter hatten Tempel gebaut, Hellas hatte aufgeblüht, mystisch war das Blut weitergelaufen, hinauf, hinauf, um endlich diesen Menschen zu schaffen, der nun unfruchtbar war wie eine taube Ähre und das Blut nicht mehr weiterreichen würde in einen Sohn oder eine Tochter. Die Kette war unterbrochen worden durch die grobe Hand Durants. Aber hatten an Durant nicht auch Tausende von Generationen gearbeitet, hatten für ihn nicht auch Hellas und die Renaissance geblüht, um seinen faulen Spitzbart hervorzubringen?

„Zum Kotzen", sagte Ravic.

„Was?" fragte Veber.

„So allerlei."

Ravic richtete sich auf. „Fertig." Er sah in das fahle, liebliche Gesicht mit den leuchtenden Haaren hinter dem Anästhesiebügel. Er sah in den Eimer, in dem blutig verschmiert das lag, was dieses Gesicht so schön gemacht hatte. Dann sah er Durant an. „Fertig", sagte er noch einmal.

Durant beendete die Anästhesie. Er sah Ravic nicht an. Er wartete, bis die Schwestern den Wagen hinausschoben. Dann folgte er ihm, ohne etwas zu sagen.

„Morgen wird er fünftausend Franc mehr für die Operation verlangen", sagte Ravic zu Veber. „Und ihr erklären, daß er ihr das Leben gerettet hat."

„Es sieht im Augenblick nicht so aus."

„Ein Tag ist eine lange Zeit. Und Reue ist kurz. Besonders, wenn sie sich in Geschäft umwandeln kann."

Ravic wusch sich. Durch die Scheiben neben dem weißen Waschstand sah er ein Fensterbrett gegenüber, auf dem rote Geranien blühten. Eine graue Katze saß unter den Blütendolden.

Er telephonierte nachts um ein Uhr zu Durants Klinik. Er telephonierte von der Scheherazade aus. Die Nachtschwester erklärte, die Frau schliefe. Sie sei vor zwei Stunden unruhig geworden. Veber sei dagewesen und habe ihr ein leichtes Sedativ gegeben. Es schien alles in Ordnung.

Ravic öffnete die Telephonzelle. Ein starker Geruch von Parfüm schlug ihm entgegen. Eine Frau mit gebleichten, gelben Haaren rauschte stolz und herausfordernd in die Damentoilette. Das Haar der Frau in der Klinik war echtes Blond gewesen. Rötliches, leuchtendes Blond! Er zündete sich eine Zigarette an und ging in die Scheherazade zurück. Der ewige russische Chor sang dort die ewigen „Schwarzen Augen"; er sang sie seit zwanzig Jahren über die Welt. Tragik, zwanzig Jahre lang, hatte die Gefahr der Lächerlichkeit, dachte Ravic. Tragik mußte kurz sein.

„Entschuldigen Sie", sagte er zu Kate Hegström. „Aber ich hatte zu telephonieren."

„Ist alles in Ordnung?"

„Bis jetzt ja."

Wozu fragte sie das? dachte er irritiert. Bei ihr selbst ist doch wahrhaftig nicht alles in Ordnung. „Haben Sie, was Sie wollen, hier?" Er zeigte auf die Karaffe mit Wodka.

„Nein."

„Nein?"

Kate Hegström schüttelte den Kopf.

„Das ist der Sommer. Im Sommer soll man nicht in Nachtklubs hocken. Im Sommer soll man auf der Terrasse sitzen. In der Nähe eines noch so schwindsüchtigen Baumes, mit einem Eisengitter darum, meinetwegen."

Er sah auf und blickte gerade in die Augen Joans. Sie mußte in der Zeit gekommen sein, während er telephoniert hatte. Vorher war sie nicht dagewesen. Sie saß in der gegenüberliegenden Ecke.

„Wollen Sie anderswo hingehen?" fragte er Kate Hegström.

Sie schüttelte den Kopf. „Nein, Sie? Zu irgendeinem schwindsüchtigen Baum?"

„Da sind die Wodkas meistens auch schwindsüchtig. Dieser hier ist gut."

Der Chor hörte auf zu singen, und die Musik wechselte. Das Orchester begann einen Blues. Joan erhob sich und ging zur Tanzfläche hinüber. Ravic konnte sie nicht genau sehen. Auch nicht, mit wem sie war. Nur wenn der Scheinwerfer die Fläche blaufahl streifte, tauchte sie jedesmal ins Licht und verschwand dann wieder im Halbdunkel.

„Haben Sie heute operiert?" fragte Kate Hegström.

„Ja –"

„Wie ist das, wenn man dann abends in einem Nachtklub sitzt? Ist das, wie wenn man aus einer Schlacht in eine Stadt zurückkommt? Oder aus einer Krankheit ins Leben?"

„Nicht immer. Manchmal ist es auch nur einfach leer."

Die Augen Joans waren durchsichtig in dem fahlen Streifen Licht. Sie blickte zu ihm hinüber. Es ist nicht das Herz, das sich rührt, dachte Ravic. Es ist der Magen. Ein Ruck im Solarplexus. Darüber sind Tausende Gedichte geschrieben worden. Und der Ruck kommt nicht von dir dort, leicht schwitzendes, hübsches, tanzendes Stück Fleisch – es kommt aus den Dunkelkammern meines Gehirns –, es ist nur ein zufälliger, loser Kontakt, daß er stärker kommt, wenn du dort durch den Streifen Licht gleitest.

„Ist das nicht die Frau, die hier einmal sang?" fragte Kate Hegström.

„Ja."

„Singt sie nicht mehr hier?"

„Ich glaube nicht."

„Sie ist schön."

„So?"

„Ja. Sie ist sogar mehr als schön. Das ist ein Gesicht, in dem offen das Leben steht."

„Möglich."

Kate Hegström betrachtete Ravic aus schmalen Augenwinkeln. Sie lächelte. Es war ein Lächeln, das in Tränen enden konnte. „Geben Sie mir noch einen Wodka, und lassen Sie uns gehen", sagte sie.

Ravic fühlte Joans Augen, als er aufstand. Er nahm Kates Arm. Es war nicht notwendig; sie konnte gut allein gehen; aber er fand, es könne Joan nicht schaden, es zu sehen.

„Wollen Sie mir einen Gefallen tun?" fragte Kate Hegström, als sie in ihrem Zimmer im Lancaster waren.

„Sicher. Wenn ich es kann."

„Wollen Sie mit mir zum Montfort-Ball gehen?"

„Was ist das, Kate? Habe nie davon gehört."

Sie setzte sich in einen Sessel. Der Sessel war zu groß für sie. Sie sah zerbrechlich darin aus – wie eine chinesische Tanzfigur. Die Haut über ihren Augen spannte sich mehr als früher. „Der Montfort-Ball ist das gesellschaftliche Ereignis des Sommers in Paris", sagte sie. „Er ist nächsten Freitag im Hause und im Garten von Louis Montfort. Das sagt Ihnen nichts, wie?"

„Nichts!"

„Wollen Sie mit mir hingehen?"

„Kann ich das denn?"

„Ich besorge Ihnen eine Einladung."

Ravic sah sie an. „Warum, Kate?"

„Ich möchte gehen. Ich möchte nicht alleine gehen."

„Müßten Sie das sonst?"

„Ich würde es. Ich will nicht mit einem dieser Leute von früher gehen. Ich kann das nicht mehr aushalten. Verstehen Sie das?"

„Ja."

„Es ist das schönste und letzte Gartenfest in Paris. Ich war die letzten vier Jahre jedesmal da. Wollen Sie mir den Gefallen tun?"

Ravic wußte, weshalb sie mit ihm gehen wollte. Sie würde sich sicherer fühlen. Er konnte es nicht ablehnen.

„Gut, Kate", sagte er. „Sie brauchen mir keine besondere Einladung schicken zu lassen. Wenn man weiß, daß Sie mit jemand kommen, so wird das genügen, nehme ich an."

Sie nickte. „Natürlich. Danke, Ravic. Ich rufe Sophie Montfort sofort an."

Er stand auf. „Ich hole Sie dann Freitag ab. Was werden Sie anziehen?"

Sie sah von unten her zu ihm auf. Das Licht warf einen scharfen Reflex auf ihr eng anliegendes Haar. Ein Eidechsenkopf, dachte Ravic. Die schmale, trockene und harte Eleganz fleischloser Vollkommenheit, die die Gesundheit nie erreichen kann. „Das ist das, was ich Ihnen bis jetzt nicht gesagt habe", sagte sie nach kurzem Zögern. „Es ist ein Kostümfest, Ravic. Ein Gartenfest am Hofe Louis XIV."

„Großer Gott!" Ravic setzte sich wieder.

Kate Hegström lachte. Es war plötzlich ein ganz freies, kindliches Lachen. „Dort steht guter, alter Kognak", sagte sie. „Brauchen Sie einen?"

Ravic schüttelte den Kopf. „Was die Leute sich alles ausdenken können!"

„Es ist jedes Jahr so etwas Ähnliches."

„Das heißt also, ich müßte –"

„Ich werde für alles sorgen", unterbrach sie ihn rasch. „Sie brauchen sich um nichts zu kümmern. Ich besorge das Kostüm. Irgend etwas Einfaches. Sie brauchen es nicht einmal zu probieren. Geben Sie mir nur Ihre Maße."

„Ich glaube, ich brauche doch einen Kognak", sagte Ravic. Kate Hegström schob ihm die Flasche zu. „Sagen Sie jetzt nicht nein."

Er trank den Kognak. Zwölf Tage, dachte er. Zwölf Tage, bis Haake wieder in Paris sein wird. Zwölf Tage, die herumgebracht werden müssen. Zwölf Tage – sein Leben hatte nicht mehr als sie, und er konnte nicht darüber hinaus denken. Zwölf Tage – dahinter gähnte ein Abgrund. Es war gleich, wie er die Zeit hinter sich brachte. Ein Kostümfest – was war noch grotesk in diesen schwimmenden zwei Wochen?

„Gut, Kate."

Er ging noch einmal zu Durants Klinik. Die Frau mit den rotgoldenen Haaren schlief. Dicke Schweißtropfen standen auf ihrer Stirn. Das Gesicht hatte Farbe, und der Mund war leicht geöffnet. „Fieber?" fragte er die Schwester.

„Siebenunddreißig acht."

„Gut." Er beugte sich dichter über das feuchte Gesicht. Er fühlte den Atem. Es war kein Äther mehr darin. Es war ein Atem, frisch wie Thymian. – Thymian, erinnerte er sich, eine Bergwiese im Schwarzwald, kriechend, atemlos durch die heiße Sonne, irgendwo unten die Rufe der Verfolger – und der betäubende Duft von Thymian. Sonderbar, wie man alles vergaß, nur die Gerüche nicht. Thymian – noch in zwanzig Jahren würde sein Geruch das Bild des Tages der Flucht in den Schwarzwald emporreißen aus den verstaubten Falten der Erinnerung, als wäre es gestern gewesen. Nicht in zwanzig Jahren, dachte er – in zwölf Tagen.

Er ging durch die warme Stadt zum Hotel. Es war gegen drei Uhr. Er stieg die Treppenstufen empor. Vor seiner Tür lag ein weißes Kuvert. Er hob es auf. Es trug seinen Namen, aber es hatte keine Marke

und keinen Stempel. Joan, dachte er und öffnete es. Ein Scheck fiel heraus. Es war Durant. Ravic sah gleichgültig auf die Ziffer. Dann sah er
noch einmal hin. Er glaubte es nicht. Es waren nicht die üblichen zweihundert Franc. Es waren zweitausend. Muß eine verdammte Angst
gehabt haben, dachte er. Zweitausend Franc freiwillig von Durant –
das war das achte Weltwunder.

Er steckte den Scheck in seine Brieftasche und legte einen Pack Bücher
auf den Tisch neben seinem Bett. Er hatte sie vor zwei Tagen gekauft,
um zu lesen, wenn er nicht schlafen konnte. Es war sonderbar mit
Büchern – sie wurden wichtiger und wichtiger für ihn. Sie konnten nicht
alles ersetzen, aber sie reichten irgendwohin, wohin nichts anderes mehr
reichte. Er erinnerte sich, daß er in den ersten Jahren keine angerührt
hatte; sie waren blaß gewesen gegen das, was geschehen war. Jetzt aber
waren sie bereits ein Wall – wenn sie auch nicht schützten, so konnte
man sich doch an sie lehnen. Sie halfen nicht viel; aber sie bewahrten in
einer Zeit, die in die Finsternis zurückjagte, vor der letzten Verzweiflung. Das war genug. Irgendwann waren Gedanken gedacht worden,
die heute verachtet und verlacht wurden; aber sie waren gedacht worden, und sie würden bleiben, und das genug.

Bevor er zu lesen anfangen konnte, klingelte das Telephon. Er nahm
den Hörer nicht ab. Es klingelte lange. Einige Minuten später, als es
still war, hob er den Hörer und fragte den Concierge, wer angerufen
habe. „Sie hat ihren Namen nicht gesagt", erklärte der Mann. Ravic
hörte, daß er aß.

„War es eine Frau?"

„Ja."

„Mit einem Akzent?"

„Das weiß ich nicht." Der Mann aß weiter. Ravic rief Vebers Klinik
an. Niemand hatte von dort telephoniert. Auch von Durants Hospital
nicht. Er rief noch das Lancaster an. Die Telephonistin sagte ihm, niemand habe von da seine Nummer angerufen. Es mußte also Joan gewesen sein. Wahrscheinlich hatte sie von der Scheherazade aus telephoniert.

Nach einer Stunde klingelte das Telephon wieder. Ravic legte das
Buch beiseite. Er stand auf und ging zum Fenster. Er stützte die Ellbogen auf das Fensterbrett und wartete. Der leichte Wind brachte den
Geruch von Lilien herauf. Der Emigrant Wiesenhoff hatte die abge-
blühten Nelken vor seinem Fenster damit ersetzt. In warmen Nächten
roch das Haus jetzt wie eine Grabkapelle oder ein Klostergarten. Ravic
wußte nicht, ob Wiesenhoff es aus Pietät für den alten Goldberg getan
hatte, oder einfach, weil Lilien sich gut in Holzkästen ziehen lassen.
Das Telephon schwieg. Diese Nacht werde ich vielleicht schlafen, dachte
er und ging zum Bett zurück.

Joan kam, während er schlief. Sie knipste sofort das Deckenlicht an und blieb in der Tür stehen. Er öffnete die Augen. „Bist du allein?" fragte sie.

„Nein. Mach das Licht aus und geh."

Sie zögerte einen Moment. Dann ging sie und öffnete die Tür des Badezimmers.

„Schwindel", sagte sie und lächelte.

„Scher dich zum Teufel. Ich bin müde."

„Müde? Wovon?"

„Müde. Adieu."

Sie kam näher. „Du bist jetzt erst nach Hause gekommen. Ich habe alle zehn Minuten angerufen."

Sie spähte zu ihm hinüber. Er sagte nicht, daß sie lüge. Sie war umgezogen. Sie hat mit dem Kerl geschlafen, ihn nach Hause geschickt und ist jetzt gekommen, um mich zu überraschen und um Kate Hegström, die sie hier glaubte, zu zeigen, daß ich ein verfluchter Hurenbock bin, bei dem die Frauen nachts aus- und eingehen und dem man ausweichen muß, dachte er. Wider seinen Willen lächelte er. Perfekte Aktion zwang ihn leider stets zur Bewunderung – selbst, wenn sie gegen ihn gerichtet war.

„Was lachst du?" fragte Joan heftig.

„Ich lache. Das ist alles. Mach das Licht aus. Du siehst schauderhaft darin aus. Und geh."

Sie beachtete es nicht. „Wer war die Hure, mit der du warst?"

Ravic richtete sich halb auf. „Scher dich raus, oder ich werfe dir etwas an den Kopf!"

„Ach so – ", sie betrachtete ihn. „So ist das! So weit ist das schon."

Ravic griff nach einer Zigarette. „Sei nicht lächerlich. Du lebst mit einem andern Mann und machst hier eifersüchtiges Theater! Geh zurück zu deinem Schauspieler und laß mich in Ruhe."

„Das ist ganz was anderes", sagte sie.

„Natürlich!"

„Natürlich ist es etwas anderes!" Sie brach plötzlich aus. „Du weißt ganz genau, daß es etwas anderes ist. Es ist etwas, wofür ich nichts kann. Ich bin nicht glücklich darüber. Es ist gekommen, ich weiß nicht wie – "

„Es kommt immer, man weiß nicht wie – "

Sie starrte ihn an. „Du – du warst immer so sicher! Du warst so sicher, daß es einen verrückt machen konnte! Da war nichts, was dich aus deiner Sicherheit bringen konnte! Ich haßte deine Überlegenheit! Wie oft habe ich sie gehaßt! Ich brauche Enthusiasmus! Ich brauche jemand, der verrückt mit mir ist! Ich brauche jemand, der ohne mich nicht leben kann! Du kannst ohne mich leben! Du konntest es immer! Du brauchst mich nicht. Du bist kalt! Du bist leer! Du weißt nichts von Liebe! Du warst nie wirklich für mich da! Ich habe gelogen, damals, als ich sagte, es sei so gekommen, weil du zwei Monate fort warst! Es wäre auch gekommen, wenn du hier gewesen wärest. Lach nicht! Ich weiß die Unterschiede, ich weiß alles, ich weiß, daß der andere nicht klug ist und nicht ist wie du, aber er wirft sich weg für mich, nichts ist ihm wichtig außer mir, er denkt nichts als mich, er will nichts als mich, er weiß nichts als mich, und das ist es, was ich brauche!"

Sie stand heftig atmend vor dem Bett, Ravic griff nach einer Flasche Calvados. „Weshalb bist du denn hier?" fragte er.

Sie antwortete nicht gleich. „Du weißt es", sagte sie dann leise. „Warum fragst du?"

Er goß ein Glas voll und hielt es ihr hinüber. „Ich will nicht trinken", erklärte sie. „Was war das für eine Frau?"

„Eine Patientin." Ravic hatte keine Lust zu lügen. „Eine Frau, die sehr krank ist."

„Das ist nicht wahr. Lüg besser. Eine kranke Frau ist im Hospital. Nicht in einem Nachtklub."

Ravic stellte das Glas zurück. Wahrheit wirkte oft so unwahrscheinlich. „Es ist wahr", sagte er.

„Liebst du sie?"

„Was geht es dich an?"

„Liebst du sie?"

„Was geht es dich wirklich an, Joan?"

„Alles! Solange du niemand liebst –" Sie stockte.

„Vorher hast du die Frau eine Hure genannt. Wie kann da von Liebe die Rede sein?"

„Das habe ich nur so gesagt. Ich habe sofort gesehen, daß sie keine war. Deshalb habe ich es gesagt. Wegen einer Hure wäre ich nicht gekommen. Liebst du sie?"

„Mach das Licht aus und geh."

Sie kam näher. „Ich wußte es. Ich sah es."

„Geh zum Teufel", sagte Ravic. „Ich bin müde. Geh zum Teufel mit deiner billigen Scharade, von der du glaubst, sie sei etwas Niedagewesenes – den einen für den Rausch, die rasche Liebe oder die Karriere –, und den andern, dem man erklärt, man liebe ihn, tiefer und anders –, als Hafen für die Zwischenzeit, wenn der Esel es hinnimmt. Geh zum Teufel; du hast mir zu viele Arten von Liebe."

„Das ist nicht wahr. Nicht wie du es sagst. Es ist anders. Es ist nicht wahr. Ich will zu dir zurück. Ich werde zu dir zurückkommen."

Ravic füllte sein Glas wieder. „Möglich, daß du es willst. Aber es ist

nur eine Täuschung. Eine Täuschung, die du dir selbst vormachst, leider,
um darüber hinwegzukommen. Du wirst nie zurückkommen."

„Doch!"

„Nein. Und wenn schon, so nur für kurze Zeit. Dann wird wieder
ein anderer kommen, der nichts will als dich, nur dich, und so wird es
weitergehen. Eine großartige Zukunft für mich."

„Nein, nein! Ich werde bei dir bleiben."

Ravic lachte. „Meine Süße", sagte er fast zärtlich. „Du wirst nicht
bei mir bleiben. Man kann den Wind nicht einsperren. Das Wasser
auch nicht. Wenn man es tut, werden sie faul. Eingesperrter Wind wird
abgestandene Luft. Du bist nicht gemacht für Dableiben."

„Du auch nicht."

„Ich?" Ravic trank sein Glas aus. Die mit dem rotgoldenen Haar
vom Morgen, dachte er – dann Kate Hegström, mit dem Tod im Bauch
und der Haut wie brüchige Seide; – und nun diese hier, rücksichtslos,
voll Gier zum Leben, fremd noch sich selbst und doch vertrauter sich,
als je ein Mann wissen würde, naiv und hingerissen, treu in einem
sonderbaren Sinne und treulos wie ihre Mutter, die Natur, treibend
und getrieben, halten wollend und verlassend. „Ich?" wiederholte
Ravic. „Was weißt du von mir. Was weißt du davon, wenn in ein
Leben, in dem alles fragwürdig geworden ist, die Liebe fällt. Was ist
dein billiger Rausch dagegen? Wenn aus Fallen und Fallen plötzlich
Halt wird, wenn das endlose Warum zu einem endlichen Du wird, wenn
wie eine Fata Morgana über die Wüste des Schweigens auf einmal das
Gefühl sich hochwirft, sich formt und über machtlosen Händen die
Gaukelei des Blutes zu einer Landschaft wird, gegen die alle Träume
blaß und bürgerlich sind? Eine Landschaft aus Silber, eine Stadt aus
Filigran und Rosenquarz, glänzend wie der hellste Widerschein von
glühendem Blut – was weißt du davon? Glaubst du, daß man darüber
gleich reden kann? Daß eine eilfertige Zunge es sofort pressen kann in
das Klischee der Worte und eben der Gefühle? Was weißt du davon,
wenn sich Gräber öffnen, und man steht in Furcht vor den vielen farb-
losen Nächten des Gestern – doch sie öffnen sich, und keine Gerippe
bleiben mehr darin, nur Erde ist noch darin. Erde, fruchtbarer Keim
und das erste Grün bereits. Was weißt du davon? Du liebst den Rausch,
die Überwältigung, das fremde Du, das in dir untergehen will und nie
untergehen wird, du liebst den stürmischen Betrug des Blutes, aber dein
Herz wird leer bleiben – denn man behält nichts, als was selber in
einem wächst. Und im Sturm wächst nicht viel. Die leeren Nächte der
Einsamkeit sind es, in denen es wächst – wenn man nicht verzweifelt.
Was weißt du davon?"

Er hatte langsam gesprochen, ohne Joan anzusehen, als hätte er sie

vergessen. Nun sah er sie an. „Was rede ich da?" sagte er. „Alte, tö-
richte Dinge. Zuviel getrunken, heute. Komm, trink auch etwas und
geh."

Sie setzte sich zu ihm auf das Bett und nahm das Glas. „Ich habe es
verstanden", sagte sie. Ihr Gesicht hatte sich verändert. Wie ein Spiegel,
dachte er. Immer wieder spiegelt es zurück, was man dagegensprach.
Es war jetzt gesammelt und schön. „Ich habe es verstanden", sagte sie.
„Und manchmal auch gefühlt. Aber Ravic, über deiner Liebe zur Liebe
und zum Leben hast du mich oft vergessen. Ich war ein Anlaß; – und
dann gingst du in deine silbernen Städte und wußtest nur noch wenig
von mir."

Er sah sie lange an. „Vielleicht", sagte er.

„Du warst so sehr mit dir beschäftigt, du entdecktest so viel in dir,
daß ich irgendwie am Rande deines Lebens stehenblieb."

„Vielleicht. Aber du bist nichts, um etwas darauf zu bauen, Joan.
Das weißt du auch."

„Wolltest du das?"

„Nein", sagte Ravic nach einigem Nachdenken. Dann lächelte er.
„Wenn man ein Refugié ist von allem, was fest war, gerät man manchmal in sonderbare Situationen. Und man tut sonderbare Dinge. Natürlich wollte ich das nicht. Aber wer nur ein einziges Lamm hat, will
manchmal so viele Dinge damit tun."

Die Nacht war plötzlich voll Frieden. Sie war wieder wie eine der
Nächte, eine Ewigkeit her, wenn Joan neben ihm gelegen hatte. Die
Stadt war weit, fern, nur noch ein sanftes Summen am Horizont, die
Kette der Stunden war losgehakt, und die Zeit war so lautlos, als stände
sie still. Das Einfachste und Unfaßbarste der Welt war wieder da: zwei
Menschen, die miteinander sprachen, jeder für sich; – und Laute, Worte
genannt, formten trotzdem gleiche Bilder und Gefühle in der zucken-
den Masse hinter den Knochen der Schädel – und aus sinnlosen Stimm-
bandvibrationen und den unerklärlichen Reaktionen darauf und den
schmierig grauen Windungen wuchsen plötzlich wieder Himmel, in
denen sich Wolken, Bäche, Vergangenheit, Blühen, Welken und gefaß-
tes Wissen spiegelten.

„Du liebst mich, Ravic –" sagte Joan, und es war nur halb eine Frage.

„Ja. Aber ich tue alles, um von dir loszukommen."

Er sagte es ruhig, wie etwas, was beide wenig anging. Sie beachtete
es nicht. „Ich kann mir nicht denken, daß wir jemals nicht mehr zusammen sind. Für eine Zeit, ja. Aber nicht für immer. Nie für immer",
wiederholte sie, und ein Schauer lief über ihre Haut. „Nie ist ein ent-
setzliches Wort, Ravic. Ich kann mir nicht denken, daß wir niemehr
zusammen sind."

Ravic antwortete nicht. „Laß mich hierbleiben", sagte sie. „Ich will nie wieder zurückgehen. Nie."

„Du würdest morgen zurückgehen. Du weißt das."

„Ich kann mir nicht denken, wenn ich hier bin, daß ich nicht hierbleibe."

„Das ist dasselbe. Du weißt das auch."

Der Hohlraum inmitten der Zeit. Die kleine, erleuchtete Kabine des Zimmers wieder, dieselbe wie früher – und da war auch der Mensch wieder, den man liebte, und er war es auf eine sonderbare Weise schon nicht mehr, man konnte ihn greifen, wenn man nur die Arme ausstreckte, und man konnte ihn doch wieder nicht erreichen.

Ravic setzte das Glas nieder. „Du weißt, du würdest wieder gehen – morgen, übermorgen, irgendwann –" sagte er.

Joan senkte den Kopf. „Ja."

„Und wenn du wiederkämest – du weißt, du würdest immer wieder gehen?"

„Ja." Sie hob ihr Gesicht. Es war überströmt von Tränen. „Was ist das nur, Ravic. Was ist es?"

„Ich weiß es auch nicht." Er lächelte flüchtig. „Liebe ist nicht sehr fröhlich, manchmal, wie?"

„Nein." Sie sah ihn an. „Was ist das nur mit uns, Ravic?"

Er hob die Schultern. „Ich weiß es auch nicht, Joan. Vielleicht weil wir nichts anderes mehr haben, um uns festzuhalten. Früher hatte man vieles – Sicherheit, Hintergrund, Glauben, Ziele –, alles freundliche Geländer, an denen man sich halten konnte, wenn die Liebe einen schüttelte. Heute hat man nichts – höchstens ein bißchen Verzweiflung, ein bißchen Mut und sonst Fremde innen und außen. Wenn die Liebe dahinfliegt – das ist wie eine Fackel in trockenes Stroh. Man hat nichts als sie, das macht sie anders – wilder, wichtiger und zerstörender." Er goß sein Glas voll. „Man soll nicht darüber nachdenken. Wir sind nicht in einer Situation, um viel nachzudenken. Es macht nur kaputt. Und wir wollen doch nicht kaputtgehen, wie?"

Joan schüttelte den Kopf. „Nein. Was war das für eine Frau, Ravic?"

„Eine Patientin. Ich war schon einmal mit ihr da. Damals, als du noch sangst. Hundert Jahre her. Tust du jetzt irgend etwas?"

„Kleine Rollen. Ich glaube, ich bin nicht gut. Aber ich verdiene genug, um unabhängig zu sein. Ich will jeden Augenblick weggehen können. Ich habe keine Ambitionen."

Ihre Augen waren trocken. Sie trank das Glas Calvados aus und stand auf. Sie wirkte müde. „Warum ist das alles so in einem, Ravic?

Warum? Es muß doch einen Grund haben. Wir würden doch sonst nicht fragen?"

Er lächelte trübe.

„Das ist die älteste Frage der Menschheit, Joan. Warum – die Frage, an der alle Logik, alle Philosophie, alle Wissenschaft bis jetzt zerbrochen sind."

Sie ging. Sie ging. Sie war an der Tür. Etwas schnellte in Ravic hoch. Sie ging. Sie ging. Er richtete sich auf. Es war plötzlich unmöglich, alles war unmöglich, nur eine Nacht noch, eine Nacht, einmal noch das schlafende Gesicht an der Schulter, morgen konnte man kämpfen, einmal noch diesen Atem neben sich, einmal noch in dem Fallen die sanfte Illusion, den süßen Betrug. Geh nicht, geh nicht, wir sterben in Schmerzen und leben in Schmerzen, geh nicht, geh nicht, was habe ich denn? was ist mir mein kahler Mut? wohin treiben wir? nur du bist wirklich! hellster Traum! ach, die Asphodelenwiesen des Vergessens! einmal nur noch! einmal den Funken Ewigkeit! für wen bewahre ich mich denn? für welches trostlose Etwas? für welches finstere Unbestimmt? Begraben, verloren, zwölf Tage hat mein Leben nur noch, zwölf Tage, und dahinter ist nichts, zwölf Tage und diese Nacht, schimmernde Haut, warum kamst du gerade in dieser Nacht, die losgerissen von den Sternen, schwimmt, verwölkt, von alten Träumen, warum durchbrachst du die Forts und Verhaue in dieser Nacht, in der niemand mehr lebt, als wir? Hob sich nicht die Welle? Warf sie sich nicht – „Joan", sagte er.

Sie wendete sich um. Ihr Gesicht war plötzlich überflogen von einem wilden, atemlosen Glanz. Sie ließ ihre Sachen fallen und stürzte auf ihn zu.

26

Der Wagen stoppte an der Ecke der Rue Vaugirard. „Was ist los?" fragte Ravic.

„Demonstrationszug." Der Chauffeur sah sich nicht um. „Kommunisten dieses Mal."

Ravic blickte zu Kate Hegström hinüber. Sie saß schmal und zart im Kostüm einer Hofdame Louis XIV. in ihrer Ecke. Ihr Gesicht war stark gepudert. Es wirkte trotzdem blaß. Die Knochen hatten sich durchgearbeitet an den Schläfen und an den Wangen.

„Gut", sagte er. „Juli 1939, eine faschistische Demonstration der Croix de feu vor fünf Minuten – jetzt eine der Kommunisten –, und wir beide dazwischen im Kostüm des großen 17. Jahrhunderts. Gut, Kate."

„Es macht nichts." Sie lächelte.

Ravic sah auf seine Escarpins herunter. Die Ironie der Situation war stark. Es war unnötig, noch darüber nachzudenken, daß jeder Polizist ihn außerdem verhaften konnte.

„Soll ich einen andern Weg nehmen?" fragte Kate Hegströms Chauffeur.

„Sie können nicht mehr wenden", sagte Ravic. „Es sind bereits zu viele Wagen hinter uns."

Die Demonstration zog ruhig über die Querstraße. Sie hatten Fahnen und Schilder. Niemand sang. Eine ganze Anzahl Polizisten begleitete den Zug. An der Ecke der Rue Vaugirard stand unauffällig eine andere Gruppe Polizisten. Sie hatten Fahrräder bei sich. Einer von ihnen patrouillierte die Straße entlang. Er blickte in Kate Hegströms Wagen. Ohne eine Miene zu verziehen, schlenderte er weiter.

Kate Hegström sah Ravics Blick. „Er ist nicht überrascht", sagte sie. „Er weiß es. Die Polizei weiß alles. Der Ball bei den Montforts ist das Ereignis des Sommers. Das Haus und der Garten werden von Polizei umringt sein."

„Das beruhigt mich außerordentlich."

Kate Hegström lächelte. Sie wußte nichts von Ravics Situation.

„So viele Juwelen werden so bald nicht wieder zusammenkommen in Paris. Echte Kostüme mit echten Juwelen. Die Polizei geht bei so etwas kein Risiko ein. In der Gesellschaft werden bestimmt auch noch Detektive sein."

„Im Kostüm?"

„Möglich. Warum?"

„Gut zu wissen. Ich hatte vor, die Rothschildschen Smaragde zu stehlen."

Kate Hegström drehte das Fenster herunter. „Es langweilt Sie, ich weiß es. Aber es hilft Ihnen diesmal nichts."

„Es langweilt mich nicht. Im Gegenteil. Ich wüßte nicht, was ich sonst hätte machen sollen. Gibt es genug zu trinken?"

„Ich glaube. Aber ich kann dem Headbutler einen Wink geben. Ich kenne ihn ziemlich gut."

Man hörte die Tritte der Demonstranten auf dem Pflaster. Sie marschierten nicht. Sie gingen regellos. Es klang, als wandere eine müde Herde vorüber.

„In welchem Jahrhundert möchten Sie leben, wenn Sie es sich aussuchen könnten?"

„In diesem. Sonst wäre ich ja tot, und irgendein Idiot würde mein Kostüm zu dieser Party tragen."

„Das meine ich nicht. Ich meine in welchem Sie Ihr Leben noch einmal leben möchten?"

Ravic blickte auf den Samtärmel seines Kostüms. „Es hilft nichts", sagte er. „In unserem. Es ist das lausigste, blutigste, korrupteste, farbloseste, feigste und dreckigste soweit – aber trotzdem."

„Ich nicht." Kate Hegström drängte die Hände zusammen, als fröstele sie. Der weiche Brokat fiel über ihre dünnen Gelenke. „In diesem", sagte sie. „Im siebzehnten oder in einem früheren. In jedem – nur nicht in unserem. Ich weiß das erst seit ein paar Monaten. Ich habe früher nie darüber nachgedacht." Sie drehte das Fenster ganz herunter. „Wie heiß es ist! Und wie schwül! Ist der Zug noch nicht bald vorbei?"

„Ja. Das dort ist das Ende."

Ein Schuß fiel aus der Richtung der Rue Cambronne. Im nächsten Augenblick saßen die Polizisten an der Ecke auf ihren Fahrrädern. Eine Frau schrie etwas. Ein plötzliches Grollen antwortete aus der Menge. Leute begannen zu laufen. Die Polizisten traten in die Pedale und fuhren dazwischen, ihre Knüppel schwingend.

„Was war das?" fragte Kate Hegström erschreckt.

„Nichts. Ein geplatzter Autoreifen."

Der Chauffeur drehte sich um. Sein Gesicht hatte sich verändert. „Diese –"

„Fahren Sie zu", unterbrach Ravic ihn. „Sie können jetzt durch."

Die Kreuzung war leer, als hätte ein Windstoß sie leergefegt. „Los", sagte Ravic.

Von der Rue Cambronne kamen Schreie. Ein zweiter Schuß fiel. Der Chauffeur fuhr an.

Sie standen auf der Terrasse zum Garten. Alles war bereits voll von Kostümen. Aus der tiefen Dämmerung der Bäume blühten Rosen. Kerzen in Windlichtern gaben ein flackerndes, warmes Licht. In einem Pavillon spielte ein kleines Orchester ein Menuett. Das Ganze wirkte wie ein Watteau, der lebendig geworden war.

„Schön?" fragte Kate Hegström.

„Ja."

„Wirklich?"

„Ja, Kate. Wenigstens so, von weitem."

„Kommen Sie. Lassen Sie uns durch den Garten gehen."

Unter den hohen, alten Bäumen entfaltete sich ein unwirkliches Bild. Das ungewisse Licht von vielen Kerzen schimmerte auf silbernen und goldenen Brokaten, auf kostbaren, altblauen und rosa und seegrünen Sammeten, es warf sanfte Reflexe auf Allongeperücken und nackte, gepuderte Schultern, um die das zärtliche Geglitzer der Geigen wehte; Paare und Gruppen wandelten gemessen auf und ab, Degengriffe funkelten, ein Springbrunnen rauschte, und die verschnittenen Buchsbaumbosketts bildeten dunkel einen stilvollen Hintergrund.

Ravic sah, daß selbst die Diener in Kostümen waren. Er nahm an, daß die Detektive es dann auch waren. Es wäre nicht schlecht, dachte er, von Molière oder Racine verhaftet zu werden. Oder zur Abwechslung von einem Hofzwerg.

Er blickte auf. Ein schwerer, warmer Tropfen war auf seine Hand gefallen. Der rötliche Himmel war verfinstert. „Es gibt Regen, Kate", sagte er.

„Nein. Das ist unmöglich. Der Garten –"

„Doch. Kommen Sie rasch!"

Er nahm ihren Arm und brachte sie zur Terrasse. Sie waren kaum da, als es schon zu gießen begann. Das Wasser stürzte nur so herunter, die Kerzen in den Windlichtern verlöschten, die Tafeldekorationen hingen nach wenigen Sekunden als farblose Lappen herunter und eine Panik brach aus. Marquisen, Herzoginnen und Hofdamen stürzten mit gerafften Brokatröcken der Terrasse zu; Grafen, Exzellenzen und Feldmarschälle versuchten die Perücken zu schützen und drängten wie aufgescheuchte, bunte Hühner durcheinander. Das Wasser stürzte in die Allongen, Kragen und Dekolletés, es wusch Puder und Rouge herunter, ein fahler Blitz riß den Garten in stoffloses Licht, und schwer prasselte der Donner hinterher.

Kate Hegström stand regungslos unter der Markise auf der Terrasse, eng an Ravic gedrängt. „Das ist noch nie passiert", sagte sie fassungslos. „Ich war oft hier. Das war noch nie. In keinem Jahr."

„Eine glänzende Gelegenheit für die Smaragde."

„Ja. Mein Gott –"

Diener in Regenmänteln und Schirmen rannten durch den Garten. Ihre seidenen Escarpins stachen sonderbar unter den Mänteln heraus. Sie geleiteten die letzten, verlorenen, nassen Hofdamen zur Terrasse und suchten dann nach verlorenen Umhängen und Sachen. Einer brachte ein Paar goldene Schuhe. Sie waren zierlich, und er hielt sie vorsichtig in seinen großen Händen. Das Wasser stürzte auf die leeren Tische. Es donnerte auf die gespannte Markise, als trommle der Himmel mit kristallenen Schlegeln zu einer unbekannten Reveille.

„Wir wollen hineingehen", sagte Kate Hegström.

Die Räume des Hauses waren viel zu klein für die Anzahl der Gäste. Niemand hatte anscheinend mit schlechtem Wetter gerechnet. Die Schwüle des Tages lag noch schwer in den Zimmern. Das Gedränge

erhitzte sie noch mehr. Die weiten Kostüme der Frauen wurden zerdrückt. Seide riß unter den Füßen, die darauf traten. Man konnte sich
kaum rühren.

Ravic stand mit Kate Hegström neben der Tür. Vor ihm atmete
eine gräfliche Marquise Montespan mit nassem, strähnigem Haar. Ein
Halsband aus birnenförmigen Diamanten lag um ihren Nacken, der
zu weite Poren hatte. Sie sah jetzt aus wie eine verregnete Gemüse-
händlerin auf einem Karneval. Neben ihr hustete ein kahlköpfiger
Mann ohne Kinn. Ravic erkannte ihn. Es war Blancher vom Auswär-
tigen Amt im Kostüm Colberts. Zwei schöne, schmale Hofdamen mit
Profilen wie Windhunde standen vor ihm; ein jüdischer Baron, dick,
laut, mit juwelenbesetztem Hut, betatschte genießerisch ihre Schultern.
Ein paar Südamerikaner, als Pagen verkleidet, betrachteten ihn aufmerksam und erstaunt. Zwischen ihnen stand die Gräfin Bellin als
La Vallière, mit dem Gesicht eines gefallenen Engels und vielen Rubi-
nen; Ravic erinnerte sich, ihr vor einem Jahr die Eierstöcke operiert
zu haben – auf eine Diagnose Durants hin. Dies hier überhaupt war
Durants Gebiet. Ein paar Schritte weg erkannte er die junge, sehr
reiche Baronesse Remplart. Sie hatte einen Engländer geheiratet und
keine Gebärmutter mehr. Ravic hatte sie herausgeschnitten. Fehl-
diagnose Durants. Fünfzigtausend Franc Honorar. Die Sekretärin
Durants hatte ihm das verraten. Ravic hatte zweihundert Franc
bekommen; die Frau hatte zehn Jahre ihres Lebens und die Möglichkeit, Kinder zu bekommen, verloren.

Der Geruch des Regens, die tote, heiße Schwüle, die sich mit dem
Geruch des Parfüms, der Haut und der feuchten Haare vermischten.
Die Gesichter, abgewaschen vom Regen, waren nackter unter den
Perücken als je vorher ohne Kostüm. Ravic blickte umher; er sah viel
Schönheit um sich herum; er sah auch Geist und skeptische Klugheit; –
aber sein Auge war ebenso trainiert auf die leichten Zeichen von
Krankheit, und er wurde nicht leicht getäuscht durch eine perfekte
Oberfläche. Er wußte, daß eine bestimmte Gesellschaft in allen Jahr-
hunderten, großen und kleinen, dieselbe war – aber er wußte auch,
was Fieber und Zerfall war und kannte ihre Symptome. Laue Pro-
miskuität, die Toleranz der Schwäche; der Sport ohne Stärke; Geist
ohne Diskretion; Witz des Witzes wegen; Blut, das müde war, zer-
funkelt in Ironie, in kleinen Abenteuern, in schmaler Gier, in geschlif-
fenem Fatalismus, in matter Zwecklosigkeit. Von hier würde die Welt
nicht gerettet werden, dachte er. Aber von wo?

Er blickte zu Kate Hegström hinüber. „Sie bekommen nichts zu
trinken", sagte sie. „Die Diener kommen nicht durch."

„Das macht nichts."

Sie wurden langsam in das nächste Zimmer gedrängt. Tische mit Champagner standen an der Wand, sie wurden hereingeholt und rasch aufgebaut.

Irgendwo brannten ein paar Leuchter. Durch ihr weiches Licht zuckten die Blitze von draußen und rissen für Augenblicke die Gesichter in einen fahlen, gespenstischen Sekundentod. Dann rollte der Donner und übertönte die Stimmen und herrschte und drohte – bis das weiche Licht wiederkam und mit ihm das Leben und die Schwüle.

Ravic zeigte zu den Champagnertischen hinüber. „Soll ich Ihnen davon etwas holen?“

„Nein. Es ist zu heiß.“ Kate Hegström sah ihn an. „Das ist nun mein Fest.“

„Vielleicht hört es bald auf zu regnen.“

„Nein. Und wenn auch – es ist verdorben. Wissen Sie, was ich möchte? Fort –“

„Gut. Ich auch. Dies hier ist wie kurz vor der Französischen Revolution. Man erwartet jeden Moment die Sansculottes.“

Es dauerte lange, bis sie den Ausgang erreichten. Kate Hegströms Kostüm sah hinterher aus, als hätte sie einige Stunden darin geschlafen. Der Regen fiel draußen schwer und gerade hernieder. Die Häuser gegenüber wirkten, als lägen sie hinter der wasserüberflossenen Scheibe eines Blumengeschäftes.

Der Wagen summte heran. „Wohin wollen Sie?“ fragte Ravic. „Ins Hotel zurück?“

„Noch nicht. Aber wir können sonst nirgendwohin in diesen Kostümen gehen. Lassen Sie uns noch etwas herumfahren.“

„Gut.“

Der Wagen glitt langsam durch das abendliche Paris. Der Regen klopfte auf das Dach und übertönte fast alle anderen Geräusche. Der Arc de Triomphe hob sich grau aus dem silbernen Fließen und verschwand. Die Champs-Elysées mit ihren erleuchteten Fenstern glitten vorüber. Das Rond Point duftete nach Blumen und Frische, eine bunte Woge in all dem Rauche. Weit, wie ein Meer, mit seinen Tritonen und Meerungeheuern, dämmerte die Place de la Concorde. Die Rue de Rivoli schwamm heran mit ihren hellen Bogengängen, ein flüchtiger Glanz Venedig, bevor der Louvre grau und ewig sich erhob mit dem endlosen Hof, funkelnd in allen Fenstern. Die Quais dann, die Brükken, schwingend, unwirklich in dem sachten Strömen. Lastkähne, ein Schlepper mit einem warmen Licht, tröstlich, als berge es tausend Heimaten. Die Seine. Die Boulevards, mit Omnibussen, Lärm, Menschen und Läden. Die eisernen Gitter des Luxembourg, der Park dahinter wie ein Rilkegedicht. Die Cimetière Montparnasse, schweigend, verlassen. Die schmalen, alten Straßen, eng zusammengeschoben, Häuser, stille Plätze, überraschend sich öffnend, mit Bäumen, windschiefen Fassaden, Kirchen, verwitterten Denkmälern, Laternen, im Regen flatternd, Pissoirs, wie kleine Forts aus der Erde ragend, die Gassen der Stundenhotels und dazwischen die Straßen der Vergangenheit, im reinen Rokoko und Barock ihrer Häuserfronten herniederlächelnd, verdämmerte Tore wie aus Romanen von Proust –

Kate Hegström saß in ihrer Ecke und schwieg. Ravic rauchte. Er sah das Licht der Zigarette, aber er spürte den Rauch nicht. Es war, als rauche er im Dunkel des Wagens eine stofflose Zigarette, und langsam erschien ihm, als wäre alles unreal – diese Fahrt, dieser lautlose Wagen im Regen, die Straßen, die vorüberglitten, die stille Frau in der Ecke in ihrem Kostüm, über das die Reflexe der Lichter huschten, die Hände, die der Tod schon gezeichnet hatte und die bewegungslos auf dem Brokat lagen, als würden sie sich nie mehr regen – es war eine geisterhafte Fahrt durch ein geisterhaftes Paris, sonderbar durchweht von einem unausgedachten Wissen und einem unausgesprochenen Abschied ohne Grund.

Er dachte an Haake. Er versuchte zu überlegen, was er tun wolle. Er konnte es nicht; es zerrann in Regen. Er dachte an die Frau mit dem rotgoldenen Haar, die er operiert hatte. Er dachte an einen regnerischen Abend in Rothenburg ob der Tauber mit einer Frau, die er vergessen hatte; an das Hotel Eisenhut und eine Geige aus einem unbekannten Fenster. Romberg fiel ihm ein, der 1917 im Gewitter auf einem flandrischen Mohnfeld gefallen war, einem Gewitter, das gespenstisch in das Trommelfeuer gedröhnt hatte, als sei Gott der Menschen müde geworden und hätte begonnen, die Erde zu beschießen. Er dachte an eine Ziehharmonika, jammernd und schlecht und voll unerträglicher Sehnsucht in Houthoulst gespielt von einem Soldaten des Marine-Bataillons – Rom im Regen glitt durch seine Gedanken, eine nasse Landstraße in Rouen – der ewige Novemberregen auf den Dächern der Baracken im Konzentrationslager; tote spanische Bauern, in deren offenen Mündern das Wasser sich gesammelt hatte – das feuchte, helle Gesicht Claires, der Weg mit schwer riechendem Flieder zur Universität in Heidelberg – eine Laterna magica des Gewesenen – die endlose Prozession vergangener Bilder, vorübergleitend wie die Straßen draußen, Gift und Trost –

Er drückte seine Zigarette aus und richtete sich auf. Genug. Wer viel zurückschaute, konnte leicht gegen irgend etwas rennen oder abstürzen.

Der Wagen klomm jetzt die Gassen des Montmartre hinauf. Es hörte auf zu regnen. Wolken strichen über den Himmel, versilbert, schwer und eilig, trächtige Mütter, die rasch etwas Mond gebären wollten. Kate Hegström ließ den Wagen halten. Sie stiegen aus und gingen ein paar Gassen hinauf, um eine Ecke.

Unten lag plötzlich Paris. Weitgestreckt, flimmernd, naß, Paris. Mit Straßen, Plätzen, Nacht, Wolken und Mond, Paris. Der Kranz der Boulevards, der bleiche Schimmer der Abhänge, Türme, Dächer, Dunkelheit gegen Licht geworfen. Paris. Wind von den Horizonten, Funkeln der Ebene, Brücken aus Schwarz und Helle, Schauerregen fern über der Seine verfliegend, die zahllosen Lichter der Wagen, Paris. Abgetrotzt der Nacht, gigantischer Bienenkorb summenden Lebens, aufgebaut über Millionen von Dreckkanälen, Lichtblüte über seinem Gestank unter der Erde, Krebs und Mona Lisa, Paris.

„Einen Augenblick, Kate", sagte Ravic. „Ich will uns etwas holen."

Er ging in die Kneipe nebenan. Ein warmer Geruch von frischer Blut- und Leberwurst schlug ihm entgegen. Niemand kümmerte sich um sein Kostüm. Er bekam eine Flasche Kognak und zwei Gläser. Der Wirt öffnete die Flasche und steckte den Korken leicht wieder in den Hals.

Kate Hegström stand draußen, genau wie er sie verlassen hatte. Sie stand da in ihrem Kostüm, schmal gegen den bewegten Himmel — als wäre sie vergessen worden aus einem andern Jahrhundert und nicht eine Amerikanerin schwedischer Herkunft aus Boston.

„Hier, Kate. Das Beste gegen Kühle, Regen und den Aufruhr allzu großer Stille. Trinken wir das hier auf die Stadt da unten."

„Ja." Sie nahm das Glas. „Gut, daß wir hier heraufgefahren sind, Ravic. Besser als alle Feste der Welt."

Sie trank das Glas aus. Der Mond fiel über ihre Schultern und ihr Kleid und ihr Gesicht. „Kognak", sagte sie. „Guter sogar."

„Richtig. Solange Sie das erkennen, ist alles in Ordnung."

„Geben Sie mir noch einen. Und dann lassen Sie uns wieder hinunterfahren, und ich werde mich umziehen und Sie auch, und wir wollen in die Scheherazade gehen, und ich will in eine Orgie von Sentimentalität fallen und mir leid tun und Abschied nehmen von all den herrlichen Oberflächlichkeiten des Lebens, und von morgen an will ich dann Philosophen lesen, Testamente machen und mich meines Zustandes würdig benehmen."

Auf der Treppe des Hotels traf Ravic die Wirtin. Sie hielt ihn an. „Haben Sie einen Moment Zeit?"

„Natürlich."

Sie führte ihn in den zweiten Stock und öffnete mit einem Paßschlüssel ein Zimmer. Ravic sah, daß es noch bewohnt war.

„Was soll das?" fragte er. „Wozu brechen Sie hier ein?"

„Rosenfeld wohnt hier", sagte sie. „Er will ausziehen."

„Ich will meine Bude nicht wechseln."

„Er will ausziehen und hat die letzten drei Monate nicht bezahlt."

„Er hat ja noch seine Sachen hier. Die können Sie ja festhalten."

Die Wirtin stieß verächtlich gegen einen Koffer, der offen und schäbig neben dem Bett stand. „Was ist da schon dran? Nichts wert. Vulkan-Fiber. Hemden ausgefranst. Den Anzug, das sehen Sie ja von hier schon. Er hat nur zwei. Keine hundert Franc kriegt man für das Ganze."

Ravic zuckte die Achseln. „Hat er gesagt, daß er ausziehen will?"

„Nein. Aber man sieht so was. Ich habe es ihm heute auf den Kopf zugesagt. Er hat es auch zugegeben. Ich habe ihm erklärt, daß er bis morgen zahlen muß. Ich kann mir das nicht dauernd leisten, Mieter, die nicht zahlen."

„Gut. Was habe ich dabei zu tun?"

„Die Bilder. Die gehören ihm auch. Er hat gesagt, sie wären wertvoll. Er behauptet, er könne viel mehr als die Miete damit bezahlen. Nun sehen Sie sich das doch mal an!"

Ravic hatte auf die Wände nicht achtgegeben. Er blickte auf. Vor ihm, über dem Bett, hing eine Arles-Landschaft von Van Gogh aus der besten Zeit. Er trat einen Schritt näher. Es war kein Zweifel, das Bild war echt. „Schauderhaft, was?" fragte die Wirtin. „Das sollen Bäume sein, diese krummen Dinger da! Und sehen Sie sich nur das an!"

Das da hing über dem Waschtisch und war ein Gauguin. Ein nacktes Südseemädchen vor einer tropischen Landschaft. „Die Beine!" sagte die Wirtin. „Knöchel wie ein Elefant. Und das dämliche Gesicht. Sehen Sie nur, wie sie dasteht! Und da hat er noch eins, das ist nicht einmal zu Ende gemalt."

Nicht mal zu Ende gemalt war ein Bild der Frau Cézanne von Cézanne. „Der Mund! Schief, und auf der Backe fehlt Farbe. Damit will er mich nun anschmieren! Sie haben meine Bilder gesehen – das sind doch Bilder! Nach der Natur und echt und richtig. Die Schneelandschaft mit den Hirschen im Salle à manger. Aber dieser Schund – der sieht aus, als wenn er ihn selbst gemacht hätte. Meinen Sie nicht."

„Ungefähr so."

„Das wollte ich nur wissen. Sie sind doch ein gebildeter Mensch und verstehen etwas davon. Nicht mal Rahmen sind dran."

Die drei Bilder hingen ohne Rahmen. Sie leuchteten auf den schmutzigen Tapeten wie Fenster in eine andere Welt. „Wenn wenigstens noch gute Goldrahmen drum wären! Dann könnte man die abnehmen.

Aber so! Ich sehe schon, daß ich diesen Dreck behalten muß und wieder einmal reingefallen bin. Das hat man von seiner Güte!"

„Ich glaube nicht, daß Sie die Bilder zu nehmen brauchen", sagte Ravic.

„Was sonst?"

„Rosenfeld wird das Geld für Sie schon bekommen."

„Wieso?" Sie sah ihn rasch an. Ihr Gesicht veränderte sich. „Sind die Sachen das wert? Manchmal sind ja gerade solche Dinge was wert!" Man sah die Gedanken hinter ihrer gelben Stirn springen. „Ich könnte ja ohne weiteres eins beschlagnahmen, schon für den letzten Monat! Welches meinen Sie? Das große über dem Bett?"

„Gar keins. Warten Sie, bis Rosenfeld zurückkommt. Ich bin sicher, daß er mit Geld zurückkommt."

„Ich nicht. Ich bin Hotelbesitzerin."

„Warum haben Sie denn so lange gewartet? Das tun Sie doch sonst nicht?"

„Reden! Was der mir alles vorgeredet hat! Sie wissen doch, wie das hier ist."

Rosenfeld stand plötzlich in der Tür. Schweigend, klein und ruhig. Bevor die Wirtin etwas sagen konnte, zog er Geld aus der Tasche. „Hier – und hier ist meine Rechnung. Wollen Sie mir das bitte quittieren?"

Die Wirtin sah erstaunt auf die Banknoten. Dann sah sie auf die Bilder. Dann zurück auf das Geld. Sie wollte eine Menge sagen – aber es kam nicht heraus. „Sie kriegen noch was zurück", erklärte sie schließlich.

„Das weiß ich. Können Sie es mir jetzt geben?"

„Ja, gut. Ich habe es nicht hier. Die Kasse ist unten. Ich werde es wechseln."

Sie ging, als sei sie schwer beleidigt worden. Rosenfeld blickte auf Ravic. „Entschuldigen Sie", sagte Ravic. „Die Alte hat mich hierhergeschleppt. Ich hatte keine Ahnung, was sie vorhatte. Sie wollte hören, was die Bilder wert seien."

„Haben Sie es ihr gesagt?"

„Nein."

„Gut." Rosenfeld sah Ravic mit einem sonderbaren Lächeln an.

„Wie können Sie solche Bilder hier hängen haben?" fragte Ravic. „Sind sie versichert?"

„Nein. Aber Bilder werden nicht gestohlen. Höchstens einmal alle zwanzig Jahre aus einem Museum."

„Die Bude hier kann abbrennen."

Rosenfeld zuckte die Achseln. „Ein Risiko muß man auf sich nehmen. Versichern ist zu teuer für mich."

Ravic betrachtete den Van Gogh. Er war mindestens eine Million Franc wert. Rosenfeld folgte seinem Blick.

„Ich weiß, was Sie denken. Wer das hat, sollte auch Geld haben, es zu versichern. Aber ich habe es nicht. Ich lebe von meinen Bildern. Ich verkaufe sie langsam, und ich verkaufe sie nicht gern."

Unter dem Cézanne stand ein Spirituskocher auf dem Tisch. Eine Büchse mit Kaffee, ein Brot, ein Topf Butter und ein paar Tüten daneben. Das Zimmer war ärmlich und klein. Aber von den Wänden leuchtete die Herrlichkeit der Welt.

„Das verstehe ich", sagte Ravic.

„Ich dachte, ich würde es schaffen", sagte Rosenfeld. „Ich habe alles bezahlen können. Die Eisenbahn, die Überfahrt, alles, nur nicht diese drei Monate Miete. Ich habe kaum gegessen, aber ich konnte es nicht schaffen. Das Visum dauerte zu lange. Ich mußte heute abend einen Monet verkaufen. Eine Vétheuil-Landschaft. – Dachte, ich könnte sie noch mitnehmen."

„Hätten Sie sie anderswo nicht auch verkaufen müssen?"

„Ja. Aber in Dollars. Sie hätte das Doppelte gebracht."

„Gehen Sie nach Amerika?"

Rosenfeld nickte. „Es ist Zeit, hier wegzugehen."

Ravic sah ihn an. „Der Totenvogel geht", sagte Rosenfeld.

„Was für ein Totenvogel?"

„Ach so – Marcus Meyer. Wir nennen ihn den Totenvogel. Er riecht, wenn man fliehen muß."

„Meyer?" sagte Ravic. „Ist das der kleine Kahlkopf, der ab und zu in der Katakombe Klavier spielt?"

„Ja. Er heißt der Totenvogel – seit Prag."

„Guter Name."

„Er hat es immer gerochen. Zwei Monate vor Hitler ging er aus Deutschland heraus. Drei Monate vor den Nazis aus Wien. Sechs Wochen vor dem Einmarsch aus Prag. Ich habe mich an ihn gehalten. Immer. Er riecht es. Dadurch habe ich die Bilder gerettet. Geld konnte man aus Deutschland ja nicht mehr mitnehmen. Sperrmark. Hatte anderthalb Millionen angelegt. Versuchte, sie flüssigzumachen. Dann kamen die Nazis, und es war zu spät. Meyer war klüger. Schmuggelte einen Teil raus. Ich hatte nicht die Nerven. Und jetzt geht er nach Amerika. Ich auch. Schade um den Monet."

„Sie können doch den Rest des Geldes, das Sie dafür bekommen haben, mitnehmen. Hier gibt es noch keine Sperrfranc."

„Ja. Aber wenn ich es drüben verkauft hätte, hätte ich länger davon leben können. So aber muß ich wahrscheinlich bald den Gauguin opfern.“

Rosenfeld fummelte an seinem Spirituskocher herum. „Es sind die letzten“, sagte er. „Nur noch diese drei. Ich muß davon leben. Arbeit – damit rechne ich nicht. Das wäre ein Wunder. Nur noch drei. Eines weniger ist ein Stück Leben weniger.“

Er stand dürftig vor seinem Koffer. „In Wien – fünf Jahre; es war noch nicht teuer, ich konnte billig leben; aber es hat mich zwei Renoirs und ein Degas-Pastell gekostet. In Prag habe ich einen Sisley und fünf Zeichnungen verwohnt und aufgegessen. Kein Mensch wollte etwas für Zeichnungen geben – es waren zwei Degas, eine Kreide von Renoir und zwei Sepias von Delacroix. In Amerika hätte ich ein Jahr länger davon leben können. Sehen Sie“, sagte er ziemlich trostlos, „jetzt habe ich nur noch diese drei Bilder. Gestern waren es noch vier. Dieses Visum kostet mich zwei Jahre Leben mindestens. Wenn nicht drei!“

„Es gibt eine Menge Leute, die haben keine Bilder, um davon zu leben.“

Rosenfeld hob die mageren Schultern. „Das ist kein Trost.“

„Nein“, sagte Ravic. „Das ist wahr.“

„Ich muß damit über den Krieg wegkommen. Und der Krieg wird lange dauern.“

Ravic antwortete nicht. „Der Totenvogel behauptet es“, sagte Rosenfeld. „Und er weiß nicht einmal, ob Amerika sicher bleiben wird.“

„Wohin will er dann?“ fragte Ravic. „Da ist nicht mehr viel übrig.“

„Er weiß es noch nicht genau. Er denkt an Haiti. Er glaubt nicht, daß eine Negerrepublik in den Krieg gehen wird.“

Rosenfeld war völlig ernst. „Oder Honduras. Eine kleine, südamerikanische Republik. San Salvador. Neuseeland vielleicht auch.“

„Neuseeland. Das ist ziemlich weit weg – wie?“

„Weit?“ sagte Rosenfeld trübe lächelnd. „Von wo?“

27

Ein Meer. Ein Meer donnernder Finsternis, das gegen die Ohren klatschte. Dann das schrille Klingeln durch Gänge, ein Schiff, tosend mit Untergang, klingelnd – und Nacht, das bleichere Fenster, vertraut in den weichenden Schlaf hineinlehnend, das Klingeln immer noch – Telephon.

Ravic hob den Hörer ab. „Hallo –“

„Ravic –“

„Was ist los? Wer ist da?“

„Ich. Erkennst du mich nicht?“

„Ja, jetzt. Was ist los?“

„Ich. Erkennst du mich nicht?"

„Ja, jetzt. Was ist los?"

„Du mußt kommen! Rasch! Sofort!"

„Was ist los?"

„Komm, Ravic! Es ist etwas passiert!"

„Was ist passiert?"

„Es ist etwas passiert! Ich habe Angst! Komm! Komm sofort! Hilf mir! Ravic! Komm!"

Das Telephon klickte. Ravic wartete. Das Freizeichen surrte. Joan hatte angehängt. Er legte den Hörer zurück und starrte in die blasse Nacht. Der künstliche Schlaf hing noch schwer hinter seiner Stirn. Haake, hatte er zuerst geglaubt. Haake sei es – bis er das Fenster sah und wußte, er war im „International", nicht im „Prince de Galles". Er sah auf die Uhr. Die Leuchtzeiger standen auf vier Uhr zwanzig. Plötzlich sprang er aus dem Bett. Joan hatte, als er Haake traf, etwas gesagt – von Gefahr, Angst. – Wenn – es war alles möglich! Er hatte schon Blödsinnigeres gesehen. Er packte eilig das Nötigste zusammen und zog sich an.

Er fand ein Taxi an der nächsten Ecke. Der Fahrer hatte einen kleinen Rehpinscher bei sich. Der Hund lag wie ein Pelzkragen um die Schultern des Mannes. Er schwankte mit, wenn das Taxi schwankte. Es machte Ravic verrückt. Er hätte den Hund am liebsten auf den Sitz geworfen. Aber er kannte die Pariser Taxichauffeure.

Der Wagen ratterte durch die laue Julinacht. Ein verwehter Geruch von schüchtern atmendem Laub. Geblüht, irgendwo Linden, Schatten, ein Jasminhimmel voll Sterne, dazwischen ein Flugzeug mit grünen und roten Blinklichtern, wie ein schwer drohender Käfer zwischen Leuchtfliegen; fahle Straßen, summende Leere, Gesang von zwei Besoffenen, ein Akkordeon von einem Keller her, und plötzlich ein Stokken und Angst und peitschende Eile, das Zerren – zu spät vielleicht –

Das Haus. Laue Schlafdunkelheit. Der Aufzug kroch herunter. Kroch, ein langsames, helles Insekt. Ravic war schon auf der ersten Treppe, als er sich besann und umkehrte. Der Aufzug war schneller, so langsam er auch war.

Diese Spielzeugliffs von Paris! Flimsige Gefängnisse, knarrend, hustend, oben offen, nach den Seiten offen, nichts als ein Boden mit ein paar Eisenstreben, eine Birne, halb ausgebrannt, trübe flackernd, lose im Kontakt die andere – endlich das oberste Stockwerk. Er schob das Gitter auf, klingelte.

Joan öffnete. Ravic starrte sie an. Kein Blut – das Gesicht normal, nichts. „Was ist los?" fragte er. „Wo ist –"

„Ravic. Du bist gekommen!"

„Wo ist – hast du irgend etwas gemacht?"

Sie trat zurück. Er machte ein paar Schritte. Übersah den Raum. Niemand da. „Wo? Im Schlafzimmer?"

„Was?" fragte sie.

„Ist jemand im Schlafzimmer? Hast du jemand da?"

„Nein. Warum?"

Er sah sie an. „Ich werde doch niemand hier haben, wenn du kommst", sagte sie.

Er sah sie immer noch an. Sie stand da, gesund, und lächelte ihn an. „Wie kommst du darauf?" Ihr Lächeln vertiefte sich. „Ravic", sagte sie, und er spürte, als schlüge ihm Hagel ins Gesicht, daß sie glaubte, er sei eifersüchtig, und daß sie es genoß. Die Tasche mit den Instrumenten in einer Hand wog plötzlich einen Zentner. Er stellte sie auf einen Stuhl. „Du gottverdammtes Luder", sagte er.

„Was? Was hast du?"

„Du gottverdammtes Luder", wiederholte er. „Und ich Esel, darauf hereinzufallen."

Er nahm die Tasche wieder auf und drehte sich zur Tür. Sie war sofort neben ihm. „Was willst du? Geh nicht! Du kannst mich nicht alleine lassen! Ich weiß nicht, was passiert, wenn du mich allein läßt!"

„Lügnerin", sagte er. „Jammervolle Lügnerin! Es macht nichts, daß du lügst, aber daß du es so billig tust, ist zum Kotzen. Mit so etwas spielt man nicht!"

Sie drängte ihn von der Tür weg. „Aber sieh dich doch um! Es ist etwas passiert! Du kannst es doch selbst sehen! Sieh doch, wie er getobt hat! Und ich habe Angst, daß er wiederkommt! Du weißt nicht, was er tun kann."

Ein Stuhl lag am Boden. Eine Lampe. Ein paar zerbrochene Scherben Glas. „Zieh dir die Schuhe an, wenn du herumgehst", sagte Ravic. „Damit du dich nicht schneidest. Das ist alles, was ich dir raten kann."

Zwischen den Scherben lag eine Fotografie. Er schob das Glas mit dem Fuß beiseite und hob die Fotografie auf. „Hier –" er warf sie auf den Tisch. „Und nun laß mich in Ruhe."

Sie stand vor ihm. Sie sah ihn an. Ihr Gesicht hatte sich verändert. „Ravic", sagte sie leise und unterdrückt. „Ich mache mir nichts daraus, wie du mich nennst. Ich habe oft gelogen. Und ich werde weiter lügen. Ihr wollt es ja so." Sie gab dem Foto einen Stoß. Es glitt über den Tisch und fiel so, daß Ravic es sehen konnte. Es war nicht das Bild des Mannes, den er mit Joan in der „Cloché d'Or" gesehen hatte.

„Alle wollen es", sagte sie voll Verachtung. „Lüg nicht, lüg nicht! Sag nur die Wahrheit! Und wenn man es tut, können sie es nicht ertragen. Keiner! Aber dich habe ich nicht oft belogen. Dich nicht. Bei dir wollte ich es nicht –"

„Gut", sagte Ravic. „Wir brauchen das nicht zu erörtern." Er war plötzlich auf eine sonderbare Weise gerührt. Irgend etwas hatte ihn getroffen. Er wurde ärgerlich. Er wollte nicht mehr getroffen werden.

„Nein. Bei dir hatte ich es nicht nötig", sagte sie und sah ihn fast flehend an.

„Joan –"

„Und ich lüge jetzt auch nicht. Ich lüge nicht ganz, Ravic. Ich habe dich wirklich angerufen, weil ich Angst habe. Ich hatte ihn glücklich aus der Tür raus und abgeschlossen. Es war das erste, was mir in den Sinn kam. Ist das so schlimm?"

„Du warst verdammt ruhig und ohne Angst, als ich kam."

„Weil er fort war. Und weil ich dachte, du wirst kommen und mir helfen."

„Gut. Dann ist ja jetzt alles in Ordnung und ich kann gehen."

„Er kommt wieder. Er hat geschrien, er würde wiederkommen. Er sitzt jetzt irgendwo und trinkt. Ich weiß das. Und wenn er betrunken ist und wiederkommt, ist er nicht wie du – er kann nicht trinken."

„Genug!" sagte Ravic. „Laß das. Es ist zu albern. Deine Tür ist gut. Und mach so etwas nicht wieder."

Sie blieb stehen. „Was soll ich denn sonst machen?" stieß sie plötzlich hervor.

„Nichts."

„Ich rufe dich an – dreimal, viermal –, du antwortest nicht. Und wenn du antwortest, sagst du mir, ich solle dich in Ruhe lassen. Wie denkst du dir das?"

„Genauso."

„Genauso? Wie genauso? Sind wir Automaten, die man an- und abstellen kann? Eine Nacht ist alles wunderbar und voll Liebe und dann plötzlich –"

Sie schwieg, als sie Ravics Gesicht sah. „Ich habe mir gedacht, daß das kommen würde", sagte er leise. „Ich habe mir gedacht, daß du versuchen würdest, es auszunützen! Es paßt zu dir! Du wußtest, es war das letztemal damals und du hättest es damit genug sein lassen sollen. Du warst bei mir, und weil es das letztemal war, war es so, wie es war, und es war gut, und es war ein Abschied, und wir waren voll voneinander, und wir würden es in unserer Erinnerung geblieben sein; – du aber konntest nichts weiter tun, als es wie ein Händler ausnützen, es umdrehen in eine neue Forderung, um aus etwas Einmaligem, Fliegendem eine kriechende Fortsetzung zu machen! Und da ich nicht wollte, greifst du jetzt zu diesem ekelhaften Trick hier, und man

muß wiederkauen, worüber Sprechen allein schon eine Schamlosig-
keit ist."

„Ich –"

„Du wußtest es", unterbrach er sie. „Lüg nicht wieder. Ich will nicht
wiederholen, was du gesagt hast. Ich kann so etwas noch nicht! Wir
beide wußten es. Du wolltest nie wiederkommen."

„Ich bin nicht wiedergekommen!"

Ravic starrte sie an. Er beherrschte sich mühsam. „Gut. Dann hast
du telephoniert."

„Ich habe telephoniert, weil ich Angst hatte!"

„O Gott", sagte Ravic. „Dies ist zu idiotisch! Ich gebe auf."

Sie lächelte langsam. „Ich auch, Ravic. Siehst du nicht, daß ich nur
will, daß du hierbleibst?"

„Das ist genau, was ich nicht will."

„Warum?" Sie lächelte immer noch.

Ravic kam sich ziemlich geschlagen vor. Sie weigerte sich einfach,
ihn zu verstehen, und wenn er anfangen würde, es zu erklären, würde
er wer weiß wo enden. „Es ist eine verfluchte Korruption", sagte er
schließlich. „Du kannst das nicht verstehen."

„Doch", erwiderte sie langsam. „Vielleicht. Aber warum ist es
anders als vor einer Woche?"

„Da war es dasselbe."

Sie schwieg und sah ihn an. „Ich kümmere mich nicht um Namen",
sagte sie dann. Er antwortete nicht. Er spürte, wie überlegen sie war.
„Ravic" sagte sie und kam näher. „Ja, ich habe gesagt, damals, es sei
zu Ende. Ich habe gesagt, du würdest nie wieder etwas von mir hören.
Ich habe es gesagt, weil du es wolltest. Daß ich es trotzdem nicht tue –
verstehst du das nicht?"

Sie sah ihn an. „Nein", erwiderte er grob. „Alles, was ich verstehe
ist, daß du mit zwei Männern schlafen willst."

Sie rührte sich nicht. „Es ist nicht so", sagte sie dann. „Aber selbst
wenn es so wäre, was geht es dich an?"

Er starrte sie an.

„Was geht es dich wirklich an?" wiederholte sie. „Ich liebe dich. Ist
das nicht genug?"

„Nein."

„Du brauchst nicht eifersüchtig zu sein. Du nicht. Du warst es auch
nie –"

„So?"

„Nein. Du weißt überhaupt nicht, was es ist."

„Natürlich nicht. Weil ich keine Theateraufführungen veranstaltet
habe, wie dein Knabe da –"

Sie lächelte. „Ravic", sagte sie. „Eifersucht beginnt mit der Luft, die der andere atmet."

Er antwortete nicht. Sie stand vor ihm und sah ihn an. Sie sah ihn an und schwieg. Die Luft, der schmale Korridor, das halbe Licht – alles war plötzlich voll von ihr. Voll von einem Warten, einem atemlosen, sanften Ziehen, wie die Erde, wenn man sich über die Brüstung eines Turmes schwindelnd beugt.

Ravic fühlte es. Er wollte nicht gefangen werden. Er dachte jetzt nicht mehr daran, zu gehen. Wenn er ginge, würde ihn dieses hier verfolgen. Und er wollte nicht verfolgt werden. Er wollte ein klares Ende machen. Er brauchte Klarheit morgen.

„Hast du einen Schnaps da?" fragte er.

„Ja. Was willst du? Calvados?"

„Kognak, wenn du ihn hast. Oder meinetwegen auch Calvados. Ganz gleich."

Sie ging zu dem kleinen Schrank. Er blickte hinter ihr her. Die helle Luft, die unsichtbare Strahlung der Lockung, das: hier laßt uns Hütten bauen, die alte, ewige Gaukelei – als wenn Friede jemals länger als für eine Nacht aus dem Blute kommen konnte!

Eifersucht. Er wußte nichts davon? Aber wußte er nicht etwas von der Unvollkommenheit der Liebe? War das nicht älterer Schmerz, unstillbarer als das bißchen persönliche Elend: Eifersucht? Begann es nicht schon damit, daß man wußte, daß einer zuerst sterben würde?

Joan brachte keinen Calvados. Sie brachte eine Flasche Kognak. Gut, dachte er. Manchmal begriff sie etwas. Er schob die Fotografie beiseite, um sein Glas hinzustellen. Dann nahm er sie wieder auf. Es war das Einfachste, um die Wirkung zu brechen – den Nachfolger zu betrachten. „Sonderbar, wie schlecht mein Gedächtnis ist", sagte er. „Ich dachte, dein Knabe sähe ganz anders aus."

Sie setzte die Flasche nieder. „Das ist er doch gar nicht."

„Ach so – schon jemand anders."

„Ja – deshalb war doch das Ganze."

Ravic trank einen großen Schluck Kognak. „Du solltest wissen, daß man keine Fotografien von Männern herumstehen hat, wenn der frühere Liebhaber kommt. Man hat überhaupt keine Fotografien herumstehen. Es ist geschmacklos."

„Sie stand nicht herum. Er hat sie gefunden. Er hat herumgesucht. Und Fotografien hat man. Du verstehst das nicht. Eine Frau versteht das. Ich wollte nicht, daß er sie sah."

„Dafür hast du jetzt Krach. Bist du abhängig von ihm?"

„Nein. Ich habe meinen Kontrakt. Für zwei Jahre."

„Hat er ihn dir besorgt?"

„Warum nicht?" Sie war ehrlich erstaunt. „Ist etwas dabei?"

„Nein. Aber es gibt Menschen, die so etwas verbittert."

Sie hob die Schultern. Er sah es. Eine Erinnerung. Eine Nostalgie. Schultern, die einmal neben einem atmend sich hoben, leise, regelmäßig im Schlaf. Eine flüchtige Wolke beglänzter Vögel am rötlichen Nachthimmel? Weit? Wie weit vorbei? Rede, unsichtbarer Buchhalter! Ist es nur begraben, oder sind es wirklich letzte, flüchtige Reflexe? Aber wer wußte das?

Die Fenster standen weit offen. Etwas flog herein, taumelnd, ein dunkler Fetzen, unsicher flatternd, sich haltend am Schirm der Lampe, Flügel aufschlagend, sich breitend – und gleich darauf eine Vision aus Purpur, Blau und allen Braun –, ein Orden der Nacht, an dem seidenen Schirm hängend, hereingeweht – ein buntes Nachtpfauenauge. Die Samtflügel atmeten leise – leise, wie die Brust gegenüber unter dem dünnen Stoff des Kleides; – wann war das doch schon einmal so gewesen, endlose Zeiten, hundert Jahre vorbei?

Der Louvre. Die Nike. Nein, viel früher. Zurück zu einer Urdämmerung aus Staub und Gold. Rauch von Topa-Altären; lauter das Rumoren von Vulkanen, dunkler der Vorhang aus Verschattung und Brunst und Blut, kleiner das Boot der Erkenntnis, kochender der Strudel, glänzender die Lava, schwarzfingrig die Hänge hinabkriechend, Leben verschüttend, fressend; – und darüber das ewige Lächeln der Meduse auf die paar flüchtigen Hieroglyphen im Sande der Zeit: Geist.

Der Falter hob sich, glitt unter die Seide und begann, sich die Flügel an der heißen elektrischen Birne zu zerschlagen. Violetter Puder. Ravic nahm ihn, trug ihn zum Fenster und warf ihn in die Nacht.

„Er wird wiederkommen", sagte Joan.

„Vielleicht auch nicht."

„Sie kommen jede Nacht. Sie kommen aus den Anlagen. Immer dieselben. Vor ein paar Wochen waren es zitronengelbe. Jetzt sind es diese."

„Ja. Immer dieselben. Und immer andere. Und immer andere und immer dieselben."

Was redete er da. Etwas hinter ihm redete. Eine Resonanz, ein Echo, hallend von weit her, hinter einer letzten Hoffnung. Was hatte er gehofft? Was schlug ihn plötzlich in dieser schwachen Stunde, was schnitt wie ein Skalpell irgendwo durch, wo er längst gesunde Muskeln geglaubt hatte? War versteckt, verlarvt, verpuppt, winterschlafend immer noch – eine Erwartung, lebendig geblieben, die er hatte täuschen wollen? Er nahm das Foto hoch, das auf dem Tisch lag.

Ein Gesicht. Irgendein Gesicht. Eines von Millionen.

„Seit wann?" fragte er.

„Noch nicht lange. Wir arbeiten zusammen. Vor ein paar Tagen. Nachdem du bei Fouquet's –"

Er hob die Hand. „Gut, gut! Ich weiß! Hätte ich an diesem Abend – du weißt, daß es nicht wahr ist."

Sie zögerte. „Nein –"

„Du weißt es! Lüge nicht! Nichts, was wichtig ist, hat einen so kurzen Atem."

Was wollte er hören? Wozu sagte er das? Wollte er nicht doch noch eine barmherzige Lüge hören? „Es ist wahr, und es ist nicht wahr", sagte sie. „Ich kann mir nicht helfen, Ravic. Es treibt mich. Es ist, als versäumte ich etwas. Ich greife es, ich muß es haben, und damit ist es nichts. Und ich greife nach etwas Neuem. Ich weiß im voraus, daß es enden wird wie das andere, aber ich kann es nicht lassen. Es treibt mich, es wirft mich irgendwohin, es füllt mich eine Zeitlang und es läßt mich los und macht mich wieder leer, wie Hunger, und dann kommt es wieder."

Verloren, dachte Ravic. Wirklich und jetzt ganz verloren. Kein Irrtum mehr, kein Verstricktsein, kein Erwachen, kein Zurückkommen. Es war gut, es zu wissen, wenn die Dämpfe der Phantasie wieder beginnen würden, die Linsen der Erkenntnis zu trüben.

Die sanfte, unerbittliche, trostlose Chemie! Blut, das einmal ineinandergestürzt war, konnte es nie gleich stark wieder. Was Joan immer noch hielt und ab und zu zurücktrieb zu ihm, war ein Rest in ihm, den sie noch nicht durchdrungen hatte. Wenn sie ihn durchdrungen haben würde, würde sie gehen für immer. Wer wollte darauf warten? Wer damit zufrieden sein? Wer sich aufgeben dafür?

„Ich wollte, ich wäre so stark wie du, Ravic."

Er lachte. Das auch noch. „Du bist viel stärker als ich."

„Nein. Du siehst ja, wie ich hinter dir herlaufe."

„Das zeigt es gerade. Du kannst dir das erlauben. Ich nicht."

Sie sah ihn einen Moment aufmerksam an. Dann erlosch die Helligkeit, die ihr Gesicht überflogen hatte.

„Du kannst nicht lieben", sagte sie. „Du gibst dich nie her."

„Du immer. Deshalb wirst du auch immer gerettet."

„Kannst du nicht ernsthaft mit mir reden?"

„Ich rede ernsthaft mit dir."

„Wenn ich immer gerettet werde, warum komme ich dann nicht von dir los?"

„Du kommst ganz gut von mir los."

„Laß das! Du weißt, das hat nichts damit zu tun. Wenn ich von dir loskommen würde, liefe ich nicht hinter dir her. Andere habe ich vergessen. Dich nicht. Weshalb?"

Ravic nahm einen Schluck. „Vielleicht, weil du mich nicht ganz unter die Füße gekriegt hast."

Sie stutzte. Dann schüttelte sie den Kopf. „Ich habe nicht alle unter die Füße gekriegt, wie du das nennst. Manche überhaupt nicht. Und ich habe sie vergessen. Ich war unglücklich, aber ich habe sie vergessen."

„Du wirst mich auch vergessen."

„Nein. Du machst mich unruhig. Nein, nie."

„Man glaubt gar nicht, wieviel man vergessen kann", sagte Ravic. „Das ist ein großer Segen und ein verdammtes Elend."

„Du hast mir immer noch nicht gesagt, weshalb das so ist mit uns."

„Das können wir beide uns nicht erklären. Wir können reden, solange wir wollen. Es würde nur immer konfuser. Es gibt Dinge, die man nicht erklären kann. Und andere, die man nicht versteht. Gesegnet sei das bißchen Dschungel in uns. Ich gehe jetzt."

Sie stand rasch auf. „Du kannst mich nicht allein lassen."

„Willst du mit mir schlafen?"

Sie sah ihn an und sagte nichts. „Ich hoffe nicht", sagte er.

„Wozu fragst du das?"

„Um mich zu erheitern. Geh schlafen. Es ist schon hell draußen. Keine Zeit für Tragödien."

„Du willst nicht bleiben?"

„Nein. Und ich werde nie wiederkommen."

Sie stand sehr still. „Nie?"

„Nie. Und du wirst nie wieder zu mir kommen."

Sie schüttelte langsam den Kopf. Dann deutete sie auf den Tisch. „Deswegen?"

„Nein."

„Ich verstehe dich nicht. Wir können doch –"

„Nein", sagte er rasch. „Nicht das noch. Die Formel von der Freundschaft. Der kleine Gemüsegarten auf der Lava erloschener Gefühle. Nein, wir können das nicht. Wir nicht. Man mag das können bei kleinen Affären. Und dann ist es auch schmierig. Liebe soll man nicht durch Freundschaft besudeln. Ein Ende ist ein Ende."

„Aber warum gerade jetzt?"

„Du hast recht. Es hätte früher sein sollen. Als ich zurückkam aus der Schweiz. Aber niemand ist allwissend. Und manchmal will man auch nicht alles wissen. Es war –", er brach ab.

„Was war es?" Sie stand vor ihm, als verstände sie etwas nicht und müsse es dringend wissen. Sie war blaß, und ihre Augen waren durchsichtig. „Was war das nur mit uns, Ravic?" flüsterte sie.

Der Korridor hinter ihrem Haar, halb erleuchtet, schwankend im Licht, als führe er weit in einen Schacht, in dem Versprechen dämmerte,

betaut von vielen Generationen, betaut von immer neuen Hoffnungen.
„Liebe –", sagte er.

„Liebe?"

„Liebe. Und deshalb ist dieses das Ende."

Er schloß die Tür hinter sich. Der Aufzug. Er drückte den Knopf.
Aber er wartete nicht, bis der Lift heraufkroch. Er fürchetete, Joan
würde ihm nachkommen. Er ging rasch die Treppen hinunter. Er wunderte sich, die Tür nicht zu hören. Auf dem zweiten Absatz blieb er
stehen und horchte. Nichts regte sich. Niemand kam.

*

Das Taxi stand noch vor dem Haus. Er hatte es vergessen gehabt.
Der Fahrer tippte an seine Mütze und grinste vertraulich. „Wieviel?"
fragte Ravic.

„Siebzehnfünfzig."

Ravic zahlte. „Wollen Sie nicht zurückfahren?" fragte der Chauffeur erstaunt.

„Nein. Ich will gehen."

„Ziemlich weit, mein Herr."

„Ich weiß."

„Da hätten Sie mich doch nicht warten lassen brauchen. Kostet Sie
elf Franc für nichts."

„Macht nichts."

Der Fahrer versuchte einen Zigarettenstummel, der ihm braun und
feucht an der Oberlippe klebte, anzuzünden. „Na, hoffentlich war's
das wert."

„Mehr!" sagte Ravic.

Die Anlagen standen in der kalten Morgenhelle. Die Luft war schon
warm, aber das Licht war kalt. Büsche von Flieder, grau überstaubt.
Bänke. Auf einer schlief ein Mann, das Gesicht mit einer Nummer des
„Paris Soir" zugedeckt. Es war dieselbe Bank, auf der Ravic in der
Regennacht gesessen hatte.

Er sah den Schlafenden an. Der „Paris Soir" hob sich atmend über
dem verdeckten Gesicht, als habe das Schundblatt eine Seele oder sei
ein Schmetterling, der gleich, mit großen Nachrichten, zum Himmel
fliegen wolle. Sacht atmete die fette Überschrift: Hitler erklärt, außer
dem polnischen Korridor keine territorialen Wünsche mehr zu haben.
Und darunter: Plätterin erschlägt Mann mit heißem Bügeleisen. Eine
vollbusige Frau im Sonntagskleid starrte aus einer Rotogravüre. Neben
ihr wogte eine zweite Fotografie: Chamberlain erklärt den Frieden
immer noch für möglich, mit einer Art Bankclerk mit Regenschirm
und einem Gesicht wie ein glückliches Schaf. Unter seinen Füßen, in

kleiner Schrift und etwas versteckt: Hunderte von Juden an der Grenze erschlagen.

Der Mann, der mit all diesem sich vor dem Nachttau und dem frühen Licht geschützt hatte, schlief tief und ruhig.

Er trug alte, brüchige Segeltuchschuhe, eine braunwollene Hose und ein ziemlich zerrissenes Jackett. Ihn ging all dies nichts an. Er war so weit unten, daß ihn nichts mehr anging – so wie ein Tiefseefisch nichts spürt von den Stürmen der Ozeane.

Ravic ging ins „International" zurück. Er war klar und frei. Er ließ nichts zurück. Er konnte es auch nicht gebrauchen. Er konnte nichts mehr brauchen, das ihn noch verwirrte. Er wollte heute in das „Prince de Galles" ziehen. Zwei Tage zu früh. Aber es war besser, zu früh als zu spät auf Haake zu warten.

28

Die Halle im „Prince de Galles" war leer, als Ravic herunterkam. Ein tragbares Radio spielte leise am Rezeptionstisch. In den Ecken wirtschafteten ein paar Scheuerfrauen. Ravic ging rasch und unauffällig durch. Er sah auf die Uhr gegenüber der Tür. Es war fünf Uhr morgens.

Er ging die Avenue George V. hinauf und hinüber zu Fouquet's. Niemand saß da. Das Restaurant war längst geschlossen. Er blieb einen Augenblick stehen. Dann hielt er ein Taxi an und fuhr zur Scheherazade.

Morosow stand vor der Tür und sah ihm entgegen. „Nichts", sagte Ravic.

„Das dachte ich mir. War ja auch heute nicht zu erwarten."

„Doch, heute schon. Heute ist es vierzehn Tage her."

„Man soll nicht mit einem Tag rechnen. Warst du die ganze Zeit im ‚Prince de Galles'?"

„Ja, von morgens bis jetzt."

„Er wird morgen anrufen", sagte Morosow. „Kann heute was zu tun gehabt haben oder einen Tag später abgereist sein."

„Morgen vormittag muß ich operieren."

„So früh wird er nicht anrufen."

Ravic erwiderte nichts. Er sah auf ein Taxi, aus dem ein Gigolo im weißen Smoking stieg. Eine blasse Frau mit großen Zähnen folgte ihm. Morosow öffnete ihnen die Tür. Die Straße roch plötzlich nach Chanel Cinque. Die Frau hinkte leicht. Der Gigolo ging faul hinter ihr her, nachdem er das Taxi bezahlt hatte. Die Frau wartete auf ihn an der

Tür. Ihre Augen waren grün im Licht der Lampen. Die Pupillen waren sehr klein zusammengezogen.

„Um diese Zeit ruft er bestimmt nicht an", sagte Morosow, als er zurückkam.

Ravic anwortete nicht. „Wenn du mir den Schlüssel gibst, kann ich um acht raufgehen", erklärte Morosow. „Ich kann dann warten, bis du zurückkommst."

„Du mußt schlafen."

„Unsinn. Ich kann auf deinem Bett schlafen, wenn ich will. Es wird keiner anrufen, aber ich kann es tun, wenn es dich beruhigt."

„Ich habe bis elf zu operieren."

„Gut. Gib mir den Schlüssel. Ich möchte nicht, daß du vor Aufregung einer Dame des Faubourg St. Germain die Eierstöcke an den Magen nähst. Sie würde dann nach neun Monaten ein Kind kotzen. Hast du den Schlüssel?"

„Ja. Hier."

Morosow steckte den Zimmerschlüssel ein. Dann zog er eine Büchse mit Pfefferminzpastillen hervor und bot sie Ravic an. Ravic schüttelte den Kopf. Morosow nahm ein paar heraus und warf sie sich in den Mund. Sie verschwanden in seinem Bart, wie kleine, weiße Vögel in einem Wald. „Erfrischt", erklärte er.

„Hast du schon einmal einen ganzen Tag in einer Plüschbude gesessen und gewartet?" fragte Ravic.

„Länger. Du nicht auch?"

„Ja. Aber nicht auf das."

„Hast du dir nichts zu lesen mitgenommen?"

„Genug. Aber ich habe nichts gelesen. Wie lange hast du hier zu tun?"

Morosow öffnete die Tür eines Taxis. Es war voll von Amerikanern. Er ließ sie ein. „Mindestens noch zwei Stunden", sagte er, als er zurückkam. „Du siehst ja, was los ist. Der verrückteste Sommer seit Jahren. Joan ist auch drin."

„So?"

„Ja. Mit einem andern, wenn dich das interessiert."

„Nein", sagte Ravic. Er wandte sich zum Gehen. „Ich sehe dich dann morgen."

„Ravic", rief Morosow hinter ihm her.

Ravic kam zurück. Morosow zog den Schlüssel hervor. „Hier! Du mußt doch in dein Zimmer im ‚Prince de Galles' rein! Ich sehe dich ja nicht vor morgen. Laß die Tür offen, wenn du weggehst."

„Ich schlafe nicht im ‚Prince de Galles'." Ravic nahm den Schlüssel. „Ich schlafe im ‚International'. Richtiger, wenn man mein Gesicht drüben so wenig wie möglich sieht."

„Du solltest doch da schlafen. Man wohnt nicht in Hotels, in denen man nicht schläft. Besser, falls die Polizei bei der Rezeption herumfragen sollte."

„Das schon, aber es ist auch besser, falls sie herumfragen sollte, daß ich nachweisen kann, die ganze Zeit im ‚International‘ gewohnt zu haben. Ich habe im ‚Prince de Galles‘ alles arrangiert. Das Bett zerwühlt, Waschtisch, Handtücher, Bad und das andere so benützt, daß es aussieht, als ob ich früh weggegangen wäre."

„Schön. Dann gib mir den Schlüssel wieder."

Ravic schüttelte den Kopf. „Besser, wenn man dich nicht auch noch da sieht."

„Es macht nichts."

„Doch, Boris. Wir wollen keine Idioten sein. Dein Bart ist nicht alltäglich. Außerdem hast du recht: Ich muß so tun und leben, als wenn nichts Besonderes los wäre. Wenn Haake wirklich morgen früh anruft, wird er nachmittags auch wieder anrufen. Wenn ich damit nicht rechne, bin ich ein nervöses Wrack in einem Tage."

„Wohin gehst du jetzt?"

„Schlafen. Nicht zu erwarten, daß er um diese Zeit noch anruft."

„Ich kann dich später irgendwo treffen, wenn du willst."

„Nein, Boris. Ich werde hoffentlich schon schlafen, wenn du hier frei wirst. Muß um acht operieren."

Morosow sah ihn ungläubig an. „Gut. Ich komme dann morgen nachmittags bei dir im ‚Prince de Galles‘ vorbei. Wenn vorher was ist, rufe mich im Hotel an."

„Ja."

Die Straßen. Die Stadt. Der rötliche Himmel. Verflackerndes Rot und Weiß und Blau die Häuser hinunter. Wind, die Ecken der Bistros umspielend wie eine zärtliche Katze. Menschen, Luft, nach einem Tag verwartet in einem stickigen Hotelzimmer. Ravic ging die Avenue hinter der Scheherazade entlang. Die eisenumgitterten Bäume atmeten zögernd eine Erinnerung an Grün und Wald in die bleierne Nacht. Er fühlte sich plötzlich zum Umfallen leer und erschöpft. Wenn ich es ließe, dachte etwas in ihm, wenn ich es ganz ließe, es vergäße, es abstreifte wie eine Schlange eine längst überjährige Haut! Was geht es mich noch an, dieses Melodrama aus einer fast vergessenen Vergangenheit? Was geht mich selbst dieser Mensch noch an, dieses kleine, zufällige Instrument, dieses belanglose Werkzeug in einem Stück finstern Mittelalters, einer Sonnenfinsternis in Mitteleuropa?

Was ging es ihn noch an? Eine Hure versuchte ihn in einen Torgang zu locken. Sie öffnete im Dunkel der Tür ihr Kleid. Es war so gemacht,

daß es, wenn sie einen Gürtel öffnete, auseinanderfiel wie ein Schlafrock. Das bleiche Fleisch schimmerte undeutlich. Schwarze, lange
Strümpfe, ein schwarzer Schoß, schwarze Augenhöhlen, in deren
Schatten man die Augen nicht mehr sah; mürbes, zerfallendes Fleisch,
das schon zu phosphoreszieren schien.

Ein Zuhälter, eine Zigarette an der Oberlippe klebend, lehnte an
einem Baum und starrte ihn an. Ein paar Gemüsewagen kamen vorbei.
Pferde, nickend, schwere, ziehende Muskeln unter dem Fell. Der wür-
zige Geruch von Kräutern, von Blumenkohlköpfen, die aussahen wie
versteinerte Gehirne in grünen Blättern. Das Rot der Tomaten, die
Körbe mit Bohnen, Zwiebeln, Kirschen und Sellerie.

Was ging es ihn noch an? Einer mehr oder weniger. Einer mehr oder
weniger von Hunderttausenden, die ebenso schlimm waren oder noch
schlimmer. Einer weniger. Er blieb mit einem Ruck stehen. Das war es!
Er war auf einmal ganz wach. Das war es! Das hatte sie groß werden
lassen, daß man müde wurde, daß man vergessen wollte, daß man
dachte: Was geht es mich noch an? Das war es! Einer weniger! Ja, einer
weniger – das war nichts, aber es war auch alles! Alles! Er zog langsam eine Zigarette aus der Tasche und zündete sie langsam an. Und
plötzlich, während das gelbe Licht des Streichholzes die Innenfläche
seiner Hände beleuchtete, wie eine Höhle mit Schluchten von Linien
darin, wußte er, daß ihn nichts abhalten konnte, Haake zu töten. In
einer sonderbaren Weise kam alles darauf an. Es war auf einmal weit
mehr als eine persönliche Rache. Es war so, daß, wenn er es nicht tat,
er sich eines unendlichen Verbrechens schuldig machte; – daß irgend
etwas in der Welt verloren war für immer, wenn er nicht handelte.
Er wußte gleichzeitig genau, daß es nicht so war – aber trotzdem weit
jenseits von Erklärung und Logik stand das finstere Wissen in seinem
Blut, daß er es tun müsse –, als würden unsichtbare Wellen davon
auslaufen und weit Größeres später geschehen. Er wußte, Haake war
ein kleiner Beamter des Sckreckens, und er bedeutete nicht viel; – aber
er wußte plötzlich auch, daß es unendlich wichtig war, ihn zu töten.

Das Licht in der Höhle seiner Hand erlosch. Er warf das Streichholz
weg. Die Dämmerung hing in den Bäumen. Ein Silbergespinst, gehalten
vom Pizzikato der erwachenden Spatzen. Er sah sich verwundert um.
Etwas in ihm war geschehen. Ein unsichtbares Gericht war abgehalten
worden und ein Urteil gesprochen. Er sah überaus klar die Bäume, die
gelbe Mauer eines Hauses, die graue Farbe eines Eisengitters neben
sich, die Straße im blauen Dunst; – er hatte das Gefühl, daß er sie nie
vergessen werde. Und er wußte erst in diesem Augenblick wirklich,
daß er Haake töten werde und daß es nicht mehr seine eigene, kleine
Angelegenheit war, sondern weit mehr. Ein Anfang.

Er kam am Eingang des „Osiris" vorbei. Ein paar Betrunkene taumelten heraus. Ihre Augen waren glasig; die Gesichter rot. Es war kein Taxi da. Sie schimpften eine Weile und gingen dann weiter, schwer, kräftig und laut. Sie sprachen deutsch.

Ravic hatte zum Hotel gehen wollen. Er änderte jetzt seine Absicht. Ihm fiel ein, daß Rolande ihm gesagt hatte, daß seit einigen Monaten oft deutsche Touristen im „Osiris" wären. Er trat ein.

Rolande stand an der Bar, kühl beobachtend, in ihrem schwarzen Gouvernantenkleid. Das Orchestrion tobte hallend gegen die ägyptischen Wände. „Rolande", sagte Ravic.

Sie drehte sich um. „Ravic! Du warst lange nicht hier. Gut, daß du kommst."

„Warum?"

Er stand neben ihr an der Bar und überblickte das Lokal. Es waren nicht mehr viel Klienten da. Sie hockten hier und da schläfrig an den Tischen.

„Ich mache Schluß hier", sagte Rolande. „In einer Woche reise ich."

„Für immer?"

Sie nickte und holte ein Telegramm aus ihrem Brustausschnitt. „Hier."

Ravic öffnete es und gab es zurück. „Deine Tante? Ist sie endlich gestorben?"

„Ja, ich gehe zurück. Ich habe es Madame erklärt. Sie ist wütend, aber sie versteht es. Jeanette muß mich ersetzen. Sie muß noch eingearbeitet werden." Rolande lachte. „Die arme Madame. Sie wollte dieses Jahr in Cannes glänzen. Ihre Villa ist schon voll von Gästen. Sie ist vor einem Jahr Gräfin geworden. Hat einen Pimp aus Toulouse geheiratet. Zahlt ihm fünftausend Franc im Monat, solange er Toulouse nicht verläßt. Jetzt muß sie hierbleiben."

„Machst du dein Café auf?"

„Ja. Ich laufe schon den ganzen Tag herum, alles zu bestellen. In Paris kann man es billiger haben. Chintz für die Vorhänge. Was sagst du zu diesem Muster?"

Sie holte aus ihrem Brustausschnitt einen zerdrückten Fetzen Stoff hervor. Blumen auf gelbem Grund. „Wunderbar", sagte Ravic.

„Ich bekomme es mit dreißig Prozent. Zurückgesetzt vom vorigen Jahr." Rolandes Augen leuchteten warm und zärtlich. „Ich spare dreihundertsiebzig Franc dabei. Gut, wie?"

„Fabelhaft. Wirst du heiraten?"

„Ja."

„Warum willst du heiraten? Warum wartest du nicht noch und erledigst vorher alles, was du willst?"

Rolande lachte. „Du verstehst das Geschäft nicht, Ravic. Ohne einen Mann geht das nicht. Der Mann gehört da hinein. Ich weiß schon, was ich tue."

Sie stand da, fest, sicher, ruhig. Sie hatte alles überlegt. Der Mann gehörte ins Geschäft. „Überschreibe ihm nicht gleich dein Geld", sagte Ravic. „Warte erst, wie alles geht."

Sie lachte wieder. „Ich weiß schon, wie es gehen wird. Wir sind vernünftig. Wir brauchen uns im Geschäft. Ein Mann ist kein Mann, wenn seine Frau das Geld hat. Ich will keinen Pimp. Ich muß Respekt haben vor einem Mann. Das kann ich nicht, wenn er kommen muß, mich jeden Augenblick um Geld zu fragen. Siehst du das nicht ein?"

„Ja", sagte Ravic, ohne es einzusehen.

„Gut." Sie nickte zufrieden. „Willst du etwas trinken?"

„Nichts. Ich muß gehen. Ich kam nur so vorbei. Muß morgen früh arbeiten."

Sie sah ihn an. „Du bist vollkommen nüchtern. Willst du ein Mädchen?"

„Nein."

Rolande dirigierte zwei Mädchen mit einer leichten Handbewegung zu einem Mann hinüber, der auf einer Banquette saß und schlief. Die übrigen tobten herum. Nur noch wenige saßen auf den Hockern, die in zwei Reihen den Mittelgang entlang standen. Die andern schlitterten auf den glatten Fliesen des Ganges wie Kinder im Winter auf Eis. Immer zwei zogen eine dritte, hockende, im Galopp den langen Gang hinab. Die offenen Haare flogen, die Brüste wippten, die Schultern schimmerten, das bißchen Seide verhüllt nichts mehr, die Mädchen schrien vor Vergnügen, und das „Osiris" war plötzlich eine arkadische Szene klassischer Unschuld.

„Sommer", sagte Rolande. „Man muß ihnen ein bißchen Freiheit morgens gönnen." Sie sah ihn an. „Am Donnerstag ist mein Abschiedsabend. Madame gibt ein Essen für mich. Kommst du?"

„Donnerstag?"

„Ja."

Donnerstag, dachte Ravic. In sieben Tagen. Sieben Tagen. Das sind sieben Jahre. Donnerstag – dann ist es längst geschehen. Donnerstag – wer konnte so weit denken? „Natürlich", sagte er. „Wo?"

„Hier. Um sechs Uhr."

„Gut. Ich werde dasein. Gute Nacht, Rolande."

„Gute Nacht, Ravic."

*

Es kam, als er den Retraktor einsetzte. Es kam rasch, bestürzend, heiß. Er zögerte einen Moment. Die offene, rote Höhle, der dünne Dampf der heißen, feuchten Tücher, mit denen die Därme hochgeschoben waren, das Blut, das neben den Klammern aus feinen Adern sickerte – er sah plötzlich Eugenie, die ihn fragend anblickte, er sah das Gesicht Vebers, groß, mit allen Poren und jedem Haar des Schnurrbarts unter dem metallischen Licht – und fing sich und arbeitete ruhig weiter.

Er nähte. Seine Hände nähten. Die Wunde schloß sich. Er fühlte, wie das Wasser unter seinen Armen rann. Es lief an seinem Körper herunter. „Wollen Sie fertig nähen?" fragte er Veber.

„Ja. Ist was los?"

„Nein. Die Hitze. Nicht genug geschlafen."

Veber sah Eugenies Blick. „Kommt vor, Eugenie", sagte er. „Selbst bei Gerechten."

Der Raum schwankte einen Augenblick. Eine wilde Müdigkeit. Veber nähte weiter. Ravic half ihm automatisch. Seine Zunge war dick. Der Gaumen wie Watte. Er atmete sehr langsam. Mohn, dachte etwas in ihm. Mohn in Flandern. Offener, roter Bauch. Rot, offene Mohnblüte, schamloses Geheimnis, Leben, so dicht unter Händen mit Messern. Zucken, die Arme herab, magnetischer Kontakt, weit her von einem fernen Tod. Ich kann nicht mehr operieren, dachte er. Dieses muß erst vorbei sein.

Veber pinselte den geschlossenen Schnitt. „Fertig."

Eugenie kurbelte die Beine der Operierten herunter. Leise rollte der Wagen hinaus. „Zigarette?" fragte Veber.

„Nein. Ich muß fort. Habe etwas zu erledigen. Ist noch was zu tun hier?"

„Nein." Veber sah Ravic verwundert an. „Wozu haben Sie es so eilig? Wollen Sie nicht einen Vermouth-Soda oder sonst irgend etwas Kühles trinken?"

„Nichts. Ich muß los! Wußte nicht, daß es schon so spät war! Adieu, Veber."

Er ging rasch hinaus. Taxi, dachte er draußen. Taxi, schnell. Er sah einen Citroën kommen und hielt ihn an. „Zum Hotel Prince de Galles! Rasch!"

Ich muß Veber sagen, daß er ein paar Tage ohne mich auskommen muß, dachte er. Es geht so nicht. Ich werde verrückt, wenn ich während der Operation plötzlich denke, daß Haake gerade jetzt anrufen könnte.

Er zahlte das Taxi und ging durch die Halle. Es schien endlos zu dauern, bis der Aufzug kam. Er ging den breiten Korridor hinab und schloß das Zimmer auf. Das Telephon. Er hob den Hörer ab, als sei er ein schweres Gewicht. „Hier ist von Horn. Hat jemand für mich angerufen?"

„Einen Augenblick, mein Herr."

Ravic wartete. Die Stimme der Telephonistin kam zurück. „Nein. Kein Anruf."

„Danke."

Morosow erschien nachmittags. „Hast du gegessen?" fragte er.

„Nein. Ich habe auf dich gewartet. Wir können zusammen hier essen."

„Unsinn. Würde auffallen. Niemand ißt in Paris in seinem Zimmer, wenn er nicht krank ist. Geh essen. Ich bleibe hier. Um diese Zeit telephoniert niemand. Jeder ißt. Geheiligter Brauch. Sollte er trotzdem anrufen; bin ich dein Valet, nehme seine Nummer und sage, du wärest zurück in einer halben Stunde."

Ravic zögerte. „Gut", sagte er dann. „Ich werde in zwanzig Minuten zurück sein."

„Laß dir Zeit. Du hast lange genug gewartet. Werde jetzt nicht nervös. Gehst du zu Fouquet's?"

„Ja."

„Laß dir von dem offenen 37er Vouvray geben. Habe ihn gerade gehabt. Erste Klasse."

„Gut."

Ravic fuhr hinunter. Er überquerte rasch die Straße und ging die Terrasse ab. Dann ging er durch das Restaurant. Haake war nicht da. Er setzte sich an einen leeren Tisch an der Avenue George V. und bestellte bœuf à la mode, Salat, Ziegenkäse und eine Karaffe Vouvray.

Er beobachtete sich, während er aß. Er zwang sich zu schmecken, daß der Wein leicht und etwas spritzig war. Er aß langsam, er schaute umher, er sah den Himmel wie eine blaue Seidenfahne über dem Arc de Triomphe hängen, er bestellte noch einen Kaffee, er spürte den bitteren Geschmack, er zündete sich langsam eine Zigarette an, er wollte sich nicht eilen, er saß noch eine Weile, er betrachtete die Menschen, die vorübergingen, dann stand er auf und ging zum „Prince de Galles" herüber und hatte alles vergessen.

„Wie war der Vouvray?" fragte Morosow.

„Gut."

Morosow holte ein Taschenschachspiel hervor. „Wollen wir eine Partie machen?"

„Ja."

Sie steckten die Figuren in die Löcher des Spiels. Morosow setzte sich in einen Sessel. Ravic saß auf dem Sofa. „Ich glaube nicht, daß ich hier länger als drei Tage bleiben kann, ohne Paß", sagte er.

„Hat die Rezeption schon danach gefragt?"

„Noch nicht. Manchmal verlangen sie Pässe mit Visa bei der Ankunft. Ich bin deshalb nachts eingezogen. Der Nachtknabe hat nicht viel gefragt. Ich habe ihm gesagt, ich brauche ein Zimmer für fünf Tage."

„In den teuren Hotels nimmt man es nicht so genau."

„Wenn sie kommen und meinen Paß verlangen, wird es schwierig."

„Sie werden vorläufig nicht kommen. Ich habe mich erkundigt im George V. und im Ritz. Hast du dich als Amerikaner eingetragen?"

„Nein. Als Holländer von Utrecht. Stimmt nicht ganz mit dem deutschen Namen. Habe ihn deshalb zur Vorsicht etwas verändert. Van Horn, nicht von. Klingt gleich, wenn Haake anfragt."

„Gut. Ich glaube, es wird trotzdem klappen. Du hast ja nicht eines der billigen Zimmer gemietet. Man wird sich nicht um dich kümmern."

„Hoffentlich nicht."

„Schade, daß du Horn als Namen angegeben hast. Ich weiß eine tadellose Carte d'Identité, noch ein Jahr gültig. Von einem Freund von mir, gestorben vor sieben Monaten. Wir haben ihn bei der Leichenschau als deutschen Refugié ohne Papiere angegeben. Haben so den Ausweis gültig erhalten und gerettet. Es macht ihm nichts aus, als Josef Weiß irgendwo begraben zu liegen. Hier aber haben schon zwei Emigranten auf seine Papiere gelebt. Iwan Kluge. Kein russischer Name. Das Foto verwischt, Profil, ungestempelt, leicht auszutauschen."

„Besser so, wie es jetzt ist", sagte Ravic. „Wenn ich hier ausziehe, gibt es dann keinen Horn mehr und keine Papiere."

„Es wäre sicherer gewesen für die Polizei. Aber sie wird nicht kommen. Sie kommt nicht in Hotels, wo man mehr als hundert Franc für ein Appartement bezahlt. Ich kenne einen Refugié, der im Ritz seit fünf Jahren ohne Papiere lebt. Der einzige, der es weiß, ist der Nachtportier. Hast du dir überlegt, was du machst, wenn die Brüder trotz alledem nach dir fragen sollten?"

„Natürlich. Mein Paß liegt auf der argentinischen Gesandtschaft für ein Visum. Werde versprechen, ihn am nächsten Tage zu besorgen. Lasse dann den Koffer hier stehen und komme nicht wieder. Ich habe Zeit für das. Die erste Anfrage wird vom Management kommen, nicht von der Polizei direkt. Ich rechne damit. Nur – dann ist es aus hier."

„Es wird klappen."

Sie spielten bis halb neun Uhr. „Geh jetzt Abendbrot essen", sagte Morosow. „Ich warte hier noch. Dann muß ich los."

„Ich werde später hier essen."

„Unsinn. Geh jetzt und iß eine anständige Portion. Wenn der Knabe anruft, mußt du wahrscheinlich zuerst mit ihm trinken. Besser, du hast dann reichlich gegessen. Weißt du, wohin du mit ihm gehen willst?"

„Ja."

„Ich meine, wenn er noch irgendwas sehen oder trinken will."

„Ja. Ich weiß genug Plätze, wo sich keiner kümmert."

„Geh jetzt essen. Trink nichts. Iß schwere, fette Sachen."

„Schön."

Ravic ging wieder zu Fouquet's hinüber. Es war alles nicht wirklich, empfand er. Er las das in einem Buch, oder er sah das in einem melodramatischen Film, oder er träumte es. Er ging wieder zuerst beide Seiten von Fouquet's ab. Die Terrassen waren hell gedrängt. Er kontrollierte jeden einzelnen Tisch. Haake war nirgends.

Er saß an einem kleinen Tisch, nahe der Tür, so daß er den Eingang und die Straße beobachten konnte. Neben ihm unterhielten sich zwei Frauen über Schiaparelli und Mainbocher. Ein Mann mit einem dünnen Bart saß bei ihnen und sagte nichts. Auf der andern Seite sprachen ein paar Franzosen über die Politik. Einer war für die Croix de feu, einer für die Kommunisten – die andern machten sich über beide lustig. Alle betrachteten zwischendurch zwei schöne, selbstsichere Amerikanerinnen, die Vermouth tranken.

Ravic beobachtete die Straße, während er trank. Er war nicht töricht genug, nicht an Zufälle zu glauben. Keine Zufälle gab es nur in guter Literatur – das Leben war täglich voll der albernsten. Er blieb eine halbe Stunde bei Fouquet's. Es war leichter als mittags. Er ging noch einmal um die Seite an den Champs-Elysées und dann ins Hotel zurück.

„Hier ist der Schlüssel für deinen Wagen", sagte Morosow. „Ich habe ihn umgetauscht. Es ist ein blauer Talbot jetzt, mit Ledersitzen. Der andere hatte Sitze aus Cord. Leder kann man leichter abwaschen. Es ist ein Kabriolett, du kannst es offen und geschlossen fahren. Laß aber immer die Fenster offen. Wenn du im geschlossenen Wagen schießen mußt, schieß so, daß das Fenster dahinter offen ist, damit die Kugel keine Spuren im Wagen hinterläßt. Ich habe den Talbot für zwei Wochen gemietet. Bringe ihn auf keinen Fall gleich in die Garage hinterher. Laß ihn in einer der Seitenstraßen stehen, die immer voll sind mit Wagen. Auslüften. Er steht jetzt in der Rue de Berri, gegenüber dem ‚Lancaster'."

„Gut", sagte Ravic. Er legte den Schlüssel neben das Telephon.

„Hier sind die Wagenpapiere. Einen Führerschein konnte ich nicht besorgen. Wollte nicht zu viele Leute fragen."

„Ich brauche keinen. Bin in Antibes die ganze Zeit ohne einen gefahren."

Ravic legte die Wagenpapiere zu den Schlüsseln. „Parke den Wagen heute nacht in einer andern Straße", sagte Morosow.

Melodrama, dachte Ravic. Schlechtes Melodrama. „Ich werde es machen. Danke, Boris."

„Ich wollte, ich könnte mit dir kommen."

„Ich wollte nicht. So was macht man allein."

„Ja. Aber nimm keine Chance und gib keine. Erledige ihn und fertig."

Ravic lächelte. „Das hast du mir schon ein dutzendmal gesagt."

„Man kann es nicht oft genug sagen. Es ist verdammt, was für Blödsinn einem in kritischen Momenten in den Schädel kommt. War mit Wolkowski in Moskau 1915 so. Hatte plötzlich den Ehrenfimmel. Jägerfimmel. Nicht kaltblütig abschlachten und so. Wurde erschossen von einem Schwein. Hast du genug Zigaretten?"

„Hundert. Und ich kann hier für alles telephonieren."

„Komm rüber und weck mich, wenn ich nicht mehr in der Scheherazade bin."

„Ich komme auf jeden Fall. Ganz gleich, ob etwas passiert."

„Gut. Servus, Ravic."

„Servus, Boris."

Ravic schloß die Tür hinter Morosow. Das Zimmer war plötzlich sehr still. Er setzte sich in die Ecke des Sofas. Er sah auf die Tapeten. Sie waren aus blauem Stoff, mit Leisten eingefaßt. Er kannte sie besser in zwei Tagen als andere, in denen er viele Jahre gelebt hatte. Er kannte die Spiegel, er kannte den grauen Velours des Fußbodens mit dem dunklen Fleck am Fenster, er kannte jede Linie des Tisches, des Bettes, die Bezüge der Sessel – er kannte alles zum Erbrechen genau – nur das Telephon kannte er nicht.

29

Der Talbot stand in der Rue de Bassano zwischen einem Renault und einem Mercedes-Benz. Der Mercedes war neu und hatte ein italienisches Nummernschild. Ravic manövrierte den Talbot heraus. Er war so ungeduldig, daß er nicht genau aufpaßte; die hintere Stoßstange des Talbots streifte den linken Kotflügel des Mercedes und hinterließ einen Kratzer. Er kümmerte sich nicht darum. Rasch fuhr er den Wagen zum Boulevard Haussmann hinunter.

Er fuhr sehr schnell. Es war gut, den Wagen in der Hand zu haben. Es war gut gegen die finstere Enttäuschung, die ihm wie Zement im Magen saß.

323

Es war vier Uhr morgens. Er hätte länger warten sollen. Aber plötzlich war ihm alles sinnlos erschienen. Haake hatte wahrscheinlich längst die kleine Episode vergessen. Vielleicht war er überhaupt nicht wieder nach Paris gekommen. Die hatten drüben jetzt andere Sachen zu tun.

Morosow stand vor der Tür der Scheherazade. Ravic parkte den Wagen um die nächste Ecke und ging zurück. Morosow sah ihm entgegen. „Hast du meinen Anruf bekommen?"

„Nein. Warum?"

„Ich habe vor fünf Minuten angerufen. Da sitzt eine Gruppe von Deutschen bei uns. Einer sieht aus wie –"

„Wo?"

„Neben dem Orchester. Der einzige Tisch mit vier Männern. Du kannst ihn von der Tür aus sehen."

„Gut."

„Nimm den kleinen Tisch neben dem Eingang. Ich habe ihn frei halten lassen."

„Gut, gut, Boris."

Ravic blieb in der Tür stehen. Der Raum war dunkel. Das Scheinwerferlicht lag voll auf der Tanzfläche. Eine Sängerin stand dort in einem silbernen Kleid. Der schmale Lichtkegel war so stark, daß man nichts außerhalb erkennen konnte. Ravic starrte zu dem Tisch neben dem Orchester hinüber. Er konnte ihn nicht sehen. Das weiße Flirren schloß ihn ab.

Er setzte sich an den Tisch neben der Tür. Ein Kellner brachte eine Karaffe Wodka. Das Orchester schien zu schleppen. Der süßliche Melodiennebel kroch und kroch, schneckenhaft langsam. J'attendrai – j'attendrai.

Die Sängerin verneigte sich. Applaus flatterte auf. Ravic beugte sich vor. Er wartete auf das Erlöschen des Scheinwerfers. Die Sängerin wandte sich zum Orchester. Der Zigeuner nickte und setzte die Geige an. Das Cymbal warf ein paar gedämpfte Läufe hoch. Das zweite Lied. La chapelle au clair de la lune. Ravic schloß die Augen. Das Warten war fast unerträglich.

Er saß wieder aufrecht, lange, bevor das Lied zu Ende war. Der Scheinwerfer erlosch. Die Lichter an den Tischen glühten auf. Er konnte im ersten Moment nichts anderes sehen als undeutliche Umrisse. Er hatte zu lange in den Scheinwerfer gestarrt. Er schloß noch einmal die Augen und sah auf. Er fand den Tisch sofort.

Langsam lehnte er sich zurück. Keiner der Männer war Haake. Er blieb lange so sitzen. Er war plötzlich entsetzlich müde. Müde hinter den Augen. Es trieb in stoßweisen, ungleichen Wellen heran. Die Musik, das Auf und Ab der Stimmen, der gedämpfte Lärm benebelte ihn nach der Stille des Hotelzimmers und der neuen Enttäuschung. Es war wie ein Schlafkaleidoskop, eine sachte Hypnose, die die roh gedachten, verwarteten Gehirnzellen einhüllte.

Irgendwann, in dem matten Lichtpunkt, in dem die Tanzenden trieben, sah er Joan. Das geöffnete, durstige Gesicht war zurückgebeugt, der Kopf nahe der Schulter eines Mannes. Er empfand nichts dabei. Niemand konnte einem fremder werden als ein Mensch, den man einmal geliebt hatte, dachte er müde. Wenn die rätselhafte Nabelschnur zwischen Phantasie und Objekt gerissen war, konnte es vielleicht noch wetterleuchten von einem zum andern, fluoreszieren, wie von geisterhaften Sternen; aber es war ein totes Licht. Es erregte, aber es zündete nicht mehr – nichts floß mehr herüber und hinüber. Er legte den Kopf zurück gegen die Rücklehne der Banquette. Das bißchen Vertrautheit über Abgründen. Die Dunkelheit der Geschlechter mit all ihren süßen Namen. Sternblumen über einem Meer, in dem man versank, wenn man sie pflücken wollte.

Er richtete sich auf. Er mußte hier heraus, bevor er einschlief. Er winkte dem Kellner. „Zahlen."

„Da ist nichts zu zahlen", sagte der Kellner.

„Wieso?"

„Sie haben nichts getrunken."

„Ach so, richtig."

Er gab dem Mann ein Trinkgeld und ging.

„Nein?" fragte Morosow draußen.

„Nein", erwiderte Ravic.

Morosow sah ihn an. „Ich gebe auf", sagte Ravic. „Es ist ein verdammtes, lächerliches Indianerspiel. Fünf Tage warte ich jetzt schon. Haake hat mir gesagt, daß er immer nur zwei, drei Tage in Paris bleibt. Danach muß er jetzt schon wieder weg sein. Wenn er überhaupt hier war."

„Geh schlafen", sagte Morosow.

„Ich kann nicht schlafen. Ich fahre jetzt zurück zum ‚Prince de Galles', hole meine Koffer und gebe die Bude auf."

„Gut", sagte Morosow. „Ich treffe dich dann morgen mittag da."

„Wo?"

„Im ‚Prince de Galles'."

Ravic sah ihn an. „Ja, natürlich. Ich rede Unsinn. Oder nicht. Vielleicht auch nicht."

„Warte noch bis morgen abend."

„Gut. Ich will sehen. Gute Nacht, Boris."

„Gute Nacht, Ravic."

*

Ravic fuhr am „Osiris" vorbei. Er parkte den Wagen um die Ecke. Ihm graute davor, in sein Zimmer im „International" zu gehen. Vielleicht konnte er hier ein paar Stunden schlafen. Es war Montag. Ein ruhiger Tag für Bordelle. Der Portier war nicht draußen. Wahrscheinlich war kaum jemand da.

Rolande stand in der Nähe der Tür und überblickte den großen Raum. Die Musikorgel lärmte durch den fast leeren Raum. „Nicht viel los heute, wie?" fragte Ravic.

„Nichts. Nur noch dieser Langweiler da. Geil wie ein Affe, will aber nicht raufgehen. Kennst ja den Typ. Möchte, aber hat Angst. Wieder mal ein Deutscher. Na, er hat gezahlt; lange kann es nicht mehr dauern."

Ravic sah gleichgültig zu dem Tisch hinüber. Der Mann saß mit dem Rücken zu ihm. Er hatte zwei Mädchen bei sich. Als er sich zu einer hinüberbeugte und ihre beiden Brüste in seine Hände nahm, sah Ravic sein Gesicht. Es war Haake.

Er hörte Rolande durch einen Wirbel sprechen. Er verstand nicht, was sie sagte. Er merkte nur, daß er zurückgetreten war und jetzt in der Tür stand, so, daß er gerade noch den Rand des Tisches sehen und selbst nicht gesehen werden konnte.

„Einen Kognak?" kam Rolandes Stimme endlich durch den Wirbel. Das Kreischen der Orgel. Das Schwanken immer noch, der Krampf im Zwerchfell. Ravic grub die Nägel in seine Fäuste. Haake durfte ihn hier nicht sehen. Und Rolande durfte nicht sehen, daß er ihn kannte.

„Nein", hörte er sich sagen. „Habe schon genug gehabt. Deutscher, sagst du? Kennst du ihn?"

„Keine Ahnung." Rolande zuckte die Schultern. „Einer sieht aus wie der andere. Glaube, dieser war noch nie hier. Willst du nicht noch etwas trinken?"

„Nein. Habe nur mal rasch hereingesehen –"

Er fühlte, daß Rolande ihn ansah und zwang sich zur Ruhe. „Ich wollte eigentlich nur hören, wann dein Abend ist", sagte er. „War es Donnerstag oder Freitag?"

„Donnerstag, Ravic. Du kommst doch?"

„Selbstverständlich. Ich wollte nur ganz sicher sein."

„Donnerstag um sechs Uhr."

„Gut. Ich werde pünktlich sein. Das war alles, was ich wollte. Ich muß jetzt fort. Gute Nacht, Rolande."

„Gute Nacht, Ravic."

Die weiße Nacht, brausend plötzlich. Keine Häuser mehr – Steindickicht, Fensterdschungel. Krieg plötzlich wieder, schleichende Patrouille, die leere Straße entlang. Der Unterstand des Wagens, hinein-geduckt, der Motor summend, lauern auf den Gegner.

Niederschießen, wenn er herauskam? Ravic sah die Straße hinauf. Ein paar Wagen. Gelbe Lichter. Ein paar Katzen. Unter einer Laterne, fern, etwas, das wie ein Polizist aussah. Die eigene Wagennummer, der Lärm des Schusses, Rolande, die ihn kurz vorher gesehen hatte – er hörte Morosow: „Riskier nichts, nichts. Das ist so was nicht wert."

Kein Portier. Kein Taxi! Gut! Montags gab es um diese Zeit wenig Fuhren. Im Augenblick, als er es dachte, ratterte ein Citroën heran und hielt vor der Tür. Der Chauffeur zündete sich eine Zigarette an und gähnte laut. Ravic fühlte, wie seine Haut sich zusammenzog. Er wartete.

Er überlegte, ob er aussteigen und dem Chauffeur sagen sollte, niemand sei mehr da. Unmöglich. Ihn wegschicken, bezahlen, mit irgend-einem Auftrag. Zu Morosow. Er riß einen Zettel heraus, schrieb ein paar Zeilen, zerriß sie, schrieb sie neu. Morosow möchte nicht auf ihn warten in der Scheherazade, unterschrieb irgendeinen Namen –

Das Taxi startete und fuhr an. Er starrte hinaus, konnte aber nichts sehen. Er wußte nicht, ob Haake eingestiegen war, während er schrieb. Er schaltete rasch den ersten Gang ein. Der Talbot schoß um die Ecke, dem Taxi nach.

Er sah niemand durch die rückwärtige Scheibe. Aber Haake konnte an der Seite sitzen. Er überholte langsam das Taxi. In der Dunkelheit des Fonds war nichts zu erkennen. Er fiel zurück und kam wieder vor, so dicht wie möglich neben dem andern Wagen. Der Chauffeur drehte sich um und begann zu schimpfen. „Heh, Idiot! Willst du mich ein-klemmen?"

„Da ist ein Freund von mir in deinem Wagen."

„Besoffener Hohlkopf", brüllte der Chauffeur. „Siehst du nicht, daß der Wagen leer ist?"

Ravic hatte im gleichen Moment selbst gesehen, daß die Taxiuhr nicht eingeschaltet war. Er drehte scharf um und jagte zurück.

Haake stand am Rande der Straße. Er winkte. „Hallo, Taxi!"

Ravic fuhr heran und bremste. „Taxi?" sagte Haake.

„Nein", Ravic beugte sich aus dem Fenster. „Hallo", sagte er.

Haake sah ihn an. Seine Augen verengten sich. „Was?"

„Ich glaube, wir kennen uns", sagte Ravic auf Deutsch.

Haake beugte sich vor. Das Mißtrauen verschwand aus seinem Ge-sicht. „Mein Gott – Herr von – von –"

„Horn."

„Richtig! Richtig! Herr von Horn! Natürlich! So ein Zufall! Mann, wo haben Sie denn all die Zeit gesteckt?"

„Hier in Paris. Kommen Sie, steigen Sie ein. Ich wußte nicht, daß Sie schon zurück waren."

„Ich habe Sie ein paarmal angerufen. Haben Sie Ihr Hotel gewechselt?"

„Nein. Immer noch im Prince de Galles." Ravic öffnete den Schlag des Wagens. „Kommen Sie. Ich nehme Sie mit. Ein Taxi kriegen Sie nicht leicht um diese Zeit."

Haake setzte einen Fuß auf das Trittbrett. Ravic spürte seinen Atem. Er sah das erhitzte, rote Gesicht. „Prince de Galles", sagte Haake. „Verdammt, ja, das war es! Prince de Galles! Ich habe dauernd im George V. angerufen." Er lachte laut. „Kannte Sie keiner da. Nun verstehe ich! Prince de Galles, natürlich! Habe das verwechselt. Mein altes Notizbuch nicht mitgenommen. Dachte, ich hätte es im Kopf."

Ravic hatte den Eingang im Auge. Es würde noch eine Zeitlang dauern, ehe jemand herauskam. Die Mädchen mußten sich erst umziehen. Trotzdem mußte er Haake so rasch wie möglich in den Wagen kriegen. „Wollten Sie hier hinein?" fragte Haake gemütlich.

„Ich dachte daran. Wird aber schon zu spät sein."

Haake blies den Atem geräuschvoll durch die Nase. „Sie sagen es, mein Lieber. Ich war der letzte. Schluß hier in der Bude."

„Macht nichts. Ist sowieso langweilig. Gehen wir anderswohin! Kommen Sie."

„Gibt's noch was?"

„Natürlich. Die richtigen Buden fangen erst an. Dies hier ist nur für Touristen."

„Wirklich? Ich dachte – dies hier ist doch schon allerhand."

„Gar nichts. Es gibt viel Besseres. Dies hier ist nur ein Puff."

Ravic tippte ein paarmal auf dem Gaspedal. Der Motor brauste auf und verebbte. Er hatte richtig gerechnet; Haake kletterte umständlich auf den Sitz neben ihm. „Nett, Sie wiederzusehen", sagte er. „Wirklich nett."

Ravic griff über ihn weg und zog die Tür zu. „Ich freue mich auch sehr."

„Interessante Bude da! Haufen nackter Mädchen. Daß die Polizei das erlaubt! Sind doch wahrscheinlich meistens krank, wie?"

„Möglich. Man geht in diesen Plätzen natürlich nie sicher."

Ravic fuhr an. „Gibt's Plätze, die absolut sicher sind?"

Haake biß eine Zigarre ab. „Möchte nicht gerne mit einem Tripper nach Hause kommen. Andrerseits: Man lebt nur einmal."

„Ja", sagte Ravic und gab Haake den elektrischen Anzünder hinüber.

„Wohin fahren wir?"

„Wie wäre es mit einem Maison de Rendez-vous für den Anfang?"

„Was ist das?"

„Ein Haus, in dem Frauen der Gesellschaft Abenteuer suchen."

„Was? Wirkliche Frauen der Gesellschaft?"

„Ja. Frauen, die zu alte Männer haben. Frauen, die zu langweilige Männer haben. Frauen, deren Männer nicht genug Geld verdienen."

„Aber wie – die können doch nicht einfach –, wie geht das denn vor sich?"

„Die Frauen kommen dahin auf eine Stunde oder ein paar Stunden. So wie zu einem Cocktail oder zu einem Nightcup. Manche lassen sich auch anrufen und kommen dann. Es ist natürlich keine Bude, wie die hier in Montmartre. Ich kenne da ein sehr schönes Haus, mitten im Bois. Die Besitzerin sieht aus, wie eine Herzogin aussehen sollte. Alles äußerst vornehm und diskret und elegant."

Ravic sprach langsam und ruhig, mit langsamem Atem. Er hörte sich reden wie einen Touristenführer, aber er zwang sich, weiterzusprechen, um ruhiger zu werden. In seinen Armen zitterten die Adern. Er griff das Steuerrad fest mit beiden Händen, um es zu unterdrücken. „Sie werden erstaunt sein, wenn Sie die Räume sehen", sagte er. „Die Möbel sind alle echt, die Teppiche und die Gobelins alt, der Wein ist ausgesucht, das Service ist exquisit, und mit den Frauen sind Sie natürlich absolut sicher."

Haake blies den Rauch seine Zigarre aus. Er wendete sich Ravic zu. „Hören Sie, das klingt alles wunderbar, mein lieber Herr von Horn. Nur eins ist da die Frage: Das ist sicher nicht billig?"

„Es ist absolut nicht teuer."

Haake lachte kollernd und etwas verlegen. „Kommt darauf an, was man darunter versteht! Wir Deutschen mit unsern paar Devisen –"

Ravic schüttelte den Kopf. „Ich kenne die Besitzerin sehr gut. Sie ist mir verpflichtet. Sie betrachtet uns als Spezialgäste. Wenn Sie kommen, kommen Sie als Freund von mir und dürfen wahrscheinlich nicht einmal zahlen. Ein paar Trinkgelder höchstens – weniger, als Sie für eine Flasche im ‚Osiris' zahlen."

„Wirklich?"

„Sie werden es sehen."

Haake rückte sich zurecht. „Donnerwetter, das ist ja allerhand."

Er schmunzelte breit zu Ravic hinüber. „Sie scheinen glänzend Bescheid zu wissen! Muß schon ein guter Dienst gewesen sein, den Sie der Frau geleistet haben."

Ravic sah ihn an. Er sah ihm gerade in die Augen. „Häuser dieser

Art haben manchmal Schwierigkeiten mit Behörden. Leichte Erpressungsversuche. Sie wissen doch, was ich meine?"

„Und ob!" Haake war einen Augenblick nachdenklich. „Haben Sie so viel Einfluß hier?"

„Nicht viel. Ein paar Freunde in einflußreichen Stellen."

„Das ist schon etwas! Wir können das gut brauchen. Können wir nicht einmal darüber reden?"

„Gewiß. Wie lange bleiben Sie noch in Paris?"

Haake lachte. „Ich scheine Sie immer zu treffen, wenn ich gerade abreise. Ich fahre um sieben Uhr dreißig früh." Er sah auf die Uhr im Wagen. „In zweieinhalb Stunden. Wollte es Ihnen schon sagen. Ich muß dann am Gare du Nord sein. Können wir das schaffen?"

„Leicht. Müssen Sie vorher noch ins Hotel?"

„Nein. Mein Handgepäck ist schon am Bahnhof. Habe das Hotel nachmittags aufgegeben. Spare so einen Tag Miete. Mit unseren Devisen –" Er lachte wieder.

Ravic merkte plötzlich, daß er auch lachte. Er preßte die Hände fest um das Steuerrad. Unmöglich, dachte er, das ist unmöglich! Irgend etwas wird geschehen und noch dazwischenkommen. So viel Zufall ist unmöglich.

Die frische Luft brachte den Alkohol in Haake heraus. Seine Stimme wurde langsamer und schwerer. Er rückte sich in seiner Ecke zurecht und begann zu dösen. Sein Unterkiefer klappte herunter, und seine Augen schlossen sich. Der Wagen bog in das lautlose Dunkel des Bois ein.

Die Scheinwerfer flogen wie lautlose Gespenster dem Wagen voraus und rissen Geisterbäume aus der Finsternis. Der Geruch von Akazien stürzte durch die offenen Fenster. Das Geräusch der Reifen auf dem Asphalt, sanft, ständig, als wolle es nie enden. Der Motor, summend, vertraut, tief und leise in der feuchten Nachtluft. Der Schimmer eines kleinen Teiches, die Silhouette der Weiden, heller vor den dunklen Buchen. Wiesen, übertaut, perlmuttern, fahl. Die Route de Madrid, die Route de la Porte St. James, die Route de Neuilly. Ein verschlafenes Haus. Der Geruch von Wasser. Die Seine.

Ravic fuhr den Boulevard de la Seine entlang. Auf dem mondbeschienenen Wasser trieben, in Abständen, schwarz, zwei Schifferbarken. Von der entfernteren bellte ein Hund. Über das Wasser kamen Stimmen. Auf dem Vorderteil der ersten Barke brannte ein Licht. Ravic hielt den Wagen nicht an. Er hielt ihn in gleichmäßigem Tempo, um Haake nicht zu wecken, und fuhr die Seine entlang. Er hatte hier halten wollen. Es war unmöglich. Die Barken waren zu dicht am Ufer.

Er bog in die Route de la Femme ein, weg vom Fluß, zurück zur Allée de Longchamps. Er folgte ihr über die Allée de la Reine Marguerite und bog dann in die schmaleren Alleen ein.

Als er zu Haake hinüberblickte, sah er, daß dessen Augen offen waren. Haake blickte ihn an. Seine Augen glänzten wie blaue Glasbälle im schwachen Licht des Instrumentenbrettes. Es war wie ein elektrischer Schlag. „Aufgewacht?" fragte Ravic.

Haake antwortete nicht. Er sah Ravic an. Er bewegte sich nicht. Selbst seine Augen bewegten sich nicht.

„Wo sind wir?" fragte er endlich.

„Im Bois de Boulogne. Dicht beim Restaurant des Cascades."

„Wie lange fahren wir schon?"

„Zehn Minuten."

„Wir fahren länger."

„Kaum."

„Bevor ich einschlief, habe ich auf die Uhr gesehen. Wir fahren über eine halbe Stunde."

„Wirklich?" sagte Ravic. „Ich dachte, es wäre kürzer. Wir sind bald da."

Haake hatte seine Augen nicht von Ravic gelassen. „Wo?"

„In dem Maison de Rendez-vous."

Haake bewegte sich. „Fahren Sie zurück", sagte er.

„Jetzt?"

„Ja."

Er war nicht mehr betrunken. Er war klar und wach. Sein Gesicht war verändert. Die Jovialität und Bonhommie waren verschwunden. Ravic sah jetzt zum erstenmal das Gesicht wieder, das er kannte, das Gesicht, das sich ihm in der Schreckenskammer der Gestapo für immer ins Gehirn gegraben hatte. Und plötzlich verschwand die Irritation, die er die ganze Zeit gespürt hatte – das Gefühl, einen Fremden, der ihn eigentlich nichts anging, ermorden zu wollen. Er hatte einen gemütlichen Rotweintrinker im Wagen gehabt, und er hatte vergeblich nach den Gründen in dem Gesicht des Mannes gesucht – den Gründen, die in seinem Kopf vor allem standen, was er auch zu denken versuchte. Jetzt plötzlich waren wieder dieselben Augen, die vor ihm gewesen waren, wenn er aus Ohnmachten in Agonien von Schmerzen erwacht war. Dieselben kalten Augen, dieselbe kalte, leise, eindringliche Stimme –

Irgend etwas schwang in ihm jäh herum. Es war wie ein Strom, der die Pole wechselte. Die Spannung war dieselbe; aber das Flackernde, Nervöse, Wechselnde richtete sich in einen gleichen Strom, der nur ein Ziel hatte, und nichts war mehr da als das. Jahre zerfielen in Asche, der Raum mit den grauen Wänden war wieder da, die schirmlosen, weißen Lichter, der Geruch nach Blut, Leder, Schweiß, Qual und Angst –

„Warum?" fragte Ravic.

„Ich muß zurück. Man wartet auf mich im Hotel."

„Aber Sie sagten doch, Ihre Sachen seien schon am Bahnhof."

„Das sind sie. Aber ich habe noch etwas zu tun. Ich hatte das vergessen. Fahren Sie zurück."

„Gut."

Ravic hatte vor einer Woche den Bois ein dutzendmal abgefahren; am Tag und in der Nacht. Er wußte, wo er war. Einige Minuten noch. Er bog in eine schmale Allee nach links.

„Fahren wir zurück?"

„Ja."

Der schwere Geruch der Luft unter Bäumen, durch die keine Sonne am Tage schien. Die dichtere Dunkelheit. Das hellere Licht der Scheinwerfer. Ravic sah im Spiegel, wie Haakes linke Hand vom Wagenschlag zurückkroch, langsam, vorsichtig. Rechtssteuerung, dachte er, gelobt, daß dieser Talbot Rechtssteuerung hat! Er nahm eine Kurve, hielt das Steuer mit der linken Hand, tat, als schwanke er in der Biegung, gab alles Gas in die gerade Allee hinein; der Wagen schoß vorwärts, und ein paar Sekunden später bremste er mit voller Kraft.

Der Talbot bockte. Die Bremsen kreischten. Ravic hielt, einen Fuß gegen das Gaspedal, den andern gegen die Verschalung gestemmt, seine Balance. Haake, dessen Füße keinen Widerstand hatten, und der den Ruck nicht erwartet hatte, fiel mit dem Oberkörper vorwärts. Er bekam die Hand aus der Tasche nicht rechtzeitig frei und prallte mit der Stirn gegen die Kante von Windschutzscheibe und Instrumentenbrett. Im selben Moment schlug ihm Ravic den schweren Engländer, den er aus der rechten Seitentasche gegriffen hatte, in den Nacken, gerade unterhalb des Schädels.

Haake kam nicht mehr hoch. Er rutschte seitlich herunter. Die rechte Schulter hielt den Fall auf. Sie klemmte den Körper gegen das Instrumentenbrett.

Ravic fuhr sofort weiter. Er kreuzte die Allee und blendete die Scheinwerfer ab. Er fuhr weiter und wartete, ob jemand das Kreischen der Bremsen gehört habe. Er überlegte, ob er Haake irgendwo aus dem Wagen stoßen und im Gebüsch verbergen sollte, wenn jemand kam. Er hielt schließlich neben einer Kreuzung, stellte das Licht und den Motor ab, sprang aus dem Wagen, öffnete die Motorhaube und den Wagenschlag an Haakes Seite und horchte. Wenn jemand kam, konnte er es hier von weitem sehen und hören. Zeit genug, Haake hinter einen Busch zu ziehen und so zu tun, als ob der Motor nicht in Ordnung sei.

Die Stille war wie ein Lärm. Sie war so plötzlich und unfaßbar, daß sie brauste. Ravic preßte die Hände zu Fäusten, bis sie schmerzten. Er wußte, daß es sein Blut war, das in seinen Ohren brauste. Er atmete tief und langsam.

Das Brausen ging in Rauschen über. Durch das Rauschen klang ein Schrillen, das lauter wurde. Ravic horchte mit aller Kraft. Es wurde lauter, metallen – und auf einmal merkte er, daß es Grillen waren und daß das Rauschen nicht mehr da war. Nur noch die Grillen an einem erwachenden Morgen auf einem schmalen Wiesenstück schräg vor ihm.

Das Wiesenstück lag im frühen Licht. Ravic schloß die Motorhaube. Es war höchste Zeit. Er mußte fertig werden, bevor es zu hell wurde. Er sah sich um. Der Platz war nicht gut. Kein Platz im Bois war gut. Für die Seine war es zu hell. Er hatte nicht damit gerechnet, daß es so spät werden würde. Er fuhr herum. Er hatte ein Scharren gehört, ein Kratzen und dann ein Stöhnen. Eine der Hände Haakes kroch aus dem offenen Wagenschlag und kratzte auf dem Trittbrett. Ravic bemerkte, daß er noch immer den Engländer in der Hand hatte. Er griff Haake nach dem Rockkragen, zerrte ihn heraus, so daß der Kopf frei war, und schlug ihm zweimal in den Nacken. Das Stöhnen hörte auf.

Etwas klapperte. Ravic stand still. Dann sah er, daß es ein Revolver war, der vom Sitz auf das Trittbrett gefallen war. Haake mußte ihn in der Hand gehabt haben, bevor der Wagen bremste. Ravic warf ihn zurück in den Wagen.

Er horchte wieder. Die Grillen. Das Wiesenstück. Der Himmel, der sich aufhellte und zurückwich. In kurzer Zeit würde die Sonne dasein. Ravic öffnete den Wagenschlag, zerrte Haake heraus, legte den Vordersitz um und versuchte, Haake zwischen die Vorder- und Rücksitze auf den Boden des Wagens zu schieben. Es ging nicht. Der Platz war zu schmal. Er lief um den Wagen herum und öffnete den Kofferverschlag. Rasch räumte er ihn aus. Dann zog er Haake wieder aus dem Wagen und schleppte ihn zum Rückende des Wagens. Haake war noch nicht tot. Er war sehr schwer. Der Schweiß rann Ravic vom Gesicht. Es gelang ihm, den Körper in den Kofferverschlag zu pressen. Er preßte ihn hinein, wie ein Embryo, die Knie hochgeschoben.

Er nahm das Werkzeug, eine Schaufel und den Wagenheber vom Straßengrund und legte sie vorne in den Wagen. Ein Vogel begann in einem der Bäume neben ihm zu singen. Er schrak zusammen. Es schien ihm lauter, als alles, was er je gehört hatte. Er sah auf die Wiese. Sie war wieder heller geworden.

Er konnte kein Risiko auf sich nehmen. Er ging zurück und hob den Deckel des Kofferverschlags halb an. Er stellte den linken Fuß auf die hintere Stoßstange und hielt mit den Knien den Deckel halb offen und nur so weit, daß er mit den Händen darunter fassen konnte. Wenn jemand kam, sah es dann aus, als arbeite er harmlos an etwas, und er konnte den Deckel sofort fallen lassen. Er hatte einen langen Weg vor sich. Er mußte Haake vorher töten.

Der Kopf war nahe der rechten Ecke. Er konnte ihn sehen. Der Hals war weich; der Puls der Adern ging noch. Er preßte die Hände scharf um die Gurgel und hielt fest.

Es schien ewig zu dauern. Der Kopf ruckte etwas. Nur wenig. Der Körper versuchte, sich zu strecken. Es schien, als sei er gefangen in den Kleidern. Der Mund öffnete sich. Schrill begann der Vogel wieder zu schmettern. Die Zunge kam heraus, dick, gelb, belegt. Und plötzlich öffnete Haake ein Auge. Es quoll heraus, schien Licht zu bekommen und Sehen, es schien sich zu lösen und auf Ravic zuzukommen – dann gab der Körper nach. Ravic hielt ihn noch eine Zeitlang. Aus.

Der Deckel klappte herunter. Ravic ging noch ein paar Schritte. Dann spürte er seine Knie zittern. Er hielt sich an einem Baum fest und kotzte. Es war ihm, als riß es ihm den Magen heraus. Er versuchte sich zu halten. Es nützte nichts.

Als er aufblickte, sah er einen Mann über die Wiese kommen. Der Mann sah zu ihm hinüber. Ravic blieb stehen. Der Mann kam näher. Er ging mit langsamen, achtlosen Schritten. Er war angezogen wie ein Gärtner oder ein Arbeiter. Er sah zu Ravic hinüber. Ravic spuckte aus und zog ein Pack Zigaretten heraus. Er zündete eine an und zog den Rauch ein. Der Rauch war beißend und brannte im Halse. Der Mann kreuzte die Allee. Er blickte auf die Stelle, wo Ravic gekotzt hatte und dann auf den Wagen und dann auf Ravic. Er sagte nichts, und Ravic konnte nichts in seinem Gesicht sehen. Er verschwand hinter der Kreuzung mit langsamen Schritten.

Ravic wartete noch einige Sekunden. Dann schloß er den Kofferdeckel des Wagens ab und ließ den Motor an. Er konnte nichts mehr im Bois tun. Es war zu hell. Er mußte nach St. Germain fahren. Er kannte die Wälder dort.

30

Er hielt nach einer Stunde vor einem kleinen Gasthaus. Er war sehr hungrig und sein Kopf war dumpf. Er parkte den Wagen vor dem Hause, wo zwei Tische und ein paar Stühle standen. Er bestellte Kaffee und Brioches und ging, sich zu waschen. Der Waschraum stank.

Er ließ sich ein Glas geben und spülte sich den Mund aus. Dann wusch er seine Hände und ging zurück.

Das Frühstück stand auf dem Tisch. Der Kaffee roch wie alle Kaffees der Welt, Schwalben umflogen die Dächer, die Sonne hing ihre ersten goldenen Gobelins an die Häuserwände, Leute gingen zur Arbeit, und hinter den Perlenvorhängen des Bistros scheuerte eine Magd mit aufgeschürzten Röcken die Fliesen. Es war der friedlichste Sommermorgen, den Ravic seit langem gesehen hatte.

Er trank den heißen Kaffee. Aber er konnte sich nicht entschließen, zu essen. Er wollte nichts anfassen mit seinen Händen. Er sah sie an. Unsinn, dachte er. Verdammt, ich will keine Komplexe kriegen. Ich muß essen. Er trank noch eine Tasse Kaffee. Er holte eine Zigarette hervor und achtete darauf, nicht das Ende, das er berührt hatte, in den Mund zu stecken. Das kann so nicht weitergehen, dachte er. Aber er aß trotzdem nicht. Ich muß es erst ganz erledigen, beschloß er und stand auf und zahlte.

Eine Herde Kühe. Schmetterlinge. Die Sonne über den Feldern. Die Sonne in der Windschutzscheibe. Die Sonne auf dem Verdeck. Die Sonne auf dem glänzenden Metall des Kofferdeckels, unter dem Haake lag – tot, ohne daß er gehört hatte, warum und durch wen. Es hätte anders sein müssen. Anders –

„Erkennst du mich, Haake? Weißt du, wer ich bin?"

Er sah das rote Gesicht vor sich. „Nein, wieso? Wer sind Sie? Haben wir uns früher schon einmal getroffen?"

„Ja."

„Wann? Geduzt? Kadettenanstalt, vielleicht? Erinnere mich nicht."

„Du erinnerst dich nicht, Haake. Es war keine Kadettenanstalt. Es war später."

„Später? Aber Sie haben doch im Ausland gelebt? Ich war nie außerhalb Deutschlands. Nur in den letzten zwei Jahren hier in Paris. Vielleicht, daß wir im Suff –"

„Nein. Nicht im Suff. Und nicht hier. In Deutschland, Haake!"

Eine Barriere. Eisenbahnschienen. Ein Garten, klein, gedrängt voll mit Rosen, Flox und Sonnenblumen. Warten. Ein verlorener, schwarzer Zug, puffend durch den endlosen Morgen. Spiegelnd in der Windschutzscheibe, leben die Augen, die quallig im Kofferraum sich mit herabfallendem Staub aus den Ritzen füllten.

„In Deutschland? Ah, ich verstehe. Auf einem der Parteitage. Nürnberg. Glaube, mich zu erinnern. War es nicht im Nürnberger Hof?"

„Nein, Haake", sagte Ravic langsam in die Windschutzscheibe hinein, und er fühlte, wie die schwere Welle der Jahre zurückkam. *„Nicht in Nürnberg. In Berlin."*

„Berlin?" Das Schattengesicht, durchzittert von Reflexen, wurde eine Spur jovial ungeduldig. „Na, nun kommen Sie schon heraus, Mensch, mit der Geschichte! Halten Sie nicht hinter dem Berg und spannen Sie mich nicht zu lange auf die Folter! Wo war es?"

Die Welle, in den Armen jetzt, aus der Erde hochsteigend. „Auf der Folter, Haake! Genau das! Auf der Folter!"

Ein Lachen, ungewiß, vorsichtig. „Machen Sie keine Witze, Mann."

„Auf der Folter, Haake! Weißt du nun, wer ich bin?"

Das Lachen, ungewisser, vorsichtiger, drohend. „Wie soll ich das wissen? Ich sehe Tausende von Menschen. Kann mir nicht jeden einzeln merken. Wenn Sie auf die Geheime Staatspolizei anspielen –"

„Ja, Haake. Die Gestapo."

Achselzucken. Lauern. „Wenn Sie da einmal vernommen worden sind –"

„Ja. Erinnerst du dich?"

Erneutes Achselzucken. „Wie soll ich mich erinnern? Wir haben Tausende vernommen –"

„Vernommen! Gequält, geschlagen, bis zur Bewußtlosigkeit, Nieren zerquetscht, Knochen zerbrochen, wie Säcke in den Keller geworfen, wieder hervorgeholt, Gesichter zerrissen, Hoden zermalmt – das nennt ihr ‚vernommen'! Das heiße, entsetzliche Stöhnen derer, die nicht mehr schreien konnten – ‚Vernommen'! Das Winseln zwischen Ohnmacht und Ohnmacht, Fußtritte in den Bauch, Gummiknüppel, Peitschen – ja, alles das nannte ihr unschuldig ‚Vernommen'!"

Ravic starrte in das unsichtbare Gesicht in der Windschutzscheibe, durch das lautlos die Landschaft mit Korn und Mohn und Heckenrosen glitt – er starrte hinein, seine Lippen bewegten sich, und er sagte alles, was er hatte sagen wollen und einmal sagen mußte.

„Die Hände ruhig! Oder ich schieße dich nieder! Erinnerst du dich an den kleinen Max Rosenberg, der mit zerfetztem Körper im Keller neben mir lag und versuchte, sich den Kopf an der Zementwand zu zerschlagen, um nicht wieder ‚vernommen' zu werden – vernommen warum? Weil er ein Demokrat war! Und Willmann, der Blut pißte und keine Zähne und nur noch ein Auge hatte, nachdem er zwei Stunden bei euch ‚vernommen' worden war – vernommen, warum? Weil er ein Katholik war und nicht glaubte, daß euer Führer der neue Messias sei. Und Riesenfeld, dessen Kopf und Rücken rohen Fleischklumpen glichen, und der uns anflehte, ihm die Adern aufzubeißen, weil er es nicht mehr konnte, ohne Zähne, nachdem er ‚vernommen' war von dir – vernommen, warum? Weil er gegen den Krieg war und nicht glaubte, daß Kultur sich am vollkommensten in Bomben und

Flammenwerfern ausdrückte. Vernommen! Tausende habt ihr ‚vernommen‘, ja – die Hände ruhig, Schwein! Und jetzt habe ich dich endlich, und wir fahren hinaus, da ist ein Haus mit dicken Mauern und völlig allein, und ich werde dich ‚vernehmen‘ – langsam, langsam durch Tage hindurch, die Rosenbergkur, die Willmannkur, die Riesenfeldkur, so, wie ihr es uns gezeigt habt! Und dann, nach all dem –"

Ravic spürte plötzlich, daß der Wagen raste. Er nahm das Gas weg. Häuser. Ein Dorf. Hunde. Hühner. Pferde auf einer Weide, galoppierend, die Hälse gestreckt, die Köpfe hochgeworfen, heidnisch. Zentauren, kraftvolles Leben. Eine lachende Frau mit einem Wäschekorb. Auf den Leinen flatternd bunte Wäschestücke, Fahnen geborgenen Glücks. Ein paar Kinder spielend vor den Türen. Er sah das alles wie getrennt durch eine gläserne Wand, sehr nah und unglaublich fern, voll von Schönheit und Frieden und Unschuld, schmerzhaft stark und getrennt von ihm und unerreichbar für immer nur durch diese Nacht. Er spürte kein Bedauern; – es war so, das war alles.

Langsam fahren. Die einzige Gelegenheit, angehalten zu werden, die Dörfer zu durchrasen. Die Uhr. Er fuhr schon fast zwei Stunden. Wie war das möglich? Er hatte es nicht gemerkt. Er hatte nichts gesehen, nur das Gesicht, gegen das er sprach –

St. Germain. Der Park. Schwarze Gitter vor dem blauen Himmel und dann die Bäume. Bäume. Alleen von Bäumen. Ein Park von Bäumen, erwartet, erwünscht, und plötzlich der Wald.

Der Wagen lief leiser. Der Wald hob sich, eine grüne und goldene Woge, er warf sich rechts und links auf, er überflutete den Horizont und schloß alles ein – auch das schnelle, glitzernde Insekt, das in ihm zickzackte.

Der Grund war weich und mit Gebüsch überwuchert. Es war weitab von der Straße. Ravic ließ den Wagen einige hundert Meter entfernt stehen, so daß er ihn sehen konnte. Dann nahm er den Spaten und begann den Grund aufzuschaufeln. Es ging leicht. Wenn jemand kam und den Wagen sah, konnte er den Spaten verbergen und als harmloser Spaziergänger zurückkommen.

Er grub tief genug, um genügend Erde über dem Körper zu haben. Dann fuhr er den Wagen heran. Ein toter Körper war schwer. Trotzdem fuhr er nur so weit heran, wie harter Grund war, um keine Reifenspuren zu hinterlassen.

Der Körper war noch schlaff. Er schleppte ihn zu dem Erdloch und begann, die Kleider abzureißen und auf einen Haufen zu werfen. Es war einfacher, als er dachte. Er ließ den nackten Körper liegen, nahm die Kleider, steckte sie in den Kofferraum und fuhr den Wagen zurück. Er schloß die Türen und den Kofferraum ab und nahm einen Hammer mit. Er mußte damit rechnen, daß der Körper durch Zufall gefunden wurde, und er wollte jede Identifikation vermeiden.

Es fiel ihm einen Moment schwer, zurückzugehen. Er spürte einen fast unwiderstehlichen Drang, die Leiche liegenzulassen, in den Wagen zu steigen und davonzujagen. Er blieb stehen und blickte sich um. An einem Buchenstamm, ein paar Meter entfernt, jagten sich zwei Eichhörnchen. Ihre roten Pelze leuchteten in der Sonne. Er ging weiter.

Gedunsen. Bläulich. Er legte einen Fetzen Wollstoff, voll von Öl, über das Gesicht und begann, es mit dem Hammer zu zerschlagen. Nach dem ersten Schlag hielt er inne. Es klang sehr dumpf. Dann schlug er rasch weiter. Nach einer Weile lüftete er den Stofflumpen. Das Gesicht war eine unkenntliche Masse, voll von geronnenem, schwarzen Blut. Wie Riesenfelds Kopf, dachte er. Er spürte, daß seine Zähne fest zusammengebissen waren. Nicht wie Riesenfelds Kopf, dachte er. Riesenfelds Kopf war schlimmer: Er lebte noch.

Der Ring an der rechten Hand. Er zog ihn ab und schob den Körper in das Loch. Das Loch war etwas zu kurz. Er bog die Knie gegen den Bauch. Dann schaufelte er die Erde ein. Es ging schnell. Er stampfte sie zurecht und packte Moosstücke, die er vorher mit dem Spaten ausgeschnitten hatte, darüber. Sie paßten. Man sah die Ränder nur noch, wenn man sich bückte. Er schob das Gebüsch zurecht.

Der Hammer. Die Schaufel. Der Lappen. Er legte sie zu den Kleidern in den Kofferraum. Dann ging er noch einmal zurück, langsam, nach Spuren suchend. Er fand fast keine mehr. Den Rest würde etwas Regen und ein paar Tage Wachsen besorgen.

Sonderbar: die Schuhe eines toten Mannes. Die Strümpfe. Die Wäsche. Der Anzug weniger. Die Strümpfe, das Hemd, das Unterzeug – geisterhaft verwelkt bereits, voll einer mitgestorbenen Aura. Es war scheußlich, sie anzufassen und nach Monogrammen und Schneideretiketts zu suchen.

Ravic tat es rasch. Er schnitt sie heraus. Dann rollte er die Sachen in ein Bündel zusammen und vergrub sie. Es war mehrere Kilometer von dem Platz entfernt, wo er die Leiche eingegraben hatte – weit genug, um zu verhüten, daß man beide zu gleicher Zeit fand.

Er fuhr weiter, bis er an einen Bach kam. Er nahm die ausgeschnittenen Etiketts und wickelte sie in Papier. Dann zerriß er das Notizbuch Haakes in kleine Stücke und durchsuchte die Brieftasche. Sie enthielt zwei Tausendfrancscheine, das Fahrscheinheft nach Berlin, zehn Mark, einige Zettel mit Adressen und Haakes Paß. Ravic steckte das französische Geld ein. In Haakes Tasche hatte er noch ein paar Fünffrancscheine gefunden.

Das Fahrscheinheft sah er einen Augenblick an. Nach Berlin, es war

merkwürdig, das zu sehen: nach Berlin. Er zerriß es und legte es zu
dem andern. Den Paß betrachtete er lange. Er war gültig für drei
Jahre. Es war eine Versuchung, ihn zu behalten und damit zu leben.
Es paßte zu der ganzen Art von Existenz, die er führte. Er würde sich
nicht besonnen haben, wenn es ungefährlich gewesen wäre.

Er zerriß ihn. Den Zehnmarkschein auch. Die Schlüssel Haakes, den
Revolver und die Quittung für den Koffer behielt er. Er wollte überlegen, ob er die Koffer abholen sollte, um jede Spur in Paris zu ver-
wischen. Die Hotelquittung hatte er gefunden und zerrissen.

Er verbrannte alles. Es dauerte länger, als er dachte, aber er hatte
Zeitungspapier, um die Stoffetzen zu verbrennen. Die Asche streute er
in den Bach. Dann untersuchte er den Wagen auf Blut. Es war nichts
zu finden. Er wusch den Hammer und den Engländer sorgfältig und
packte das Werkzeug zurück in den Kofferraum. Er wusch seine
Hände, so gut es ging, holte eine Zigarette hervor und blieb eine Weile
sitzen und rauchte.

Die Sonne schien schräg durch die hohen Buchen. Ravic saß und
rauchte. Er war leer und dachte an nichts.

*

Erst als er wieder in die Straße zum Schloß einschwang, dachte er
an Sybil. Das Schloß stand weiß im hellen Sommer unter dem ewigen
Himmel des achtzehnten Jahrhunderts. Er dachte plötzlich an Sybil,
und zum erstenmal seit damals versuchte er nicht, Widerstand zu leisten
und es beiseite zu schieben und zu unterdrücken. Er war in seinen
Erinnerungen nie weiter gekommen als bis zu dem Tage, als Haake
sie hatte hereinführen lassen. Er war nie weitergekommen als bis zu
dem Grauen und der wahnsinnigen Angst in ihrem Gesicht. Alles
andere war ausgelöscht worden davon. Und er war nie weitergekommen als bis zu der Nachricht, daß sie sich erhängt hatte. Er hatte es nie
geglaubt; es war möglich – aber wer wußte, was vorher passiert war?
Er hatte nie an sie denken können, ohne den Krampf im Gehirn zu
spüren, der aus seinen Händen Klauen machte und sich wie ein
Krampf um seine Brust legte und ihn für Tage unfähig machte, aus
dem roten Nebel unfähiger Rachehoffnung zu entkommen.

Er dachte an sie, und der Ring und der Krampf und der Nebel
waren plötzlich nicht mehr da. Etwas war gelöst, eine Barrikade war
weggeräumt, das starre Bild des Entsetzens begann sich zu bewegen,
es war nicht mehr festgefroren, wie all die Jahre. Der verzerrte Mund
fing an, sich zu schließen, die Augen verloren ihre Starrheit, und sanft
kehrte das Blut in das kalkweiße Gesicht zurück. Es war nicht mehr
eine starre Maske der Furcht – es wurde wieder Sybil, die er kannte,

die mit ihm gelebt hatte, deren zärtliche Brüste er gefühlt hatte und die durch zwei Jahre seines Leben geweht war wie ein Juniabend.

Tage stiegen auf – Abende – wie ein fernes, vergessenes Feuerwerk plötzlich hinter dem Horizont. Eine verklemmte, verschlossene, blutüberkrustete Tür in seiner Vergangenheit öffnete sich auf einmal leicht und lautlos, und ein Garten war wieder dahinter, und nicht ein Gestapokeller.

Ravic fuhr seit mehr als einer Stunde. Er fuhr nicht zurück nach Paris. Er hielt auf der Seinebrücke hinter St. Germain und warf die Schlüssel und den Revolver Haakes ins Wasser. Dann öffnete er das Verdeck des Wagens und fuhr weiter.

Er fuhr durch einen Morgen in Frankreich. Die Nacht war fast vergessen und lag Jahrzehnte hinter ihm. Was vor einigen Stunden geschehen war, war schon undeutlich geworden – aber was seit Jahren versunken gewesen war, stieg rätselhaft auf und kam nahe, und es war nicht mehr durch einen Erdriß getrennt.

Ravic wußte nicht, was mit ihm geschah. Er hatte geglaubt, leer sein zu müssen, müde, gleichgültig, erregt – er hatte Ekel, stumme Rechtfertigung, Sucht nach Schnaps, Saufen, Vergessen erwartet – aber nicht dieses. Er hatte nicht erwartet, leicht und gelöst zu sein, als wenn ein Schloß von seiner Vergangenheit abgefallen wäre. Er sah sich um. Die Landschaft glitt vorüber, Prozessionen von Pappeln reckten ihren fackelhaften, grünen Jubel aufwärts, Felder mit Mohn und Kornblumen breiteten sich aus, aus den Bäckereien der kleinen Dörfer roch es nach frischem Brot, und aus einem Schulhaus sangen Kinderstimmen zu einer Geige.

Was hatte er nur vorhin gedacht, als er hier vorbeikam? Vorhin, ein paar Stunden, eine Ewigkeit früher. Wo war die gläserne Wand, wo das Ausgeschlossensein? Verflüchtigt, wie Nebel in der steigenden Sonne. Er sah die Kinder wieder, spielend auf den Stufen vor den Haustüren, er sah in der Sonne schlafende Katzen und Hunde, er sah die bunte, flatternde Wäsche im Wind, die Pferde auf der Weide, und immer noch stand die Frau mit Klammern in den Händen auf der Wiese und hängte lange Reihen von Hemden auf. Er sah es und gehörte dazu, mehr jetzt als viele Jahre vorher. Es schmolz etwas in ihm, weich und feucht stieg es auf, ein verbrannter Acker begann zu grünen, und irgend etwas in ihm schwang langsam zurück in eine große Balance.

Er saß in seinem Wagen sehr still; er wagte kaum, sich zu bewegen, um es nicht zu verscheuchen. Es wuchs und wuchs um ihn, es perlte hinunter und herauf, er saß still und glaubte es noch nicht ganz und fühlte es doch und wußte, es war da. Er hatte erwartet, der Schatten Haakes würde neben ihm sitzen und ihn anstarren – und nun saß nur sein Leben neben ihm und war zurückgekommen und sah ihn an. Zwei Augen, die durch viele Jahre aufgerissen waren und schweigend und unerbittlich gefordert und angeklagt hatten, schlossen sich; ein Mund bekam Frieden, und schreckensvoll vorgestreckte Arme fielen endlich hinab. Haakes Tod hatte den Tod aus Sybils Gesicht gelöst – es lebte einen Augenblick und fing dann an, undeutlich zu werden. Es konnte endlich ruhig werden, und es sank zurück; es würde nun nie wiederkommen, Pappeln und Linden begruben es sanft, und dann war noch der Sommer da und Bienengesumm und eine klare, starke, überwachte Müdigkeit, als hätte er viele Nächte nicht geschlafen und würde nun sehr lange oder nie mehr schlafen.

*

Er ließ den Talbot in der Rue Poncelet stehen. Im Augenblick, als der Motor schwieg und er ausstieg, fühlte er, wie müde er war. Es war nicht mehr die gelöste Müdigkeit der Fahrt, es war ein hohles, leeres nur Schlafenwollen. Er ging zum „International", und es machte ihm Mühe, zu gehen. Die Sonne lag wie ein Balken auf seinem Nacken. Er dachte daran, daß er sein Appartement im „Prince de Galles" aufgeben mußte. Er hatte es vergessen. Er war so müde, daß er einen Augenblick überlegte, ob er es nicht später tun sollte. Dann zwang er sich und fuhr mit einem Taxi zum „Prince de Galles". Er vergaß fast, als er seine Rechnung bezahlt hatte, seinen Koffer holen zu lassen.

Er wartete in der kühlen Halle. Rechts, in der Bar, saßen ein paar Leute und tranken Martinis. Er schlief fast ein, bis der Gepäckträger kam. Er gab ihm ein Trinkgeld und nahm ein Taxi. „Zur Gare de l'Est", sagte er. Er sagte es so laut, daß der Portier und der Träger es deutlich hören konnten.

An der Ecke der Rue de la Boëtie ließ er halten. „Ich habe mich um eine Stunde geirrt", sagte er zu dem Taxichauffeur. „Bin zu früh. Halten Sie hier vor dem Bistro."

Er zahlte, nahm seinen Koffer, ging zu dem Bistro und sah das Taxi verschwinden. Er ging zurück, nahm ein anderes und fuhr zum „International".

Niemand war unten, außer einem Jungen, der schlief. Es war zwölf Uhr. Die Patronne war beim Mittagessen. Ravic trug den Koffer zu seinem Zimmer. Er zog sich aus und drehte die Brause an. Er wusch sich lange und gründlich. Dann rieb er sich mit Alkohol ab. Es machte ihn frischer. Er verstaute den Koffer und versorgte die Sachen, die darin waren. Er zog frische Wäsche und einen anderen Anzug an und ging hinunter zu Morosow.

„Ich wollte gerade zu dir", sagte Morosow. „Heute ist mein freier

Tag. Wir können im ‚Prince de Galles' –" Er verstummte und sah Ravic genauer an.

„Nicht mehr nötig", sagte Ravic.

Morosow sah ihn an. „Erledigt", sagte Ravic. „Heute morgen. Frag mich nicht. Ich will schlafen."

„Brauchst du noch was?"

„Nichts. Alles erledigt. Glück."

„Wo ist der Wagen?"

„Rue Poncelet. Alles in Ordnung."

„Nichts weiter zu tun?"

„Nichts. Habe plötzlich verdammte Kopfschmerzen. Will schlafen. Ich komme später runter."

„Gut. Ist nichts mehr zu erledigen?"

„Nein", sagte Ravic. „Nichts mehr, Boris. Es war einfach."

„Du hast nichts vergessen?"

„Ich glaube nicht. Nein. Ich kann das jetzt nicht noch einmal durchkauen. Muß erst schlafen. Später. Bleibst du hier?"

„Natürlich", sagte Morosow.

„Gut. Ich komme dann herunter."

Ravic ging zurück in sein Zimmer. Er hatte auf einmal schwere Kopfschmerzen. Er stand eine Weile am Fenster. Unter ihm schimmerten die Lilien des Emigranten Wiesenhoff. Gegenüber die graue Wand mit den leeren Fenstern. Es war alles zu Ende. Es war richtig und gut und mußte so sein, aber es war zu Ende, und da war kein Weiter mehr. Es war nichts mehr da. Nichts mehr von ihm. Morgen war sein Name ohne Sinn. Steil vor seinem Fenster fiel der Tag ab.

Er zog sich aus und wusch sich noch einmal. Er ließ seine Hände lange im Alkohol und ließ sie in der Luft trocknen. Die Haut spannte sich um die Gelenke der Finger. Sein Kopf war schwer, und sein Gehirn schien wie lose darin umherzurollen. Er holte eine Injektionsspritze und kochte sie in einem kleinen elektrischen Kocher auf der Fensterbank. Das Wasser bubbelte eine Zeitlang. Es erinnerte ihn an den Bach. Nur an den Bach. Er schlug die Köpfe von zwei Ampullen ab und zog den wasserhellen Inhalt in die Spritze. Er machte sich die Injektion und legte sich aufs Bett. Nach einer Weile holte er seinen alten Schlafrock und deckte sich damit zu. Es war ihm, als wäre er zwölf Jahre alt und müde und allein in der sonderbaren Einsamkeit des Wachsens und der Jugend.

Er wachte auf in der Dämmerung. Ein blasses Rosa hing über den Hausdächern. Von unten kamen die Stimmen von Wiesenhoff und Frau Goldberg. Er konnte nicht verstehen, was sie redeten. Er wollte es auch nicht. Er war in der Stimmung eines Menschen, der nachmittags geschlafen hat und es nicht gewohnt ist – herausgefallen aus allen Beziehungen und reif für einen raschen, sinnlosen Selbstmord. Ich wollte, ich könnte jetzt operieren, dachte er. Einen schweren, fast aussichtslosen Fall. Ihm fiel ein, daß er den Tag über nichts gegessen hatte. Er spürte plötzlich rasenden Hunger. Die Kopfschmerzen waren verschwunden. Er zog sich an und ging hinunter.

Morosow saß in Hemdsärmeln in seinem Zimmer am Tisch und löste eine Schachaufgabe. Der Raum war fast kahl. An der einen Wand hing ein Uniformrock. In einer Ecke eine Ikone mit einem Licht davor. In einer andern stand ein Tisch mit einem Samowar, in der dritten ein moderner Eisschrank. Er war der Luxus Morosows. In ihm hielt er Wodka, Lebensmittel und Bier kalt. Ein türkischer Teppich lag vor dem Bett.

Morosow stand ohne ein Wort auf und holte zwei Gläser und eine Wodkaflasche. Er schenkte die Gläser voll. „Subovka", sagte er.

Ravic setzte sich an den Tisch. „Ich will nichts trinken, Boris. Ich bin nur verdammt hungrig."

„Gut. Laß uns essen gehen. Einstweilen –" Morosow kramte schwarzes, russisches Brot, Gurken, Butter und eine kleine Büchse Kaviar aus dem Eisschrank – „nimm das! Der Kaviar ist ein Geschenk des Küchenchefs der Scheherazade. Vertrauenswürdig."

„Boris", sagte Ravic. „Laß uns kein Theater spielen. Ich habe den Mann vor dem ‚Osiris' getroffen, ihn im Bois erschlagen und in St. Germain begraben."

„Hat dich jemand gesehen?"

„Nein. Auch vor dem ‚Osiris' nicht."

„Nirgendwo?"

„Im Bois kam jemand über die Wiese. Als alles erledigt war. Ich hatte ihn im Wagen. Man konnte nichts sehen als den Wagen und mich, der kotzte. Ich konnte besoffen sein, und mir konnte schlecht geworden sein. Nichts Außergewöhnliches."

„Was hast du mit seinen Sachen gemacht?"

„Vergraben. Identitätsmarken herausgeschnitten und mit seinen Papieren verbrannt. Ich habe nur noch sein Geld und eine Quittung für sein Gepäck an der Gare du Nord. Er hatte sein Zimmer schon aufgegeben und wollte abreisen heute morgen."

„Verdammt, das war Glück! Irgendwelche Blutspuren?"

„Nein. Da war kaum Blut. Ich habe mein Zimmer im ‚Prince de Galles' aufgegeben. Meine Sachen sind wieder hier. Es ist wahrscheinlich, daß die Leute, mit denen er hier zu tun hatte, annehmen, er sei abgereist. Wenn man das Gepäck abholen würde, würde keine Spur mehr von ihm hier sein."

„Man wird in Berlin merken, daß er nicht ankommt, und hier zurückfragen."

„Wenn das Gepäck nicht da ist, wird man nicht wissen, wohin er gefahren ist."

„Man wird es wissen. Er hat seine Schlafwagenkarte nicht benützt. Hast du sie verbrannt?"

„Ja."

„Dann verbrenne die Quittung auch."

„Man könnte sie an das Gepäckdepartement schicken und das Gepäck nach Berlin oder sonstwo gegen Nachnahme gehenlassen."

„Das bleibt dasselbe. Es ist besser, sie zu verbrennen. Wenn du zu gerissen bist, wird man mehr vermuten als jetzt. So ist er einfach verschwunden. Das kommt vor in Paris. Man wird nachforschen und mit Glück herausfinden, wo er zuletzt gesehen worden ist. Im ,Osiris‘. Warst du drin?"

„Ja. Für eine Minute. Ich sah ihn. Er mich nicht. Ich habe dann draußen auf ihn gewartet. Da hat uns niemand gesehen."

„Man kann nachfragen, wer um dieselbe Zeit im ,Osiris‘ war. Rolande wird sich erinnern, daß du da warst."

„Ich bin oft da. Das macht noch nichts."

„Es ist besser, man fragt dich nichts. Emigrant, ohne Papiere. Weiß Rolande, wo du wohnst?"

„Nein. Aber sie kennt Vebers Adresse. Er ist der offizielle Arzt. Rolande gibt ihren Posten in einigen Tagen auf."

„Man wird wissen, wo sie ist." Morosow schenkte sich ein Glas ein. „Ravic, ich glaube, es ist besser, du verschwindest für einige Wochen."

Ravic sah ihn an. „Das ist leicht gesagt, Boris. Wohin?"

„Irgendwohin, wo Leute sind. Geh nach Cannes oder Deauville. Da ist jetzt viel los, und du kannst untertauchen. Oder nach Antibes. Du kennst es, und keiner fragt dich da nach Pässen. Ich kann von Veber und Rolande dann immer hören, ob die Polizei bei ihnen angefragt hat, um dich als Zeuge zu vernehmen."

Ravic schüttelte den Kopf. „Am besten, man bleibt, wo man ist, und lebt so, als wäre nichts geschehen."

„Nein. Diesmal nicht."

Ravic sah Morosow an. „Ich laufe nicht weg. Ich bleibe hier. Das gehört mit dazu. Verstehst du das nicht?"

Morosow erwiderte nichts darauf. „Verbrenne zunächst einmal die Gepäckquittung", sagte er.

Ravic nahm den Zettel aus der Tasche, zündete ihn an und ließ ihn über dem Aschenbecher verbrennen. Morosow nahm den Kupferteller und schüttelte die dünne Asche aus dem Fenster. „So, das ist erledigt. Du hast sonst nichts mehr von ihm bei dir?"

„Geld."

„Laß es sehen."

Er examinierte es. Es waren keine Zeichen darauf. „Das ist leicht unterzubringen. Was willst du damit machen?"

„Ich kann es dem Refugiéfonds schicken. Anonym."

„Wechsle es morgen, und schick es in zwei Wochen."

„Gut."

Ravic steckte das Geld ein. Während er es zusammenfaltete, fiel ihm plötzlich ein, daß er gegessen hatte. Er ließ den Blick flüchtig auf seine Hände gleiten. Sonderbar, was er da morgens alles gedacht hatte. Er nahm ein anderes Stück des frischen, dunklen Brotes.

„Wo wollen wir essen?" fragte Morosow.

„Irgendwo."

Morosow sah ihn an. Ravic lächelte. Es war das erstemal, daß er lächelte. „Boris", sagte er. „Sieh mich nicht an wie eine Krankenschwester jemand, bei dem sie einen Nervenzusammenbruch fürchtet. Ich habe ein Vieh ausgelöscht, das es tausend- und tausendmal schlimmer verdient hat. Ich habe Dutzende von Menschen in meinem Leben getötet, die mich nichts angingen, und ich bin dekoriert worden dafür, und ich habe sie auch nicht in fairem Kampf getötet, sondern sie beschlichen, belauert, von hinten, wenn sie nichts ahnten, und es war Krieg und war ehrenvoll. Das einzige, was mir ein paar Minuten in der Kehle saß, war, daß ich es dem Kerl nicht vorher ins Gesicht sagen konnte, und das war ein idiotischer Wunsch. Er ist erledigt, und er wird keine Menschen mehr quälen, und ich habe darüber geschlafen, und es ist so weit weg jetzt, als läse ich es in der Zeitung."

„Gut." Morosow knöpfte seinen Rock zu. „Dann laß uns gehen. Ich brauche was zu trinken."

Ravic blickte auf. „Du?"

„Ja, ich!" sagte Morosow. „Ich." Er zögerte eine Sekunde. „Ist heute das erstemal, daß ich mich alt fühle."

31

Die Abschiedsfeier für Rolande begann pünktlich um sechs Uhr. Sie dauerte nur eine Stunde. Um sieben begann das Geschäft wieder.

Der Tisch war in einem Nebenraum gedeckt. Alle Huren waren angezogen. Die meisten trugen schwarze Seidenkleider. Ravic, der sie immer nur nackt oder mit ein paar dünnen Fetzen gesehen hatte, hatte Mühe, eine Anzahl von ihnen wiederzuerkennen. Nur ein halbes Dutzend von ihnen waren als Notfallsgruppe im großen Saal zurückgelassen worden. Sie würden sich um sieben Uhr umziehen und nachserviert bekommen. Keine von ihnen würde in Berufstracht herüberkommen. Es war nicht eine Vorschrift Madames – die Mädchen selbst hatten es so gewollt. Ravic hatte es nicht anders erwartet. Er kannte die Etikette unter Huren; sie war strenger als die der großen Gesellschaft.

Die Mädchen hatten zusammengelegt und Rolande sechs Korbsessel für ihr Restaurant geschenkt. Madame hatte eine Registrierkasse gestiftet, Ravic zwei Marmortische zu den Korbsesseln. Er war der einzige Außenseiter bei der Feier. Und der einzige Mann.

Das Essen begann fünf Minuten nach sechs. Madame präsidierte. Rechts von ihr saß Rolande, links Ravic. Es folgten die neue Gouvernante, die Hilfsgouvernante und dann die Reihen der Mädchen.

Die Hors d'oeuvres waren hervorragend. Straßburger Gänseleber, Pâté Maison, dazu alter Sherry. Ravic bekam eine Flasche Wodka. Er haßte Sherry. Es folgte Vichyoise feinster Qualität. Dann Turbot mit Meursault 1933. Der Turbot hatte die Klasse des Maxims. Der Wein war leicht und jung genug dazu. Dünne, grüne Spargel folgten. Dann am Spieß gebratene Hühner, knusprig und zart, ein erlesener Salat mit einem Hauch von Knoblauch, dazu Château St. Emilion. Am oberen Ende der Tafel wurde eine Flasche Romané Conti 1921 getrunken. „Die Mädchen verstehen das nicht", erklärte Madame. Ravic verstand es. Er bekam eine zweite Flasche. Dafür verzichtete er auf den Champagner und die Mousse Chocolat. Er aß mit Madame einen fließenden Brie zu dem Wein, mit frischem, weißem Brot ohne Butter.

Die Unterhaltung bei Tisch war die eines Mädchenpensionats. Die Korbsessel waren mit Schleifen geschmückt. Die Registrierkasse glänzte. Die Marmortische schimmerten. Wehmut schwebte durch den Raum. Madame war in Schwarz. Sie trug Brillanten. Nicht zuviel. Eine Brosche und einen Ring. Ausgesuchte, blauweiße Steine. Keine Krone, obwohl sie Gräfin geworden war. Sie hatte Geschmack. Madame liebte Brillanten. Sie erklärte, Rubine und Smaragde seien Risiken. Diamanten seien sicher. Sie plauderte mit Rolande und Ravic. Sie war sehr belesen. Ihre Unterhaltung war amüsant, leicht und geistvoll. Sie zitierte Montaigne, Chateaubriand und Voltaire. Über dem klugen, ironischen Gesicht schimmerte das weiße, etwas blaugefärbte Haar.

Um sieben Uhr, nach dem Kaffee, erhoben sich die Mädchen wie folgsame Pensionstöchter. Sie bedankten sich höflich bei Madame und verabschiedeten sich von Rolande. Madame blieb noch eine Weile. Sie ließ einen Armagnac bringen, wie ihn Ravic noch nie getrunken hatte. Die Aushilfsbrigade, die Dienst gehabt hatte, kam herein, gewaschen, weniger geschminkt als bei der Arbeit, umgezogen, in Abendkleidern. Madame wartete, bis die Mädchen saßen und beim Turbot waren. Sie wechselte mit jedem ein paar Worte und bedankte sich, daß sie die Stunde vorher geopfert hatten. Dann verabschiedete sie sich graziös. „Ich sehe Sie noch, Rolande, bevor Sie gehen –"

„Gewiß, Madame."

„Darf ich den Armagnac hierlassen?" fragte sie Ravic.

Ravic bedankte sich. Madame ging, jeder Zoll eine Dame erster Klasse.

Ravic nahm die Flasche und setzte sich zu Rolande hinüber. „Wann fährst du?" fragte er.

„Morgen nachmittag um vier Uhr sieben."

„Ich werde an der Bahn sein."

„Nein, Ravic. Das geht nicht. Mein Bräutigam kommt heute abend an. Wir fahren zusammen ab. Du verstehst, daß du da nicht kommen kannst? Er würde erstaunt sein."

„Natürlich."

„Wir wollen morgen früh noch einige Sachen aussuchen und alles abschicken lassen, bevor wir reisen. Ich ziehe heute abend ins Hotel Belfort. Gut, billig, sauber."

„Wohnt er auch da?"

„Natürlich nicht", sagte Rolande überrascht. „Wir sind doch noch nicht verheiratet."

„Richtig."

Ravic wußte, daß das alles keine Pose war. Rolande war eine Bürgerin, die einen Beruf gehabt hatte. Ob es ein Mädchenpensionat war oder ein Bordell, war dasselbe. Sie hatte ihren Beruf ausgefüllt, und jetzt war es vorbei, und sie kehrte zu ihrer bürgerlichen Welt zurück, ohne einen Schatten von der andern mitzunehmen. Es war ebenso bei vielen der Huren. Manche von ihnen wurden ausgezeichnete Ehefrauen. Hure zu sein war ein seriöser Beruf; kein Laster. Das sicherte vor Degradation.

Rolande nahm die Flasche Armagnac und goß Ravic ein neues Glas ein. Dann holte sie einen Zettel aus der Handtasche. „Wenn du einmal von Paris weg willst – hier ist die Adresse unseres Hauses. Du kannst immer kommen."

Ravic blickte auf die Adresse. „Es sind zwei Namen", sagte sie.

„Einer für die ersten zwei Wochen. Er ist meiner. Danach ist es der meines Bräutigams."

Ravic steckte den Zettel ein. „Danke, Rolande. Vorläufig bleibe ich in Paris. Außerdem würde dein Bräutigam sicher überrascht sein, wenn ich plötzlich hereingeschneit käme."

„Du meinst, weil ich möchte, daß du nicht zur Bahn kommst? Das ist etwas anderes. Dieses hier gebe ich dir für jeden Fall, daß du einmal von Paris weg mußt. Rasch. Dafür."

Er sah auf. „Warum?"

„Ravic", sagte sie. „Du bist ein Refugié. Und Refugiés haben manchmal Schwierigkeiten. Da ist es gut, zu wissen wo man wohnen kann, ohne daß die Polizei sich kümmert."

„Woher weißt du, daß ich ein Refugié bin?"

„Ich weiß es. Ich habe es niemand gesagt. Es geht keinen hier etwas an. Bewahre die Adresse auf. Und wenn du sie einmal brauchst, komm. Bei uns fragt niemand."

„Gut. Danke, Rolande."

„Vor zwei Tagen war jemand von der Polizei hier. Er fragte nach einem Deutschen. Wollte wissen, ob er hier gewesen sei."

„So?" sagte Ravic aufmerksam.

„Ja. Das letztemal, als du hereinkamst, war er hier. Du erinnerst dich wahrscheinlich nicht mehr. Ein dicker Kahlkopf. Er saß drüben mit Yvonne und Claire. Die Polizei fragte, ob er hier war und wer sonst noch hier gewesen sei."

„Keine Ahnung", sagte Ravic.

„Du hast ihn sicher nicht beobachtet. Ich habe natürlich nicht gesagt, daß du an dem Abend für einen Augenblick hier warst."

Ravic nickte.

„Besser so", erklärte Rolande. „Man gibt den Flics so keine Gelegenheit, unschuldige Leute nach Pässen zu fragen."

„Natürlich. Sagte er, was er wollte?"

Rolande zuckte die Schultern. „Nein. Und uns geht das ja auch nichts an. Ich habe ihm gesagt, niemand wäre hier gewesen. Das ist eine alte Regel bei uns. Wir wissen nie etwas. Besser. Er war auch nicht sehr interessiert."

„Nein?"

Rolande lächelte. „Ravic, es gibt viele Franzosen, die sich nichts daraus machen, was aus einem deutschen Touristen wird. Wir haben genug mit uns selbst zu tun."

Sie stand auf. „Ich muß fort. Adieu, Ravic."

„Adieu, Rolande. Es wird nicht mehr dasselbe sein hier, ohne dich."

Sie lächelte. „Nicht gleich, vielleicht. Aber bald."

Sie ging, um sich von den Mädchen zu verabschieden. Auf dem Wege betrachtete sie noch einmal die Registrierkasse, die Sessel und die Tische. Es waren praktische Geschenke. Sie sah sie bereits in ihrem Café. Besonders die Registrierkasse. Sie war Einkommen, Sicherheit, Heim und Wohlstand. Rolande zögerte einen Augenblick; dann konnte sie nicht mehr widerstehen. Sie nahm ein paar Geldstücke aus ihrer Handtasche, legte sie neben den glitzernden Apparat und begann zu tippen. Der Apparat schnurrte, zeigte zwei Franc fünfzig an, die Lade schoß heraus, und Rolande kassierte mit einem kindlich glücklichen Lächeln von sich selbst.

Die Mädchen kamen neugierig heran und umringten die Kasse. Rolande registrierte ein zweites Mal einen Franc fünfundsiebzig.

„Was bekommt man bei Ihnen für einen Franc fünfundsiebzig?" fragte Marguerite, die sonst noch das Roß genannt wurde.

Rolande dachte nach. „Einen Dubonnet, zwei Pernods."

„Wieviel ist ein Amèr Picon und ein Bier?"

„Siebzig Centimes." Rolande klapperte. Null Franc, siebzig Centimes.

„Billig", sagte das Roß.

„Wir müssen billiger sein als Paris", erklärte Rolande.

Die Mädchen rückten die Korbsessel um die Marmortische und setzten sich vorsichtig hinein. Sie strichen ihre Abendkleider glatt und waren plötzlich Besucher im künftigen Café Rolandes. „Wir möchten drei Tees mit englischen Biskuits, Madame Rolande", sagte Daisy, eine zarte Blonde, die besonders bei Ehemännern beliebt war.

„Sieben Franc achtzig." Rolande ließ die Kasse arbeiten. „Es tut mir leid, aber englische Biskuits sind sehr teuer."

Marguerite, das Roß, am Nebentisch hob nach scharfem Nachdenken den Kopf. „Zwei Flaschen Pommery", bestellte sie triumphierend. Sie hatte Rolande gern und wollte ihr das zeigen.

„Neunzig Franc. Guter Pommery."

„Und vier Kognaks", schnaufte das Roß. „Ich habe Geburtstag."

„Vier Franc vierzig." Die Kasse klapperte.

„Und vier Kaffees mit Baisers?"

„Drei Franc sechzig."

Das entzückte Roß starrte Rolande an. Es wußte nichts mehr.

Die Mädchen drängten sich um die Kasse. „Wieviel ist das, zusammen, Madame Rolande?"

Rolande zeigte den Zettel mit den eingedruckten Zahlen vor. „Hundertfünf Franc achtzig."

„Und wieviel ist davon Verdienst?"

„Ungefähr dreißig Franc. Das macht der Champagner, an dem man viel verdient."

„Gut", sagte das Roß. „Gut! So soll es immer gehen!"

Rolande kam zu Ravic zurück. Ihre Augen leuchteten, wie nur Augen leuchten können, wenn in ihnen die Liebe oder das Geschäft steht. „Adieu, Ravic. Vergiß nicht, was ich dir gesagt habe."

„Nein. Adieu, Rolande "

Sie ging, kräftig, aufrecht, klar – die Zukunft war einfach für sie und das Leben gut.

*

Er saß mit Morosow vor Fouquet's. Es war neun Uhr abends. Die Terrasse war gedrängt voll. Fern, hinter dem Arc, brannten zwei Laternen mit einem weißen, sehr kalten Licht.

„Die Ratten verlassen Paris", sagte Morosow. „Im ‚International' stehen drei Zimmer leer. Das war nicht da seit 1933."

„Es werden andere Emigranten kommen und sie füllen."

„Was für welche? Wir hatten Russen, Italiener, Polen, Spanier, Deutsche –"

„Franzosen", sagte Ravic. „Von den Grenzen. Flüchtlinge. Wie im letzten Krieg."

Morosow hob sein Glas und sah, daß es leer war. Er winkte dem Kellner. „Noch eine Karaffe Pouilly."

„Wie ist es mit dir? Ravic?" sagte er dann.

„Als Ratte?"

„Ja."

„Ratten brauchen heute auch Pässe und Visa."

Morosow sah ihn mißbilligend an. „Hast du bisher welche gehabt? Trotzdem warst du in Wien, Zürich, Spanien und Paris. Jetzt ist es Zeit, daß du hier verschwindest."

„Wohin?" fragte Ravic. Er nahm die Karaffe, die der Kellner gebracht hatte. Das Glas war kühl und beschlagen. Er schenkte den leichten Wein ein. „Nach Italien? Da wartet die Gestapo an der Grenze. Nach Spanien? Da warten die Falangisten."

„Nach der Schweiz."

„Die Schweiz ist zu klein. In der Schweiz war ich dreimal. Jedesmal nach einer Woche hatte mich die Polizei und schickte mich nach Frankreich zurück."

„England. Von Belgien als blinder Passagier."

„Ausgeschlossen. Sie erwischen dich im Hafen und schicken dich nach Belgien zurück. Und Belgien ist kein Land für Emigranten."

„Nach Amerika kannst du nicht. Wie ist es mit Mexiko?"

„Überfüllt. Und auch nur möglich mit wenigstens irgendeinem Papier."

„Du hast überhaupt keins?"

„Ich hatte ein paar Entlassungsscheine aus Gefängnissen, in denen ich unter verschiedenen Namen wegen illegalen Grenzübertritts gesessen habe. Nicht gerade das richtige. Ich habe sie natürlich immer gleich zerrissen."

Morosow schwieg.

„Die Flucht ist zu Ende, alter Boris", sagte Ravic. „Irgendwann ist sie immer einmal zu Ende."

„Du weißt, was hier geschehen wird, wenn Krieg kommt?"

„Selbstverständlich. Französisches Konzentrationslager. Sie werden schlecht sein, weil nichts vorbereitet ist."

„Und dann?"

Ravic zuckte die Achseln. „Man soll nicht zu weit vorausdenken."

„Gut. Aber weißt du, was geschehen kann, wenn hier alles drunter und drüber geht und du im Konzentrationslager sitzt? Die Deutschen können dich erwischen."

„Mich und viele andere. Vielleicht. Vielleicht wird man uns auch rechtzeitig rauslassen. Wer weiß das?"

„Und dann?"

Ravic nahm eine Zigarette aus der Tasche. „Wir wollen darüber nicht reden, Boris. Ich kann nicht aus Frankreich heraus. Überall anders ist es gefährlich oder unmöglich. Ich will auch nicht mehr weiter."

„Du willst nicht mehr weiter?"

„Nein. Ich habe darüber nachgedacht. Ich kann es dir nicht erklären. Es ist nicht zu erklären. Ich will nicht mehr weiter."

Morosow schwieg. Er blickte über die Menge. „Da ist Joan", sagte er.

Sie saß mit einem Mann ziemlich weit weg an einem Tisch nach der Avenue George V. „Kennst du ihn?" fragte er Ravic.

Ravic sah hinüber. „Nein."

„Scheint ziemlich schnell zu wechseln."

„Sie verfolgt das Leben", sagte Ravic gleichgültig. „Wie die meisten von uns. Atemlos, etwas zu versäumen."

„Man kann es auch anders nennen."

„Das kann man. Es bleibt dasselbe. Ruhelosigkeit, mein Alter. Die Krankheit der letzten fünfundzwanzig Jahre. Keiner glaubt mehr, daß er friedlich mit seinem Ersparten altern wird. Jeder riecht den Brandgeruch und versucht zu schnappen, was er kann. Du nicht. Du bist ein Philosoph einfacher Vergnügungen."

Morosow erwiderte nichts. „Sie versteht nichts von Hüten", sagte Ravic. „Sieh dir an, was sie da auf hat! Sie hat überhaupt wenig Geschmack. Das ist ihre Stärke. Kultur schwächt. Zum Schluß kommt es immer wieder nur auf den nackten Lebenstrieb an. Du selbst bist ein herrliches Beispiel dafür."

Morosow grinste. „Laß mir meine niedrigen Freuden, du Höhenwanderer. Wer einen einfachen Geschmack hat, dem gefällt viel. Er sitzt nie mit leeren Händen da. Wer sechzig ist und hinter der Liebe herrennt, ist ein Idiot, der gewinnen will, wenn die andern mit gezinkten Karten spielen. Ein gutes Bordell gibt Frieden des Gemütes. Das Haus, das ich frequentiere, hat sechzehn junge Frauen. Für wenig Geld bin ich dort ein Pascha. Die Zärtlichkeiten, die ich empfange, sind echter als die, die mancher Knecht der Liebe beschluchzt. Knecht der Liebe, sagte ich."

„Ich habe es verstanden, Boris.'

„Gut. Dann laß uns dies hier austrinken. Kühler, leichter Pouilly. Und laß uns die silberne Luft von Paris atmen, solange sie noch nicht verpestet ist."

„Das wollen wir. Hast du gesehen, daß die Kastanien in diesem Jahr zum zweitenmal blühen?"

Morosow nickte. Er zeigte zum Himmel, an dem rötlich und groß über den dunklen Dächern der Mars funkelte. „Ja. Und der dort soll der Erde näher stehen als seit vielen Jahren." Er lachte. „Bald werden wir lesen, daß irgendwo ein Kind mit einem Muttermal wie ein Schwert geboren wurde. Und daß irgendwo anders blutiger Regen gefallen ist. Es fehlt nur noch der rätselhafte Komet des Mittelalters, um die Vorzeichen voll zu machen."

„Der Komet ist da." Ravic zeigte auf die laufenden Leuchtschriften über dem Zeitungsgebäude, die sich ohne Pause zu jagen schienen, und auf die Menge, die schweigend davorstand, die Köpfe zurückgereckt.

Sie saßen eine Zeitlang. Ein Ziehharmonikaspieler postierte sich am Bordrand und spielte La Paloma. Die Teppichhändler mit den seidenen Keshans über den Schultern erschienen. Ein Junge verkaufte Pistazien zwischen den Tischen. Es schien alles wie immer – bis die Händler mit den neuen Zeitungsausgaben kamen. Sie wurden ihnen sofort aus den Händen gerissen, und die Terrasse sah ein paar Sekunden später mit all den entfalteten Zeitungen aus, als wäre sie begraben unter einem Schwarm riesiger, weißer, blutloser Motten, die mit leise schlagenden Flügeln gierig auf ihren Opfern saßen.

„Da geht Joan", sagte Morosow.

„Wo?"

„Drüben."

Joan ging schräg über die Straße zu einem grünen, offenen Wagen hinüber, der an den Champs-Elysées geparkt war. Sie sah Ravic nicht.

Der Mann, der bei ihr war, ging um den Wagen herum und setzte sich ans Steuer. Er trug keinen Hut und war ziemlich jung. Er manövrierte den Wagen geschickt aus den andern heraus. Es war ein Delahaye.

„Schöner Wagen", sagte Ravic.

„Schöne Reifen", erwiderte Morosow und schnaufte. „Braver eiserner Ravic", setzte er ärgerlich hinzu. „Detachiert und mitteleuropäisch. Schöner Wagen. Verfluchtes Luder – das würde ich verstehen."

Ravic lächelte. „Was macht das aus? Luder oder Heilige – es ist immer nur, was man selber daraus macht. Du verstehst das nicht, mit deinen sechzehn Frauen, du friedlicher Bordellbesucher. Die Liebe ist kein Händler, der seine Einlagen zurückhaben will. Und die Phantasie braucht nur ein paar Nägel, um ihre Schleier daran zu hängen. Ob es goldene, blecherne oder verrostete sind, macht ihr nichts. Wo sie sich fängt, da fängt sie sich. Dornbüsche und Rosensträucher – wenn der Schleier aus Mond und Perlmutter darüberfällt, sind beide Märchen aus Tausendundeiner Nacht."

Morosow nahm einen Schluck Wein. „Du redest zuviel", sagte er. „Außerdem stimmt das alles nicht."

„Das weiß ich. Aber in völliger Dunkelheit ist ein Irrlicht auch schon ein Licht, Boris."

Die Kühle kam auf silbernen Füßen vom Etoile her. Ravic legte seine Hand um das beschlagene Glas mit Wein. Es war kühl unter seiner Hand. Sein Leben war kühl unter seinem Herzen. Der tiefe Atem der Nacht trug es, und mit ihm kam die tiefe Gleichgültigkeit gegen das Schicksal. Das Schicksal und die Zukunft. Wann war das schon einmal so ähnlich gewesen? In Antibes, erinnerte er sich. Als er wußte, daß Joan ihn verlassen würde. Es war eine Gleichgültigkeit, die zu Gleichmut wurde. So wie der Entschluß, nicht zu fliehen. Nicht mehr zu fliehen. Es gehörte zusammen. Er hatte Rache gehabt und Liebe. Das war genug. Es war nicht alles, aber es war so viel, wie ein Mann verlangen konnte. Er hatte beides nicht mehr erwartet. Er hatte Haake getötet und Paris nicht verlassen. Er würde es nicht mehr verlassen. Es gehörte dazu. Wer eine Chance nahm, mußte auch eine geben. Das war nicht Resignation; es war die Ruhe eines Entschlusses, jenseits von Logik. Aus Schwanken wurde Halt. Etwas war geordnet. Man wartete, sammelte sich und sah sich um. Es war wie ein mystisches Vertrauen, zu dem das Dasein sich sammelte vor einer Zäsur. Nichts war mehr von Bedeutung. Alle Flüsse wurden still. Ein See hob seinen Spiegel in die Nacht, und der Morgen würde zeigen, wohin er sich ergießen würde.

„Ich muß gehen", sagte Morosow und sah auf die Uhr.

„Gut. Ich bleibe noch, Boris."

„Die letzten Abende vor der Götterdämmerung mitnehmen, wie?"

„Genau. Das wird alles nicht wiederkommen."

„Ist das so schlimm?"

„Nein. Wir kommen ja auch nicht wieder. Das Gestern ist verloren, und keine Tränen und Beschwörungen bringen es zurück."

„Du redest zuviel." Morosow stand auf. „Sei dankbar. Du erlebst das Ende eines Jahrhunderts mit. Es war kein gutes Jahrhundert."

„Es war unseres. Du redest zuwenig, Boris."

Morosow trank den Rest seines Glases stehend aus. Er stellte es so vorsichtig zurück, als wäre es aus Dynamit und wischte sich den Bart. Er war in Zivil und stand mächtig und groß vor Ravic. „Glaube nicht, daß ich nicht verstehe, warum du nicht weg willst", sagte er langsam. „Ich verstehe sehr gut, daß du nicht weiter willst, du fatalistischer Knochenschreiner."

Ravic kam früh ins Hotel zurück. Im Vestibül sah er eine kleine, verlorene Figur sitzen, die bei seinem Eintritt aufgeregt, mit einem sonderbaren Schwung beider Hände, vom Sofa aufstand. Er bemerkte, daß ein Bein der Hose keinen Fuß hatte. Ein schmutziger, splittriger Holzstumpf ragte statt dessen darunter hervor.

„Doktor – Doktor –"

Ravic blickte genauer hin. Im trüben Licht des Foyers sah er das Gesicht eines Jungen, breitgezogen in ein einziges Grinsen. „Jeannot", sagte er überrascht. „Natürlich, das ist Jeannot!"

„Richtig! Immer noch! Ich warte schon den ganzen Abend hier. Habe erst heute nachmittag Ihre Adresse gekriegt. Hatte schon vorher ein paarmal versucht, sie von dem alten Teufel, der Oberschwester in der Klinik, zu erfahren. Aber sie sagte mir jedesmal, Sie wären nicht mehr in Paris."

„Ich war auch eine Zeitlang nicht hier."

„Heute nachmittag hat sie mir endlich erklärt, daß Sie hier wohnen. Da bin ich gleich gekommen." Jeannot strahlte.

„Ist etwas los mit deinem Bein?" fragte Ravic.

„Nichts!" Jeannot klopfte auf den Holzstumpf, als klopfe er einem treuen Hunde auf den Rücken. „Absolut nichts. Alles tadellos."

Ravic blickte auf den Stumpf. „Ich sehe, du hast was du wolltest. Wie bist du mit der Versicherung auseinandergekommen?"

„Nicht schlecht. Sie haben mir ein mechanisches Bein bewilligt. Ich habe das Geld dafür von dem Geschäft mit fünfzehn Prozent Abzug bekommen. Alles in Ordnung."

„Und deine Crèmerie?"

„Deshalb bin ich hier. Wir haben das Milchgeschäft aufgemacht.

Klein, aber wir kommen durch. Mutter verkauft. Ich kaufe ein und verrechne. Habe gute Quellen. Direkt vom Lande."

Jeannot hinkte zu dem abgeschabten Sofa zurück und holte ein festverschnürtes, braun eingepacktes Paket. „Hier, Doktor! Für Sie! Ich habe Ihnen das mitgebracht. Nichts Besonderes. Aber alles aus unserem Geschäft – das Brot, die Butter, der Käse, die Eier. Wenn man mal keine Lust hat, auszugehen, ist das schon ein ganz gutes Abendessen, wie?"

Er schaute eifrig in Ravics Augen. „Das ist sogar immer ein gutes Abendessen", sagte Ravic.

Jeannot nickte befriedigt. „Ich hoffe, Sie mögen den Käse. Es ist Brie und etwas Pont l'Evêque."

„Das sind meine Lieblingskäse."

„Großartig!" Jeannot schlug sich vor Vergnügen kräftig auf den Rest seines eigenen Beines. „Der Pont l'Evêque war Mutters Idee. Ich dachte, Sie hätten Brie lieber. Brie ist mehr ein Käse für einen Mann."

„Beide sind erstklassig. Ihr konntet es nicht besser treffen." Ravic nahm das Paket. „Danke, Jeannot. Es kommt nicht oft vor, daß Patienten sich an ihren Arzt erinnern. Meistens kommen sie nur, um von ihrer Rechnung etwas abzuhandeln."

„Die Reichen, eh?" Jeannot nickte pfiffig. „Wir nicht. Schließlich verdanken wir Ihnen doch alles. Wenn das Bein nur steif geblieben wäre, hätten wir fast nichts gekriegt."

Ravic sah ihn an. Glaubt er etwa, ich habe ihm das Bein aus Gefälligkeit amputiert? dachte er. „Wir konnten nichts anderes machen, als amputieren, Jeannot", sagte er.

„Sicher." Jeannot zwinkerte ihm zu. „Klar." Er zog seine Kappe tiefer in die Stirn. „Dann will ich jetzt gehen. Mutter wartet bestimmt schon. Ich bin schon lange von zu Hause fort. Muß auch noch jemand sprechen, wegen eines neuen Roquefort. Adieu, Doktor. Hoffentlich schmeckt es."

„Adieu, Jeannot. Danke. Und viel Glück."

„Glück werden wir schon haben!"

Die kleine Gestalt winkte und hinkte selbstbewußt hinaus.

Ravic packte in seinem Zimmer die Sachen aus. Er suchte und fand einen alten Spirituskocher, den er seit Jahren nicht mehr gebraucht hatte. Irgendwo fand er auch ein Paket Hartspiritus und eine kleine Pfanne. Er nahm zwei Vierecke des Heizstoffs, legte sie auf den Kocher und zündete sie an. Die schmale, blaue Flamme flackerte. Er warf ein Stück Butter in die Pfanne, brach zwei Eier und mischte sie hinein. Dann schnitt er das frische, knusprige, weiße Brot, stellte die Pfanne mit ein paar Zeitungen als Unterlage auf den Tisch, öffnete den Brie, holte eine Flasche Vouvray und begann zu essen. Er hatte das lange nicht mehr getan. Er beschloß, morgen eine größere Anzahl Pakete mit Hartspiritus zu kaufen. Den Kocher konnte er leicht mitnehmen in ein Lager. Er war zusammenklappbar.

Ravic aß langsam. Er versuchte auch noch den Pont l'Evêque. Jeannot hatte recht – es war ein gutes Abendessen.

32

Der Auszug aus Ägypten", sagte der Doktor der Philologie und Philosophie Seidenbaum zu Ravic und Morosow, „ohne Moses."

Er stand dünn und gelb neben der Tür des „International". Draußen verluden die Familien Stern, Wagner und der Junggeselle Stolz ihre Sachen. Sie hatten zusammen einen Möbelwagen gemietet.

Unter dem hellen Augustnachmittag standen eine Anzahl Möbel auf der Straße. Ein vergoldetes Sofa mit Aubussonüberzug, ein paar vergoldete Sessel dazu und ein neuer Aubussonteppich. Sie waren das Eigentum der Familie Stern. Ein mächtiger Mahagonitisch wurde gestellt. Selma Stern, eine Frau mit verwelktem Gesicht und Sammetaugen, behütete ihn wie eine Glucke ihre Küken.

„Achtung! Die Platte! Machen Sie keinen Kratzer! Die Platte! Vorsicht! Vorsicht!"

Die Platte war poliert und gewachst. Sie war eines der Heiligtümer, für die Hausfrauen ihr Leben riskieren. Selma Stern umflatterte den Tisch und die beiden Packer, die ihn völlig unbeteiligt aus dem Hotel trugen und ihn draußen niedersetzten.

Die Sonne schien auf die Platte. Selma bückte sich mit einem Wischtuch darüber. Sie polierte nervös die Ecken. Die Platte reflektierte wie ein dunkler Spiegel ihr bleiches Gesicht, als sähe eine tausendjährige Vorfahrin sie fragend aus dem Spiegel der Zeit an.

Die Packer erschienen mit einem Mahagonibüfett. Es war ebenso gewachst und poliert. Einer der Männer drehte zu früh herum, und eine Ecke des Büfetts schrammte den Türeingang des Hotels International.

Selma Stern schrie nicht. Sie stand wie versteinert da, eine Hand mit dem Wischtuch erhoben, den Mund halb offen, als sei sie versteinert, während sie gerade das Wischtuch in den Mund stopfen wollte.

Josef Stern, ihr Mann, klein, mit einer Brille und hängender Unterlippe, näherte sich ihr. „Nu, Selmachen –"

Sie sah ihn nicht. Sie starrte ins Leere. „Das Büfett –"

„Nu, Selmachen. Wir haben die Visa –“

„Das Büfett von meiner Mutter. Von meinen Eltern –“

„Nu, Selmachen. Ein Kratzer. Schon so ein Kratzerchen. Hauptsache, wir haben die Visa –“

„Das bleibt. Das kann man nie mehr wegkriegen.“

„Madame“, sagte der Möbelpacker, der nichts verstand, aber genau wußte, worum es ging. „Packen Sie doch Ihren Kram selbst. Ich habe die Tür nicht zu schmal gemacht.“

„Sales boches“, sagte der andere.

Josef Stern wurde lebendig. „Wir sind keine boches“, sagte er. „Wir sind Emigranten.“

„Sales refugiés“, sagte der Mann.

„Siehste, Selmachen, da stehen wir nu“, sagte Stern. „Was mache wer nu? Was ham wer schon für Geseires gehabt mit deine Mahagoni. Aus Koblenz sind wir vier Monate später raus, weil du dich nicht trennen konntest. Achtzehntausend Mark Reichsfluchtsteuer mehr hat uns das gekostet. Und nu stehen wir hier auf der Straße, und das Schiff wartet nicht.“

Er legte den Kopf zur Seite und sah bekümmert auf Morosow. „Was soll man machen?“ sagte er. „Sales boches! Sales refugiés! Sag ich ihm jetzt, wir sind Juden, wird er sagen: Sales juifs, und dann ist es ganz aus.“

„Geben Sie ihm Geld“, sagte Morosow.

„Geld? Er wird es mir ins Gesicht schmeißen.“

„Ausgeschlossen“, erwiderte Ravic. „Wer so schimpft, ist immer bestechlich.“

„Es ist gegen meinen Charakter. Beleidigt werden und noch dafür bezahlen.“

„Wirkliche Beleidigungen fangen erst an, wenn sie persönlich werden“, erklärte Morosow. „Dies war eine allgemeine Beleidigung. Beleidigen Sie den Mann zurück, indem Sie ihm ein Trinkgeld geben.“

In Sterns Augen funkelte ein Lächeln. „Gut“, sagte er zu Morosow. „Gut.“

Er nahm ein paar Scheine heraus und gab sie den Packern. Beide nahmen sie verachtungsvoll. Stern steckte verachtungsvoll seine Brieftasche wieder ein. Die Packer sahen sich um. Dann begannen sie, die Aubussonstühle einzuladen. Das Büfett nahmen sie aus Prinzip zuletzt. Als sie es einluden, gaben sie ihm eine Drehung, und die rechte Seite schrammte den Möbelwagen. Selma Stern zuckte, sagte aber nichts. Stern sah es gar nicht. Er überzählte seine Visa und seine Papiere.

„Nichts sieht so jammervoll aus wie Möbel auf der Straße“, sagte Morosow.

Die Sachen der Familie Wagner standen jetzt da. Ein paar Stühle, ein Bett, das schamlos und traurig wirkte, so mitten auf der Straße. Zwei Koffer – Viareggio, das Grand Hotel Gardone, das Adlon, Berlin. Ein drehbarer Spiegel in einem Goldrahmen, in dem die Straße sich spiegelte. Küchengeräte – man verstand nicht, wozu das nach Amerika mitgenommen werden sollte.

„Verwandte", sagte Leonie Wagner. „Verwandte in Chicago haben das alles für uns gemacht. Sie haben uns das Geld geschickt und das Visum besorgt. Nur ein Visitor-Visum. Man muß dann nach Mexiko gehen. Verwandte. Verwandte von uns."

Sie war beschämt. Sie fühlte sich wie ein Deserteur, solange sie die Augen der Zurückbleibenden auf sich fühlte. Sie wollte deshalb rasch weg. Sie half selbst mit, die Sachen in den Möbelwagen zu schieben. Sie würde aufatmen, wenn sie nur um die nächste Ecke war. Und die neue Angst würde beginnen. Ob das Schiff auch ginge. Ob man sie an Land ließe. Ob man sie nicht zurückschickte. Es war immer eine Angst nach der anderen. Seit Jahren.

Der Junggeselle Stolz hatte fast nichts als Bücher. Einen Koffer mit Kleidern und seine Bibliothek. Erstdrucke, alte Ausgaben, neue Bücher. Er war verwachsen, rothaarig und schweigsam.

Eine Anzahl der Zurückbleibenden sammelte sich langsam in der Tür und vor dem Hotel. Die meisten sagten nichts. Sie sahen nur die Sachen und den Möbelwagen an.

„Auf Wiedersehen dann", sagte Leonie Wagner nervös. Es war alles eingeladen. „Oder good bye." Sie lachte irritiert. „Oder adieu. Man weiß ja heute nicht mehr."

Sie begann ein paar Hände zu schütteln. „Verwandte drüben", sagte sie. „Verwandte. Wir selber hätten natürlich nie –"

Sie hörte bald auf. Der Doktor Ernst Seidenbaum klopfte ihr auf die Schulter. „Macht nichts. Manche haben GGlück, manche nicht."

„Die meisten nicht", sagte der Emigrant Wiesenhoff. „Macht nichts. Gute Reise."

Josef Stern verabschiedete sich von Ravic und Morosow und einigen anderen. Er lächelte wie jemand, der einen Bankbetrug begangen hatte. „Wer weiß, wie es noch wird. Vielleicht sehnen wir uns noch nach dem ,International' zurück."

Selma Stern saß bereits im Wagen. Der Junggeselle Stolz verabschiedete sich nicht. Er fuhr nicht nach Amerika. Er hatte nur Papiere bis Portugal. Er hielt das für zu unbedeutend für eine Abschiedsszene. Er winkte nur kurz, als der Wagen losratterte.

Die Zurückbleibenden standen wie eine Schar verregneter Hühner herum. „Komm", sagte Morosow zu Ravic. „Auf, in die Katakombe! Dies schreit nach Calvados!"

Sie saßen kaum, als die anderen hereinkamen. Sie trieben herein wie losgerissene Blätter vor einem Wind. Zwei Rabbis, bleich, mit schütteren Bärten, Wiesenhoff, Ruth Goldberg, der Schachautomat Finkenstein, der Fatalist Seidenbaum, eine Anzahl Ehepaare, ein halbes Dutzend Kinder, Rosenfeld, der Besitzer der Impressionisten, der doch nicht weggekommen war, ein paar Halbwüchsige und einige sehr alte Leute.

Es war noch zu früh für das Abendessen; aber es schien, daß keiner von allen in die Einsamkeit des Zimmers hinauf wollte. Sie hockten zusammen. Sie waren leise, fast ergeben. Sie hatten alle so viel Unglück gehabt; es kam schon fast nicht mehr darauf an.

„Die Aristokratie ist abgereist", sagte Seidenbaum. „Hier tagt jetzt die Versammlung der lebenslänglich oder zum Tode Verurteilten. Das auserwählte Volk! Jehovas Lieblinge! Speziell für Pogrome. Es lebe das Leben."

„Da ist immer noch Spanien", sagte Finkenstein. Er hatte das Schachbrett vor sich und die Schachaufgabe des ‚Matin'.

„Spanien. Die Faschisten küssen die Juden, wenn sie herüberkommen."

Die dicke, elastische Kellnerin brachte den Calvados. Seidenbaum setzte sein Princenez auf. „Nicht einmal das können die meisten von uns", erklärte er, „sich gründlich betrinken. Eine Nacht des Elends los sein. Nicht einmal das. Die Nachkommen Ahasvers. Selbst er, der alte Wanderer, würde verzweifeln; heute, ohne Papiere, käme er nicht weit."

„Trinken Sie einen mit", sagte Morosow. „Der Calvados ist gut. Die Wirtin weiß es noch nicht, gottlob. Sonst würde sie den Preis erhöhen."

Seidenbaum schüttelte den Kopf. „Ich trinke nicht."

Ravic sah auf einen Mann, der ziemlich unrasiert war und alle Augenblicke einen Spiegel hervorholte, sich darin betrachtete und nach einer Weile von neuem damit begann. „Wer ist das?" fragte er Seidenbaum. „Den habe ich noch nie hier gesehen."

Seidenbaum verzog die Lippen. „Das ist der neue Aaron Goldberg."

„Wieso? Hat die Frau so rasch wieder geheiratet?"

„Nein. Sie hat ihm den Paß des toten Goldberg verkauft. Zweitausend Franc. Der alte Goldberg hatte einen grauen Bart; deshalb läßt sich der neue drüben auch einen wachsen. Wegen der Paßfotografie. Sehen Sie nur, wie er zupft und zupft. Er traut sich nicht, den

Paß zu benutzen, bevor er einen ähnlichen Bart hat. Es ist ein Rennen gegen die Zeit."

Ravic betrachtete den Mann, der nervös an seinen Stoppeln zerrte und sie mit dem Paß verglich. „Er kann immer noch sagen, der Bart wäre ihm abgebrannt."

„Gute Idee. Ich werde ihm das erklären." Seidenbaum nahm sein Pincenez ab und schaukelte es hin und her. „Makabre Sache", lächelte er. „Es war ein reines Geschäft vor zwei Wochen. Jetzt ist Wiesenhoff bereits eifersüchtig und Ruth Goldberg ist konfus. Dämonie des Papiers. Auf dem Papier ist er ihr Mann."

Er stand auf und ging zu dem neuen Aaron Goldberg hinüber.

„Dämonie des Papiers gefällt mir." Morosow wandte sich an Ravic. „Was machst du heute?"

„Kate Hegström fährt abends mit der ‚Normandie'. Ich werde sie nach Cherbourg bringen. Sie hat ihren Wagen. Ich nehme ihn zurück und bringe ihn zur Garage. Sie hat ihn dem Garagenbesitzer verkauft."

„Kann sie reisen?"

„Natürlich. Es ist ganz gleich, was sie macht. Das Schiff hat einen guten Arzt. In New York –" Er zuckte die Achseln und trank sein Glas aus.

Die Luft in der Katakombe war schwül und tot. Der Raum hatte keine Fenster. Unter der verstaubten, künstlichen Palme saß ein altes Ehepaar. Sie waren völlig versunken in eine Traurigkeit, die sie wie eine Mauer umstand. Sie saßen regungslos, Hand in Hand, und es schien, als könnten sie sich nicht mehr erheben.

Ravic hatte plötzlich das Gefühl, aller Jammer der Welt sei eingesperrt in diesen unterirdischen Raum, dem das Licht fehlte. Die kranken, elektrischen Birnen hingen gelb und verwelkt an den Wänden und machten es noch trostloser. Das Schweigen, das Flüstern, das Kramen in den hundertmal umgewendeten Papieren, das Überzählen, das stumme Dasitzen, die hilflose Erwartung des Endes, das krampfhafte bißchen Courage, das tausendmal gedemütigte Leben, das nun, in die Ecke gedrängt, entsetzt, nicht mehr weiter konnte – er spürte es auf einmal, er konnte es riechen, er roch die Angst, die letzte, riesenhafte, schweigende Angst, er roch sie, und er wußte wo er sie vorher gerochen hatte – im Konzentrationslager, als man die Leute von den Straßen, aus den Betten hereingetrieben hatte und sie in den Baracken standen und darauf warteten, was mit ihnen geschehen würde.

Am Tisch neben ihm saßen zwei Leute. Eine Frau, die das Haar in der Mitte gescheitelt hatte, und ihr Mann. Vor ihnen stand ein Junge von ungefähr acht Jahren. Er hatte herumgehorcht an den Tischen und war jetzt herübergekommen. „Warum sind wir Juden?" fragte er die Frau.

Die Frau antwortete nicht.

Ravic sah Morosow an. „Ich muß los", sagte er. „Zur Klinik."

„Ich muß auch weg."

Sie gingen die Treppe hinauf. „Zuviel ist zuviel", sagte Morosow. „Das sag' ich dir als ehemaliger Antisemit."

Die Klinik war eine optimistische Angelegenheit nach der Katakombe. Auch hier war Qual, Krankheit und Elend – aber hier hatte es wenigstens eine Art von Logik und Sinn. Man wußte, weshalb es so war und was zu tun und nicht zu tun war. Es waren Fakten; man konnte sie sehen, und man konnte versuchen, etwas dagegen zu tun.

Veber saß in seinem Untersuchungszimmer und las eine Zeitung. Ravic sah ihm über die Schulter. „Allerhand, was?" fragte er.

Veber warf die Zeitung auf den Boden. „Diese korrupte Bande! Aufhängen sollte man fünfzig Prozent unserer Politiker."

„Neunzig", erklärte Ravic. „Haben Sie noch etwas von der Frau gehört, die bei Durant in der Klinik liegt?"

„Sie ist in Ordnung." Veber griff nervös nach einer Zigarre. „Für Sie ist das einfach, Ravic. Aber ich bin Franzose."

„Ich bin gar nichts. Aber ich wollte, Deutschland wäre nur so korrupt wie Frankreich."

Veber sah auf. „Ich rede Unsinn. Entschuldigen Sie." Er vergaß, die Zigarre anzuzünden. „Es kann keinen Krieg geben, Ravic! Es kann einfach nicht! Es ist Gebell und Gedrohe. Im letzten Augenblick wird noch etwas geschehen!"

Er schwieg eine Zeitlang. All seine frühere Sicherheit war vorbei. „Wir haben schließlich noch die Maginotlinie", sagte er dann, beinahe beschwörend.

„Natürlich", erwiderte Ravic ohne Überzeugung. Er hatte das tausendmal gehört. Unterhaltungen mit Franzosen endeten meistens damit.

Veber wischte sich die Stirn. „Durant hat sein Vermögen nach Amerika geschickt. Seine Sekretärin hat es mir gesagt."

„Typisch."

Veber sah Ravic mit gehetzten Augen an. „Er ist nicht der einzige. Mein Schwager hat seine französischen Papiere gegen amerikanische eingewechselt. Gaston Nerée hat sein Geld in Dollarnoten in einem Safe. Und Dupont soll ein paar Säcke Gold vergraben haben in seinem Garten." Er stand auf. „Ich kann nicht darüber reden. Ich weigere mich. Es ist unmöglich. Es ist unmöglich, daß man Frankreich verraten und verschachern kann. Wenn Gefahr droht, wird sich alles zusammenfinden. Alles."

„Alles", sagte Ravic, ohne zu lächeln. „Auch die Industrie und die Politiker, die jetzt schon Geschäfte mit Deutschland machen."

Veber bezwang sich. „Ravic – wir – wollen wir lieber von etwas anderem reden?"

„Gut. Ich bringe Kate Hegström nach Cherbourg. Ich bin um Mitternacht zurück."

„Schön." Veber atmete heftig. „Was – was haben Sie vorbereitet für sich, Ravic?"

„Nichts. Ich werde in ein französisches Konzentrationslager kommen. Es wird besser sein als ein deutsches."

„Ausgeschlossen. Frankreich wird keine Refugiés einsperren."

„Warten wir ab. Es ist selbstverständlich, und man kann nichts dagegen sagen."

„Ravic –"

„Schön. Warten wir ab. Hoffen wir, Sie haben recht. Wissen Sie, daß der Louvre geräumt wird? Man schickt die besten Bilder nach Mittelfrankreich."

„Nein. Woher wissen Sie das?"

„Ich war heute nachmittag da. Die blauen Fenster der Kathedrale von Chartres sind ebenfalls schon verpackt. Ich war gestern da. Sentimentale Reise. Wollte sie noch einmal sehen. Sie waren schon fort. Ein Flugplatz ist zu nahe dabei. Neue Fenster waren schon drin. So, wie im vorigen Jahr zur Zeit der Münchner Konferenz."

„Sehen Sie!" Veber klammerte sich sofort daran. „Damals ist auch nichts geschehen. Große Aufregung, und dann kam Chamberlain mit dem Regenschirm des Friedens."

„Ja. Der Regenschirm des Friedens ist noch in London – und die Göttin des Sieges steht noch im Louvre – ohne Kopf. Sie bleibt. Zu schwer zu transportieren. Ich muß gehen. Kate Hegström wartet."

Die „Normandie" lag weiß mit tausend Lichtern in der Nacht am Quai. Der Wind kam kühl und salzig vom Wasser her. Kate Hegström zog ihren Mantel fester um sich. Sie war sehr dünn. Ihr Gesicht hatte fast nur noch Knochen, über die sich die Haut spannte, und darüber lagen, erschreckend groß, die Augen wie dunkle Teiche.

„Ich bliebe lieber hier", sagte sie. „Es ist plötzlich so schwer, wegzugehen."

Ravic starrte sie an. Da lag das mächtige Schiff, die Gangway hell erleuchtet, Menschen strömten hinein, viele davon so eilig, als fürchteten sie, im letzten Moment noch zu spät zu kommen; da lag der schimmernde Palast, und er hieß nicht mehr „Normandie", er hieß Entkommen, Flucht, Rettung; er war in tausend Städten und Zimmern und dreckigen Hotels und Kellern Europas für Zehntausende von Menschen eine unerreichbare Fata Morgana des Lebens, und hier sagte jemand neben ihm, dem der Tod die Eingeweide zerfraß, mit dünner und lieblicher Stimme: „Ich bliebe lieber hier."

Es hatte alles keinen Sinn. Für die Emigranten im „International", für die tausend „Internationals" in Europa, für all die Gehetzten, Gefolterten, Fliehenden, Gestellten, wäre dieses das gelobte Land gewesen; sie wären zusammengebrochen, hätten geschluchzt und die Gangway geküßt und an Wunder geglaubt, wenn sie den Fahrscheinzettel gehabt hätten, der in der müden Hand neben ihm flatterte, das Fahrscheinheft eines Menschen, der ohnehin in den Tod fuhr und der gleichzeitig sagte: „Ich bliebe lieber hier."

Eine Gruppe Amerikaner kam heran. Langsam, herzlich, laut. Sie hatten alle Zeit der Welt. Die Gesandtschaft hatte sie gedrängt, zu fahren. Sie diskutierten es. Schade eigentlich! Es wäre „fun" gewesen, sich die Sache weiter anzusehen. Was konnte ihnen schon passieren? Der Gesandte! Man war neutral! Schade eigentlich!

Der Geruch von Parfüm. Schmuck. Das Gesprüh von Diamanten. Vor ein paar Stunden hatte man im „Maxim" gegessen, lächerlich billig in Dollars, mit einem Corton 29 dazu, einem Pol Roger 28 als Abschluß; jetzt das Schiff, man würde an der Bar sitzen, Backgammon spielen, ein paar Whisky trinken – und vor den Konsulaten die langen, hoffnungslosen Menschenreihen, der Geruch der Todesangst wie eine Wolke darüber, ein paar überarbeitete Angestellte, das Standgericht eines kleinen Sekretärs, der immer wieder den Kopf schüttelte – „Nein, kein Visum, nein, unmöglich", die schweigende Verurteilung schweigender Schuldloser – Ravic starrte auf das Schiff, das kein Schiff mehr war, das eine Arche plötzlich war, eine leichte Arche, die sich anschickte, vor der Sintflut davonzugleiten, der Sintflut, der man einmal entkommen war und die sich jetzt anschickte, einen einzuholen.

„Es wird Zeit für Sie, Kate."

„Wird es? Adieu, Ravic."

„Adieu, Kate."

„Wir brauchen uns nichts vorzulügen, wie?"

„Nein."

„Kommen Sie bald nach –"

„Sicher, Kate. Bald –"

„Adieu, Ravic. Danke für alles. Ich werde jetzt gehen. Ich werde da hinaufgehen und winken. Bleiben Sie hier, bis das Schiff fährt, und winken Sie mir."

„Gut. Kate."

Sie ging langsam die Gangway hinauf. Ihre Gestalt schwankte ganz wenig. Ihre Gestalt, schmaler als alle neben ihr, rein in der Struktur, fast ohne Fleisch, hatte die schwarze Eleganz sicheren Todes. Ihr Gesicht war kühn, wie der Kopf einer ägyptischen Bronzekatze – nur noch Linie, Atem und Augen.

Die letzten Fahrgäste. Ein Jude, schweißüberströmt, einen Pelzmantel über dem Arm, fast hysterisch, mit zwei Gepäckträgern, schreiend, laufend. Die letzten Amerikaner. Dann die Gangway, die langsam eingezogen wurde. Ein sonderbares Gefühl. Eingezogen, unwiderruflich. Das Ende. Ein schmaler Streifen Wasser. Die Grenze. Zwei Meter Wasser nur – aber die Grenze zwischen Europa und Amerika. Zwischen Rettung und Untergang.

Ravic suchte nach Kate Hegström. Er fand sie bald. Sie stand an der Reling und winkte. Er winkte zurück.

Das Schiff schien sich zu bewegen. Das Land schien sich zurückzuziehen. Wenig. Kaum merkbar. Und plötzlich war das weiße Schiff frei. Es schwebte auf dem dunklen Wasser, vor dem dunklen Himmel, unerreichbar. Kate Hegström war nicht mehr zu erkennen, und die Zurückbleibenden sahen sich schweigend und verlegen oder mit falscher Fröhlichkeit an und gingen eilig oder zögernd fort.

Der Wagen fuhr durch den Abend zurück nach Paris. Die Hecken und Obstbaumgärten der Normandie flogen vorüber. Der Mond hing oval und groß am nebligen Himmel. Das Schiff war vergessen. Nur noch die Landschaft, der Geruch nach Heu und reifen Äpfeln, die Stille und die tiefe Ruhe des Unabänderlichen.

Der Wagen fuhr fast lautlos. Er fuhr, als hätte die Schwerkraft keine Macht über ihn. Häuser glitten vorüber, Kirchen, Dörfer, die goldenen Flecken der Estaminets und Bistros, ein blinkender Flußlauf, eine Mühle, und dann wieder die falsche Kontur der Ebene, über die der Himmel sich wölbte, wie die Innenseite einer riesenhaften Muschel, in deren milchigem Perlmutter die Perle des Mondes schimmerte.

Es war ein Ende und eine Erfüllung. Ravic hatte es schon einige Male vorher empfunden; aber jetzt kam es ganz, sehr stark und unentrinnbar, es durchdrang ihn, und nichts widerstrebte mehr.

Alles war schwebend und ohne Gewicht. Zukunft und Vergangenheit begegneten sich, und beide waren ohne Wünsche und Schmerzen. Nichts war wichtiger und stärker als das andere. Die Horizonte waren im Gleichgewicht, und für einen sonderbaren Augenblick waren die Schalen des Daseins gleich. Das Schicksal war nie stärker als der gelassene Mut, den man ihm entgegensetzte. Wenn es unerträglich werden würde, konnte man sich töten. Es war gut, das zu wissen, aber es war auch gut zu wissen, daß nie etwas verloren war, solange man noch lebte.

Ravic kannte die Gefahr. Er wußte, wohin er ging, und er wußte auch, daß er sich morgen wieder wehren würde – aber in dieser Nacht, in dieser Stunde der Rückkehr von der Küste eines verlorenen Ararats in den Blutgeruch der kommenden Zerstörung war plötzlich alles ohne Namen; Gefahr war Gefahr und doch nicht Gefahr; Schicksal war Opfer und Gottheit, der man opferte, zugleich. Und das Morgen war eine unbekannte Welt.

Es war alles gut. Das, was gewesen war, und das, was kam. Es war genug. Wenn es das Ende sein würde, so war es gut. Er hatte einen Menschen geliebt und ihn verloren. Er hatte einen andern gehaßt und ihn getötet. Beide hatten ihn befreit. Der eine hatte sein Gefühl wieder aufbrechen lassen, der andere seine Vergangenheit ausgelöscht. Es war nichts zurückgeblieben, was unerfüllt war. Es war kein Wunsch mehr da; kein Haß und keine Klage. Wenn es ein neues Beginnen war, so war es das. Ohne Erwartung, die gestärkt und nicht zerrissen war, würde man anfangen. Die Aschen waren ausgeräumt, paralysierte Stellen lebten wieder, aus Zynismus war Stärke geworden. Es war gut.

Hinter Caën kamen die Pferde. Lange Kolonnen in der Nacht, Pferde, Pferde, schattenhaft im Mondlicht. Und dann Viererkolonnen, Männer mit Bündeln, Pappkartons, Paketen. Der Beginn der Mobilisation.

Sie waren fast geräuschlos. Niemand sang. Kaum jemand sprach. Sie zogen schweigend durch die Nacht, Kolonnen von Schatten, an der rechten Seite der Straße, um Raum zu lassen für die Wagen.

Ravic passierte eine nach der andern. Pferde, dachte er. Pferde. Wie 1914. Keine Tanks. Pferde.

Er hielt an einer Benzinstation und ließ den Wagen nachfüllen. Der kleine Ort hatte noch Licht in den Fenstern, aber er war fast verstummt. Eine Kolonne zog hindurch. Die Leute starrten ihr nach. Sie winkten nicht.

„Ich gehe morgen", sagte der Mann an der Tankstelle. Er hatte ein klares, bäuerliches, braunes Gesicht. „Mein Vater fiel im letzten Krieg. Mein Großvater 1871. Ich gehe morgen. Es ist immer dasselbe. Seit ein paar hundert Jahren machen wir das nun schon. Und es nützt nichts, wir müssen wieder gehen."

Er umfaßte mit einem Blick die schäbige Pumpe, das kleine Haus und die Frau, die schweigend neben ihm stand. „Achtundzwanzig Franc dreißig, mein Herr."

Die Landschaft wieder. Der Mond. Lisieux. Evreux. Kolonnen. Pferde. Schweigen. Ravic hielt vor einem kleinen Restaurant. Draußen standen zwei Tische. Die Wirtin erklärte, sie habe nichts mehr zu essen da. Ein Abendessen war ein Abendessen, immer noch, trotz allem; und in Frankreich war eine Omelette mit Käse kein Abendessen. Schließlich ließ er sich doch überzeugen und hatte auch noch einen Salat dazu und Kaffee und eine Karaffe Vin ordinaire.

Ravic saß allein vor dem rosa Haus und aß. Über den Wiesen zog der Nebel. Ein paar Frösche quakten. Es war sehr still, nur aus dem oberen Stockwerk des Hauses klang ein Lautsprecher. Eine Stimme, beruhigend, zuversichtlich, hoffnungslos und gänzlich überflüssig. Jeder lauschte und niemand glaubte ihr.

Er zahlte. „Paris wird verdunkelt", sagte die Wirtin. „Es war gerade im Radio."

„Ja. Gegen Flugzeugangriffe. Zur Vorsicht. Im Radio sagen sie, alles sei nur zur Vorsicht. Es gäbe keinen Krieg. Man sei am Verhandeln. Was denken Sie?"

„Ich glaube nicht, daß es Krieg gibt." Ravic wußte nicht, was er sonst antworten sollte.

„Gott gebe es. Aber was nützt es schon? Die Deutschen werden Polen nehmen. Dann werden sie Elsaß-Lothringen verlangen. Dann Kolonien. Dann etwas anderes. Immer mehr, bis wir uns ergeben oder Krieg machen müssen. Da ist es wohl schon besser, gleich."

Die Wirtin ging langsam ins Haus zurück. Eine neue Kolonne kam die Straße hinunter.

Der rote Schein von Paris am Horizont. Verdunkelt – Paris würde verdunkelt werden. Es war natürlich, aber es klang sonderbar: Paris verdunkelt. Paris. Als würde das Licht der Welt verdunkelt.

Die Vorstadt. Die Seine. Das Gebrodel der kleinen Straßen. Schwingend die Avenue, die gerade auf den Arc de Triomphe zuführte, der bleich und noch bestrahlt im nebligen Licht des Etoiles sich hob, und hinter ihm, immer noch schimmernd in vollem Glanz, die Champs-Elysées.

Ravic atmete auf. Er fuhr hindurch. Er fuhr durch die Stadt, und dann sah er es plötzlich: Die Dunkelheit hatte schon angefangen, sich auf sie zu senken. Wie räudige Stellen in einem glänzenden Fell sprangen hier und da Flecken kranker Finsternis hervor. Das bunte Spiel der Lichtreklamen war an einigen Stellen zerfressen von langen Schatten, die drohend zwischen den wenigen ängstlichen Rot und Weiß und Blau und Grün hockten. Einzelne Straßen lagen schon blind da, als wären schwarze Würmer durchgekrochen und hätten allen Glanz zerdrückt. Die Avenue George V. hatte kein Licht mehr; in der Avenue

Montaigne starb es gerade; Gebäude, die nachts Kaskaden von Licht gegen die Sterne geworfen hatten, starrten jetzt mit kahlen, grauen Fronten. Die eine Hälfte der Avenue Victor Emanuel III. war erloschen; die andere stand noch hell da – wie ein paralysierter Körper in Agonie, halb schon tot, halb noch voll Leben. Die Krankheit sickerte überall durch, und als Ravic zur Place de la Concorde zurückkam, war auch deren weites Rund inzwischen gestorben.

Die Ministerien lagen blaß und farblos, die Lichtketten waren verschwunden, die tanzenden Trionen und Nereiden der weißen Schaumnächte waren auf ihren Delphinen erstarrt zu grauen, formlosen Klumpen; die Springbrunnen waren verödet, die fließenden Wasser verfinstert, und bleiern ragte der einst leuchtende Obelisk wie ein drohender, mächtiger Finger der Ewigkeit in den sich verdunkelnden Himmel, und überall krochen wie Mikroben die kleinen, fahlblauen, kaum sichtbaren elektrischen Bahnen des Luftschutzdienstes hervor und verbreiteten sich, faulig schimmernd, wie eine kosmische Tuberkulose über die lautlos niederbrechende Stadt.

Ravic lieferte den Wagen ab. Er nahm ein Taxi und fuhr zum „International". Vor der Tür stand der Sohn der Wirtin auf einer Leiter. Er schraubte eine blaue Birne ein. Die Beleuchtung des Einganges war immer so stark gewesen, um gerade das Schild zu erkennen; jetzt aber reichte das bißchen blauer Schein nicht mehr aus; es verfehlte die erste Hälfte – blaß konnte man nur noch das Wort „national" erkennen, und das auch nur mit Mühe.

„Gut, daß Sie kommen", sagte die Wirtin. „Da ist eine verrückt geworden. In Nummer sieben. Am besten, sie kommt aus dem Haus. Ich kann keine Verrückten im Hotel haben."

„Vielleicht ist sie nicht verrückt, hat nur einen Nervenkollaps."

„Ganz egal! Verrückte gehören in ein Asyl. Ich habe es ihnen schon gesagt. Sie wollen natürlich nicht. Was man für Scherereien hat! Wenn sie nicht ruhig wird, muß sie heraus. Es geht nicht. Die andern Gäste müssen schlafen."

„Kürzlich ist jemand im Ritz verrückt geworden", sagte Ravic. „Ein Prinz. Alle Amerikaner wollten später eine Suite haben."

„Das ist etwas anderes. Das ist verrückt aus follie. Das ist elegant. Nicht verrückt aus Not."

Ravic sah sie an. „Sie verstehen das Leben, Madame."

„Das muß ich. Ich bin ein guter Mensch. Ich habe die Refugiés aufgenommen. Alle. Gut. Ich habe daran verdient. Mäßig. Aber eine Verrückte, die schreit, das ist zuviel. Sie muß raus, wenn sie nicht ruhig wird."

Es war die Frau, deren Junge gefragt hatte, weshalb er Jude sei. Sie saß auf dem Bett, ganz in die Ecke gedrückt, die Hände vor den Augen. Das Zimmer war hell erleuchtet. Alle Birnen brannten, und auf dem Tisch standen noch zwei Leuchter mit Kerzen.

„Kakerlaken", murmelte die Frau. „Kakerlaken! Schwarze, dicke, glänzende Kakerlaken! Da, in den Ecken, da sitzen sie, Tausende, Unzählige, macht Licht, macht Licht, Licht, sonst kommen sie, Licht, Licht, sie kommen, sie kommen –"

Sie schrie und preßte sich in die Ecke, die Beine hoch angezogen, die Hände von sich gespreizt, die Augen glasig und aufgerissen. Der Mann versuchte ihre Hände zu greifen. „Da ist doch nichts, Mamme, nichts in den Ecken –"

„Licht! Licht! Sie kommen! Kakerlaken –"

„Wir haben Licht, Mamme. Da ist doch Licht, sieh nur, sogar Kerzen auf dem Tisch!" Er holte eine Taschenlampe hervor und leuchtete damit in die hellen Ecken des hellen Zimmers. „Nichts ist in den Ecken, da sieh, wie ich leuchte, nichts ist da, nichts –"

„Kakerlaken! Kakerlaken! Sie kommen, alles ist schwarz von Kakerlaken! Aus allen Ecken kriechen sie! Licht! Licht! Die Wände hinauf kriechen sie, sie fallen schon von der Decke!"

Die Frau röchelte und hob die Arme über den Kopf. „Wie lange geht das schon?" fragte Ravic den Mann.

„Seit es dunkel ist. Ich war weg. Versuchte noch einmal, man hatte mir gesagt, beim Konsul von Haiti, ich nahm den Jungen mit, es war nichts, wieder nichts, und als wir zurückkamen, saß sie da in der Ecke auf dem Bett und schrie –"

Ravic hatte die Spritze fertig. „Hatte sie vorher geschlafen?"

Der Mann sah ihn hilflos an „Ich weiß nicht. Sie war immer ruhig. Wir haben kein Geld für eine Anstalt. Wir haben auch keine – unsere Papiere sind nicht genug. Wenn sie nur aufhören wollte. Mamme, es ist doch alles da, ich bin da, Siegfried ist da, der Doktor ist da, keine Kakerlaken sind da –"

„Kakerlaken!" unterbrach die Frau. „Von allen Seiten! Sie kriechen! Kriechen –"

Ravic machte die Spritze. „Hat sie irgendwann schon einmal so etwas gehabt?"

„Nein. Ich verstehe es nicht. Ich weiß nicht, warum sie gerade von –"

Ravic hob die Hand. „Erinnern Sie sie nicht daran. Sie wird in ein paar Minuten müde werden und einschlafen. Es kann sein, daß sie geträumt hat davon – und aufgeschreckt ist. Sie wird vielleicht morgen aufwachen und nichts mehr wissen. Erinnern Sie sie nicht daran. Tun Sie, als sei nichts gewesen."

„Kakerlaken", murmelte die Frau schläfrig. „Fette, dicke –"

„Brauchen Sie all das Licht?"

„Wir haben es angezündet, weil sie immerzu nach Licht schrie."

„Machen Sie das Oberlicht aus. Warten Sie mit dem andern, bis sie fest schläft. Sie wird schlafen. Die Dosis ist groß genug. Ich werde morgen vormittag um elf nachsehen."

„Danke", sagte der Mann. „Sie glauben nicht –"

„Nein. So was kommt heutzutage oft vor. Etwas Vorsicht die nächsten Tage, nicht allzuviel Sorgen zeigen –"

Leicht gesagt, dachte er, als er zu seinem Zimmer hinaufstieg. Er drehte das Licht an. Neben seinem Bett standen seine Bücher. Seneca, Schopenhauer, Plato, Rilke, Laotse, Litaipe, Pascal, Heraklit, eine Bibel, andere – das Härteste und das Weichste, viele in den schmalen Dünndruckausgaben für jemand, der unterwegs war und wenig mitführen konnte. Er suchte aus, was er mitnehmen wollte. Dann sah er seine übrigen Sachen durch. Es war nicht viel zu zerreißen. Er hatte immer so gelebt, daß man ihn plötzlich abholen konnte. Seine alte Decke, der Mantel – sie würden ihm helfen, wie Freunde. Das Gift in der ausgehöhlten Medaille, das er schon mit ins deutsche Konzentrationslager genommen hatte – das Bewußtsein, es zu haben und es jeden Augenblick brauchen zu können, hatte ihn es leichter überstehen lassen; – er steckte die Medaille ein. Besser, sie bei sich zu haben. Es gab Beruhigung. Man wußte nicht, was noch kam. Man konnte von der Gestapo wieder erwischt werden. Auf dem Tisch stand noch eine halbe Flasche Calvados. Er trank ein Glas, Frankreich, dachte er. Fünf Jahre unruhigen Lebens. Drei Monate Gefängnis, illegaler Aufenthalt, viermal ausgewiesen, zurückgekommen. Fünf Jahre Leben. Es war gut gewesen.

33

Das Telephon klingelte. Er hob es schläfrig ab. „Ravic –" sagte jemand.

„Ja –" Es war Joan.

„Komm", sagte sie. Sie sprach langsam und leise. „Sofort, Ravic –"

„Nein."

„Du mußt –"

„Nein. Laß mich in Ruhe. Ich bin nicht allein. Ich komme nicht."

„Hilf mir –"

„Ich kann dir nicht helfen –"

„Etwas ist passiert –" Die Stimme klang gebrochen. „Du mußt – sofort –"

„Joan", sagte Ravic ungeduldig. „Es ist keine Zeit für dieses Theater mehr. Du hast das einmal mit mir gemacht, und ich bin darauf reingefallen. Ich weiß jetzt Bescheid. Laß mich in Ruhe. Versuch es mit jemand anderem."

Er legte den Hörer zurück, ohne eine Antwort abzuwarten, und versuchte, wieder einzuschlafen. Es gelang ihm nicht. Das Telephon klingelte wieder. Er nahm es nicht ab. Es klingelte und klingelte durch die graue, verödete Nacht. Er nahm ein Kissen und packte es über den Apparat. Es klingelte erstickt weiter und hörte dann auf.

Ravic wartete. Es blieb still. Er stand auf und griff nach einer Zigarette. Sie schmeckte nicht. Er drückte sie aus. Der Rest des Calvados stand noch auf dem Tisch. Er trank einen Schluck und stellte ihn weg. Kaffee, dachte er. Heißer Kaffee. Und Butter und frische Croissants. Er wußte ein Bistro, das die ganze Nacht offen war.

Er sah auf die Uhr. Er hatte nur zwei Stunden geschlafen, aber er war nicht mehr müde. Es hatte keinen Zweck, in einen schweren, zweiten Schlaf zu fallen und zerschlagen aufzuwachen. Er ging ins Badezimmer und drehte die Brause an.

Irgendein Geräusch. Wieder das Telephon? Er drehte die Wasserhähne ab. Es klopfte. Jemand klopfte an seine Tür. Ravic nahm seinen Bademantel über. Das Klopfen wurde stärker. Joan konnte es nicht sein; sie wäre hereingekommen. Die Tür war nicht verschlossen. Er wartete einen Moment, bevor er öffnete. Wenn es die Polizei bereits war –

Er öffnete die Tür. Draußen stand ein Mann, den er nicht kannte, der ihn aber an irgend jemand erinnerte. Er trug einen Smoking.

„Doktor Ravic?"

Ravic erwiderte nichts. Er sah den Mann an. „Was wollen Sie?" fragte er.

„Sind Sie Doktor Ravic?"

„Sagen Sie mir besser, was Sie wollen."

„Wenn Sie Doktor Ravic sind, müssen Sie sofort zu Joan Madou kommen."

„So?"

„Sie hat einen Unfall gehabt."

„Was für einen Unfall?" lächelte Ravic ungläubig.

„Mit einer Waffe", sagte der Mann. „Geschossen –"

„Ist sie getroffen?" fragte Ravic, immer noch lächelnd. Fingierter Selbstmordversuch wahrscheinlich, dachte er, um den armen Teufel hier zu erschrecken.

„Sie stirbt, mein Gott", flüsterte der Mann. „So kommen Sie doch! Sie stirbt. Ich habe sie erschossen!"

„Was?"

„Ja – ich –"

Ravic hatte bereits den Bademantel abgeworfen und griff nach seinen Sachen. „Haben Sie ein Taxi unten?"

„Ich habe meinen Wagen."

„Verdammt –" Ravic streifte den Bademantel wieder über, faßte seine Tasche und griff nach seinen Schuhen, seinem Hemd und seinem Anzug. „Ich kann das im Wagen anziehen – los – rasch."

Der Wagen schoß durch die milchige Nacht. Die Stadt war ganz abgedunkelt. Es gab keine Straßen mehr – nur eine fließende, neblige Weite, in der die blauen Luftschutzlampen zu spät und verloren auftauchten – als fahre der Wagen auf dem Meeresboden.

Ravic zog seine Schuhe und seine Sachen an; er stopfte den Bademantel, in dem er heruntergelaufen war, in die Ecke neben den Sitz. Er hatte keine Strümpfe und keine Krawatte. Unruhig starrte er in die Nacht. Es hatte keinen Zweck, den Fahrer etwas zu fragen. Er fuhr mit aller Konzentration, sehr schnell und völlig auf die Richtung achtend. Er hatte keine Zeit, etwas zu sagen. Er konnte nur den Wagen herumwerfen, ausweichen, Unfälle vermeiden und sehen, daß er sich in der ungewohnten Dunkelheit nicht verfuhr. Fünfzehn Minuten verloren, dachte Ravic. Mindestens fünfzehn Minuten.

„Fahren Sie schneller –" sagte er.

„Ich kann nicht – ohne Scheinwerfer – abgeblendet – Luftschutz –"

„Dann fahren Sie mit Scheinwerfer, zum Teufel!"

Der Mann drehte die großen Lichter an. Ein paar Polizisten schrien an den Straßenecken. Ein geblendeter Renault fuhr fast in sie hinein. „Los – weiter! Rascher!"

Der Wagen hielt mit einem Ruck vor dem Hause. Der Aufzug war unten. Die Tür war offen. Irgendwo klingelte jemand wütend. Der Mann hatte wahrscheinlich die Tür nicht zugeworfen, als er herausgerannt war. Gut, dachte Ravic. Spart ein paar Minuten.

Der Fahrkorb kroch nach oben. Das war schon einmal so gewesen! Nichts war passiert damals! Nichts würde auch diesmal. – Der Fahrstuhl hielt plötzlich. Jemand schaute durch das Fenster und öffnete die Tür. „Was soll das heißen, den Aufzug so lange unten zu halten?"

Es war der Mann, der geklingelt hatte. Ravic schob ihn zurück und riß die Tür zu: „Gleich! Wir müssen erst rauf!"

Der Mann draußen schimpfte. Der Aufzug kroch weiter. Der Mann vom vierten Stock klingelte wütend weiter. Der Fahrstuhl hielt. Ravic riß die Tür auf, bevor der Mann von unten Unsinn machen und den Fahrstuhl mit ihnen wieder herunterholen konnte.

Joan lag auf dem Bett. Sie war angezogen. Ein Abendkleid, hochgeschlossen bis zum Halse. Silberne, blutige Flecken darauf. Blut auf dem Fußboden. Da war sie gefallen. Der Idiot hatte sie dann aufs Bett gelegt.

„Ruhig!" sagte Ravic. „Ruhig! Alles kommt in Ordnung. Es ist nicht sehr schlimm."

Er zerschnitt das Vorderteil des Abendkleides und streifte es vorsichtig herunter. Die Brust war unverletzt. Es war der Hals. Der Kehlkopf konnte nicht getroffen sein; sie hätte sonst nicht telephonieren können. Die Arterie war unverletzt. „Schmerzen?" fragte er.

„Ja."

„Sehr?"

„Ja –"

„Das wird gleich vorbei sein –"

Die Spritze war fertig. Er sah Joans Augen. „Nichts. Nur etwas gegen die Schmerzen. Sie werden gleich aufhören."

Er setzte die Spritze an und zog sie heraus. „Schon fertig." Er drehte sich nach dem Mann um. „Telephonieren Sie Passy 27 43. Bestellen Sie eine Ambulanz mit zwei Trägern. Sofort."

„Was ist es?" fragte Joan mühsam.

„Passy 27 43", sagte Ravic. „Sofort! Eilig! Los! Nehmen Sie das Telephon!"

„Was ist es – Ravic?"

„Nichts Gefährliches. Aber wir können das hier nicht nachsehen. Du mußt in ein Krankenhaus."

Sie sah ihn an. Ihr Gesicht war verschmiert, das Mascara war von den Wimpern getropft, und das Rouge des Mundes war an einer Seite heraufgewischt. Die eine Seite des Gesichts sah aus wie die eines billigen Zirkusclowns, die andere, mit dem Schwarz, das unter das Auge geschmiert war, wie das einer müden, verbrauchten Hure. Darüber leuchtete das Haar.

„Ich will nicht operiert werden", flüsterte sie.

„Wir werden das sehen. Vielleicht brauchen wir es nicht."

„Ist es –" Sie verstummte.

„Nein", sagte Ravic. „Harmlos. Wir haben nur alle Instrumente drüben."

„Instrumente –"

„Zum Untersuchen. Ich werde jetzt – es tut nicht weh –"

Die Spritze tat ihre Wirkung. Die Augen verloren ihre angstvolle Härte, als Ravic vorsichtig untersuchte. Der Mann kam zurück. „Die Ambulanz kommt."

„Rufen Sie Auteuil 1357 an. Es ist eine Klinik. Ich will sprechen."

Der Mann verschwand gehorsam. „Du wirst mir helfen", flüsterte Joan.

„Natürlich."

„Ich will keine Schmerzen haben."

„Du wirst keine haben."

„Ich kann es nicht – ich kann keine Schmerzen –" Sie wurde schläfrig. Ihre Stimme rutschte ab. „Ich kann es einfach nicht –"

Ravic sah die Einschußstelle. Es waren keine großen Gefäße verletzt. Er sah keine Ausschußstelle. Er sagte nichts. Er legte einen Kompressionsverband an. Er sagte nicht, was er fürchtete. „Wer hat dich aufs Bett gelegt?" fragte er. „Bist du selbst –"

„Er –"

„Hast du – konntest du gehen?"

Die Augen kamen erschreckt zurück aus schlierigen Seen. „Was – ist es –. Ich – nein; ich konnte meinen Fuß nicht bewegen. Mein Bein – was ist es, Ravic?"

„Nichts. Ich dachte es mir. Es wird wieder in Ordnung kommen."

Der Mann erschien. „Die Klinik –"

Ravic ging rasch zum Telephon. „Wer ist da? Eugenie? Ein Zimmer – ja – und rufen Sie Veber an." Er sah nach dem Schlafzimmer hinüber. Leise: „Machen Sie alles fertig. Wir müssen sofort arbeiten. Ich habe eine Ambulanz bestellt. Ein Unfall – ja – ja – richtig – ja – in zehn Minuten –"

Er legte den Hörer auf. Er blieb eine Weile stehen. Der Tisch. Eine Flasche Crème de Menthe, ekelhaftes Zeug, Gläser, Rosenblattzigaretten, scheußlich, ein schlechter Film, ein Revolver auf dem Teppich, Blut auch hier, alles nicht wahr, warum denke ich das bloß, es ist wahr – und jetzt wußte er auch, wer der Mann war, der ihn geholt hatte. Der Anzug mit den zu geraden Schultern, das glatt gebürstete, pomadisierte Haar, dieser leichte Geruch nach Chevalier d'Orsay, der ihn unterwegs irritiert hatte, die Ringe an den Händen – es war der Schauspieler, über dessen Drohungen er so gelacht hatte. Gut gezielt, dachte er. Überhaupt nicht gezielt, dachte er. Solche Schüsse konnte man nicht zielen. So präzise konnte man nur treffen, wenn man keine Ahnung hatte und nicht treffen wollte.

Er ging zurück. Der Mann kniete neben dem Bett. Kniete, natürlich. Anders ging es ja nicht; redete, klagte, redete, die Silben rollten –

„Stehen Sie auf", sagte Ravic.

Der Mann erhob sich gehorsam. Abwesend bürstete er die Knie seiner Hose vom Staub ab. Ravic sah sein Gesicht. Tränen! Auch das noch! „Ich wollte es nicht, mein Herr! Ich schwöre es Ihnen, ich wollte sie nicht treffen; ich wollte es nicht, ein Zufall, ein blinder, unglücklicher Zufall!"

Ravic würgte der Magen. Blinder Zufall! Gleich würde er in Jamben reden. „Das weiß ich. Gehen Sie jetzt hinunter und warten Sie auf die Ambulanz."

Der Mann wollte etwas sagen. „Gehen Sie!" sagte Ravic. „Halten Sie den verdammten Fahrstuhl bereit. Gott weiß, wie wir die Bahre hinunterbringen werden."

„Du wirst mir helfen, Ravic", sagte Joan schläfrig.

„Ja", sagte er, ohne jede Hoffnung.

„Du bist da. Ich bin immer ruhig, wenn du da bist."

Das verschmierte Gesicht lächelte. Der Clown grinste, die Hure lächelte mühsam.

„Bébée, ich wollte nicht –" sagte der Mann von der Tür.

„Raus", sagte Ravic. „Verdammt, so gehen Sie doch!"

Joan lag eine Weile still. Dann öffnete sie die Augen. „Er ist ein Idiot", sagte sie überraschend klar. „Natürlich wollte er es nicht – das arme Lamm –, wollte nur großtun." Ein sonderbarer, fast verschmitzter Ausdruck kam in ihre Augen. „Ich habe es auch nie geglaubt – habe ihn – geärgert damit –"

„Du mußt nicht sprechen."

„Geärgert." Die Augen schlossen sich zu einem Spalt. „Das bin ich nun, Ravic – mein Leben – wollte nicht treffen – trifft – und –"

Die Augen schlossen sich ganz. Das Lächeln erlosch. Ravic horchte nach der Tür.

„Wir können die Bahre nicht in den Aufzug reinbringen. Er ist zu schmal. Höchstens halb stehend."

„Können Sie sie um die Treppenaufsätze herumbringen?"

Der Träger ging hinaus. „Vielleicht. Wir müssen sie hoch anheben. Besser, wir schnallen sie fest."

Sie schnallten sie fest. Joan schlief halb. Manchmal stöhnte sie. Die Träger verließen die Wohnung.

„Haben Sie einen Schlüssel?" fragte Ravic den Schauspieler.

„Ich – nein – warum?"

„Um die Wohnung abzuschließen."

„Nein. Aber da ist ein Schlüssel irgendwo."

„Suchen Sie ihn und schließen sie ab." Die Träger arbeiteten am ersten Treppenabsatz. „Nehmen Sie den Revolver mit heraus. Sie können ihn draußen wegwerfen."

„Ich – ich werde – mich der Polizei stellen. Ist sie gefährlich verletzt?"

„Ja."

Der Mann begann zu schwitzen. Das Wasser drang so plötzlich durch seine Poren, als wäre unter seiner Haut nichts anderes. Er ging in die Wohnung zurück.

Ravic folgte den Trägern mit der Bahre. Das Haus hatte eine elektrische Beleuchtung, die nur drei Minuten anhielt und dann erlosch. Auf jeder Etage befand sich ein Knopf, um sie wieder in Betrieb zu setzen. Die Träger kamen die halben Treppen ziemlich gut hinunter. Die Drehungen waren schwierig. Sie mußten die Bahre hoch über die Köpfe und über das Geländer heben, um herumzukommen. Die Schatten schwankten riesig an den Wänden. Wann war das nur so gewesen. Irgendwo war das schon einmal so gewesen – dachte Ravic verstört. Dann fiel es ihm ein. Mit Raczinsky, damals am Anfang.

Türen öffneten sich, während die Träger sich zuriefen und die Bahre Stücke Mörtel aus den Wänden riß. Neugierige Gesichter erschienen in den Spalten, Pyjamas, zerzauste Haare, aufgequollene Schlafgesichter. Schlafröcke, purpurn, giftgrün, mit tropischen Blumen –

Das Licht erlosch wieder. Die Träger knurrten in der Dunkelheit und hielten inne. „Licht!"

Ravic suchte nach dem Knopf. Er faßte in eine Brust, roch einen faulen Atem, etwas strich um seine Beine. Das Licht flammte wieder auf. Eine Frau mit gelben Haaren starrte ihn an. Ihr Gesicht hing in fettigen Falten, Cold Cream glänzte und mit der Hand hielt sie einen Crêpe de Chine-Morgenrock mit tausend koketten Rüschen zusammen. Sie sah aus wie eine fettige Bulldogge in einem Spitzenbett. „Tot?" fragte sie mit glitzernden Augen.

„Nein." Ravic ging weiter. Etwas quietschte, fauchte. Eine Katze sprang zurück. „Fifi!" Die Frau bückte sich, die schweren Knie weitgespreizt. „Mein Gott, Fifi, hat man dich getreten?"

Ravic ging die Treppen hinunter. Unter ihm schwankte die Bahre. Er sah Joans Kopf, der sich mit den Bewegungen der Träger bewegte. Er konnte ihre Augen nicht sehen.

Der letzte Absatz. Das Licht erlosch wieder. Ravic lief die letzte Treppe wieder hinauf, den Knopf zu finden. In diesem Augenblick surrte der Aufzug, und hell erleuchtet in der Dunkelheit, als käme er vom Himmel, surrte der Fahrstuhl hernieder. In dem offenen, vergoldeten Drahtkorb stand der Schauspieler. Er glitt lautlos, unaufhaltsam hernieder, vorbei an Ravic, vorbei an der Bahre, wie eine Erscheinung. Er hatte den Fahrstuhl oben gefunden und ihn benutzt, um schneller nachzukommen. Es war vernünftig, aber es wirkte geisterhaft und entsetzlich lächerlich.

*

Ravic blickte auf. Das Zittern war vorbei. Die Hände fühlten sich nicht mehr schweißig unter den Gummihandschuhen an. Er hatte sie zweimal gewechselt.

Veber stand ihm gegenüber. „Wenn Sie wollen, Ravic, rufen Sie Marteau herüber. Er kann in fünfzehn Minuten hier sein. Sie können assistieren, und er kann es machen."

„Nein. Zu spät. Ich könnte es auch nicht. Zusehen noch weniger, als dieses."

Ravic holte Atem. Er war jetzt ruhig. Er begann zu arbeiten. Die Haut. Weiß. Haut wie jede, sagte er sich. Joans Haut. Haut wie jede.

Blut. Joans Blut. Blut wie jedes. Tupfer. Der gerissene Muskel. Tupfer. Vorsicht. Weiter. Ein Fetzen Silberbrokat. Fäden. Weiter. Der Wundkanal. Splitter. Weiter. Der Kanal, führend, führend –

Ravic fühlte seine Stirn leer werden. Er richtete sich langsam auf.

„Da, sehen Sie – der siebente Wirbel –"

Veber beugte sich über die Wunde. „Das sieht schlecht aus."

„Nicht schlecht. Hoffnungslos. Da ist nichts zu tun."

Ravic sah auf seine Hände. Sie bewegten sich unter den Gummihandschuhen. Es waren starke Hände, gute Hände, sie hatten Tausende Male geschnitten und zerrissene Körper wieder zusammengenäht; oft war es geglückt und manchmal nicht, und einige Male hatten sie fast Unmögliches möglich gemacht, die eine Chance unter hundert – aber jetzt, jetzt, wo alles daran lag, waren sie hilflos.

Er konnte nichts tun. Niemand konnte etwas tun. Hier war nichts zu operieren. Er stand da und starrte auf die rote Öffnung. Er konnte Marteau anrufen lassen. Marteau würde dasselbe sagen.

„Ist nichts zu tun?" fragte Veber.

„Nichts. Ich würde es nur verkürzen. Schwächen. Sie sehen, wo das Geschoß sitzt. Ich kann es nicht einmal entfernen."

„Puls flattert, steigt – hundertdreißig –" sagte Eugenie hinter dem Schirm.

Die Wunde wurde einen Schatten grauer, als wehe ein Hauch Dunkelheit darüber. Ravic hatte die Koffeinspritze schon in der Hand. „Coramin! Rasch! Aufhören mit der Narkose!" Er machte die zweite Spritze. „Wie ist es jetzt?"

„Unverändert."

Das Blut hatte noch immer den bleiernen Schein. „Halten Sie eine Adrenalinspritze bereit und den Sauerstoffapparat!"

Das Blut wurde dunkler. Es war, als zögen draußen Wolken und würfen ihre Schatten vorüber. Als stünde jemand vor den Fenstern und zöge die Vorhänge zu. „Blut", sagte Ravic verzweifelt. „Wir

brauchen eine Blutübertragung. Aber ich weiß die Blutgruppe nicht."
Der Apparat begann wieder zu arbeiten. „Nichts? Was ist es? Nichts?"

„Puls fällt. Hundertzwanzig. Sehr weich."

Das Leben kam zurück. „Jetzt? Besser?"

„Dasselbe."

Er wartete. „Jetzt? Besser?"

„Besser. Regelmäßiger."

Die Schatten wichen. Die Wundränder verloren das Fahle. Das Blut war wieder Blut. Noch immer Blut. Der Apparat arbeitet.

„Augenlider flattern", sagte Eugenie.

„Macht nichts. Kann aufwachen." Ravic machte den Verband.

„Wie ist der Puls?"

„Regelmäßiger."

„Das war knapp", sagte Veber.

Ravic fühlte einen Druck auf seinen Augenlidern. Es war Schweiß. Dicke Tropfen. Er richtete sich auf. Der Apparat surrte. „Lassen wir ihn noch."

Er ging um den Tisch herum und stand dort eine Weile. Er dachte nicht. Er sah auf die Maschine und das Gesicht Joans. Es zuckte. Es war noch nicht tot.

„Der Schock", sagte er zu Veber. „Hier ist eine Blutprobe. Wir müssen sie wegschicken. Wo können wir Blut bekommen?"

„Im amerikanischen Hospital."

„Gut. Wir müssen es versuchen. Es wird nichts helfen. Nur etwas verlängern." Er beobachtete die Maschine. „Müssen wir die Polizei benachrichtigen?"

„Ja", sagte Veber. „Ich müßte. Sie werden dann zwei Beamte hier haben, die Sie vernehmen wollen. Wollen Sie das?"

„Nein."

„Gut. Wir können das mittags noch überlegen."

„Genug, Eugenie", sagte Ravic.

Die Schläfen hatten wieder etwas Farbe. Das graue Weiß eine Spur Rosa. Der Puls schlug regelmäßig, schwach und klar. „Wir können sie zurückbringen. Ich werde hierbleiben."

Sie bewegte sich. Eine Hand bewegte sich. Die rechte Hand bewegte sich. Die linke bewegte sich nicht.

„Ravic", sagte Joan.

„Ja –"

„Hast du mich operiert?"

„Nein, Joan. Es war nicht nötig. Wir haben nur die Wunde sauber gemacht."

„Bleibst du hier?"

„Ja –"

Sie schloß die Augen und schlief wieder ein. Ravic ging zur Tür. „Bringen Sie mir etwas Kaffee", sagte er zu der Morgenschwester.

„Kaffee und Brötchen?"

„Nein. Nur Kaffee."

Er ging zurück und öffnete das Fenster. Der Morgen stand rein und strahlend über den Dächern. Spatzen schilpten in den Regenrinnen. Ravic setzte sich auf die Fensterbank und rauchte. Er blies den Rauch aus dem Fenster.

Die Schwester kam mit dem Kaffee. Er stellte ihn neben sich und trank ihn und rauchte und sah aus dem Fenster. Wenn er aus dem hellen Morgen zurückblickte, schien das Zimmer dunkel. Er stand auf und schaute nach Joan. Sie schlief. Ihr Gesicht war abgewaschen und sehr blaß. Die Lippen waren kaum zu sehen.

Er nahm das Tablett mit der Kanne und der Tasse und trug es hinaus. Er stellte es auf einen Tisch im Korridor. Es roch draußen nach Bohnerwachs und Eiter. Die Schwester brachte einen Eimer mit alten Bandagen vorbei. Irgendwo summte ein Vakuumsauger.

Joan wurde unruhig. Sie würde bald wieder aufwachen. Aufwachen mit Schmerzen. Die Schmerzen würden sich steigern. Sie konnte noch ein paar Stunden leben und noch ein paar Tage. Die Schmerzen würden so werden, daß keine Spritzen mehr viel helfen konnten.

Ravic ging eine Spritze und Ampullen holen. Als er zurückkam, öffnete Joan die Augen. Er sah sie an.

„Kopfschmerzen", murmelte sie.

Er wartete. Sie versuchte, den Kopf zu bewegen. Die Augenlider schienen schwer zu sein. Sie bewegte mühsam die Augenbälle.

„Das ist wie Blei –"

Sie wurde wacher. „Ich kann das nicht aushalten –"

Er machte ihr die Spritze. „Es wird gleich besser werden –"

„Vorhin hat es nicht so weh getan –" Sie bewegte den Kopf. „Ravic", flüsterte sie, „ich will nicht leiden. Ich – versprich, daß ich nicht leiden werde – meine Großmutter – ich habe sie gesehen – ich will das nicht – und es half ihr nichts – versprich mir –"

„Ich verspreche es dir, Joan. Du wirst nicht viel Schmerzen haben. Fast keine –"

Sie biß die Zähne zusammen. „Hilft es bald?"

„Ja – bald. In einigen Minuten –"

„Was ist – mit meinem Arm –?"

»Nichts. Du kannst ihn nicht bewegen. Es wird wiederkommen.«

„Und mein Bein – mein rechtes Bein –"

Sie versuchte es anzuziehen. Es rührte sich nicht.

„Dasselbe, Joan. Tut nichts. Es kommt zurück."

Sie bewegte den Kopf.

„Ich wollte gerade anfangen – anders zu leben –" flüsterte sie.

Ravic erwiderte nichts. Es war nichts darauf zu erwidern. Vielleicht war es wahr. Wer wollte das nicht immer?

Sie bewegte wieder den Kopf, ruhelos, von einer Seite zur andern. Die monotone, mühevolle Stimme. „Gut – daß du kamst. Was wäre ohne dich geworden?"

„Ja –"

Dasselbe, dachte er hoffnungslos. Dasselbe. Jeder Pfuscher wäre gut genug dazu gewesen. Jeder Pfuscher. Das einzige Mal, wo ich es gebraucht hätte, ist alles, was ich weiß und gelernt habe, umsonst. Jeder Groschendoktor hätte dasselbe tun können. Nichts.

Sie wußte es mittags. Er hatte ihr nichts gesagt, aber sie wußte es plötzlich. „Ich will kein Krüppel werden, Ravic. – Was ist mit meinen Beinen? Ich kann beide nicht mehr –"

„Nichts. Du wirst gehen können wie immer, wenn du wieder aufstehst."

„Wenn ich wieder – aufstehe. Warum lügst du? Du brauchst nicht –"

„Ich lüge nicht, Joan."

„Doch – du mußt. – Du sollst mich nur nicht liegen lassen – und ich bin nichts – als Schmerzen. Versprich mir das."

„Ich verspreche es dir."

„Wenn es zu stark wird, mußt du mir etwas geben. Meine Großmutter hat – fünf Tage gelegen – und geschrien. Ich will das nicht, Ravic."

„Du wirst es nicht. Du wirst wenig Schmerzen haben."

„Wenn es zu stark wird, mußt du mir genug geben. Genug für immer. Du mußt es tun – auch wenn ich nicht will oder nichts mehr weiß. – Was ich jetzt sage, gilt. Nachher – versprich es mir."

„Ich verspreche es dir. Es wird nicht nötig sein."

Der ängstliche Ausdruck verschwand. Sie lag auf einmal friedlich da. „Du kannst es tun, Ravic", flüsterte sie. „Ohne dich – wäre ich ja nicht mehr am Leben."

„Unsinn. Natürlich wärest du –"

„Nein. Ich wollte damals – als du mich zuerst – ich wußte nicht mehr, wohin – du hast mir dieses Jahr gegeben. Es war – geschenkte Zeit." Sie wendete den Kopf langsam zu ihm. „Warum bin ich nicht bei dir geblieben?"

„Das war meine Schuld, Joan."

„Nein. Es war – ich weiß es nicht –"

Der Mittag stand golden vor dem Fenster. Die Vorhänge waren zugezogen, aber das Licht drang an den Seiten durch. Joan lag im Halbschlaf der Drogen. Es war noch wenig von ihr da. Die paar Stunden hatten wie Wölfe an ihr gefressen. Der Körper schien flacher unter der Decke zu werden. Sein Widerstand schmolz. Sie trieb zwischen Schlafen und Wachen, manchmal war sie fast bewußtlos, manchmal ganz klar. Die Schmerzen wurden stärker. Sie begann zu stöhnen. Ravic gab ihr eine Spritze. „Der Kopf", murmelte sie. „Es wird schlimmer."

Nach einiger Zeit begann sie wieder zu sprechen. „Das Licht – zu viel Licht – es brennt –"

Ravic ging zum Fenster. Er fand einen Rolladen und ließ ihn herunter. Darüber zog er die Vorhänge fest. Das Zimmer war jetzt fast dunkel. Er ging und setzte sich neben das Bett.

Joan bewegte die Lippen. „Es dauert – so lange – es hilft nicht mehr, Ravic –"

„In ein paar Minuten."

Sie lag still. Die Hände lagen tot auf der Decke. „Ich muß dir – vieles – sagen –"

„Später, Joan –"

„Nein. Jetzt – ist keine Zeit mehr. Vieles – erklären –"

„Ich glaube, ich weiß das meiste, Joan –"

„Du weißt es?"

„Ich glaube."

Die Wellen. Ravic konnte sehen, wie die Wellen der Krämpfe durch sie gingen. Beide Beine waren jetzt paralysiert. Die Arme auch schon. Die Brust hob sich noch.

„Du weißt – daß ich immer nur mit dir –"

„Ja, Joan –"

„Das andere war nur – Unruhe –"

„Ja, ich weiß es –"

Sie lag eine Weile. Sie atmete mühsam. „Sonderbar –" sagte sie dann sehr leise. „Sonderbar – daß man sterben kann – wenn man liebt –"

Ravic beugte sich über sie. Da war nur noch Dunkelheit und das Gesicht. „Ich war nicht gut – für dich", flüsterte sie.

„Du warst mein Leben –"

„Ich kann – ich will – meine Hände – kann nie mehr – dich umarmen –"

Er sah, wie sie sich anstrengte, ihre Arme zu heben. „Du bist in meinen Armen", sagte er. „Und ich in deinen."

Sie hörte einen Augenblick auf zu atmen. Ihre Augen waren ganz im Schatten. Sie öffnete sie. Die Pupillen waren sehr groß. Ravic wußte nicht, ob sie ihn sah. „Ti amo", sagte sie.

Sie sprach die Sprache ihrer Kindheit. Sie war zu müde für das andere. Ravic nahm ihre leblosen Hände. Etwas zerriß in ihm. „Du hast mich leben gemacht, Joan", sagte er in das Gesicht mit den starren Augen hinein. „Du hast mich leben gemacht. Ich war nichts als ein Stein. Du hast gemacht, daß ich lebe –"

„Mi ami?"

Es war die Frage eines Kindes, das sich schlafen legen will. Es war die letzte Müdigkeit hinter allen andern.

„Joan", sagte Ravic. „Liebe ist kein Wort dafür. Es ist nicht genug. Es ist nur ein geringer Teil, es ist nur ein Tropfen in einem Fluß, ein Blatt an einem Baum. Es ist so viel mehr –"

„Sono stata – sempre con te –"

Ravic hielt ihre Hände, die seine Hände nicht mehr fühlten. „Du warst immer mit mir", sagte er und merkte nicht, daß er plötzlich deutsch sprach. „Du warst immer mit mir, ob ich dich liebte, ob ich dich haßte oder gleichgültig schien – es änderte nie etwas, du warst immer mit mir und immer in mir –"

Sie hatten immer nur in einer geborgten Sprache miteinander gesprochen. Jetzt, zum erstenmal, sprach jeder, ohne es zu wissen, in seiner. Die Barrieren der Worte fielen, und sie verstanden sich mehr als je.

„Baciami –"

Er küßte die heißen, trockenen Lippen. „Du bist immer mit mir gewesen, Joan – immer –"

„Sono stata – perduta – senza di te –"

„Ich war verlassener ohne dich. Du warst alle Helligkeit und das Süße und das Bittere – du hast mich geschüttelt, und du hast mir dich und mich gegeben. Du hast mich leben gemacht."

Joan lag ein paar Minuten ganz still. Ravic beobachtete sie. Die Glieder waren tot, alles war tot, nur noch die Augen lebten und der Mund und der Atem, und er wußte, daß die Hilfsmuskeln der Atmung jetzt langsam von der Lähmung erfaßt würden; sie konnte kaum noch sprechen, sie keuchte bereits, ihre Zähne knirschten, ihr Gesicht verzerrte sich, sie kämpfte. Ihr Hals war gekrampft, sie versuchte noch zu sprechen, die Lippen zitterten. Röcheln, tiefes, grauenvolles Röcheln; endlich brach der Schrei durch. „Ravic", stammelte sie. „Hilf! – Hilf! – Jetzt!"

Er hatte die Spritze vorbereitet gehabt. Rasch nahm er sie und stach sie unter die Haut. Sie sollte nicht langsam, qualvoll lange und mit immer weniger und weniger Luft ersticken. Sie sollte nicht sinnlos leiden. Da war nur noch Schmerz vor ihr. Nichts als Schmerz. Vielleicht für Stunden –

Die Augenlider zitterten. Dann wurde sie ruhig. Die Lippen gaben nach. Der Atem wurde still.

Er zog die Vorhänge zurück und rollte die Jalousie auf. Dann ging er zum Bett zurück. Joans Gesicht war erstarrt und fremd.

Er schloß die Tür und ging zum Büro. Eugenie saß an einem Tisch mit Krankenblättern. „Der Patient in Zwölf ist tot", sagte er.

Eugenie nickte, ohne aufzusehen.

„Ist Doktor Veber in seinem Zimmer?"

„Ich glaube."

Ravic ging den Korridor entlang. Einige der Türen standen offen. Er ging weiter zu Vebers Zimmer.

„Nummer zwölf ist tot, Veber. Sie können die Polizei anrufen."

Veber sah nicht auf. „Die Polizei hat mehr zu tun, jetzt."

„Was?"

Veber wies auf die Extra-Ausgabe des ‚Matin'. Deutsche Truppen waren in Polen eingebrochen. „Ich habe Nachrichten vom Ministerium. Der Krieg wird noch heute erklärt werden."

Ravic legte das Blatt zurück. „Das ist es, Veber."

„Ja. Das ist das Ende. Armes Frankreich."

Ravic saß eine Weile. Alles war leer. „Es ist mehr als Frankreich, Veber", sagte er dann.

Veber starrte ihn an. „Für mich ist es Frankreich. Das ist genug."

Ravic antwortete nicht. „Was werden Sie machen?" fragte er nach einer Weile.

„Ich weiß nicht. Ich werde wohl zu meinem Regiment gehen. Das hier –" Er machte eine vage Geste. „Jemand wird es übernehmen müssen."

„Sie werden es behalten. Im Krieg braucht man Hospitäler. Man wird Sie hierlassen."

„Ich will nicht hierbleiben."

Ravic sah sich um. „Dies wird mein letzter Tag hier sein. Ich glaube, es ist alles in Ordnung. Der Gebärmutterfall heilt; die Gallenblase ist in Ordnung; der Krebs ist aussichtslos; weitere Operation zwecklos. Das ist das."

„Warum?" fragte Veber müde. „Warum ist das Ihr letzter Tag?"

„Man wird uns festnehmen, sobald der Krieg erklärt ist." Ravic sah, daß Veber etwas sagen wollte. „Wir wollen nicht argumentieren darüber. Es ist notwendig. Man wird es tun."

Veber setzte sich in seinen Stuhl. „Ich weiß nichts mehr. Vielleicht.

Vielleicht wird man auch nicht kämpfen. Das Land so übergeben. Man weiß nichts mehr."

Ravic stand auf. „Ich komme abends wieder, wenn ich noch da bin. Um acht."

„Ja."

Ravic ging. Im Vorzimmer fand er den Schauspieler. Er hatte ihn völlig vergessen gehabt. Der Mann sprang auf. „Was ist mit ihr?"

„Sie ist tot."

Der Mann starrte ihn an. „Tot?" Er griff mit einer tragischen Bewegung nach seinem Herzen und taumelte. Verdammter Komödiant, dachte Ravic. Er hatte wohl so etwas Ähnliches gespielt, daß er in eine Rolle zurückfiel, als es ihm selbst passierte. Aber vielleicht war er auch ehrlich, und die Gesten seines Berufes umflatterten nur albern seinen wirklichen Schmerz.

„Kann ich sie sehen?"

„Wozu?"

„Ich muß sie noch einmal sehen." Der Mann preßte beide Hände gegen seine Brust. In den Händen hielt er einen hellbraunen Homburghut mit Seidenkante. „Verstehen Sie doch! Ich muß –"

Er hatte Tränen in den Augen. „Hören Sie", sagte Ravic ungeduldig. „Es ist besser, Sie verschwinden. Die Frau ist tot, und nichts ändert mehr daran. Machen Sie Ihre Sache mit sich selbst ab. Scheren Sie sich zum Teufel! Kein Mensch ist interessiert daran, ob Sie ein Jahr Gefängnis bekommen oder dramatisch freigesprochen werden. In ein paar Jahren werden Sie ohnehin damit herumprotzen und sich vor anderen Frauen damit wichtig machen, um sie zu bekommen. Raus – Sie Idiot!"

Er gab ihm einen Stoß zur Tür hin. Der Mann zögerte einen Moment. An der Tür drehte er sich um. „Sie gefühlloses Biest! Sale boche!"

Die Straßen waren voll mit Menschen. Zu Trauben gedrängt standen sie vor den großen, laufenden Leuchtanzeigen der Zeitungen. Ravic fuhr zum Jardin du Luxembourg. Er wollte ein paar Stunden allein sein, bevor man ihn verhaftete.

Der Garten war leer. Er lag im warmen Licht des vollen Spätsommernachmittags. Die Bäume hatten eine erste Ahnung vom Herbst – nicht vom Herbst des Welkens, sondern vom Herbst des Reifens. Das Licht war Gold und das Blau eine letzte, seidene Fahne des Sommers.

Ravic saß lange da. Er sah das Licht wechseln und die Schatten länger werden. Er wußte, es waren die letzten Stunden, die er frei sein würde. Die Wirtin des „International" konnte niemand mehr decken, wenn Krieg erklärt würde. Er dachte an Rolande. Auch Rolande nicht.

Niemand. Zu versuchen, jetzt weiter zu fliehen, hieße als Spion verhaftet zu werden.

Er saß bis zum Abend. Er war nicht traurig. Gesichter zogen an ihm vorbei, Gesichter und Jahre. Und dann das letzte, erstarrte Gesicht.

Um sieben Uhr ging er. Er verließ den letzten Rest Frieden, den eindunkelnden Park, und wußte es. Wenige Schritte die Straße aufwärts sah er die Extra-Blätter. Der Krieg war erklärt.

Er saß in einem Bistro, das kein Radio hatte. Dann ging er zur Klinik zurück. Veber kam ihm entgegen. „Können Sie noch einen Kaiserschnitt machen? Wir haben jemand eingeliefert bekommen."

„Natürlich."

Er ging, sich umzuziehen. Eugenie begegnete ihm. Sie stutzte, als sie ihn sah. „Sie haben mich wohl nicht mehr erwartet?" sagte er.

„Nein", sagte sie und sah ihn sonderbar an. Dann ging sie rasch an ihm vorbei.

Der Kaiserschnitt war eine einfache Sache. Ravic machte ihn fast gedankenlos. Einige Male fühlte er den Blick Eugenies auf sich. Er wunderte sich, was sie hatte.

Das Kind quäkte. Es wurde gewaschen. Ravic blickte auf das rote, schreiende Gesicht und die winzigen Finger. Wir kommen nicht mit einem Lächeln auf die Welt, dachte er. Er gab es weiter an die Hilfsschwester. Es war ein Knabe. „Wer weiß, für was für einen Krieg er zurechtkommt!" sagte er.

Er wusch sich. Veber wusch sich neben ihm. „Wenn es wahr sein sollte, daß Sie verhaftet werden, Ravic, wollen Sie es mich sofort wissen lassen, wo Sie sind?"

„Warum wollen Sie in Schwierigkeiten kommen, Veber? Es ist besser jetzt, Leute meiner Art nicht zu kennen."

„Warum? Weil Sie Deutscher waren? Sie sind ein Refugié."

Ravic lächelte trübe. „Wissen Sie nicht, daß Refugiés immer der Stein zwischen Steinen sind? Für ihr Geburtsland sind sie Verräter und für das Ausland immer noch Angehörige ihres Geburtslandes."

„Das ist mir gleichgültig. Ich will, daß Sie so schnell herauskommen wie möglich. Wollen Sie mich als Referenz angeben?"

„Wenn Sie wollen." Ravic wußte, daß er es nicht tun werde.

„Für einen Arzt ist überall etwas zu tun." Ravic trocknete sich ab. „Wollen Sie mir einen Gefallen tun? Für das Begräbnis von Joan Madou zu sorgen? Ich werde keine Zeit mehr dafür haben."

„Natürlich. Ist sonst noch etwas zu ordnen? Hinterlassenschaft oder so etwas?"

„Das kann man der Polizei überlassen. Ich weiß nicht, ob sie Verwandte irgendwo hat. Das ist auch gleichgültig."

Er zog sich an. „Adieu, Veber. Es war eine gute Zeit mit Ihnen."

„Adieu, Ravic. Wir müssen noch den Kaiserschnitt verrechnen."

„Verrechnen wir das auf das Begräbnis. Es wird ohnehin mehr kosten. Ich möchte Ihnen das Geld dafür hierlassen."

„Ausgeschlossen. Ausgeschlossen, Ravic. Wo wollen Sie, daß sie begraben wird?"

„Ich weiß nicht. Auf irgendeinem Friedhof. Ich lasse Ihnen ihren Namen und ihre Adresse hier." Ravic schrieb ihn auf einen Rechnungsblock der Klinik.

Veber legte den Zettel unter einen Briefbeschwerer aus Kristall, in den ein silbernes Schaf eingegossen war.

„Gut, Ravic. Ich denke, ich werde in ein paar Tagen auch fort sein. Viel operieren hätten wir doch kaum können, wenn Sie nicht mehr da sind." Er ging mit Ravic hinaus.

„Adieu, Eugenie", sagte Ravic.

„Adieu, Herr Ravic." Sie sah ihn an. „Gehen Sie zum Hotel?"

„Ja. Warum?"

„O nichts, ich dachte nur –"

Es war dunkel. Vor dem Hotel stand ein Lastwagen. „Ravic", sagte Morosow aus einem Hausgang heraus.

„Boris?" Ravic blieb stehen.

„Die Polizei ist in der Bude."

„Das dachte ich mir."

„Ich habe die Carte d'Identité von Ivan Kluge hier. Du weißt, von dem toten Russen. Noch anderthalb Jahre gültig. Geh mit mir zur Scheherazade. Wir wechseln die Fotos aus. Du suchst dir dann ein anderes Hotel und bist ein russischer Emigrant."

Ravic schüttelte den Kopf. „Zu riskant, Boris. Im Kriege soll man keine falschen Papiere haben. Besser gar keine."

„Was willst du dann machen?"

„Ich gehe zum Hotel."

„Hast du dir das genau überlegt, Ravic?" fragte Morosow.

„Ja, genau."

„Verdammt! Wer weiß, wo sie dich da hinstecken!"

„Auf jeden Fall werden sie mich nicht ausliefern nach Deutschland. Das ist vorbei. Auch nicht ausweisen nach der Schweiz." Ravic lächelte. „Es wird das erstemal in sieben Jahren sein, daß die Polizei uns behalten will, Boris. Es hat einen Krieg gebraucht, um es soweit zu bringen."

„Es heißt, daß in Longchamps ein Konzentrationslager eingerichtet wird." Morosow zerrte an seinem Bart. „Dazu mußtest du aus einem deutschen Konzentrationslager fliehen – um jetzt in ein französisches zu kommen."

385

„Vielleicht lassen sie uns bald wieder heraus."

Morosow antwortete nicht. „Boris", sagte Ravic. „Mach dir keine Sorge um mich. Ärzte braucht man im Krieg."

„Unter was für einem Namen wirst du dich festnehmen lassen?"

„Unter meinem eigenen. Den habe ich hier nur einmal vor fünf Jahren gebraucht." Ravic schwieg eine Weile. „Boris", sagte er dann. „Joan ist tot. Erschossen von einem Mann. Sie liegt in Vebers Klinik. Sie muß begraben werden. Veber hat es mir versprochen, aber ich weiß nicht, ob er nicht vorher einrücken muß. Willst du dich um sie kümmern? Frag mich nichts, sag ja und fertig."

„Ja", sagte Morosow.

„Gut. Servus, Boris. Nimm von meinen Sachen, was du brauchen kannst. Zieh in meine Bude. Du wolltest ja immer mein Badezimmer haben. Ich gehe jetzt. Servus."

„Scheiße", sagte Morosow.

„Gut. Ich treffe dich nach dem Krieg bei Fouquet's."

„Welche Seite? Champs-Elysées oder George V.?"

„George V. Wir sind Idioten. Heroische Rotzidioten. Servus, Boris."

„Scheiße", sagte Morosow. „Nicht einmal anständig verabschieden trauen wir uns. Komm her, du Idiot."

Er küßte Ravic rechts und links auf die Backen. Ravic spürte den Bart und den Geruch nach Pfeifentabak. Es war nicht angenehm. Er ging zum Hotel.

Die Emigranten standen in den Katakomben. Wie die ersten Christen, dachte Ravic. Die ersten Europäer. Ein Mann in Zivil saß vor einem Schreibtisch unter der künstlichen Palme und nahm die Personalien auf. Zwei Polizisten bewachten die Türen, aus denen niemand entfliehen wollte.

„Paß?" fragte der Polizist Ravic.

„Nein."

„Andere Papiere?"

„Nein."

„Illegal hier?"

„Ja."

„Warum?"

„Geflohen aus Deutschland. Keine Möglichkeit, Papiere zu haben."

„Name?"

„Fresenburg."

„Vorname?"

„Ludwig."

„Jude?"

„Nein.“

„Beruf?“

„Arzt.“

Der Mann schrieb. „Arzt?“ sagte er dann und nahm einen Zettel hoch. „Kennen Sie einen Arzt, der Ravic heißt?“

„Nein.“

„Er soll hier wohnen. Wir haben eine Anzeige.“

Ravic sah ihn an. Eugenie, dachte er. Sie hatte ihn gefragt, ob er zum Hotel ginge, und war so überrascht gewesen, daß er noch frei war.

„Ich sagte Ihnen ja, daß niemand hier wohnt, der so heißt“, erklärte die Wirtin, die neben der Tür zur Küche stand.

„Seien Sie ruhig“, sagte der Mann mißmutig. „Sie werden ohnehin bestraft, weil Sie diese Leute hier nicht angemeldet haben.“

„Darauf bin ich stolz. Wenn Menschlichkeit bestraft wird, nur immer zu.“

Der Mann sah aus, als wolle er antworten; aber er unterbrach sich selbst und winkte ab. Die Wirtin starrte ihn herausfordernd an. Sie hatte höhere Protektion und fürchtete nichts.

„Packen Sie Ihre Sachen“, sagte der Mann zu Ravic. „Nehmen Sie Wäsche und zu essen für einen Tag mit. Decke auch, wenn Sie eine haben.“

Ein Polizist ging mit hinauf. Die Türen zu vielen Zimmern standen offen. Ravic nahm seinen Koffer, der längst gepackt war, und seine Decke.

„Weiter nichts?“ fragte der Polizist ihn.

„Weiter nichts.“

„Das andere lassen Sie hier?“

„Das andere lasse ich hier.“

„Das auch?“ Der Polizist zeigte auf den Tisch neben dem Bett, auf dem die kleine, hölzerne Madonna stand, die Joan Ravic im Anfang ins „International“ geschickt hatte.

„Das auch.“

Sie gingen hinunter. Clarisse, das elsässische Dienstmädchen gab Ravic ein Paket. Ravic sah, daß die anderen dieselben Pakete hatten. „Zu essen“, erklärte die Wirtin „Damit Sie nicht verhungern. Ich bin überzeugt, daß nichts vorbereitet ist, wohin Sie kommen.“

Sie starrte den Zivilisten an. „Reden Sie nicht soviel“, sagte der ärgerlich. „Ich habe den Krieg nicht erklärt.“

„Die hier auch nicht.“

„Lassen Sie mich in Ruhe.“ Er blickte auf den Polizisten. „Fertig? Führen Sie sie hinaus.“

Der dunkle Haufe setzte sich in Bewegung. Ravic sah den Mann mit der Frau, die die Kakerlaken gesehen hatte. Der Mann stützte die Frau mit dem freien Arm. Unter dem andern hatte er einen Koffer; einen zweiten hielt er in der Hand. Der Junge schleppte ebenfalls einen Koffer. Der Mann sah Ravic flehentlich an. Ravic nickte. „Ich habe Instrumente und Medizin bei mir", sagte er. „Keine Angst."

Sie stiegen auf den Lastwagen. Der Motor knatterte. Der Wagen fuhr an. Die Wirtin stand unter der Tür und winkte. „Wohin fahren wir?" fragte jemand einen der Polizisten.

„Ich weiß es nicht."

Ravic stand neben Rosenfeld und dem falschen Aaron Goldberg. Rosenfeld trug eine Rolle unter dem Arm. Darin war Cézanne und der Gauguin. Sein Gesicht arbeitete. „Das spanische Visum", sagte er. „Abgelaufen, bevor ich –" Er brach ab. „Der Totenvogel ist weg", sagte er dann. „Markus Meyer. Gestern nach Amerika."

Der Wagen schüttelte. Alle standen dicht aneinander gepreßt. Kaum jemand sprach. Sie fuhren um eine Ecke. Ravic sah den Fatalisten Seidenbaum. Er stand ganz in die Ecke gedrückt. „Da sind wir wieder einmal", sagte er.

Ravic suchte nach einer Zigarette. Er fand keine. Aber er erinnerte sich, genug eingepackt zu haben. „Ja", sagte er. „Der Mensch kann viel aushalten."

Der Wagen fuhr die Avenue Wagram entlang und bog in die Place de l'Etoile ein. Nirgendwo brannte ein Licht. Der Platz war nichts als Finsternis. Es war so dunkel, daß man auch den Arc de Triomphe nicht mehr sehen konnte.

ENDE

Goldmanns Taschenbücher sind in der ganzen Welt bekannt. Sie sind die größte aller Taschenbuchreihen in deutscher Sprache. Jeden Monat werden 16 neue Bände veröffentlicht. Etwa jedes vierte Taschenbuch ist ein Goldmann-Taschenbuch.

Goldmanns GELBE Taschenbücher bilden eine Universalreihe. Sie bieten die unvergänglichen Werke der griechischen und römischen Antike sowie der neueren Literaturen – jenes Schrifttum, das den Begriff Weltliteratur verkörpert. Aber auch Gesetzesausgaben, Reisebücher, moderne Romane sowie Veröffentlichungen aus den Bereichen der Wissenschaft und der Religion geben dieser Reihe ihr Gepräge. Wo es geboten erscheint, werden die Bände mit wohlabgewogenen, für jedermann verständlich abgefaßten Einleitungen versehen. Der Kölner Stadtanzeiger sagt treffend: „Das sind – in Wahrheit – kleine Universitätsbibliotheken in der Westentasche." – Die Bandnummern bei Goldmanns GELBEN Taschenbüchern beginnen bei 301.

Goldmanns Taschen-KRIMI sind so sehr bekannt, daß sie einer besonderen Empfehlung kaum mehr bedürfen. Sie sind die meistgekauften Kriminal-Romane in deutscher Sprache; innerhalb dieser Literaturgattung bietet keine andere Buchreihe eine größere Auswahl. Der Verlag achtet mit Umsicht und Sorgfalt darauf, daß nur solche Kriminal-Romane aufgenommen werden, die moralischen Maßstäben standhalten und literarischen Ansprüchen genügen. Mit Recht wird gesagt: „Wer Goldmanns Taschen-KRIMI liest, zeigt, daß er auf Niveau achtet." – Die Bandnummern bei Goldmanns Taschen-KRIMI laufen von 1 bis 300, dann weiter ab Nummer 1001.

Alle Buchhandlungen sowie die Bahnhofsbücherstände führen Goldmanns Taschenbücher in großer Auswahl. An dem G auf den gelben oder roten Buchrücken sind sie leicht zu erkennen.

Überall dort, wo deutsche Bücher verkauft werden, sind Goldmann-Bücher vorrätig. Der Verlag liefert die monatlichen Neuerscheinungen regelmäßig in 46 Staaten; nach fast allen anderen Ländern erfolgen Einzellieferungen.

Ein vollständiger illustrierter Katalog wird jedem Interessenten auf Anforderung kostenlos zugeschickt. Wenn auch Sie ihn wünschen, schreiben Sie bitte an den Wilhelm Goldmann Verlag, Postfach 205, München 8.

Nach den Büchern fragen Sie bitte bei Ihrer Buchhandlung oder bei einer Bahnhofsbuchhandlung, die Ihre Wünsche jederzeit erfüllen können.

KLASSISCHE WERKE
DER DEUTSCHEN LITERATUR
in Goldmanns GELBEN Taschenbüchern

Einzelband DM 2.–, Doppelband DM 4.–

Die mit * versehenen Bände sind bearbeitet bzw. gekürzt

WILHELM GOLDMANN VERLAG MÜNCHEN 8

KLASSISCHE WERKE
DER DEUTSCHEN LITERATUR
in Goldmanns GELBEN Taschenbüchern

Einzelband DM 2.–, Doppelband DM 4.–

Die mit * versehenen Bände sind bearbeitet bzw. gekürzt

WILHELM GOLDMANN VERLAG MÜNCHEN 8

GRIECHISCHE
UND RÖMISCHE KLASSIKER
in Goldmanns GELBEN Taschenbüchern

Einzelband DM 2.–, Doppelband DM 4.–
Die mit * versehenen Bände sind bearbeitet bzw. gekürzt

WILHELM GOLDMANN VERLAG MÜNCHEN 8

ENGLISCHE UND
AMERIKANISCHE LITERATUR
in Goldmanns GELBEN Taschenbüchern

Einzelband DM 2.–, Doppelband DM 4.–

WILHELM GOLDMANN VERLAG MÜNCHEN 8

MEISTERWERKE
RUSSISCHER LITERATUR
in Goldmanns GELBEN Taschenbüchern

Einzelband DM 2.–, Doppelband DM 4.–, Dreifachband DM 6.–

Die mit * versehenen Bände sind bearbeitet bzw. gekürzt

WILHELM GOLDMANN VERLAG MÜNCHEN 8

Goldmanns GELBE Taschenbücher

Einzelband DM 2.– / Fr. 2.–, Doppelband DM 4.– / Fr. 4.–
Die mit * versehenen Bände sind bearbeitet bzw. gekürzt

WISSENSCHAFT UND BIOGRAPHIEN

REISEBÜCHER

WILHELM GOLDMANN VERLAG MÜNCHEN 8

G

GOLDMANNS LIEBHABERAUSGABEN

In Goldmanns Liebhaberausgaben sind geeignete Bände aus Goldmanns GELBEN Taschenbüchern auf holzfreies Papier gedruckt und in Leinen oder Leder gebunden. Jeder Band wird in einem Pappschuber geliefert.

ALTFRANZÖSISCHE LIEBESNOVELLEN
184 Seiten, Leinen DM 6.80, Leder DM 10.80

Angelus Silesius, DER CHERUBINISCHE WANDERSMANN
240 Seiten, Leinen DM 8.50, Leder DM 12.50

FABELN VON ÄSOP UND ÄSOPISCHE FABELN DES PHÄDRUS
168 Seiten, Leinen DM 6.80, Leder DM 10.80

Buddha, DIE LEHRE DES ERHABENEN
464 Seiten, Leinen DM 16.–, Leder DM 20.–

DEUTSCHE BALLADEN
216 Seiten, Leinen DM 8.50, Leder DM 12.50

Gustave Flaubert, SALAMMBO
240 Seiten, Leinen DM 8.50, Leder DM 12.50

FRECH UND FROMM, Dichtungen des lateinischen Mittelalters
204 Seiten, Leinen DM 8.50, Leder DM 12.50

Johann Wolfgang von Goethe, BRIEFE
416 Seiten, Leinen DM 16.–, Leder DM 20.–

DER KORAN, Das heilige Buch des Islam
512 Seiten, Leinen DM 16.–, Leder DM 20.–

WILHELM GOLDMANN VERLAG MÜNCHEN 8

WILHELM GOLDMANN VERLAG MÜNCHEN 8

»GOLDMANNS PINAKOTHEK«

Eine internationale Kunstbuch-Reihe

*Jeder Band hat einen Umfang von rund 80 Seiten
im Format 23 × 31 cm
mit 25 bis 30 Farbtafeln und 30 bis 35 einfarbigen Abbildungen.
In Halbleinen gebunden je DM 20.–.*

»Der Wilhelm Goldmann Verlag unternimmt mit der Reihe ›Pinako-
thek‹ einen neuen Versuch, in einer Reihenpublikation unter betonter
Verwendung von Farbtafeln die Porträts großer Meister zu einem im
Verhältnis zur Gesamtausstattung ungewöhnlich niedrigen Preis dar-
zubieten ... Da die Farbtafeln, von wenigen Ausnahmen abgesehen,
nur Ausschnitte, der Originalgröße möglichst angenähert, geben, sich
zuweilen auch über zwei ganze Buchseiten erstrecken, ist die Original-
treue ... ungewöhnlich groß. Die Auswahl, von echten Kennern vor-
genommen und ausgezeichnet kommentiert, gibt eine für den Kunst-
freund erschöpfende Übersicht ...«   *W. R. Deusch in »Bücherkommentare«*

Bisher sind erschien.

BOTTICELLI
Text und Einführung von Dino Formaggio

GAUGUIN
Text und Einführung von Maximilien Gauthier

GOYA
Zusammenstellung mit Text von Dino Formaggio

RAFFAEL
Mit einer Einführung und Bildtexten von Emma Micheletti

REMBRANDT
Mit einer Einführung und Bildtexten von E. R. Meijer

WATTEAU
Mit einer Einführung von Maximilien Gauthier

Weitere Bände sind in Vorbereitung

WILHELM GOLDMANN VERLAG MÜNCHEN 8

GOLDMANNS KUNSTBÜCHER

»Galerien und Kunstdenkmäler Europas«

*Jeder Band hat einen Umfang von rund 160 Seiten
im Format 21 × 27 cm*

mit 30 bis 32 Farbtafeln und 120 bis 192 einfarbigen Abbildungen.
In Leinen gebunden je DM 38.–.

»In seiner Serie ›Galerien und Kunstdenkmäler Europas‹ fängt der Goldmann Verlag in attraktiven, gleichermaßen durch Text wie Abbildung überzeugenden Bänden, Kunstlandschaften, Einzeldenkmäler und Galerien in nachdrücklichem Gesamteindruck zusammen. Die Reihe zeichnet sich nicht nur durch Auswahl der Abbildungen aus, sondern vor allem durch die ausgezeichnete Interpretation des Einzelkunstwerks, das, in den großen Zusammenhang eingereiht, in seiner einmaligen Bedeutung wirklich gewürdigt wird. So ergänzen sich Bild und Text auf das glücklichste.«   *Die Bücherkommentare*

Bisher sind erschienen:

DIE GALERIE PITTI IN FLORENZ

DIE UFFIZIEN IN FLORENZ

DIE KIRCHEN VON FLORENZ

MUSEEN VON SIENA

DIE KIRCHEN VON ASSISI

DIE KIRCHEN VON RAVENNA

DIE GALERIE ACCADEMIA IN VENEDIG

DER MARKUSPLATZ IN VENEDIG

DIE GALERIE BRERA IN MAILAND

DIE GALERIE BORGHESE IN ROM

DAS NATIONALMUSEUM IN NEAPEL

MUSEEN UND KUNSTDENKMÄLER IN SIZILIEN

MUSEEN UND BAUDENKMÄLER ETRUSKISCHER KUNST

DIE DRESDNER GEMÄLDEGALERIE

WILHELM GOLDMANN VERLAG MÜNCHEN 8

G

»SCHÖN IST DIE WELT«

Eine Buchreihe, die erfreuen will!

*Jeder Band hat einen Umfang von rund 90 Seiten
im Format 21×27 cm
mit 40 bis 45 Farbtafeln und 70 bis 80 einfarbigen Abbildungen.
In Halbleinen gebunden je DM 14.80*

In prachtvollen Bildern zeigen die Bände Schönheiten der Natur. **Die
beigegebenen** Texte sind aufschlußreich und allgemeinverständlich,
ohne die wissenschaftliche Grundlage zu vernachlässigen.

Bisher sind erschienen:

EXOTISCHE FLORA
exte und Einführung von Friedrich Schnack

EXOTISCHE FISCHE
Von R. und M.-L. Bauchot

DIE SCHÖNSTEN SCHMETTERLINGE
Texte und Einführung v. Ch. Ferdinand

SCHÖNE STEINE UND KRISTALLE
Texte und Einführung von M. Déribéré und Friedr. Schnack

REPTILIEN
Von Jean Guibé

DIE SCHÖNHEIT DER VÖGEL
*Texte von Cyril Newberry
Übertragen und bearbeitet von Friedr. Schnack*

WUNDER DES MEERES
Texte und Einführung von J. Forest

Weitere Bände sind in Vorbereitung

WILHELM GOLDMANN VERLAG MÜNCHEN 8

Verehrter Leser,

senden Sie bitte diese Karte ausgefüllt an den Verlag. Sie erhalten sofort kostenlos den illustrierten Gesamtkatalog zugestellt.

WILHELM GOLDMANN VERLAG MÜNCHEN 8

Diese Karte entnahm ich dem Buch: ....

....

Mein Urteil über das genannte Buch lautet: ....

....

....

.... G

Der - die - Unterzeichnete wünscht kostenlos und unverbindlich die Zusendung der Kataloge und der jeweiligen Neuigkeitsverzeichnisse des Wilhelm Goldmann Verlages. Besonderes Interesse besteht für die nachstehend angekreuzten Gebiete:

☐ **Goldmanns Atlanten**   ☐ **Goldmanns Zukunfts-Romane**

☐ **Goldmanns Kunstbücher**   ☐ **Goldmanns Kriminal-Romane**

☐ **Goldmanns Sonderwerke**   ☐ **Goldmanns**
Wirtschaftspolitik - Romane   **GELBE Taschenbücher**
Biographien

NAME: ....

BERUF: .... ORT: ....

STRASSE: ....

Ich empfehle Ihnen, den Katalog
auch an die nachstehende Adresse zu senden:

NAME: ....

BERUF: .... ORT: ....

STRASSE: ....

Wenn Sie auf der Rückseite dieser Karte **nur Ihre** Anschrift ein-
tragen und die Sie interessierenden Gebiete in den Vierecken
ankreuzen, beträgt das Porto innerhalb Deutschlands 7 Pfennig.
Bei weiteren Eintragungen bitte als Postkarte frankieren.
Goldmann-Bücher erhalten Sie in allen Buchhandlungen, in vielen
Kaufhäusern und an den meisten Bahnhofskiosken überall in der
Welt, wo deutsche Bücher verkauft werden.

XVI · 1061 · 1200

Für Mitteilungen:

An den

Wilhelm Goldmann Verlag

MÜNCHEN 8
Postfach

Bitte
beachten Sie
den Text
über
Frankierung